Hernandes Dias Lopes

PROVÉRBIOS
Manual de sabedoria para a vida

hagnos

© 2016 por Hernandes Dias Lopes

1ª edição: junho de 2016
7ª reimpressão: fevereiro de 2022

REVISÃO
Andréa Filatro
Josemar de Souza Pinto

DIAGRAMAÇÃO
Cátia Soderi

CAPA
Claudio Souto (layout)
Equipe Hagnos (adaptação)

EDITOR
Aldo Menezes

COORDENADOR DE PRODUÇÃO
Mauro Terrengui

IMPRESSÃO E ACABAMENTO
Imprensa da Fé

As opiniões, as interpretações e os conceitos emitidos nesta obra são de responsabilidade do autor e não refletem necessariamente o ponto de vista da Hagnos.

Todos os direitos desta edição reservados à
EDITORA HAGNOS LTDA.
Av. Jacinto Júlio, 27
04815-160 — São Paulo, SP
Tel.: (11) 5668-5668

E-mail: hagnos@hagnos.com.br
Home page: www.hagnos.com.br

Editora associada à:

Dados Internacionais de Catalogação na Publicação (CIP)
Angélica Ilacqua CRB-8/7057

Lopes, Hernandes Dias

Provérbios: manual de sabedoria para a vida / Hernandes Dias Lopes — São Paulo: Hagnos, 2016. (Comentários Expositivos Hagnos)

ISBN 978-85-7742-191-6

1. Provérbio 2. Deus 3. Bíblia AT I. Título

16-0293   CDD 223.7

Índices para catálogo sistemático:
1. Provérbios 223.7

Dedicatória

DEDICO ESTE LIVRO
Zaro, amigo fiel, com
jornada, servo do Altíssimo,
Deus em minha vida e ministé

Sumário

Prefácio 9

Introdução – Questões preliminares 11

1. Provérbios, um reservatório de sabedoria 25
   (Pv 1.1-33)

2. A excelência da sabedoria 45
   (Pv 2.1-22)

3. Exortações da sabedoria a obedecer ao Senhor 61
   (Pv 3.1-35)

4. Exortação paternal 85
   (Pv 4.1-27)

5. Advertência contra a lascívia 99
   (Pv 5.1-23)

6. A sabedoria alerta sobre as armadilhas a evitar 111
   (Pv 6.1-35)

7. Guardar os mandamentos: a chave para viver 127
   (Pv 7.1-27)

8. A excelência da sabedoria 139
(Pv 8.1-36)

9. Sabedoria *vs* insensatez 151
(Pv 9.1-18)

10. O justo em contraste com o perverso 155
(Pv 10.1-32)

11. Integridade, o caminho da vida 181
(Pv 11.1-31)

12. A sabedoria contrasta a retidão com a impiedade 205
(Pv 12.1-28)

13. A sabedoria instrui sobre como viver retamente 227
(Pv 13.1-25)

14. A sabedoria instrui acerca do temor do Senhor 247
(Pv 14.1-35)

15. A sabedoria instrui sobre emoções corretas e a forma
certa de viver 275
(Pv 15.1-33)

16. A sabedoria instrui sobre o cuidado providencial
de Deus 301
(Pv 16.1-33)

17. A sabedoria instrui sobre os tolos 327
(Pv 17.1-28)

18. A sabedoria instrui sobre as virtudes morais
    e seus opostos   351
    (Pv 18.1-24)

19. A sabedoria instrui sobre o caráter   371
    (Pv 19.1-29)

20. A sabedoria instrui para evitar a bebida, a preguiça
    e o espírito litigioso   395
    (Pv 20.1-30)

21. A sabedoria instrui sobre a integridade, a paciência
    e a soberania de Deus   419
    (Pv 21.1-31)

22. A sabedoria ensina sobre o bom nome, as palavras sábias
    e a justiça para com todos   445
    (Pv 22.1-29)

23. A sabedoria ensina sobre a cobiça, a intemperança
    e a impureza   465
    (Pv 23.1-35)

24. A sabedoria ensina como se relacionar com o ímpio,
    o tolo, com o proximo e adverte quanto à preguiça   481
    (Pv 24.1-34)

25. A sabedoria ensina rei e súditos a temer a Deus e à justiça   501
    (Pv 25.1-28)

26. A sabedoria instrui acerca da conduta desonrada   521
    (Pv 26.1-28)

27. A sabedoria ensina sobre os relacionamentos humanos   543
(Pv 27.1-27)

28. A sabedoria ensina a enfrentar a vida de frente piedosamente
em contraste com o perverso que a teme   565
(Pv 28.1-28)

29. A sabedoria instrui contra a rebeldia e a insubordinação   589
(Pv 29.1-27)

30. A sabedoria instrui na Palavra de Deus e em outros assuntos   613
(Pv 30.1-33)

31. A sabedoria instrui reis e louva a mulher virtuosa, sábia
e produtiva   625
(Pv 31.1-31)

Prefácio

Provérbios é um manual de sabedoria para a vida. Sabedoria divina, e não sabedoria deste século. Sabedoria do alto, e não sabedoria da terra. Sabedoria que nos toma pela mão e nos conduz em segurança por caminhos aplanados de sanidade e santidade, justiça e misericórdia, fidelidade e amor.

Depois de uma introdução ao livro, exporemos os 915 versículos que o compõem, trazendo uma reflexão acerca do significado do texto e uma aplicação prática para os nossos dias.

Provérbios abrange todas as áreas da vida. Trata da vida pessoal e familiar. Aborda o trabalho e o lazer. Enfatiza o relacionamento com Deus e com as pessoas. Destaca a necessidade de sermos justos e também misericordiosos. Estabelece a necessidade de sermos criteriosos com as ações e as motivações, com as palavras e os pensamentos.

Provérbios tem princípios oportunos para os governantes e os governados, para os patrões e os empregados, para os pais e os filhos, para o marido e a mulher. Alerta sobre os graves perigos da riqueza ilícita e da infidelidade conjugal. Pondera sobre os riscos do temperamento irascível e da língua mentirosa. Exorta sobre os riscos da ganância e da preguiça. Ergue a voz para denunciar a altivez do coração e a hipocrisia.

Estudar o livro de Provérbios é fazer um curso de pós-graduação na escola da vida. Convido você, portanto, a matricular-se nessa escola e aprender a sabedoria, pois ela é mais valiosa do que muito ouro depurado e mais doce do que o mel e o destilar dos favos.

Hernandes Dias Lopes

Introdução

Questões preliminares

Estudar o livro de Provérbios é matricular-se na escola superior da sabedoria. É fazer um doutorado aos pés de Salomão, o homem mais sábio de sua geração. É aprender com outros sábios inspirados pelo Espírito Santo. É penetrar nas verdades eternas, que são como farol a iluminar o nosso caminho. Estou de pleno acordo com o que escreveu Matthew Henry: "Estes provérbios de Salomão não eram meramente uma coletânea de dizeres sábios que tinham sido transmitidos anteriormente, como alguns imaginavam, mas foram ditados pelo Espírito de Deus a Salomão".[1]

Gleason Archer tem plena razão em dizer que o livro de Provérbios contém alguns dos ensinos mais sublimes jamais escritos, a respeito de uma vida piedosa, cheia de bons frutos, contendo reiteradas e eloquentes advertências contra a licenciosidade sexual e a tolerância ao crime, em colaboração com os criminosos mais impiedosos. Ensina a bela arte de conviver harmoniosamente com as pessoas, sem, entretanto, comprometer os princípios morais.[2]

Concordo com Halley quando ele diz que o escopo do livro é inculcar virtudes sobre as quais se insiste em toda a Bíblia. Repetidamente, nas Escrituras, de maneiras multiformes e métodos diversos, Deus forneceu ao ser humano instrução abundante, linha sobre linha, preceito sobre preceito, um pouco aqui, um pouco ali, quanto ao modo de vida que ele deseja para nós, de sorte que não haja desculpa se errarmos o alvo.[3]

Derek Kidner diz que a sabedoria que aqui se ensina está centralizada em Deus e, mesmo quando é mais prática, consiste no manuseio sábio e sadio dos seus negócios no mundo de Deus, em submissão à sua vontade.[4]

Provérbios pertence ao segmento do Antigo Testamento comumente chamado de Literatura de Sabedoria ou Literatura Sapiencial.[5] Outros livros que seguem esse mesmo gênero são Jó, Salmos, Eclesiastes e Cântico dos Cânticos. Bruce Waltke escreve: "Os provérbios são uma espécie de sabedoria em Israel, que podem estar na forma de poesia (o livro de Provérbios) ou de prosa (o livro de Eclesiastes) ou ambas (o livro de Jó).[6]

Earl C. Wolf diz que em Salmos temos o hinário dos hebreus; em Provérbios temos o seu manual para a justiça diária. Aqui encontramos orientações práticas e éticas para a religião pura e sem mácula.[7] Podemos ver a sabedoria como um fio que percorre a totalidade do tecido do Antigo Testamento.

Já que Deus é consistente consigo mesmo, aquilo que é sua vontade sempre se pode expressar como aquilo que a sabedoria dita.[8]

Matthew Henry tem razão em dizer que grande parte da sabedoria dos antigos foi transmitida à posteridade por meio de provérbios. Os provérbios, na conversação, são como os axiomas na filosofia, as máximas na lei e os postulados na matemática, que ninguém discute, mas todos se esforçam em explicar, a fim de tê-los a seu favor. Há, porém, muitos provérbios corrompidos, que tendem a enganar a mente das pessoas e endurecê-las no pecado. O diabo tem os seus provérbios, e o mundo e a carne também têm os seus, os quais refletem vergonha e desonram Deus e à religião (como Ez 12.22; 18.2); e, para nos proteger das influências corruptas desses provérbios, é que Deus tem os seus, todos sábios e bons, que tencionam tornar-nos sábios e bons.[9] Poderíamos sintetizar o propósito de Provérbios numa única frase: O alvo desse livro é "diminuir o número de tolos e aumentar o número de sábios".[10]

John Goldingay diz que Provérbios oferece ensino teórico e prático de duas formas principais: dos capítulos 1 a 9, encoraja principalmente a vida moral e, a partir do capítulo 10, a atmosfera muda, pois os ensinamentos vêm em termos de comparações e contrastes versículo por versículo.[11]

Clyde Francisco diz que os provérbios podem ser divididos em cinco classes: Provérbios Históricos, Metafóricos, Enigmas, Parabólicos e Didáticos.[12] Samuel J. Schultz tem razão em dizer que no livro de Provérbios se patenteia a variedade de formas poéticas de declarações sábias. Os nove primeiros e os dois últimos capítulos são discursos extensos, ao passo que as seções intermediárias contêm breves parelhas de versos, cada uma das quais constituindo uma unidade.[13]

Gleason Archer diz que no livro de Provérbios três termos principais são usados para representar a sabedoria:

Hokhmah – é empregado 47 vezes (1.2,7,20 etc.). Este tipo de sabedoria inclui um correto discernimento entre o bem e o mal, entre o vício e a virtude, entre o dever e o fazer a própria vontade. Subentende a capacidade de aplicar consistentemente aquilo que sabemos àquilo que temos de fazer.

Binah – é utilizado 53 vezes em diversas formas (1.5; 2.2,3 etc.). Conota a capacidade de discernir inteligentemente entre o falso e o real, entre a verdade e o erro, entre as atrações vãs da hora e os valores de longo alcance que governam a vida.

Tushiyyah – é adotado apenas três vezes (2.7; 3.21; 8.14). Concebe a sabedoria como uma introspecção, ou intuição, de verdades psicológicas ou espirituais. Focaliza a capacidade da mente humana de levantar voo lá de baixo para atingir a realidade divina. Indica a atividade da mente daquele que crê, pela qual se pode deduzir, com base naquilo que Deus revelou, a maneira pela qual esses princípios devem ser aplicados às situações cotidianas (3.21; 8.14; 18.1).[14]

Destacamos a seguir alguns pontos importantes nesta introdução.

O autor do livro de Provérbios

A tradição hebraica atribuiu o livro de Provérbios a Salomão, da mesma maneira que atribui o livro de Salmos a Davi.[15] Porém, nem todos os provérbios foram escritos por Salomão, assim como nem todos os salmos foram escritos por Davi.

Três desses autores são mencionados por nome (Salomão, Agur e Lemuel), enquanto outros são aludidos coletivamente como "sábios", e pelo menos uma seção do livro (a última) é anônima (Pv 31.10-31). Provérbios 1.1; 10.1 e 25.1 declaram que Salomão escreveu a vasta maioria dos provérbios desse livro. Salomão foi um grande sábio (1Rs 4.29), que atribuiu sua sabedoria ao Senhor (Pv 2.6). Ele proferiu cerca de 3 mil provérbios (1Rs 4.32).

Salomão era rei e filho de rei. A maioria dos profetas era formada por homens comuns, homens do povo, mas Salomão era filho da corte. Salomão foi um rei extremamente rico, extremamente culto, extremamente afamado dentro e fora de seu território. Quando assumiu o reino em lugar de seu pai, Davi, rogou a Deus sabedoria e, com a sabedoria, vieram riquezas e glórias. Amealhou riquezas colossais, adquiriu fama mundial e tornou notório seu nome. A sabedoria de Salomão era proverbial. De todos os povos vinha gente para ouvir sua sabedoria (1Rs 4.34). Ele escreveu os 25 primeiros capítulos; e os homens de Ezequias, escribas contratados para ajudar na cópia das Escrituras, copiaram os provérbios de Salomão registrados em Provérbios 25–29. O capítulo 30 foi escrito por Agur, e o capítulo 31, pelo rei Lemuel.

O reinado de quarenta anos de Salomão não foi apenas de glória. Seus muitos casamentos fragilizaram sobremodo seu caráter e seu reino (1Rs 11.1-9). Na parte derradeira do seu reinado, ele preparou o cenário para a dissolução do seu grande império (1Rs 12.10). Depois de sua morte, o reino foi dividido. Matthew Henry alerta sobre o fato de que aqueles que são eminentemente úteis recebem esta advertência: não serem soberbos nem se sentir completamente seguros – e todos nós devemos aprender a não pensar mal de boas instruções, ainda que as tenhamos recebido daqueles que não as puseram em prática.[16]

Stanley Ellisen faz um brilhante contraste entre o livro de Salmos e o livro de Provérbios. Enquanto Salmos trata do culto e do relacionamento do ser humano com Deus, Provérbios trata do seu procedimento e comunicação com as outras pessoas. Enquanto Salmos antes de tudo é dirigido a Deus, Provérbios é principalmente dirigido aos filhos dos homens. Provérbios é singularmente o livro ético do Antigo Testamento, aplicando princípios bíblicos de uma vida íntegra. O movimento progressivo de Salmos para Provérbios, conforme a organização do cânon, sugere a ordem correta de uma vida piedosa – o relacionamento adequado com Deus vem sempre em primeiro lugar, enquanto o relacionamento adequado com as pessoas deve sempre vir em seguida. Um é decorrente do outro.[17]

O título do livro

A palavra "provérbio" origina-se de duas palavras latinas: *pro* (em vez) e *verbum* (palavra, vocábulo). Portanto, um provérbio é uma sentença que substitui muitas palavras, uma afirmação curta que resume um princípio de sabedoria.[18] A palavra hebraica *mashal,* traduzida por "provérbio", significa "comparação".

Encontramos no livro uma série de símiles, contrastes e comparações. Na verdade, a vasta maioria dos provérbios, aqui registrados, são comparações e contrastes. Dessa forma, os provérbios ensinam grandes princípios e verdades com poucas palavras. Stanley Ellisen sintetiza essa verdade assim: "Provérbios são sentenças curtas tiradas de longas experiências".[19]

Matthew Henry é oportuno quando diz que nós tivemos leis divinas, histórias e cânticos e, agora, temos provérbios divinos; a Sabedoria Infinita usou métodos variados para a nossa instrução. Tendo sido, dessa maneira, feitos todos os esforços para o nosso bem, seremos imperdoáveis se nos deixarmos perecer em nossa loucura.[20]

O tema do livro

O tema central do livro de Provérbios é a sabedoria (hebraico *hokmâ*).[21] Sabedoria significa entendimento de mestre, habilidade, perícia. Sabedoria não é a mesma coisa que conhecimento. Sabedoria é o uso correto do conhecimento. Sabedoria é olhar para a vida com os olhos de Deus. Warren Wiersbe tem razão em dizer que sabedoria é uma questão de coração, e não apenas de mente.[22] É um assunto espiritual, mais do que intelectual. Concordo com Bruce Waltke quando ele diz que uma pessoa poderia memorizar o livro de Provérbios e, ainda assim, não ter sabedoria, se essa memorização não afetasse seu coração, orientando seu comportamento.[23]

Em Provérbios, a sabedoria é mais do que um conceito; é uma Pessoa. Não podemos deixar de ver Jesus Cristo, a sabedoria de Deus (1Co 1.30; 2.1-8; Tg 3.13-18), em Provérbios, especialmente em Provérbios 8.22-31. Salomão descreve a Sabedoria como eterna (8.22-26), criadora de todas as coisas (8.27-29) e amada de Deus (8.30,31).

Concordo com Earl Wolf quando diz que a sabedoria em Provérbios coloca Deus no centro da vida humana. A sabedoria expressa por Salomão no Antigo Testamento teria sua revelação mais plena em Jesus Cristo nos dias da nova aliança. Jesus disse: *A rainha do Sul se levantará no juízo com esta geração e a condenará; porque veio dos confins da terra para ouvir a sabedoria de Salomão. E eis aqui está quem é maior do que Salomão* (Mt 12.42; Lc 11.31). O apóstolo Paulo se referiu a Cristo como a *sabedoria de Deus* (1Co 1.24; 1.30; Cl 2.3).[24]

A data do livro de Provérbios

Embora os críticos liberais acreditem que o livro de Provérbios foi compilado após o exílio babilônico, e atribuam a coleção a outras pessoas, não há motivo para rejeitarmos o ponto de vista tradicional de que foi Salomão quem escreveu a vasta maioria desse livro.[25] Uma vez que Salomão foi o principal escritor do livro de Provérbios, e como ele viveu no século 10 a.C., essa literatura sapiencial foi composta, na sua maioria, nessa época.

Jesus Ben Siraque, em cerca de 130 a.C., em seu famoso livro *Eclesiástico,* incluído entre os apócrifos, declara no capítulo 47, versículo 17, que Provérbios era livro de alta devoção entre o povo. Essa informação é muito valiosa por sua antiguidade. Além disso, os tradutores da Septuaginta, em 280 a.C., já incluíram Provérbios na sua tradução. Portanto, quase três séculos antes de Cristo, Provérbios era um livro acatado e reconhecido como inspirado. Nunca houve entre os rabinos nenhuma discussão quanto à sua canonicidade.[26] Nessa mesma linha de pensamento, Russell Norman Champlin diz que a inclusão de Provérbios na Septuaginta certamente favorece a ideia de uma bem remota aceitação desse livro como parte integrante das Santas Escrituras.[27]

O valor do livro de Provérbios

Russell Norman Champlin explica que, antes de a escrita ser inventada, os provérbios circulavam sob forma verbal. A literatura de todos os povos revela que tal costume era universal. A literatura antiga dos sumérios, dos babilônios, dos egípcios, dos gregos e dos romanos contém provérbios, o que também pode ser dito acerca dos chineses, dos celtas e de outros povos. Provérbios populares acabaram se tornando provérbios literários. As religiões também têm lançado mão de provérbios. Os provérbios são especialmente úteis no ensino de princípios éticos. São excelentes instrumentos didáticos.[28]

O livro de Provérbios é eminentemente um guia prático de vida. Trata dos assuntos vitais, como a língua, o dinheiro, a amizade, a família, o sexo, a tentação, o adultério, a ganância, o poder e negócios.[29] Concordo com Matthew Henry quando diz que o livro de Provérbios não é apenas uma coletânea de ditos sábios, elaborados pela mente brilhante do rei Salomão, mas, sobretudo, textos inspirados pelo Espírito Santo e dados a ele para nos transmitir. Obviamente, alguém maior do que Salomão é o verdadeiro autor desses provérbios. É o próprio Deus, através de Salomão, que nos fala por meio desses provérbios.[30]

Earl Wolf diz, com razão, que os ensinos de Provérbios cobrem todo o horizonte dos interesses práticos do cotidiano, tocando em cada faceta da existência humana. O homem é ensinado a ser honesto, diligente, bom vizinho, cidadão ideal e modelo de marido e pai. Acima de tudo, o sábio deve andar de forma reta e justa diante do Senhor.[31]

O livro de Provérbios é citado no Novo Testamento, como podemos ver em Romanos 3.15 (Pv 1.16); Hebreus 12.5,6 e Apocalipse 3.19 (Pv 3.11,12); Tiago 4.6 e 1Pedro 5.5 (Pv 3.34); Romanos 12.20 (Pv 25.21,22); e 2Pedro 2.22 (Pv 26.11).[32]

Jesus empregou provérbios, em seu ensino, como ocorre em Lucas 4.23: *Médico, cura-te a ti mesmo*. Paulo falou em amontoar *brasas vivas* sobre a cabeça de alguém (Rm 12.20). O mesmo apóstolo ainda citou um provérbio do poeta grego Menandro: *As más conversações corrompem os bons costumes* (1Co 15.33).

É importante ressaltar que o livro de Provérbios é extremamente teológico. Refere-se a Deus pelo nome em 94 versículos e por pronomes em 11 versículos, bem como por outros epítetos, no total de 100 versículos entre 915, ou seja, mais de 10% dos seus versículos.[33] O livro salienta a soberania de Deus (16.4,9; 19.21; 22.2). A onisciência de Deus é claramente referida (15.3,11; 21.2). Deus é apresentado como o Criador de todas as coisas (14.31; 17.5; 20.12). Deus governa a ordem moral do universo (10.27,29; 12.2). As ações humanas são aquilatadas por Deus (15.11; 16.2; 17.3; 20.27). Até mesmo neste lado da existência a virtude é recompensada (11.4; 12.11; 14.23; 17.13; 22.4). O juízo moral é mais importante ainda do que a prudência (17.23).[34] Goldingay destaca que a teologia de Provérbios complementa a teologia unificada de Moisés e dos profetas. A sabedoria se concentra mais na vida diária do que na história, mais no regular do que no raro, mais no indivíduo do que na nação, mais na experiência pessoal do que na tradição sagrada.[35]

A relevância duradoura de Provérbios

Bruce Waltke elenca quatro argumentos para provar a tese de que Provérbios possui uma relevância permanente. Primeiro, por sua natureza, os provérbios expressam verdades eternas aplicáveis em muitas situações. Segundo, a autenticidade do livro é certificada pela inclusão de Provérbios no cânon das Escrituras Sagradas por obra do Espírito Santo. Os rabinos, os pais da Igreja, as sinagogas e a igreja primitiva reconheceram universalmente Provérbios como parte da Bíblia. Terceiro, os apóstolos aplicaram o livro repetidamente à igreja. Há cerca de sessenta citações diretas, alusões claras e paralelos literários de Provérbios no Novo Testamento. Quarto, para o autor de Hebreus, a palestra do pai ao filho, em Provérbios 3.11,12, é dirigida à igreja (Hb 12.5,6).[36]

A estrutura do livro de Provérbios

Derek Kidner divide o livro de Provérbios em várias seções.[37]

1. Título, introdução e lema (1.1-7). O livro é um curso de educação na vida de sabedoria.
2. Um pai louva a sabedoria (1.8–9.18). Registra uma série de dissertações paternas que ilustram e ressaltam para o aluno a escolha fatídica que ele deve fazer entre a sabedoria e a estultícia.
3. Provérbios de Salomão (10.1–22.16). Cada aforismo traz um desenvolvimento específico da sabedoria e da estultícia, cujo curso inteiro já se viu espalhado na seção anterior.
4. Palavras dos sábios (22.17–24.22). O estilo de ensino volta, à semelhança dos capítulos 1–9.
5. Mais provérbios de Salomão, a coletânea de Ezequias (25.1–29.27). Tem o próprio toque de Salomão nos ditados breves.
6. Palavras de Agur (30.1-33).
7. Palavras do rei Lemuel (31.1-9). Essas palavras expressam os conselhos de sua mãe.
8. Um abecedário da mulher virtuosa (31.10-31). Um acróstico alfabético mostrando a excelência das virtudes da mulher virtuosa.

Feitas essas considerações introdutórias, veremos doravante a exposição do texto bíblico. Nosso enfoque será mais devocional e prático que exegético. Outras obras poderão auxiliar os leitores nesse particular. É hora de degustarmos esse rico cardápio!

NOTAS DA INTRODUÇÃO

[1] HENRY, Matthew. *Comentário bíblico – Antigo Testamento* (*Jó a Cantares de Salomão*). Rio de Janeiro: CPAD, 2010, p. 718.
[2] ARCHER, Gleason. *Enciclopédia de dificuldades bíblicas*. São Paulo: Vida, 1998, p. 266,267.
[3] HALLEY, H. H. *Manual bíblico*. Vol. 1. São Paulo: Vida Nova. 1978, p. 244.
[4] KIDNER, Derek. *Provérbios: introdução e comentário*. São Paulo: Vida Nova, 2006, p. 14.
[5] HAWKINGS, Ronald E. "Proverbs" *The Complete Bible Commentary*. Nashville: Thomas Nelson Publishers. Nashville, 1999, p. 686.
[6] WALTKE, Bruce K. *Provérbios*. Vol. 1. São Paulo: Cultura Cristã, 2011, p. 100.
[7] WOLF, Earl C. "O livro de Provérbios". *Comentário bíblico Beacon*. Vol. 3. Rio de Janeiro: CPAD, 2005, p. 355.
[8] KIDNER, Derek. *Provérbios: introdução e comentário*, p. 15.

[9] HENRY, Matthew. *Comentário bíblico – Antigo Testamento (Jó a Cantares de Salomão)*, p. 718.

[10] CHAMPLIN, Russell Norman. *O Antigo Testamento interpretado versículo por versículo.* Vol. 4. São Paulo: Hagnos, 2003, p. 2532.

[11] GOLDINGAY, John. "Proverbs". *New Bible Commentary.* Edited by G. J. Venham et al. Leicester, England: InterVarsity Press/Downers Grove. Illinois: InterVarsity Press, 1994. p. 584.

[12] FRANCISCO, Clyde T. *Introdução ao Velho Testamento.* Rio de Janeiro: Juerp, 1979, p. 245.

[13] SCHULTZ, Samuel J. *A História de Israel no Antigo Testamento.* São Paulo: Vida Nova, 1977, p. 275.

[14] ARCHER JR., Gleason L. *Merece confiança o Antigo Testamento?* São Paulo: Vida Nova, 1974, p. 532-533.

[15] WOLF, Earl C. "O livro de Provérbios", p. 355.

[16] HENRY, Matthew. *Comentário bíblico – Antigo Testamento (Jó a Cantares de Salomão)*, p. 717.

[17] ELLISEN, Stanley A. *Conheça melhor o Antigo Testamento.* São Paulo: Vida, 1991, p. 185.

[18] WIERSBE, Warren W. *Comentário bíblico Wiersbe Antigo Testamento.* Santo André: Geográfica, 2009, p. 502.

[19] ELLISEN, Stanley A. *Conheça melhor o Antigo Testamento*, p. 181.

[20] HENRY, Matthew. *Comentário bíblico – Antigo Testamento (Jó a Cantares de Salomão)*, p. 717.

[21] WIERSBE, Warren W. *Comentário bíblico Wiersbe Antigo Testamento*, p. 502.

[22] Ibid.

[23] WALTKE, Bruce K. *Provérbios.* Vol. 1, p. 125.

[24] WOLF, Earl C. "O livro de Provérbios", p. 357.

[25] ELLISEN, Stanley A. *Conheça melhor o Antigo Testamento*, p. 182.

[26] MESQUITA, Antônio Neves de. *Estudo no livro de Provérbios.* Rio de Janeiro: Juerp, 1976, p. 22.

[27] CHAMPLIN, Russell Norman. *O Antigo Testamento interpretado versículo por versículo.* Vol. 4, p. 2532.

[28] Ibid., p. 2529.

[29] WIERSBE, Warren W. *Comentário bíblico Wiersbe Antigo Testamento*, p. 503.

[30] HENRY, Matthew. *Matthew Henry's Commentary.* Grand Rapids, MI: Zondervan Publishing House, 1960, p. 734.

[31] WOLF, Earl C. "O livro de Provérbios", p. 357.

[32] WIERSBE, Warren W. *Comentário bíblico Wiersbe Antigo Testamento*, p. 503.

[33] WALTKE, Bruce K. *Provérbios.* Vol. 1, p. 114.

[34] CHAMPLIN, Russell Norman. *O Antigo Testamento interpretado versículo por versículo*. Vol. 4, p. 2535.
[35] GOLDINGAY, J. "The 'Salvation History' Perspective and the 'Wisdom' Perspective Within the Context of Biblical Theology". *The Evangelical Quarterly 51*, n° 4, 1979, p. 194-207.
[36] WALTKE, Bruce K. *Provérbios*. Vol. 1, p. 185.
[37] KIDNER, Derek. *Provérbios: introdução e comentário*, p. 22-25.

Capítulo 1

Provérbios, um reservatório de sabedoria

(Pv 1.1-33)

Provérbios de Salomão, filho de Davi, o rei de Israel. Para aprender a sabedoria e o ensino; para entender as palavras de inteligência (Pv 1.1,2). Salomão transcendeu todos os reis de Israel em conhecimento, sabedoria e riqueza. Como Davi, seu pai, fora o grande rei de Israel, ao sucedê-lo Salomão pediu a Deus sabedoria para governar. Recebeu não apenas sabedoria singular, mas também riquezas incontáveis. Tornou-se um homem erudito, perito em ciência e douto nas questões práticas da vida. Escreveu a maior parte do livro de Provérbios, inspirado pelo Espírito Santo, para repartir com as gerações pósteras princípios eternos de sabedoria que devem reger nossa vida em todas as suas áreas. Estudar o livro de Provérbios é matricular-se na escola da sabedoria. Mergulhar nas profundezas dessas verdades eternas é alargar a mente para entender as palavras de inteligência. É mister destacar que conhecimento nem sempre desemboca em sabedoria, embora a sabedoria sempre venha acompanhada de conhecimento. Sabedoria é usar corretamente o conhecimento para alcançar os melhores fins. Sabedoria é aplicar o ensino recebido para viver de forma maiúscula e superlativa. Sabedoria é olhar para a vida com os olhos de Deus. É andar segundo o conselho de Deus, fazer sua vontade e deleitar-se nele. A sabedoria que afasta o ser humano de Deus é consumada loucura, mas o conhecimento que anda de mãos dadas com a sabedoria, este conduz o homem à felicidade.

O ensino que transforma – *Para obter o ensino do bom proceder, a justiça, o juízo e a equidade* (Pv 1.3). O positivismo de Augusto Comte diz que o problema básico do ser humano é a ignorância. O ser humano, porém, precisa não apenas de informação, mas, sobretudo, de transformação. Uma pessoa besuntada de conhecimento, mas sem generoso procedimento, pode transformar-se num monstro. No século 20, do topo do mais refinado conhecimento, a humanidade provocou duas sangrentas guerras mundiais. Mais de 100 milhões de pessoas foram ceifadas de forma cruel. Na contramão desse conhecimento divorciado da bondade, Salomão fala sobre o ensino do bom proceder que deságua na prática da justiça, no exercício do juízo e na manifestação da equidade. Onde reina a injustiça nos relacionamentos e a opressão nos tribunais, aí fracassa o bom proceder. Onde o juízo é torcido, onde a verdade é sonegada e o culpado é tratado como inocente, aí o bom proceder cobre o rosto de vergonha. Onde a equidade está ausente e o forte tripudia sobre o fraco, onde o rico prevalece sobre o pobre e os desonestos ajuntam os tesouros da impiedade, aí abrem-se largas avenidas para toda sorte de corrupção e violência. Precisamos não apenas de conhecimento, mas de ensino, ensino que desemboca no bom proceder. Não basta informação; precisamos de transformação. Não é suficiente termos luz na cabeça; precisamos ter amor no coração. Conhecimento sem bom proceder gera soberba opressora, e não ação misericordiosa.

Conhecimento transformador – *Para dar aos simples prudência e aos jovens, conhecimento e bom siso* (Pv 1.4). O livro de Provérbios contém princípios eternos que oferecem prudência aos simples e conhecimento e bom siso aos jovens. Prudência é a percepção lúcida daqueles que compreendem o âmago das coisas e não se deixam enredar pelas meras aparências. Prudência é evitar o caminho escorregadio do erro e colocar os pés na estrada da virtude, mesmo quando instigado pela pressão da maioria. Até as pessoas mais simples, quando são governadas pela Palavra de Deus, agem com prudência. Os jovens, por sua vez, são naturalmente afoitos, atirados, e às vezes lhes falta a maturidade suficiente para enfrentar os embates da vida. Porém, um jovem que pavimenta seu caminho pela instrução da Palavra de Deus tem não apenas conhecimento, mas também bom siso para viver vitoriosamente. Juventude não é sinônimo de imaturidade. Há jovens sábios e maduros e idosos insensatos e tolos. O salmista chegou a confessar que, embora jovem, era mais sábio que os idosos: *Compreendo mais do que todos os meus mestres, porque medito nos teus* *testemunhos. Sou mais prudente que os idosos, porque guardo os teus preceitos* (Sl 119.99,100).

Afine seus ouvidos pelo diapasão da verdade – *Ouça o sábio e cresça em prudência; e o instruído adquira habilidade para entender provérbios e parábolas, as palavras e enigmas dos sábios* (Pv 1.5,6). O segredo de uma vida vitoriosa é inclinar os ouvidos para dar atenção às verdades divinas. Pessoas são destruídas todos os dias por seguirem conselhos ímpios, andarem com gente perversa e se assentarem em rodas de escarnecedores. O sábio tapa seus ouvidos à voz dos pecadores e inclina-os à voz de Deus. Sabe que precisa crescer e não pode estacionar no território do comodismo espiritual. O prudente quer sempre crescer em prudência; o instruído anseia sempre adquirir mais habilidade para entender provérbios e parábolas, ou seja, as palavras e os enigmas dos sábios. Num mundo cinético, estacionar é dar marcha a ré. O conformismo com o bom é o maior inimigo do melhor. O comodismo é a morte do progresso. A falta de crescimento é o sinal mais evidente da decadência. Quem não cresce atrofia. Quem não progride recua. Quem não busca excelência no que faz torna-se medíocre. Se nas áreas comuns da vida precisamos demonstrar esse espírito empreendedor, quanto mais nas questões eternas. Nosso alvo é chegar à estatura do varão perfeito, uma vez que fomos predestinados a ser conformes à imagem de Cristo. Para fazermos uma caminhada rumo a essa plena maturidade, devemos afinar nossos ouvidos pelo diapasão da verdade, avançando de fé em fé e sendo transformados de glória em glória.

O sábio e o louco – *O temor do S*ENHOR *é o princípio do saber, mas os loucos desprezam a sabedoria e o ensino* (Pv

1.7). Qual a diferença entre um sábio e um louco? O sábio teme a Deus e anda nos seus conselhos; o louco despreza a sabedoria e o ensino. O que é sabedoria? Sabedoria é olhar para a vida com os olhos de Deus. É viver regido pelo ensino da Palavra de Deus. É andar nos conselhos de Deus, e não segundo os ditames do mundo. O louco é aquele que se julga mais sábio do que Deus e despreza sua Palavra. O louco substitui a cosmovisão divina pela sua própria visão de mundo. O louco vangloria-se no seu saber e escarnece do ensino que emana da Palavra de Deus. O louco assenta-se no tribunal e julga Deus, em vez de humilhar-se sob sua poderosa mão. O sábio é aquele que tem consciência de que deve viver na presença de Deus, governado pela verdade de Deus, sabedor de que terá de prestar contas a Deus. O sábio não se estriba em seu próprio entendimento, em sua riqueza ou mesmo em sua força. Reconhece sua dependência de Deus e anda humildemente com o Senhor. Longe de vangloriar-se de seus feitos, de aplaudir a si mesmo e de satisfazer todos os desejos do seu coração, afasta seus pés do mal para viver para o inteiro agrado de Deus. O temor a Deus é o maior freio moral que alguém pode ter na vida. Foi o temor a Deus que livrou José do adultério e Neemias da corrupção.

Filhos, escutem seus pais – *Filho meu, ouve o ensino de teu pai e não deixes a instrução de tua mãe* (Pv 1.8). A obediência aos pais é uma receita segura para a bem-aventurança. Os filhos que honram e obedecem aos pais têm a promessa de uma vida longeva e bem-sucedida. Porém, os que tapam os ouvidos ao ensino e à instrução de seus pais pavimentam o caminho do desastre. Muitos filhos, seduzidos por más companhias e arrastados por paixões mundanas, enveredam-se por caminhos sinuosos e caem em abismos profundos. Quantos jovens vivem hoje prisioneiros das drogas, cativos do álcool, presos no cipoal da impureza, porque não escutaram o conselho dos pais! Quantos casamentos desastrosos porque os filhos não ouviram a orientação dos pais! Quantos fracassos morais, quantas lágrimas amargas, quantas mortes precoces, porque os filhos preferiram ouvir outras vozes em lugar de escutar seus pais! A desobediência aos pais é um sinal evidente da decadência da nossa geração. A única forma de termos famílias sólidas, igrejas saudáveis e uma sociedade justa é voltar-nos para os preceitos da Palavra de Deus, que ensinam a necessidade dos filhos obedecerem a seus pais.

Honra e beleza – *Porque serão diadema de graça para a tua cabeça e colares, para o teu pescoço* (Pv 1.9). Os filhos que honram os pais são bem-aventurados na vida. A obediência é o caminho seguro da longevidade e da prosperidade. Essa disposição de obediência livra os filhos de muitos perigos e adorna a vida deles com muitas honras. O sábio compara essa obediência a um diadema sobre a cabeça e a um colar no pescoço. As imagens remetem a honra e beleza. A obediência aos pais traz honra aos filhos, além de tornar a vida deles mais suave, bela e feliz. A obediência aos pais não apenas protege os filhos de perigos mortais, companhias nocivas e lugares escorregadios, mas também os toma pela mão para levá-los a um lugar alto de segurança, a um jardim engrinaldado de felicidade e a uma sala adornada de honra. Filhos, escutem seus pais! Honrem seus pais! Os pais são autoridade de Deus em sua vida. Rejeitar essa autoridade é insurgir-se contra o próprio Deus. Você quer ser bem-aventurado na vida? Escute seus pais! Você quer ter um casamento feliz? Escute seus pais! Você quer ser bem-sucedido em sua vida profissional? Escute seus pais! Você quer viver de forma maiúscula e superlativa? Escute seus pais!

Fuja das más companhias! – *Filho meu, se os pecadores querem seduzir-te, não o consintas* (Pv 1.10). Muitos filhos criados com amor e desvelo pelos pais perderam-se nos labirintos da vida, porque em dado momento foram seduzidos por más companhias e arrastados para as regiões escuras e lôbregas dos vícios mais destruidores. Aqui há uma exortação solene aos filhos. Eles precisam precaver-se. Pecadores andam espreitando crianças, adolescentes e jovens para arrastá-los para o abismo da iniquidade. A arma que usam para capturar os incautos é a sedução. Eles mostram o prazer imediato do pecado e escondem suas trágicas consequências. Apresentam o pecado como uma pílula dourada, mas escondem que possui um veneno mortal. O pecado é uma fraude. É assaz enganoso. Promete felicidade e traz desgosto. Promete liberdade e escraviza. Promete vida e mata. Os pecadores não se contentam em caminhar sozinhos pelas veredas sinuosas do pecado; querem atrair outros para engrossarem essas fileiras. Por isso, armam sua rede na porta das escolas, jogam seu laço sedutor sobre filhos despercebidos, a fim de capturá-los e arrastá-los para o reino da escuridão e da morte. O conselho de Deus é: não caia nessa rede sedutora. Fuja do conselho dos ímpios, afaste-se do caminho dos pecadores e não se assente na roda dos escarnecedores. Livre sua alma da morte!

Não ande com gente violenta – *Se disserem: Vem conosco, embosquemo-nos para derramar sangue, espreitemos,* *ainda que sem motivo, os inocentes* (Pv 1.11). O convite para uma pessoa se matricular na banda podre do crime é estranhamente sedutor. Os agentes do mal transformam a violência em coisa atraente e lucrativa. Fazem propaganda entusiasta do crime e apontam os benefícios de uma vida que caminha ao arrepio da lei. O sábio alerta os jovens de taparem os ouvidos à voz desses arautos da violência. Mostra-lhes o perigo de cederem a essa sedução perigosa. O convite não esconde seus propósitos nefastos. O convite é para se ajuntar a gente que já perdeu a sensibilidade e se rendeu ao crime. O convite é para entrar num estilo de vida marcado por tramas, mentiras e engano. Ou seja, para viver de emboscada em emboscada, nas regiões lôbregas da falsidade. O convite é para tornar-se uma fera selvagem, um monstro social, que derrama sangue não de gente culpada, mas de gente inocente, por motivos torpes. Andar com pessoas cujas vestes estão manchadas de sangue e ceder às suas palavras sedutoras para aderir ao crime é entrar por um caminho de desastre, cair num abismo profundo e antecipar irremediavelmente a morte. Ah, quantos jovens foram arrastados por essas torrentes da impiedade! Quantos pais choram amargamente por ver seus filhos jogados nas prisões ou assassinados precocemente, porque caíram nessa armadilha mortal! O princípio permanece: Não ande com gente violenta!

A perversidade não tem limites – *Traguemo-los vivos, como o abismo, e inteiros, como os que descem à cova* (Pv 1.12). A proposta dos agentes do mal é conseguir adesão a seu projeto sanguinário, ou seja, emboscar contra gente inocente, por motivos banais, a fim de derramar sangue. Esses agentes da morte não apenas maquinam o mal, mas o executam com requinte de crueldade. Eles não têm nenhum temor a Deus, nem respeito à vida humana. Desde que seus caprichos cruéis sejam atendidos, estão dispostos a sequestrar, roubar e matar. Não querem, porém, fazer isso sozinhos. Buscam engrossar suas fileiras, atraindo para seu grupo criminoso jovens descuidados. Usam o instrumento da sedução para alcançar seu intento maligno. Buscam atrair para sua rede de morte aqueles que, tolamente, deixam de ouvir o conselho dos pais. Aqueles que andam na região nebulosa do perigo, flertando com o pecado, buscando saciar o coração nas taças borbulhantes das aventuras, tornam-se vulneráveis a essas investidas dos promotores da violência. Que Deus conceda discernimento aos nossos jovens, dando a eles prudência para afastarem os pés desses caminhos escorregadios, rompendo qualquer vínculo com os falsos amigos, que só puxam para baixo, influenciam para o mal e provocam destruição por onde passam.

Cuidado com os bens mal adquiridos – *Acharemos toda sorte de bens preciosos; encheremos de despojos a nossa casa* (Pv 1.13). O dinheiro adquirido com violência é uma maldição. A riqueza que vem como resultado do roubo e do derramamento de sangue torna-se o combustível para destruir os próprios transgressores. Não é pecado ser rico; pecado é amar o dinheiro. Não é pecado termos dinheiro; o problema é o dinheiro nos possuir. Não é pecado carregar dinheiro no bolso; o problema é entronizar dinheiro no coração. Muitas pessoas, por amor ao dinheiro, mentem, roubam, sequestram e matam. Outras, por amor ao dinheiro, se casam e se divorciam, corrompem e são corrompidas, torcem a lei e pervertem o direito. A motivação para a violência é o desejo de acumular bens. O brilho da riqueza tem fascinado multidões, transformando pessoas em feras, jovens em monstros, gente de bem em um bando de ladrões incorrigíveis. A ganância insaciável é o útero no qual gestam crimes hediondos. Desde o narcotráfico até o assalto aos cofres públicos, delinquências são inspiradas por esse desejo insaciável de pilhar o próximo e acumular o alheio. Os bens roubados não são preciosos. Essa riqueza produz tormento. Essa fortuna desemboca em vergonha, opróbrio e prejuízos irremediáveis. Esse pacote tem cheiro de enxofre, e seu fim é a morte.

Cuidado com suas alianças – *Lança a tua sorte entre nós; teremos todos uma só bolsa* (Pv 1.14). O segredo de uma vida feliz é apartar-se daqueles que, deliberadamente, andam no caminho da perversidade. Esses agentes da ilegalidade, protagonistas do crime e feitores de males são proselitistas perigosos que lançam sua rede sedutora a fim de arrastar pessoas incautas para seu cartel do crime. Nesse projeto de engrossar suas fileiras, buscam alianças e fazem promessas. Querem parceiros e garantem vantagens. Chamam para a aventura e dizem que esse caminho é lucrativo. A bolsa coletiva na qual se acumula o dinheiro da iniquidade é, no entanto, maldita. Os valores que entram nela provêm do roubo, da opressão, da violência e do derramamento de sangue. Essa riqueza entorpece a mente, calcifica o coração, cega os olhos e coloca tampão nos ouvidos. Faz do ser humano um monstro celerado, uma fera sedenta de sangue, um lobo selvagem. Ser sábio é não dialogar com esses arautos do crime. Ser prudente é nem sequer se aproximar daqueles que vivem na marginalidade. Ser feliz é fugir não apenas do mal, mas até mesmo da aparência do mal. A felicidade não habita nas tendas da perversidade, mas está presente na casa daqueles que vivem em retidão e justiça. Não faça alianças com perversos; junte-se a pessoas capazes de ajudar você a viver mais perto de Deus.

Fuja enquanto é tempo – *Filho meu, não te ponhas a caminho com eles; guarda das suas veredas os pés* (Pv 1.15). Há um provérbio que diz: "Dize-me com quem andas e dir-te-ei quem és". Davi abre o livro de Salmos mostrando que o primeiro passo rumo à felicidade é fugir do conselho dos ímpios, não se deter no caminho dos pecadores, nem se assentar na roda dos escarnecedores. Agora, Salomão, filho de Davi, na mesma toada, reforça outro lado da questão. Não é mais o justo que age positivamente afastando-se. Agora, o justo reage positivamente, não atendendo ao chamado sedutor daqueles que são veteranos no crime. Não há maior insensatez do que acreditar que o crime compensa. Não há maior loucura do que se matricular nessa escola maldita para auferir vantagens imediatas. Andar com pessoas aliançadas com a desonestidade e dar as mãos a indivíduos cuja vida está manchada de sangue é lançar a sorte numa aventura perigosa e a alma num abismo profundo. O crime não compensa. Ainda que fique encoberto aos olhos das pessoas e passe ao largo da justiça humana, jamais ficará impune no tribunal de Deus. As vantagens transitórias do pecado trazem prejuízos eternos. As alegrias fugazes do pecado produzem sofrimento permanente. A riqueza acumulada pela prática da violência é a mais consumada miséria!

O caminho do crime – *Porque os seus pés correm para o mal e se apressam a derramar sangue* (Pv 1.16). O cartel do crime é articulado. Tem agentes de propaganda, *marketing* atraente e propostas mirabolantes e sedutoras. Numa sociedade em que os valores morais são invertidos, o crime ronda os palácios e a impunidade se esconde nos tribunais, muitos acreditam que o crime compensa. Alguns acreditam que a melhor maneira de aproveitar a vida é explorar o próximo, saquear-lhe os bens e tirar-lhe a vida. O caminho do crime, porém, é sinuoso. Sua rota é turbulenta. Seu destino é desastroso. O lucro do crime é perda; as taças borbulhantes que se levantam ao redor da mesa do crime transbordam de veneno letal. Aqueles que fazem do crime um meio de vida espalham a morte e para ela rumam. Provocam desastres e são eles próprios o maior desastre. O conselho do sábio é oportuno: fuja daqueles cujos pés correm para o mal e se apressam para derramar sangue. Não ande com aqueles cujas mãos estão cheias de sangue e cujos pés não se afastam da violência. Andar com eles é entrar num beco sem saída. É se intrometer numa encrenca que acabará mal.

Aqueles que espreitam a própria vida – *Pois debalde se estende a rede à vista de qualquer ave. Estes se emboscam contra o seu próprio sangue e a sua própria vida espreitam* (Pv 1.17,18). Salomão contrasta com as aves aqueles que, por ganância, se rendem ao crime. Quando o pássaro vê o caçador montar a armadilha, foge imediatamente, mas com essas pessoas acontece exatamente o contrário. Elas montam armadilha contra a própria vida e planejam a própria destruição. O pecado entorpece o ser humano e tira-lhe a lucidez. Despoja-o de discernimento e rouba-lhe a prudência. Aqueles que preparam uma armadilha para os outros caem nesse mesmo laço. Aqueles que abrem covas para os outros caem nessa mesma sepultura. Aqueles que maquinam o mal contra o próximo tornam-se vítimas de sua própria violência. O mal que eles intentam contra os outros cai sobre sua própria cabeça. Andar ao arrepio da lei e maquinar o mal contra o próximo é preparar uma emboscada para a própria alma. O lucro do crime tem gosto amargo. O prazer do pecado pode ser doce ao paladar, mas é amargo no estômago. Aqueles que colocam os pés na estrada escorregadia do crime descerão a um abismo profundo e beberão o cálice da maldade que prepararam para seu próximo.

A ganância é o caminho mais curto para a morte – *Tal é a sorte de todo ganancioso; e este espírito de ganância tira a vida de quem o possui* (Pv 1.19). A ganância é uma sede insaciável de ter, de ter sempre mais, de ter de qualquer forma, de ter até o que é dos outros. A ganância é o amor ao dinheiro, e o amor ao dinheiro é a raiz de todos os males. O destino de todos aqueles que são dominados pelo desejo de possuir riquezas a qualquer preço é uma vida de perturbação contínua, em que não existe alegria verdadeira nem paz real. Essa ambição sem limites acaba destruindo quem a possui. Esse vazio que a pessoa gananciosa sente, em vez de ser preenchido com a posse de bens materiais, acaba aumentando. Se a ganância toma o controle da vida, quanto mais a pessoa tem, menos feliz e segura ela se sentirá. Na verdade, a ganância desestrutura completamente a vida de quem a ostenta. Desarticula seus valores morais. Por ganância, há pessoas que casam e descasam, mentem e roubam, corrompem e são corrompidas, matam e morrem. Por ganância, há pessoas que vendem a alma ao diabo e afogam sua vida num tormento eterno. Salomão não poderia ser mais enfático: *Este espírito de ganância tira a vida de quem o possui*. O ganancioso perde não apenas os bens que adquiriu como fruto da violência contra o próximo; ele perde também a própria vida. Sua perda é irremediável. Sua ruína é total.

O discurso eloquente da Sabedoria – *Grita na rua a Sabedoria, nas praças levanta a voz; do alto dos muros clama, à entrada das portas e nas cidades profere as suas palavras* (Pv 1.20,21). A Sabedoria aqui não é uma atitude; é uma pessoa. Não é uma pessoa humana, mas divina. A Sabedoria é uma personificação do próprio Deus. A Sabedoria anda pelas ruas e praças, levantando sua eloquente voz e querendo ser ouvida. A Sabedoria fala ao povo nas ruas, aos juízes nos tribunais, e por toda a cidade faz ouvir a sua voz. Em um mundo encharcado de violência, em uma sociedade levedada pela maldade, em um contexto no qual as pessoas por ganância espreitam o próximo para lhe saquearem os bens e lhe tirar a vida, a Sabedoria ergue-se sobranceira e conclama os seres humanos a ouvi-la. Essa voz que ecoa nas ruas, nas praças, nas casas de leis, nos salões dos governantes, nas cortes, na imprensa, na mídia, nos lares e nos púlpitos não emana da terra, mas do céu. Mesmo em face das atrocidades orquestradas pelas pessoas movidas à ganância, mesmo diante de uma sociedade que se bestializa, rendendo-se à violência, Deus não desiste do ser humano, mas ergue sua voz para confrontar o erro e oferecer perdão. Onde o pecado trouxe morte, a Sabedoria oferece vida. Onde o pecado trouxe escravidão, a Sabedoria oferece liberdade. Onde o pecado afastou o ser humano de Deus e do próximo, a Sabedoria oferece reconciliação. Você tem ouvido o eloquente discurso da Sabedoria?

Quando Deus chama o pecador à reflexão – *Até quando, ó néscios, amareis a necedade? E vós, escarnecedores,* *desejareis o escárnio? E vós, loucos, aborrecereis o conhecimento?* (Pv 1.22) Deus, personificado pela Sabedoria, dirige-se agora aos néscios, escarnecedores e loucos. O néscio é desatento e tolo. O escarnecedor é aquele que, propositada e insolentemente, rejeita Deus e rende-se ao escárnio. O louco é aquele que, por causa de sua rebelião contra Deus, perdeu completamente a lucidez moral e espiritual e passou a desprezar o conhecimento. Esses três níveis de decadência são um retrato da sociedade sem Deus. A pergunta do Eterno Deus é: Até quando? Por que o ser humano, a despeito de perceber que o pecado é uma fraude, que o crime não compensa, que os prazeres desta vida não preenchem o vazio do coração nem satisfazem a alma, continua mergulhado de cabeça nas mesmas práticas que o arruínam? Deus chama os pecadores a uma reflexão. Convoca-os a pensarem sobre seus valores, suas práticas e suas colheitas. Dá-lhes a oportunidade de colocarem o pé no freio e retornar à sensatez.

A oferta graciosa de Deus — *Atentai para a minha repreensão; eis que derramarei copiosamente para vós outros o meu espírito e vos farei saber as minhas palavras* (Pv 1.23). A Sabedoria clama aos nossos ouvidos e nos encoraja a atentarmos para sua repreensão. Os pecadores usam a linguagem da sedução a fim de atraírem sua alma para uma rede de morte, mas Deus usa a linguagem da repreensão a fim de livrar sua alma da morte. Deus promete não apenas derramar, mas derramar copiosamente sobre nós e para nós o seu Espírito. O resultado desse enchimento do Espírito é que, longe de vivermos nas sendas sinuosas da transgressão, conheceremos e obedeceremos à Palavra de Deus. O derramamento do Espírito é uma promessa de Deus segura e abundante. Segura, porque quem faz a promessa é fiel para cumpri-la e, quando Deus agir, ninguém pode impedir sua mão de fazê-lo. Abundante, porque Deus não nos dá seu Espírito por medida. Deus promete derramar seu Espírito, de modo caudaloso; isso remete a torrentes, algo abundante e copioso. Não podemos limitar a obra de Deus àquilo que conhecemos e experimentamos. Deus pode fazer mais, infinitamente mais. Ele pode encher-nos do seu Espírito. Pode conduzir-nos a uma vida maiúscula, superlativa e abundante. Deus tem para nós alegria indizível e cheia de glória, paz que excede todo o entendimento e a suprema grandeza do seu poder.

É um perigo tapar os ouvidos à voz de Deus – *Mas, porque clamei, e vós recusastes; porque estendi a mão, e não houve quem atendesse; antes, rejeitastes todo o meu conselho e não quisestes a minha repreensão; também eu me rirei na vossa desventura, e, em vindo o vosso terror, eu zombarei* (Pv 1.24-26). Aqueles que, com rebeldia, rejeitam dar ouvidos à voz de Deus armam laços para seus próprios pés. Tapar os ouvidos à Palavra de Deus e não atender ao seu conselho, rejeitar o seu ensino e não aceitar a sua repreensão, equivale a criar uma tempestade sobre a própria cabeça; é atrair tragédia sobre a própria vida. A esperança humana está em Deus. Quando Deus é por nós, ninguém poderá prevalecer contra nós. Porém, se Deus está contra nós, não haverá escape para nossa vida nem neste mundo nem no vindouro. Aqueles que viram as costas para Deus e desprezam sua bondade, não encontrarão na hora de seu terror e de sua aflição, nenhum amparo em Deus. Ao contrário, terão pleno desamparo. Não há nada mais perigoso para uma pessoa do que Deus entregá-la a si mesma para receber o que deseja, para colher o que semeia, para sofrer as consequências de suas próprias escolhas. Não há nada mais arriscado para uma pessoa do que Deus lhe virar as costas. Quando Deus se ausenta, o que resta é escuridão, desespero e morte. Quando Deus deixa de reter sua ira e passa a manifestá-la, o que sobra é ruína irremediável. Quando Deus se ri do seu trono, o pranto inconsolável se instaura na terra.

Quando Deus não responde à oração – *Em vindo o vosso terror como a tempestade, em vindo a vossa perdição como o redemoinho, quando vos chegar o aperto e a angústia. Então, me invocarão, mas eu não responderei; procurar-me-ão, porém não me hão de achar* (Pv 1.27,28). A dor tem a capacidade de levar uma pessoa endurecida a se quebrantar. O terror, a perdição, o aperto e a angústia têm o poder de convencer alguém de que ele precisa de Deus. A bonança, porém, é um falso refúgio. Quando uma pessoa está cercada de conforto e riquezas, é tentada a pensar que é autossuficiente e não precisa de coisa alguma. Por isso, esquece-se de Deus ou deliberadamente o rejeita. Porém, a força do braço, o conforto da riqueza e a destreza do conhecimento não servem de amparo na hora em que o terror vem como uma tempestade. Quando o ser humano se vê encurralado pelas circunstâncias e esmagado pela angústia, percebe que suas âncoras são frágeis, que seu refúgio é vulnerável e que ele não consegue sequer ficar de pé escorado no bordão da autoconfiança. A pessoa que abandonou Deus deliberadamente clamará, na hora de sua maior aflição, a Deus, mas o Senhor não lhe responderá; procurará Deus, mas não irá encontrá-lo. A Palavra de Deus é categórica: *Buscai o SENHOR enquanto se pode achar, invocai-o enquanto está perto* (Is 55.6). Há dois endereços em que Deus sempre é encontrado. Ele mesmo diz: *Habito no alto e santo lugar, mas habito também com o contrito e abatido* *de espírito, para vivificar o espírito dos abatidos e vivificar o coração dos contritos* (Is 57.15).

O que o ser humano semeia, isso ele colhe – *Porquanto aborreceram o conhecimento e não preferiram o temor do* Senhor; *não quiseram o meu conselho e desprezaram toda a minha repreensão. Portanto, comerão o fruto do seu procedimento e dos seus próprios conselhos se fartarão* (Pv 1.29-31). Quando o ser humano deliberadamente dá as costas para Deus e tapa os ouvidos ao conhecimento da verdade; quando prefere andar nos seus próprios caminhos em vez de temer a Deus; quando opta pelo caminho da transgressão em vez de acolher a repreensão divina, então ele corre o maior de todos os riscos: colher o que plantou, beber o refluxo de seu próprio fluxo e experimentar o que sempre desejou. Nada é mais perigoso do que Deus dar a uma pessoa o que ela deseja e entregá-la a si mesma. Deus sentencia os transgressores: *Portanto, comerão o fruto do seu procedimento e dos seus próprios conselhos se fartarão.* Esse fato prova duas coisas. Em primeiro lugar, o pecado é um embuste, uma farsa, uma mentira. Dá ao ser humano um falso senso de prazer e uma falsa ideia de segurança, mas, no fim, é a causa de sua maior infelicidade. Em segundo lugar, o pecador rendido à sua própria vontade cava a própria ruína quando segue seus próprios conselhos. Pensando estar construindo sua felicidade, está cavando sua desdita; pensando caminhar sob o manto da vida, veste-se com os trajes da morte. Cuidado com suas escolhas, caro leitor, pois você poderá se fartar daquilo que mais desejou.

Morte e perdição, perigos reais – *Os néscios são mortos por seu desvio, e aos loucos a sua impressão de bem-estar os leva* *à perdição* (Pv 1.32). Deus é a fonte da vida e longe dele prevalece a morte. O néscio despreza a Palavra de Deus, julgando-se sábio, mas opta pela morte, pois o caminho da desobediência é uma autopista que leva à morte física e eterna. O ser humano pode escolher a maneira de viver, mas não pode escolher as consequências de suas escolhas. Pode adotar um estilo de vida, mas não pode determinar os resultados dessa escolha. Quem tapa os ouvidos à voz de Deus e despreza seus ensinos coloca os pés numa estrada de morte. Nessa jornada rumo à morte, há muitos atrativos e muitos prazeres efêmeros. É uma estrada larga, um caminho espaçoso. Por esse caminho transita uma multidão. A regra desse caminho é a liberdade sem limites. Nada é proibido, tudo é aceitável. Todos os transeuntes devem se sentir bem. A impressão de bem-estar deve reger todos, o tempo todo. Porém, essa sensação é uma armadilha mortal. Ela tem o poder de anestesiar a alma e entorpecer os sentimentos. Aqueles que seguem por essa estrada larga sentem-se seguros e acompanhados por uma miríade de outros caminhantes. Mas essa sensação de bem-estar é o portal da morte, o corredor da perdição. Fuja da morte e escolha a vida! Deus propõe para você a salvação, e não a perdição!

A recompensa da obediência a Deus — *Mas o que me der ouvidos habitará seguro, tranquilo e sem temor do mal* (Pv 1.33). Salomão contrasta os desastres da desobediência com os benefícios da obediência. A desobediência produz morte e perdição, mas a obediência aos preceitos divinos resulta em segurança e confiança. Aqueles que obedecem a Deus vivem seguros, tranquilos e sem temor do mal, mesmo cercados por um mundo violento. O próprio Deus se torna seu muro protetor. Ele é o nosso refúgio e a nossa fortaleza, o nosso escudo e a nossa proteção. A promessa de Deus e a realidade são a mesma coisa, pois Deus vela por cumprir sua Palavra. Quando Deus fala, ele cumpre. Quando Deus age, ninguém pode impedir sua mão de fazê-lo. A recompensa para aqueles que tapam os ouvidos à voz sedutora dos pecadores a fim de ouvir e obedecer aos preceitos divinos é que eles são um carvalho de justiça no meio dos vendavais da vida. Têm uma âncora firme nos mares procelosos da vida. Cruzam incólumes as tempestades da vida e navegam confiantes para o porto seguro. Mesmo quando as circunstâncias são adversas, eles encontram paz. Mesmo que os perigos sejam imensos, eles têm segurança. Mesmo que os inimigos sejam muitos, eles obtêm vitória. Mesmo que o medo tente assaltá-los, eles sentem conforto. Mesmo que todos se voltem contra eles, Deus os cobrirá debaixo de suas asas.

Capítulo 2

A excelência da sabedoria
(Pv 2.1-22)

PODEMOS TEMER A DEUS E CONHECÊ-LO? – *Filho meu, se aceitares as minhas palavras e esconderes contigo os meus mandamentos* (Pv 2.1). Deus nos fez seus filhos, membros de sua família, herdeiros de todas as suas riquezas. Não há maior privilégio do que este: sermos chamados filhos de Deus! Salomão introduz aqui o grande tema do temor e do conhecimento de Deus. Para que alcancemos essas benditas realidades espirituais, há algumas condições. A primeira delas é descrita no versículo em apreço. Primeiro, precisamos aceitar as palavras de Deus. Aqueles que se tornam rebeldes à voz de Deus e desprezam sua Palavra são tolos e pavimentam seu caminho rumo ao desastre. Não há segurança nem bem-aventurança nessa rota de rebeldia. A desobediência é mãe da infelicidade. A segunda condição para adquirirmos o temor e o conhecimento de Deus é guardar seus mandamentos. Há pessoas que aceitam a verdade, mas não a praticam. Subscrevem a verdade intelectualmente, mas não a põem em prática. Esses são ateus teóricos. São ortodoxos de cabeça e hereges de conduta. Falam uma coisa e fazem outra. Professam crer na verdade, mas vivem ao arrepio da verdade. Há um abismo entre o que falam e o que fazem; há um hiato entre sua fé e sua ética; há um conflito irreconciliável entre seu credo e sua conduta. Quem vive mergulhado nessa contradição prova que não conhece Deus nem teme o seu nome.

Alcançando sabedoria e entendimento – *Para fazeres atento à sabedoria o teu ouvido e para inclinares o coração ao entendimento* (Pv 2.2). Aceitar a Palavra de Deus e guardá-la é a forma mais segura de obter sabedoria e entendimento. O que é sabedoria? É olhar para a vida com os olhos de Deus. É ver a vida como Deus a vê. Sabedoria não é sinônimo de conhecimento. Sabedoria é a aplicação correta do conhecimento. Há muitas pessoas que, embora cultas, são tolas. Têm luz na mente, mas lhes falta discernimento no coração. Usam o conhecimento para o mal, e não para o bem. Sabedoria é ser governado pelos valores de Deus. É andar sintonizado com os passos de Deus. O que é entendimento? É o fruto da correta percepção das coisas à nossa volta. É passar pelo filtro da verdade tudo o que vemos, ouvimos e percebemos. Muitos têm conhecimento, mas não entendimento. Sabem, mas não entendem. Conhecem, mas não praticam o que sabem. Esses são insensatos que cavam abismo para seus pés, ruína para sua vida e perdição para sua alma. Mente e coração precisam estar sintonizados na busca da sabedoria. Se quisermos ser sábios, precisaremos abrir nossos ouvidos e inclinar nosso coração para conhecer a Palavra de Deus e colocá-la em prática!

Erga sua voz e clame! – *E, se clamares por inteligência, e por entendimento alçares a voz* (Pv 2.3). Num mundo regido pela insensatez, a sabedoria precisa ser desejada ardentemente e buscada perseverantemente. Numa sociedade que aplaude o vício, exalta o pecado, promove a iniquidade e se gaba de seus devaneios morais, precisamos alçar nossa voz na busca de entendimento. O mundo é governado pelas ideias. O sentimento é produzido pelo comportamento, e o comportamento é governado pelo pensamento. Como o homem pensa, assim ele é. A base da transformação humana não é o sentimento; tampouco é o comportamento, mas o pensamento. Assim como não podemos começar a construção de uma casa pelo telhado, também não podemos erigir a vida de uma pessoa com base em seus sentimentos e comportamento. Tudo muda na vida de alguém quando compreende a verdade e é transformado por ela. Mudando a doutrina, muda-se a vida. Mudando a teologia, muda-se a ética. Mudando o credo, muda-se a conduta. Ah, como precisamos buscar a inteligência e o entendimento! Compreender a Palavra de Deus, ser governado por ela e proclamá-la devem ser os vetores da nossa vida. Não dê descanso à sua alma enquanto você não estiver seguro de que conhece Deus e teme o seu nome.

A sabedoria vale mais do que as riquezas – *Se buscares a sabedoria como a prata e como a tesouros escondidos a procurares* (Pv 2.4). As pessoas buscam com avidez a riqueza e, para alcançá-la, sacrificam a sabedoria. Sabedoria, porém, é mais importante do que riqueza. Salomão, o homem que escreveu o versículo em tela, assumiu o governo de Israel depois da morte de Davi, seu pai. Deus disse que ele poderia pedir o que desejasse. Salomão não pediu riquezas nem poder; pediu sabedoria. E, no pacote da sabedoria, vieram riqueza e poder. Riqueza sem sabedoria produz soberba e flagelos. Quem quer ficar rico atormenta a sua alma com muitos flagelos. Muitos, por amor ao dinheiro, desviam-se da fé. Outros vendem sua consciência e transigem com os valores que deveriam governá-los. Há aqueles que se corrompem e outros que são corrompidos. Em vez de cobiçar riquezas, devemos buscar a sabedoria. Com a mesma ânsia que as pessoas buscam a prata e procuram tesouros escondidos, devemos buscar a sabedoria, pois ela é melhor do que muitas riquezas. A sabedoria traz deleite para o coração, segurança para os pés e bem-aventurança eterna para a alma. A riqueza não oferece felicidade nem garante segurança, mas a sabedoria nos cobre como escudo e nos coroa de plena felicidade.

Conhecer Deus, a própria essência da vida – *Então, entenderás o temor do* Senhor *e acharás o conhecimento de Deus* (Pv 2.5). O temor ao Senhor é o princípio da sabedoria, e a sabedoria é usar o conhecimento para os melhores propósitos. É olhar para a vida com os olhos de Deus e agir da mesma maneira que Deus age. Só os sábios têm discernimento para separar o precioso do vil. Só os sábios abominam o mal e amam o bem. Só os sábios discernem o perigo do pecado por trás das propostas sedutoras e vantajosas do prazer imediato. Aqueles que rejeitam as vantagens imediatas dos prazeres desta vida por causa do temor ao Senhor encontram o verdadeiro conhecimento de Deus. Esse conhecimento não é apenas intelectual, mas, sobretudo, relacional. Conhecer Deus é amá-lo, andar com ele e viver para a sua glória. Muitos conhecem a respeito de Deus, mas não têm intimidade com Deus. Têm a luz da verdade na mente, mas não se deleitam nela. O conhecimento de Deus é a própria essência da vida eterna. Conhecer Deus é o que faremos não só em nossa jornada histórica, mas, também, por todo o desdobrar da eternidade. Como Deus é inesgotável em seu ser, conheceremos Deus mais e mais, sem nunca esgotar esse conhecimento. Teremos nele todo o nosso prazer pelas eras sem fim.

A sabedoria é dádiva de Deus – *Porque o SENHOR dá a sabedoria, e da sua boca vem a inteligência e o entendimento* (Pv 2.6). A verdadeira sabedoria não se recebe nos bancos de uma escola nem se aprende com a leitura de bons livros. Sabedoria não é um dote natural; é um dom exclusivo de Deus. Emana das alturas. Procede do céu. Existe uma sabedoria terrena, mas não é sobre essa sabedoria que estamos falando. Falamos sobre a sabedoria divina, celestial. Essa deve ser desejada e pedida. Deve ser buscada como buscamos a prata e o ouro. Aqueles que pedem a Deus sabedoria, esses a recebem. Só Deus concede esse dom. Só de Deus procede essa boa dádiva. Da boca de Deus emanam a inteligência e o entendimento. A compreensão da vida e o discernimento dos propósitos da existência são o resultado de conhecermos Deus. Aqueles que andam com Deus são sábios. Aqueles que amam a Deus têm inteligência e compreensão para discernir entre o bem e o mal, para separar o precioso do vil. É da boca de Deus, ou seja, de sua Palavra, que procede a verdadeira compreensão acerca de

Deus e da humanidade, do tempo e da eternidade, da vida e da morte. Aqueles que se apartam dos preceitos divinos entregam-se à estultícia, mas aqueles que se dedicam a conhecê-los, praticá-los e ensiná-los experimentam segurança e deleite, tanto no tempo presente como na eternidade.

Deus, o escudo protetor do povo – *Ele reserva a verdadeira sabedoria para os retos; é escudo para os que caminham na sinceridade* (Pv 2.7). Existe uma sabedoria humana e terrena, e outra divina e celestial. Tiago chama a sabedoria terrena de animal e demoníaca (Tg 3.15). Nela estão presentes inveja amargurada e sentimento faccioso, confusão e toda espécie de coisas ruins (Tg 3.14-16). A verdadeira sabedoria é divina. Ela desce do alto. Essa é pura, pacífica, indulgente, tratável, plena de misericórdia e de bons frutos, imparcial, sem fingimento (Tg 3.17). Salomão diz que Deus reserva essa verdadeira sabedoria para os retos, ou seja, para aqueles que são íntegros quanto ao caráter e honestos quanto à conduta. Essa sabedoria é presente de Deus, e não conquista humana; oferta divina, e não medalha de honra ao mérito. Salomão diz, ainda, que Deus é escudo para os que caminham na sinceridade. Quando o ser humano cuida de sua piedade, Deus cuida de sua reputação. Aqueles que guardam seus pés do mal e afastam suas mãos do crime, aqueles que tapam os ouvidos para a maledicência e desviam seus olhos da impureza, esses são protegidos por Deus. Ainda que os dardos inflamados sejam arremetidos contra eles, não serão destruídos, porque Deus é sua proteção. A proteção humana é vulnerável, mas a proteção divina é infalível. Podemos confiadamente perguntar: *Se Deus é por nós, quem será contra nós?* (Rm 8.31).

Deus protege seu povo na jornada – *Guarda as veredas do juízo e conserva o caminho dos seus santos* (Pv 2.8). O caminho rumo ao céu não é uma estrada reta e atapetada com pétalas aveludadas; é uma estrada cheia de curvas, aclives e declives, coberta de espinhos. Há perigos ameaçadores, despenhadeiros escorregadios e pântanos traiçoeiros. Há encruzilhadas que nos convidam a entrar por rotas perigosas. Não podemos caminhar vitoriosamente sem divina direção. Não podemos caminhar seguros sem divina proteção. Não podemos ficar de pé escorados no bordão da autoconfiança. O êxito da nossa jornada rumo à glória está em Deus. Ele protege os que tratam os outros com justiça e guarda os que lhe obedecem. Deus é o escudo daqueles que andam piedosamente. Mesmo debaixo de ameaças tão perigosas, Deus nos guarda pelo seu poder. Mesmo com riscos tão iminentes, Deus conserva o caminho dos seus santos. Em Deus, temos todo o nosso prazer e toda a nossa segurança.

Deus dá pleno entendimento ao povo – *Então, entenderás justiça, juízo e equidade, todas as boas veredas* (Pv 2.9). A obediência a Deus abre o caminho do entendimento. Aqueles que fecham o coração para Deus, entretanto, tornam-se obtusos, endurecidos e faltos de compreensão. Sabedoria não é apenas ter conhecimento, mas aplicar o conhecimento corretamente. Há pessoas cultas, mas tolas. Há pessoas que têm um grande acervo de conhecimentos, mas vivem insensatamente, desperdiçando a vida e caminhando para a morte. Aqueles que se deleitam em Deus e em seus mandamentos, porém, entendem o que é direito, justo e honesto, e saberão fazer as melhores escolhas na vida. Aqueles que buscam a sabedoria de Deus saberão tomar as decisões certas. É Deus quem abre os olhos da nossa alma para entendermos o sentido da vida. É Deus quem nos dá discernimento espiritual para vivermos, no presente século, de forma sensata, justa e piedosa. Quando somos regidos pela sabedoria do alto, temos um relacionamento correto com nós mesmos, com o próximo e com Deus.

Sabedoria, o deleite da alma – *Porquanto a sabedoria entrará no teu coração, e o conhecimento será agradável à tua alma* (Pv 2.10). A sabedoria não é apenas um vocábulo que está grafado nos dicionários. Deve ser uma realidade presente em nosso coração. Nosso coração precisa ser a morada da sabedoria. A sabedoria precisa nos governar e ter todas as chaves da nossa vida. Não pode ser apenas uma inquilina sem autoridade de fazer as mudanças necessárias. A sabedoria precisa ser a dona da casa. Não pode ser apenas uma hóspede, que vem e vai embora, mas sim uma residente permanente. Quando a sabedoria é entronizada em nossa vida, então nos tornamos sábios, e essa sabedoria será um banquete permanente que nos brindará com muitas iguarias deliciosas. Salomão, ao ser entronizado rei de Israel, não pediu riqueza nem poder; pediu sabedoria, e, com a sabedoria, vieram as demais coisas. Aqueles que são templos da sabedoria descobrem que o conhecimento de Deus traz gozo e paz, uma fonte perene de delícias para a alma.

Uma proteção confiável – *O bom siso te guardará, e a inteligência te conservará* (Pv 2.11). Há um ditado popular que diz: "Quem não escuta conselhos, escuta: 'Coitado!'" A vida é como uma viagem. John Bunyan descreve essa jornada da terra ao céu. Nesse caminho, Deus coloca placas de sinalização. Seguir a indicação dessas placas é a condição para uma viagem segura. Desconsiderá-las é avançar rumo ao desastre. Salomão é enfático quando diz que o bom senso e a inteligência guardarão você de decisões erradas. Há conselhos perigosos. Há influências negativas. Há amigos que tentam seduzir você para a prática do mal. O segredo para uma vida saudável e feliz, entretanto, é não entregar o comando de sua vida àqueles que se afastam de Deus. É imperativo ser governado pelo bom senso. É absolutamente vital ser regido pela sabedoria. Aqueles que se rendem à insensatez e são governados por suas paixões, mesmo que alcancem vantagens imediatas, sofrerão perdas permanentes e serão destruídos pela própria loucura. O bom senso firma nossos pés na rocha da verdade. O conhecimento apruma nossos passos nas veredas da justiça. Caminhar ladeado pelo bom senso e pela inteligência é fazer uma viagem segura, com a garantia da chegada certa ao destino desejado.

Não ande por caminhos de trevas – *Para te livrar do caminho do mal e do homem que diz coisas perversas; dos que deixam as veredas da retidão, para andarem pelos caminhos das trevas* (Pv 2.12,13). Andar com pessoas que vivem na prática do pecado é tornar-se parceiro delas em suas loucuras. Andar com pessoas ímpias, que desandam a falar impropérios, é matricular-se na escola da perversidade. Andar com pessoas que apostataram da fé é enveredar-se por pistas sinuosas e escorregadias. Andar com gente que vive na escuridão é embrenhar-se em trevas espessas. Há um caminho que não deve ser trilhado; é o caminho do mal. Por ele muitos circulam. Esse é um caminho largo e espaçoso. Possui muitos atrativos e oferece muitos encantos e prazeres. Esse caminho vive congestionado. Multidões trafegam por ele. Nesse caminho, cada um faz o que quer. Nada é proibido. Esse caminho, porém, conduz à morte. Por trás de todos os seus prazeres, está o desgosto. Por trás de todo o seu *glamour*, está o choro. Por trás de toda a sua oferta de liberdade, está a escravidão. Só a sabedoria pode livrar seus pés dessa estrada sinuosa e escorregadia. Só Deus pode tomar você pela mão e o guiar por caminhos altaneiros. Fuja desse caminho de trevas. Rompa com aqueles que querem levar você para o abismo. Não se deixe enganar: se um cego tentar guiar outro cego, ambos cairão no abismo. Ande com gente que o inspire a andar com Deus e a viver para sua glória.

Uma alegria muito perigosa – *Que se alegram de fazer o mal, folgam com as perversidades dos maus, seguem veredas tortuosas e se desviam nos seus caminhos* (Pv 2.14,15). A inversão de valores é uma das marcas da nossa sociedade decadente. Há pessoas que, além de se entristecerem pela ausência do bem, alegram-se em fazer o mal e ainda ficam entusiasmadas com as perversidades dos maus. Essas pessoas não apenas vivem às avessas, mas aprovam e aplaudem aqueles que se rendem à perversão moral. Quando os valores morais estão invertidos na mente, os pés seguem por veredas tortuosas. O resultado é que essas pessoas se desviam e desviam para a morte. Mesmo que elas pensem que seu caminho leva à vida, estarão apressando seus passos para a morte. Ainda que as pessoas assim desejem, a verdade não é relativa. Ainda que as pessoas assim decidam, a luz jamais será trevas. Ainda que as pessoas se rebelem contra Deus, os princípios de Deus jamais serão mudados. Aqueles que buscam alegria no pecado serão enganados por uma felicidade falsa. Beberão as taças de seus prazeres, mas o doce se tornará amargo. O folguedo se converterá em pranto. A liberdade se transformará em grossas correntes de escravidão. A verdadeira alegria está em Deus, e somente nele!

Cuidado com a mulher adúltera – *Para te livrar da mulher adúltera, da estrangeira, que lisonjeia com palavras* (Pv 2.16). O adultério é aplaudido e incentivado como um avanço na sociedade contemporânea, em vez de ser encarado como um sinal de decadência. A infidelidade conjugal é uma triste marca dessa corrompida geração. Sabedoria é não correr atrás de aventuras sexuais, mas afastar os pés das veredas sinuosas da promiscuidade. A verdadeira felicidade não está na cama do adultério, mas na pureza e na santidade. A mulher adúltera é sedutora. Suas palavras são mais suaves do que o azeite e mais doces do que o mel, mas aqueles que se deixam atrair por essas palavras colocam os pés num caminho de morte. A mulher adúltera não é uma fonte de prazer, mas uma cova de morte. Não abre avenidas para a liberdade, mas afunila o beco da escravidão. As carícias da mulher adúltera não amenizam as angústias da alma; são flageladores da consciência. Não tornam a vida mais amena, mas a transformam num pesadelo.

O adultério é quebra de aliança – *A qual deixa o amigo da sua mocidade e se esquece da aliança do seu Deus* (Pv 2.17). O casamento é uma aliança firmada entre um homem e uma mulher na presença de Deus. O adultério é a quebra dessa aliança. A infidelidade conjugal é uma traição amarga. É como apunhalar o cônjuge pelas costas. A mulher adúltera, movida por uma paixão incontida, deixa o homem de sua mocidade, com quem firmou uma aliança de amor e fidelidade, e atrai para sua cama outros homens, para dar curso à volúpia de seu coração e enredar em seus abraços aqueles que se rendem à sua sedução. O adultério não é apenas um ato de infidelidade ao cônjuge, a apostasia do amor, mas também um abandono acintoso da aliança feita na presença de Deus. É dar as costas não apenas para o cônjuge, mas também para Deus. Deus instituiu o casamento e tem a fórmula para sua felicidade. Portanto, o caminho da felicidade não é abandonar o casamento para buscar novas aventuras nem mesmo para contrair novas núpcias. Não abandone o barco na tempestade. Seja fiel ao seu cônjuge até o fim!

O adultério produz morte – *Porque a sua casa se inclina para a morte, e as suas veredas, para o reino das sombras da morte* (Pv 2.18). Nossa sociedade está tão doente moralmente que a prostituição está sendo encarada como uma profissão. Já se fala em organizar o sindicato das prostitutas. Faz-se propaganda para exaltar a prostituição como um caminho legítimo e feliz. Mas a Palavra de Deus é categórica em dizer que a casa da mulher adúltera se inclina para a morte e suas veredas levam ao reino das sombras da morte. Envolver-se com adultério é enrolar uma corda no pescoço. Caminhar na direção da infidelidade é colocar os pés numa estrada cujo destino é o abismo. Trair o cônjuge é agredi-lo com a mais violenta das armas. Promover a infidelidade conjugal é ser um agente do mal. Atrair uma pessoa para a cama do adultério é destruir sua reputação e matar sua honra. Viver à cata de aventuras sexuais e lambuzar-se no pecado do adultério é entregar sua família à desgraça e sua alma ao inferno. O caminho do adultério, por mais prazeroso, tem um preço muito alto. O adultério levará você mais longe do que gostaria de ir, cobrará de você um preço mais alto do que gostaria de pagar e reterá você mais tempo do que gostaria de ficar. Afaste seus pés do caminho do adultério. Escolha a vida e viva feliz com a mulher da sua mocidade!

A mulher adúltera é um caminho sem volta – *Todos os que se dirigem a essa mulher não voltarão e não atinarão com as veredas da vida* (Pv 2.19). O adultério começa, às vezes, sem alarde. Um olhar sedutor, uma palavra de lisonja, um gesto cativante. Dar guarida a qualquer desses sinais pode ser o começo de um caminho sem volta. Quando uma pessoa entra nessa aventura, pensa estar no controle. Acha que pode sair a qualquer momento. Não quer uma relação permanente, apenas um pouco de emoção. Porém, o adultério é uma armadilha, um laço mortal. Aqueles que se dirigem à cama do adultério ficam presos com correntes grossas e não conseguem mais sair. Ali, nessa cama cheia de sedução, fica a honra. Dali se levam a culpa, a vergonha e a perturbação. Na cama do adultério, perdem-se o nome, o casamento, os filhos, a paz. Entrar por esse caminho sinuoso é trafegar por um labirinto cheio de perigos. Aqueles que quebram a aliança conjugal, apostatam do amor e buscam prazer nas fontes poluídas do adultério não atinam com as veredas da vida, pois o adultério é um pecado contra o corpo, o cônjuge, os filhos, a família, a igreja e a sociedade. O adultério é, acima de tudo, um pecado contra Deus.

Pessoas de bem – *Assim, andarás pelo caminho dos homens de bem e guardarás as veredas dos justos* (Pv 2.20). A bem-aventurança é alcançada quando nos afastamos do caminho errado e colocamos nossos pés no caminho certo.

Primeiro renunciamos ao mal; depois, fazemos o bem. Primeiro dizemos não às propostas sedutoras que tentam nos arrastar na correnteza da iniquidade; depois, damos nosso sim aos preceitos da santidade. Primeiro, deixamos de andar com os maus que se ajuntam para dar vazão às suas paixões; depois, nos tornamos companheiros de jornada das pessoas de bem. Existe um caminho largo e espaçoso que leva à morte e um caminho estreito que conduz à vida. Existe um caminho cheio de atrativos que desemboca na perdição e um caminho de renúncia cujo destino final é a bem-aventurança eterna. A sabedoria nos toma pela mão e nos faz caminhar com as pessoas de bem. Matricula-nos na escola da santidade. Firma os nossos passos nas veredas da justiça. Essas veredas podem não ter o mesmo *glamour* do mundo. Nessas veredas, porém, não há truques nem engano. As placas que estão ao longo dessa vereda exigem de seus caminhantes arrependimento e renúncia, fé e obediência, consagração e perseverança. Porém, garantem a todos vida e paz, segurança e bem-aventurança eterna.

Um contraste profundo — *Porque os retos habitarão a terra, e os íntegros permanecerão nela. Mas os perversos serão eliminados da terra, e os aleivosos serão dela desarraigados* (Pv 2.21,22). Só há dois caminhos: o da obediência e o da desobediência; o da vida e o da morte. O caminho da desobediência é largo. Trafega por ele uma vasta multidão. Ele oferece muitas vantagens. Promete muitos prazeres. Anuncia muitas aventuras. Nesse caminho, não há proibições. Tudo é permitido. Tudo é tolerado. O final desse caminho, porém, é a morte. Aqueles que andam por ele serão desarraigados da terra. Não permanecerão na congregação dos justos, nem prevalecerão no juízo. Já o caminho da obediência é estreito. Sua rota é uma subida contínua. Exige renúncia e sacrifício. Somente aqueles que negam a si mesmos e tomam a sua cruz andam por ele. O caminho estreito exige obediência e proíbe o pecado. No entanto, aqueles que seguem por ele habitarão a terra. Entrarão no gozo eterno e desfrutarão de alegrias indizíveis. Hoje Deus coloca diante de você o caminho da vida e o da morte, mas o aconselha a andar pelo caminho da vida. O caminho estreito, embora seja a estrada da renúncia, leva à vida; mas o caminho largo, embora seja a estrada dos prazeres efêmeros, conduz à morte.

Capítulo 3

Exortações da sabedoria a obedecer ao Senhor
(Pv 3.1-35)

O ELIXIR DA VIDA – *Filho meu, não te esqueças dos meus ensinos, e o teu coração guarde os meus mandamentos; porque eles aumentarão os teus dias e te acrescentarão anos de vida e paz* (Pv 3.1,2). Os ensinos e os mandamentos de Deus não devem ser esquecidos. Em observá-los há grande recompensa. Eles foram dados para que os cumpramos à risca. São o mapa da nossa felicidade e o elixir da nossa vida. Esquecer ou deliberadamente desobedecer aos mandamentos de Deus é atrair sobre nossa cabeça juízo e maldição. Quando Deus nos deu sua santa Palavra, não o fez para nos privar de felicidade. Ele não é carrasco nem sádico. É um pai cheio de ternura e graça. Tem o melhor para seus filhos. Aqueles que lhe obedecem comem o melhor desta terra. Guardar seus preceitos é matricular-se na escola da bem-aventurança. É beber das fontes da vida. É experimentar plenitude de alegria. É gozar de perfeita paz. Aqueles que amam a lei de Deus vivem mais e melhor!

Pleno discernimento – *Não te desamparem a benignidade e a fidelidade; ata-as ao teu pescoço; escreve-as na tábua do teu coração e acharás graça e boa compreensão diante de Deus e dos homens* (Pv 3.3,4). Tanto a benignidade como a fidelidade fazem parte do fruto do Espírito. Não são dotes naturais, mas a ação de Deus em nossa vida. Não são características inatas do ser humano, mas virtudes concedidas a todos aqueles que andam no Espírito. Ser benigno é agir com doçura até com os rudes e implacáveis. Ser fiel é permanecer leal mesmo quando somos injustiçados. Essas joias do caráter cristão não podem ser atitudes e ações esporádicas. Devem ser como um colar em nosso pescoço e estar gravadas com pena de diamante em nosso coração. Os que semeiam a benignidade e praticam a fidelidade têm seu caminho aberto para as outras pessoas e para Deus. Esses têm pleno discernimento para compreender as coisas da terra e as do céu. Esses acham graça diante de Deus e dos homens. Se amar a Deus e ao próximo é o maior dos mandamentos, então o exercício da benignidade e da fidelidade é a avenida aberta para o coração de Deus e das outras pessoas. Nessas duas virtudes resumem-se a essência da própria vida cristã. É no caminho da obediência que nossos olhos são abertos. É na prática do bem que alcançamos pleno discernimento. É na observância aos preceitos de Deus que desfrutamos vida maiúscula e superlativa!

Em Deus você pode confiar – *Confia no SENHOR de todo o teu coração e não te estribes no teu próprio entendimento* (Pv 3.5). A marca registrada da sociedade é a decepção. Vivemos uma aguda crise de integridade. Há uma desconfiança cada vez maior com as instituições. Alianças são quebradas. Pactos são desfeitos. Acordos firmados solenemente são jogados por terra sem nenhum pudor. A crise de credibilidade está presente em todas as instituições, desde o governo até as igrejas. Porém, em Deus você pode confiar. Ele é luz, e nele não há treva nenhuma. Ele é a verdade, e nele não há mentira. Ele é santo, e nele não há pecado. Ele é fiel, e nele não há engano. Ele é onipotente, e nele não há fraqueza. Deus jamais desampara aqueles que o buscam. Jamais decepciona aqueles que nele esperam. Jamais rejeita aqueles que, de coração quebrantado, se achegam a ele.

A recompensa de andar com Deus – *Reconhece-o em todos os teus caminhos, e ele endireitará as tuas veredas* (Pv 3.6). Há nesse versículo duas verdades magnas. Ambas sublimes e vitais. O texto encerra um mandamento e uma promessa. O mandamento é: leve Deus a sério em todos os seus caminhos. A promessa é: Deus dará a você uma caminhada reta e segura. Aqueles que tropeçam no caminho, que se desviam e caem em abismos perigosos, é porque, em dado momento, deixaram de andar com Deus. Não basta reconhecer Deus por um tempo e depois se esquecer dele. Há pessoas que viram as costas para Deus no meio da jornada. Há aqueles que querem a presença de Deus apenas em algumas áreas da vida. Há muitos que rejeitam a intervenção e o conselho de Deus em suas ações. Por isso, sua jornada é turbulenta, seu caminho é escorregadio e seu destino é desastroso. Aqueles que desprezam Deus e à sua Palavra caminham cambaleando pela vida. Esses jamais verão a alva. Mas os que andam com Deus marcham, firmes e resolutos, rumo à glória!

Cuidado com a falsa sabedoria – *Não sejas sábio aos teus próprios olhos; teme ao* Senhor *e aparta-te do mal* (Pv 3.7). Nada é mais contrário à sabedoria do que a presunção. A sabedoria que se impõe pela empáfia e pela soberba é consumada tolice. O sábio é aquele que não faz propaganda de si mesmo. A sabedoria sempre anda de mãos dadas com a humildade. Sempre se veste de modéstia. Salomão, no texto em apreço, dá três conselhos. O primeiro deles é a necessidade imperativa da humildade. Só os humildes conhecem a essência da sabedoria. E só os humildes serão exaltados. O segundo conselho é a necessidade de sermos guiados na vida pelo temor ao Senhor. Só o temor a Deus nos livra de quedas e fracassos. Só o temor a Deus nos abre os portais da sabedoria. O terceiro conselho é a necessidade de nos afastarmos de tudo que é errado. Ninguém é regido pela sabedoria fazendo o mal e firmando alianças com aqueles que vivem na prática da injustiça. Humildade de coração, temor ao Senhor e santidade de vida são os pilares da verdadeira sabedoria. Buscá-la em outras fontes é cavar cisternas rotas. Tocar trombetas para fazer apologia de si mesmo é insensatez. Nenhum engano é mais perigoso do que o autoengano. Nenhuma humilhação é mais notória do que aquela colhida pelos que exaltam a si mesmos. Não construa monumentos a si mesmo. Viva para a glória de Deus. Fuja da falsa sabedoria!

Santidade e sanidade – *Será isto saúde para o teu corpo e refrigério, para os teus ossos* (Pv 3.8). O temor a Deus é o princípio da sabedoria. Quem teme a Deus afasta-se do mal, e quem se afasta do mal evita uma batelada de problemas na vida. Quem teme a Deus não desperdiça sua saúde em noitadas de aventuras. Quem teme a Deus não intoxica seu corpo com nicotina nem com outras drogas pesadas. Quem teme a Deus não se rende aos ditames do alcoolismo. Quem teme a Deus não entrega seu corpo à impureza nem chafurda na lama da promiscuidade sexual. Quem teme a Deus não entrega sua língua à maledicência nem compra brigas desnecessárias, para depois viver amargurado. Quem teme a Deus semeia amor e colhe compreensão. Quem teme a Deus não guarda mágoa no coração, mas abençoa quem o maldiz. Quem teme a Deus não é estrangulado pela ansiedade, mas entrega seus cuidados ao Senhor. Não há melhor remédio preventivo para a saúde do que a santidade. Sanidade e santidade caminham de mãos dadas. A diferença entre sanidade e santidade é apenas a letra "T", e essa letra é um símbolo da cruz. Quando a cruz de Cristo governa nossa vida, encontramos saúde para o corpo e refrigério para os ossos.

Uma ordem divina a ser observada – *Honra ao Senhor com os teus bens e com as primícias de toda a tua renda* (Pv 3.9). Deus é o dono do universo. Dele é todo o ouro e toda a prata. Dele são as aves do céu, os animais do campo e os peixes do mar, pois ele tudo criou, a todos dá vida e a tudo sustenta. Somos mordomos dos bens de Deus. Devemos ser encontrados fiéis nessa mordomia. Salomão ensina aqui dois princípios. O primeiro deles é que devemos honrar o Senhor com os nossos bens. Esses bens nos foram confiados por Deus e devem estar a serviço de Deus. Retê-los de forma gananciosa e avarenta é desonrar Deus.

Esbanjá-los nos próprios deleites é fracassar na administração. Devemos honrar Deus não apenas com nossas palavras, mas sobretudo com os nossos bens, colocando em suas mãos, com generosidade, aquilo que recebemos dele próprio. O segundo princípio é que devemos honrar Deus com as primícias de toda a nossa renda. Devemos ser fiéis na devolução dos dízimos. Os dízimos não são a sobra, mas as primícias. Há três formas erradas de tratar com os dízimos: retê-los, subtraí-los e administrá-los. Quando honramos Deus com as primícias de toda a nossa renda, estamos dizendo que tudo o que temos veio de Deus é de Deus e a Deus deve ser consagrado de volta.

Uma promessa divina a ser desfrutada – *E se encherão fartamente os teus celeiros, e transbordarão de vinho os teus lagares* (Pv 3.10). Depois da ordem divina, temos agora a promessa divina. Quando devolvemos a Deus o que lhe pertence, temos a promessa de que ele mesmo nos galardoa. Quando entregamos a Deus as primícias de toda a nossa renda, ele mesmo multiplica a nossa sementeira. Quando honramos Deus com todos os nossos bens, ele mesmo enche fartamente os nossos celeiros e faz transbordar os nossos lagares. Deus nunca fica em dívida com ninguém. Ninguém sai perdendo ao confiar na fidelidade de Deus. Aqueles que têm experiência de ser dizimistas já provaram que Deus sempre vai além, concedendo a seus filhos bênçãos espirituais incontáveis, alegria indizível nas provas e evidências incontestáveis do seu cuidado. Os celeiros que Deus enche transcendem os bens materiais. O vinho de Deus é mais do que o fruto da vide. As bênçãos do Eterno não se limitam à prosperidade financeira; retratam sobretudo as bênçãos espirituais. Em Deus temos tudo. Ele é a nossa própria herança, a nossa maior recompensa.

Disciplina, o cuidado de Deus – *Filho meu, não rejeites a disciplina do SENHOR, nem te enfades da sua repreensão* (Pv 3.11). A disciplina é um ato responsável de amor. Visa o bem do filho, e não a sua destruição. Ajuda o filho a crescer, em vez de envergonhá-lo. Não devemos ter, portanto, uma atitude negativa em relação à disciplina do Senhor. Coração endurecido e cerviz que jamais se dobra são caminhos certeiros para a ruína. A rebeldia é uma afronta à graça de Deus e um acinte à sua bondade. Quando Deus disciplina seus filhos, ele lhes aplica a vara, mas esta é uma terapia de vida, e não um instrumento de morte. Quando Deus repreende seus filhos, ainda que faça uso de uma providência carrancuda, ele mostra uma face sorridente. A disciplina no momento pode ser um remédio amargo, mas é ao mesmo tempo absolutamente necessário para produzir a cura. Rejeitar a disciplina e enfadar-se da repreensão é recusar o remédio divino, escarnecer de sua graça e dar as costas para o favor do Pai. Deus não nos deixa entregues à nossa própria sorte. Não somos bastardos; somos filhos. Ele vela por nós. Está comprometido em esculpir em nós o caráter do seu Filho. Jamais abre mão de nos transformar à imagem do Rei da glória. Sua disciplina dói, mas cura; sua repreensão confronta, mas restaura.

Disciplina, o amor responsável – *Porque o SENHOR repreende a quem ama, assim como o pai, ao filho a quem quer bem* (Pv 3.12). Nenhum pai terreno pode transcender o Pai do céu em amor e bondade. Nós, pais terrenos, embora maus, sabemos dar boas dádivas aos nossos filhos. Não lhes damos uma pedra quando eles nos pedem pão, nem lhes damos uma cobra quando eles nos pedem peixe. Um pai responsável jamais entrega os filhos a seus próprios caprichos e jamais atende a todos os seus desejos. Sempre os confronta em seus erros e os alerta acerca dos aleivosos perigos que os cercam. A disciplina é um ato de amor, e quem ama procura o bem da pessoa amada. A disciplina é um chamado ao discipulado. É uma convocação à imitação. Poderia o Pai celestial ficar aquém desse ideal? Seria Deus um pai perfeito se deixasse seus filhos entregues à própria sorte? Seria responsável sendo um pai bonachão? Absolutamente não! Porque Deus nos ama, ele nos disciplina. Porque quer o nosso bem, ele nos corrige. Seu propósito não é satisfazer sempre a nossa vontade, mas nos transformar à imagem de seu Filho, a fim de nos mostrar como troféus de sua graça nos séculos vindouros.

Sabedoria e conhecimento, fontes de felicidade – *Feliz o homem que acha a sabedoria, e o homem que adquire conhecimento* (Pv 3.13). A sabedoria deve ser encontrada e o conhecimento, adquirido. A sabedoria é dádiva de Deus e deve ser desejada e buscada com avidez. Sabedoria é ver a vida como Deus a vê. É discernir os aspectos intrincados da existência como Deus os discerne. É ter a capacidade de separar o trigo da palha, o precioso do vil, o verdadeiro do camuflado. Sabedoria é julgar não segundo a aparência, mas auscultar as profundas motivações do coração. Só Deus consegue essa proeza e, por isso, precisamos pedir a ele discernimento para não julgarmos precipitadamente. A pessoa que acha a sabedoria é feliz, pois não cometerá injustiça em suas palavras nem contraditará suas palavras com suas obras. A pessoa que adquire conhecimento é feliz. Muitos querem adquirir bens e fama. Lutam para acumular riquezas e glórias. Sacrificam a verdade, escarnecem da honra e afrontam Deus para auferir o lucro iníquo. Porém, depois que se apoderam desses bens mal adquiridos, descobrem que estes se tornam o combustível para sua própria destruição. O conhecimento é um tesouro inalienável. Ladrões não podem roubá-lo nem a traça pode corroê-lo. Investir em conhecimento rende mais do que qualquer outro investimento mais lucrativo, pois é investir para o tempo e para a eternidade.

Os excelentes dividendos da sabedoria – *Porque melhor é o lucro que ela dá do que o da prata, e melhor a sua renda do que o ouro mais fino* (Pv 3.14). Ouro e prata são os metais mais nobres e mais caros. Investir em ouro e em prata é ter lucro garantido. Ajuntar ouro e prata é amealhar riqueza, acumular fortuna e construir rico patrimônio. Porém, há um lucro melhor do que o da prata. Há uma renda melhor do que a do ouro mais fino. É encontrar a sabedoria! É melhor ser sábio do que ser rico. Há ricos insensatos que ganham o mundo inteiro e perdem a alma. Há ricos que ajuntam tesouros com violência e acumulam em sua casa aquilo que roubam astuciosamente da casa do próximo. Essa riqueza é maldição. Traz desgosto e condenação. Mas o lucro da sabedoria é doce ao paladar. Traz alegria perene e satisfação eterna. Quando somos governados pela sabedoria, fazemos um investimento que não sofre queda no mercado, mesmo diante dos maiores reveses da economia. A cotação do ouro e da prata pode estar em alta ou em baixa, mas o lucro da sabedoria jamais sofre variação. Seu sucesso é constante. Sua lucratividade é inabalável.

A sabedoria é uma riqueza incomparável – *Mais preciosa do que pérolas, e tudo o que podes desejar não é comparável a ela* (Pv 3.15). A pérola é uma das joias mais cobiçadas no mundo, tanto no passado como no presente. É produzida dentro da ostra pelo atrito da areia. Esse processo gera para a ostra grande sofrimento, mas traz para as mãos dos investidores grande lucro. A pérola não é apenas uma joia preciosa; é também uma joia de rara beleza. É um adorno nobre, que enche os olhos de encanto e êxtase. O sábio chegou a dizer à sua amada: *Arrebataste-me o coração, minha irmã, noiva minha; arrebataste-me o coração* [...] *com uma só pérola do teu colar* (Ct 4.9). Pois a sabedoria é mais preciosa do que um colar de pérolas. A sabedoria é incomparavelmente mais preciosa, mais bela e mais lucrativa do que qualquer outra coisa que venhamos a desejar. Deve merecer nossos maiores investimentos. Devemos buscá-la com todas as forças da nossa alma. Devemos desejá-la mais do que às coisas mais desejáveis da vida. Onde falta a sabedoria, o brilho das pedras preciosas perde o fulgor. Onde a sabedoria está ausente, os banquetes da alegria se transformam em território de choro e pesar. Adorne sua vida com a sabedoria. Ajunte os tesouros da sabedoria. Saboreie as finas iguarias do banquete da sabedoria!

Longevidade, riquezas e honra – *O alongar-se da vida está na sua mão direita, na sua esquerda, riquezas e honra* (Pv 3.16). Salomão apresenta três frutos da sabedoria. Todos deliciosos ao paladar. Todos ricos nutrientes para a alma. Quais são esses frutos? Primeiro, longevidade. Os tolos têm seus dias abreviados na terra. Tropeçam na própria língua e cavam sepultura para os próprios pés. Porém, o sábio saboreia a vida, anda pelos caminhos da obediência e desfruta de vida longa na terra. Segundo, riquezas. Aqueles que querem ficar ricos, caem em tentação e cilada e atormentam a sua alma com muitos flagelos. Porém, aqueles que encontram a sabedoria e a compram, recebem no pacote riquezas incontáveis. Riquezas de graça e amor. Riquezas de paz e consolo. Riquezas materiais e espirituais. Riquezas para o tempo e para a eternidade. Terceiro, honra. A honra é diferente da riqueza. A honra é o reconhecimento de seu valor intrínseco. É a manifestação pública de que você é precioso aos olhos de Deus e aos das outras pessoas. É útil à sua família e à sociedade. É bênção onde está e aonde for. Oh, que frutos benditos a sabedoria produz: longevidade, riquezas e honra!

Os caminhos da sabedoria – *Os seus caminhos são caminhos deliciosos, e todas as suas veredas, paz* (Pv 3.17). Há caminhos que levam a muitos destinos, mas só o caminho da sabedoria é delicioso para a alma. Não apenas seu destino é seguro, mas seu trajeto é cheio de benditas e amáveis aventuras. Há caminhos que parecem certos aos olhos humanos, mas no fim desembocam na morte. Há caminhos que são aplaudidos pelas pessoas, mas são reprovados por Deus. Há caminhos que oferecem liberdade, mas escravizam; prometem prazer, mas atormentam; anunciam a vida, mas matam. O caminho da sabedoria não traz desgosto para seus viajantes. Todos os que trafegam por essa estrada desfrutam de delícias permanentes. Nesse caminho não há truques, armadilhas ou perigos disfarçados. Nesse caminho não se faz concessão ao erro nem se encobre o pecado. Esse é o caminho da luz. Todo aquele que anda por ele sabe aonde vai chegar. As veredas da sabedoria são de paz, e não de conflitos. São de santidade, e não de transgressão. São de liberdade, e não de opressão. São de vida, e não de morte. O caminho da sabedoria é estreito, mas seguro. É trafegado por poucos, mas conduz à vida eterna. Porém, o caminho da iniquidade, embora largo, é escorregadio. E, embora seja frequentado por vasta multidão, desemboca na morte eterna.

A sabedoria é árvore de vida – *É árvore de vida para os que a alcançam, e felizes são todos os que a retêm* (Pv 3.18). Quais são as grandes aspirações de sua vida? Muitos lutam bravamente para ser ricos. Nesse projeto, empregam toda a sua energia e, às vezes, para alcançar seu propósito, perdem a própria alma. Outros têm como sentido da vida a busca do prazer. Bebem todas as taças dos prazeres numa busca sôfrega por preencher o vazio do coração. Salomão, que granjeou fortunas colossais e desfrutou de prazeres mil, diz que alcançar a sabedoria é o melhor de todos os projetos de vida. Quem alcança a sabedoria tem acesso à árvore da vida. Come de seus frutos deliciosos e repousa debaixo de sua sombra abençoadora. Os que granjeiam riquezas descobrem que a felicidade não frequenta com assiduidade os palácios. Os que empunham a bandeira do hedonismo, bebendo a largos sorvos os prazeres transitórios do pecado, descobrem que o pecado é um embuste. Por trás de seu prazer imediato, existe uma culpa permanente. Por trás de seu *glamour* sedutor, há uma carranca que apavora. Os que retêm a sabedoria, entretanto, são verdadeiramente felizes. Felizes, apesar da pobreza; felizes, apesar das provações; felizes, apesar da chegada da morte. A verdadeira sabedoria é mais do que claros conceitos e firmes valores. A verdadeira sabedoria é uma pessoa. A verdadeira sabedoria é Jesus!

Deus fez o mundo com sabedoria – *O Senhor com sabedoria fundou a terra, com inteligência estabeleceu os céus* (Pv 3.19). Os céus e a terra não vieram à existência espontaneamente. O universo não deu à luz a si mesmo. O universo vastíssimo e insondável não é produto de uma explosão cósmica nem mesmo de uma evolução de milhões e milhões de anos. O universo foi criado. O universo é formado de massa e energia. O universo é governado por leis. Massa e energia não criam leis. As leis não criam a si mesmas. Logo, alguém fora do universo as criou. A verdade incontornável é que o universo foi criado. E as Escrituras nos dizem que Deus o criou com esplêndida sabedoria. Do nada, ele fez tudo. Sem matéria preexistente, ele tudo criou. O universo tem em torno de 93 bilhões de anos-luz de diâmetro. Isso significa que, se pudéssemos voar à velocidade da luz, a 300 mil quilômetros por segundo, levaríamos mais de 93 bilhões de anos para ir de uma extremidade à outra do universo. Deus criou todos os mundos estelares e todos os seres visíveis e invisíveis com sabedoria invulgar e com inteligência incomparável.

Deus governa a criação – *Pelo seu conhecimento os abismos se rompem, e as nuvens destilam orvalho* (Pv 3.20). Deus criou o universo e estabeleceu leis para governá-lo. O universo não vive ao arrepio da providência divina. No dilúvio, Deus fez romper as fontes do abismo. Águas brotaram de baixo, águas vieram de cima, e toda a terra foi coberta por colossal inundação. Esse fenômeno não surgiu à parte do plano de Deus, mas veio como cumprimento de seu propósito. Com sabedoria, Deus faz que as nuvens destilem orvalho. Esse fenômeno ocorre toda noite. Deus asperge a terra com esse bálsamo celestial. Depois de um dia de calor escaldante, a noite traz novo alento. Depois da sequidão produzida pelo sol, o orvalho traz renovo durante a noite. Tanto o rompimento do abismo que vem debaixo como o orvalho que cai de cima, ambos são produzidos pelo conhecimento e pela sabedoria de Deus. Toda a criação revela tanto o poder quanto a sabedoria de Deus. Ele fez tudo com um propósito, e toda a criação cumpre o seu desígnio. As digitais do Criador podem ser vistas tanto nos grandes fenômenos quanto no rompimento dos abismos, tanto nas coisas mais discretas quanto no orvalho que vem das nuvens.

Sabedoria, a fonte de vida — *Filho meu, não se apartem estas coisas dos teus olhos; guarda a verdadeira sabedoria e o bom siso; porque serão vida para a tua alma e adorno ao teu pescoço* (Pv 3.21,22). No livro de Provérbios, a sabedoria não é apenas um conceito, mas uma Pessoa. O próprio Deus é a encarnação da sabedoria. Apartar-se dessa sabedoria é fechar os olhos para a fonte da vida. A verdadeira sabedoria precisa ser guardada, pois só na sua observância é que o ser humano descobre o que significa o bom siso. Guardar a verdadeira sabedoria produz dois resultados. O primeiro deles é a salvação. Isso é vida para nossa alma. A alma só tem vida quando tem um encontro pessoal com o próprio Deus. Em sua experiência no Jaboque, *Àquele lugar chamou Jacó Peniel, pois disse: Vi a Deus face a face, e a minha vida foi salva* (Gn 32.30). Mesmo besuntado de conhecimento e adornado por riquezas colossais, a pessoa sem Deus está morta. Só Deus pode tirar sua alma da morte. O segundo resultado é o adorno. A sabedoria é como um belo colar ao redor do pescoço. A sabedoria atrai, embeleza e enriquece. Quando conhecemos Deus, conhecemos ao mesmo tempo o caminho da vida, e o caminho da vida é também o caminho da beleza. O belo produzido pela sabedoria não é uma ilusão ótica, mas a expressão da própria beleza de Deus refletida em nós.

Sabedoria, o melhor seguro – *Então, andarás seguro no teu caminho, e não tropeçará o teu pé* (Pv 3.23). A sabedoria é o nosso melhor salvo-conduto. É o nosso melhor seguro de vida. É o mapa mais seguro na nossa jornada da vida. A sabedoria não apenas nos livra de tropeços e quedas, mas também nos toma pela mão e nos conduz em segurança na jornada da vida. A sabedoria livra-nos de quedas e fracassos. A insensatez coloca os pés humanos numa estrada escorregadia. A tolice leva as pessoas a fazerem escolhas erradas. A ignorância entorpece a mente, cega os olhos e coloca tampão nos ouvidos. Um coração rebelde vira as costas para Deus, ignora o semelhante e destrói a si mesmo. Mas uma pessoa sábia discerne todas as coisas, evita perigos, afasta-se de indivíduos perniciosos e coloca os pés na estrada segura que conduz à vida. Aqueles que andam regidos pela sabedoria não tropeçam, porque andam na luz. Vivem seguros, porque são governados pelos preceitos de Deus. São bem-aventurados porque abraçam os valores do reino de Deus. São abençoadores porque promovem o bem e repudiam o mal. São consistentes na caminhada porque não há em sua vida nenhuma região nebulosa. Caminham sem tropeçar porque, em vez de negociar princípios e valores absolutos, empunham o pendão da verdade e jamais transigem com a justiça e a misericórdia.

Sabedoria, o melhor calmante – *Quando te deitares, não temerás; deitar-te-ás, e o teu sono será suave* (Pv 3.24). Nossa geração anda perturbada e inquieta. As pessoas vivem desassossegadas como ovelhas sem pastor. Andam ansiosas por muitas coisas. Milhões de pessoas não conseguem mais conciliar o sono. Vivem sobressaltadas por inúmeros temores. Só conseguem dormir à base de calmantes. O sono não é suave nem o descanso satisfatório. E por quê? Porque a vida está atribulada. Porque os valores estão confusos. Porque as escolhas são insensatas. Porque a vida, a família, o trabalho e os relacionamentos estão debaixo de forte turbulência. A sabedoria é o melhor calmante. Nenhum remédio pode produzir um sono tão gostoso e confiante como a paz de espírito. Quando você tem convicção de que está fazendo o que é certo, com a motivação certa, isso lhe traz paz. O rei Davi, nos dias mais sombrios de sua vida, quando foi atacado pelo próprio filho Absalão, precisou fugir de Jerusalém. Dormiu em tendas improvisadas no deserto, mas, mesmo sob circunstâncias tão adversas, disse: *Em paz me deito e logo pego no sono, porque, SENHOR, só tu me fazes repousar seguro* (Sl 4.8).

Deus, nossa segurança – *Não temas o pavor repentino, nem a arremetida dos perversos, quando vier. Porque o SENHOR será a tua segurança e guardará os teus pés de serem presos* (Pv 3.25,26). Há muitas coisas que nos amedrontam. Há muitos perigos reais e imaginários que nos apavoram. O pavor repentino pode advir de um acidente grave, uma enfermidade súbita, um colapso financeiro, uma crise conjugal, um divórcio doloroso ou um luto traumático. A arremetida dos perversos é um ataque injusto, uma acusação leviana, uma perseguição cruel, uma artimanha maligna. O temor dessas coisas pode nos desestabilizar. O medo do imprevisível pode nos tirar o equilíbrio emocional. A preocupação com possíveis dificuldades pode nos roubar as forças e toldar nossa alegria. Aqueles que são governados pela sabedoria, porém, descansam no cuidado de Deus e sabem que sob as asas do Onipotente estão seguros. Na verdade, é Deus, e não nossa destreza, que livra os nossos pés do laço. É Deus quem segura firme a nossa mão e nos livra de tropeços. É Deus quem nos mantém de pé e nos livra da queda. Deus mesmo é a nossa segurança. Se estamos agasalhados em seus braços, estamos seguros. Nada nem ninguém pode nos arrancar de seus braços; nada nem ninguém pode nos afastar de seu amor.

Faça o bem, mas faça agora – *Não te furtes de fazer o bem a quem de direito, estando na tua mão o poder de fazê-lo* (Pv 3.27). A parábola do bom samaritano é uma ilustração eloquente do texto em apreço. Tanto o sacerdote quanto o levita viram um homem semimorto caído à beira do caminho e passaram de largo. Agiram com criminosa indiferença. Pensaram mais na própria segurança do que em socorrer o necessitado. Tinham oportunidade de fazer o bem e não o fizeram. A omissão e a indiferença são pecados cruéis. É a apostasia do amor, o divórcio da misericórdia, a morte da sensibilidade. A prática do bem não pode ser postergada se está em nossas mãos o poder de realizá-lo imediatamente. Não podemos despedir o nu sem roupa se temos como cobrir sua nudez. Não podemos despedir vazio o faminto se temos em nossa despensa abundância de pão. Não podemos falar ao próximo "Volte amanhã" se podemos socorrê-lo no exato momento de sua necessidade. Quem ama tem pressa em socorrer a pessoa amada. Quem ama não adia a solução de um problema que é colocado em suas mãos. Delegar a solução de um problema a outrem, tendo nós a oportunidade de resolvê-lo, é consumada covardia. Deixar de ajudar alguém, tendo nós a chance e os recursos para atendê-lo, é negar o amor. O bem precisa ser praticado, e praticado sem tardança.

Faça o bem e não demore – *Não digas ao teu próximo: Vai e volta amanhã; então, to darei, se o tens agora contigo* (Pv 3.28). A demora pode ser um erro irremediável. Protelar uma ação pode ser fatal. Muitos chegam tarde demais, quando poderiam ter chegado mais cedo. Outros deixam de estender a mão para socorrer alguém que está nos portais da morte. Salomão coloca uma situação prática para ilustrar esse fato. O próximo é toda pessoa necessitada que está no nosso caminho, ao nosso alcance. Essa pessoa pode ser um membro da família de sangue, um irmão ligado à família da fé ou até mesmo alguém que se declara nosso inimigo. Se essa pessoa estiver necessitada e buscar nossa ajuda, tendo nós condições de socorrê-la, não devemos dizer a ela: "Volte amanhã e eu lhe darei o que você me pede". O bem precisa ser praticado imediatamente, com senso de urgência, pois a pessoa necessitada nem sempre pode esperar. Nosso coração não pode ser relutante na prática das boas obras. Nossas mãos não podem ser remissas na demonstração do amor. Despedir vazio o faminto e sedento o sequioso, com a promessa de que amanhã os ajudaremos, é uma negação do amor, uma apostasia da misericórdia, uma negação da fé. O amor é pródigo na prática do bem. O amor tem pressa em socorrer a pessoa amada. Quem ama sai do território do discurso para engajar-se na ação misericordiosa!

Traição é uma atitude indigna – *Não maquines o mal contra o teu próximo, pois habita junto de ti confiadamente*

(Pv 3.29). A traição é uma atitude reprovável. É como apunhalar pelas costas a quem pela frente se devota amor. É puxar o tapete de quem só recebia elogios. O apóstolo Paulo menciona Alexandre, o latoeiro, que lhe causou muitos males (2Tm 4.14,15). Foi esse homem quem delatou o apóstolo Paulo, o que culminou em sua segunda prisão e em seu consequente martírio. Não é fácil ser traído. Não é fácil lidar com gente que rasga desabridos elogios pela frente e faz levianas acusações pelas costas. Não é fácil enfrentar os embaixadores da infidelidade, que torcem para você cair e riem quando você chora. Não é fácil ser vítima daqueles que aplaudem quando você sofre e demonstram pesar diante de suas vitórias. Salomão deixa claro que um indivíduo sábio não maquina o mal contra o próximo, quando este deposita nele sua confiança. Judas Iscariotes ficou estigmatizado como traidor. Sua biografia ficou manchada. Ele terminou indelevelmente marcado como o homem que passou pela história como um hipócrita que tinha belas palavras nos lábios, mas horrendas atitudes no coração. Judas chamava Jesus de Mestre e acabou lhe dando um beijo na face, mas escondia uma traição vergonhosa por trás dessas palavras e desse gesto.

Não compre brigas – *Jamais pleiteies com alguém sem razão, se te não houver feito mal* (Pv 3.30). Há pessoas encrenqueiras que compram briga por qualquer motivo. Essas pessoas transtornam o ambiente onde vivem. Alimentam-se de intrigas. São destemperadas nas palavras, arrogantes nas atitudes e inconsequentes nas ações. Mesmo laborando em erro, levam sua causa adiante, pleiteando com outrem. Apesar de estar sem razão, alardeiam seus direitos e tentam prevalecer nos tribunais. Salomão nos aconselha sabiamente a não entrarmos por esse caminho de contendas. A melhor briga é aquela que deixamos de travar. A melhor disputa é aquela que evitamos. A melhor postura é aquela de procurar a paz com todos. Entrar numa pugna pessoal contra alguém, e sobretudo sem razão, é uma insensatez. Abraham Lincoln, o grande estadista norte-americano, diz que a melhor maneira de vencer um inimigo é fazer dele um amigo. Pleitear com alguém, quando esse indivíduo nada fez contra nós, é uma clamorosa injustiça e uma injustificável impiedade. É pagar o bem com o mal. Isso é menos que humano. É consumada crueldade. Em vez de comprar brigas com as pessoas, devemos amar e servir ao próximo. Em vez de cavar abismos nos relacionamentos, devemos construir pontes de amizade. Em vez de criar contendas, devemos ser pacificadores.

Fuja do homem violento – *Não tenhas inveja do homem violento, nem siga nenhum de seus caminhos; porque o* Senhor *abomina o perverso, mas aos retos trata com intimidade* (Pv 3.31,32). Há indivíduos truculentos cujas mãos estão cheias de sangue. São pessoas violentas que ferem, esmagam e matam sem piedade. Muitas vezes, fazem isso na surdina, ao arrepio da lei, e ainda ganham notoriedade e arrancam aplausos de seus admiradores. Salomão nos orienta a não termos inveja dessas pessoas. A não cobiçarmos sua posição. A não desejarmos suas vitórias e a não buscarmos alcançar seu sucesso. O poder do violento desemboca na tragédia. O sucesso do violento se cobrirá de vergonha. Os caminhos do violento são caminhos de morte. Deus abomina o perverso. Ele não tem prazer naquele que vive oprimindo o próximo. Deus não tolera a injustiça nem inocenta aquele que fere o próximo com a língua e as mãos. A sabedoria não nos matricula na escola do crime, mas nos toma pela mão e nos guia no caminho da retidão. Deus tem prazer naqueles que respeitam o próximo. Deus se deleita naqueles cuja vida transborda de amor e compaixão. Fuja do violento. Afaste os pés de seus caminhos. Violência gera violência. Violência afasta o ser humano de Deus e do próximo. Violência embrutece a alma e calcifica o coração.

Bênção e maldição – *A maldição do* Senhor *habita na casa do perverso, porém a morada dos justos ele abençoa* (Pv 3.33). Bênção e maldição procedem de Deus. Ele galardoa o bem e reprova o mal. Abençoa o justo e envia maldição ao perverso. Cada um, o justo e o perverso, colhe o que planta, ceifa o que semeia. Na casa do perverso, onde os preceitos da lei de Deus foram desprezados, a maldição vem como consequência de suas escolhas erradas e de suas ações perversas. Na morada dos justos, onde a lei de Deus foi obedecida e o amor a Deus e ao próximo foi praticado, aí Deus ordena a sua bênção. Por ser santo e justo, Deus não responde ao bem e ao mal da mesma forma. Deus ama o bem e abomina o mal. Ama o justo e rejeita o iníquo. O perverso é aquele que dá as costas para Deus e ultraja com violência o direito do justo. O perverso é rebelde contra Deus e insensível às outras pessoas. Este verá o mal que maquinou contra o próximo caindo sobre sua própria cabeça. O justo é aquele que foi justificado por Deus e, mesmo não tendo justiça própria, foi declarado justo pela justiça de Cristo a ele imputada. Este se deleita em Deus e ama o próximo como a si mesmo. O justo é abençoado, com toda a sua casa. E, além de abençoado, é também um abençoador. É como uma árvore frutífera, como uma fonte da qual correm águas cristalinas; é um oásis no deserto, um farol a brilhar em sua geração.

O que uma pessoa semeia, isso ela ceifará – *Certamente, ele [Deus] escarnece dos escarnecedores, mas dá graça aos humildes* (Pv 3.34). O pecado é maligníssimo aos olhos de Deus. Portanto, aqueles que zombam do pecado, como se fosse algo inofensivo, são loucos. O pecado é pior do que a pobreza, a solidão, a doença e a morte. Todos esses males não podem afastar o ser humano de Deus, mas o pecado o afasta de Deus no tempo e na eternidade. Aqueles que vivem na prática do pecado e se assentam na roda dos escarnecedores, aqueles que amam o pecado, esses aborrecem a santidade e são inimigos de Deus. Eles zombam da Palavra de Deus, escarnecem do povo de Deus e engordam o coração de soberba. Como Deus lida com os escarnecedores? Deus escarnece deles! De que forma? Dando-lhes a beber a largos sorvos daquilo que eles mesmos desejam. A maior maldição do pecado é que os pecadores receberão eternamente o que desejam. O escarnecedor recebe escárnio. O impuro se alimenta de impureza. Aos humildes, porém, Deus dá graça. Quem são os humildes? Aqueles que reconhecem seus pecados e se voltam para Deus, buscando nele refúgio, perdão e salvação. Os humildes não estadeiam suas pretensas virtudes, mas buscam a graça de Deus e dele recebem graça. Eles também colhem o que plantam e recebem o que desejam. Mas, porque desejaram graça, graça recebem, e graça da parte de Deus!

A sabedoria traz recompensas – *Os sábios herdarão honra, mas os loucos tomam sobre si a ignomínia* (Pv 3.35). Salomão aborda, agora, a herança dos sábios. Qual é essa herança? A honra! A honra é mais do que conhecimento, mais do que riqueza, mais do que sucesso. Muitas pessoas acumulam vasto conhecimento. Outras amealham riquezas esplêndidas. Há aqueles que alcançam o topo da pirâmide social, colhem muitos lauréis e são aplaudidos por sua fama. Mas nem todas essas pessoas herdam honra. Honra é dignidade. Honra é reconhecimento não pelo que se tem, mas por quem se é. Ser é mais importante do que ter. Se os sábios herdam honra, os loucos atraem sobre a própria cabeça a ignomínia, a vergonha e o opróbrio. Os loucos são aqueles que zombam do pecado, que escarnecem da virtude, que tripudiam sobre a honra e que fazem pouco caso da sabedoria. Loucos são aqueles que cavam abismos para os próprios pés e tapam os ouvidos à instrução. Loucos são os alienados que, mesmo recebendo torrentes de luz, preferem viver na escuridão. Oh, que Deus nos livre dessa loucura e nos guie pelos caminhos da sabedoria! Que sua herança seja a honra, e não a ignomínia! Que seus pés estejam nas veredas da vida, e não na estrada larga da morte!

Capítulo 4

Exortação paternal
(Pv 4.1-27)

FILHOS, ESCUTEM SEUS PAIS – *Ouvi, filhos, a instrução do pai e estai atentos para conhecerdes o entendimento; porque vos dou boa doutrina; não deixeis o meu ensino* (Pv 4.1,2). Feliz é o filho cujo pai é um sábio, que subscreve a boa doutrina e a transmite com fidelidade à sua família. Feliz é o filho que tem os ouvidos abertos, os olhos atentos e o coração preparado para acolher com humildade a instrução do pai. Feliz é o filho que fica atento para conhecer o entendimento. Muitos filhos escutam, mas rejeitam o que ouvem. Outros escutam, mas não compreendem o que recebem. Há aqueles que escutam, mas não se esforçam para aplicar o coração na compreensão da verdade. Os filhos que recebem a boa doutrina dos pais e não se apartam desse ensino são bem-aventurados na vida. Os pais são autoridade de Deus na vida dos filhos. Os pais são os primeiros mestres dos filhos, responsáveis por guiá-los no caminho do bem. Os pais são os protetores dos filhos, e a melhor proteção que eles lhes oferecem é a instrução da verdade acompanhada de exemplo piedoso. O maior legado que um filho pode receber dos pais é o exemplo. Os pais que andam na verdade ensinam os filhos nesse caminho. Que os filhos ouçam. Que os filhos obedeçam. Que os filhos não se apartem do caminho em que foram instruídos!

O ensino que produz vida – *Quando eu era filho em companhia de meu pai, tenro e único diante de minha mãe, então, ele me ensinava e me dizia: Retenha o teu coração as minhas palavras; guarda os meus mandamentos e vive* (Pv 4.3,4). O papel dos pais é ensinar a criança no caminho em que ela deve andar, e o papel dos filhos é obedecer aos ensinamentos ministrados pelos pais. O papel dos pais é inculcar nos filhos as verdades de Deus e levá-los a reter no coração os preceitos de Deus. Como os pais fazem isso? Primeiro, vivendo eles mesmos as verdades que ensinam. Antes de transmitir aos filhos os ensinamentos de Deus, os pais devem demonstrar isso aos filhos. Os pais são paradigma para os filhos. O ensino não é administrado apenas aos ouvidos, mas também e, sobretudo, aos olhos. A vida dos pais deve ser o avalista de suas palavras. Quando os filhos têm exemplo e ensino, reterão esses ensinamentos em seu coração. Guardar esses mandamentos é encontrar o caminho da vida: vida longeva, feliz e bem-sucedida. A obediência aos preceitos divinos abre a estrada da prosperidade e da felicidade. Feliz é o filho que obedece aos preceitos aprendidos desde a infância e neles permanece. Esses filhos livram-se de angústias e dores e guardam a alma da morte. Eles bebem das fontes que jorram do trono de Deus e experimentam uma vida maiúscula e superlativa. O ensino que procede de pais piedosos é o elixir da vida e a receita da verdadeira bem-aventurança.

A sabedoria é um bem precioso – *Adquire a sabedoria, adquire o entendimento e não te esqueças das palavras da minha boca, nem delas te apartes* (Pv 4.5). A sabedoria é um tesouro mais precioso do que ouro puro. Deve ser desejada mais do que a prata e o ouro refinado. A sabedoria deve ser buscada mais do que o sucesso. É um bem que deve ser mais cobiçado do que a riqueza. Salomão encoraja os filhos a adquirirem a sabedoria e o entendimento. O investimento na sabedoria deve ser feito sem nenhuma pechincha. Adquirir a sabedoria é não se esquecer nem se apartar das palavras que emanam de lábios comprometidos com a verdade. O esquecimento pode ser uma atitude involuntária ou uma postura deliberada. Significa não dar valor a algo ou relegar isso a um plano secundário. Muitos desprezam a sabedoria como se ela não fosse desejável. Preferem os prazeres. Cobiçam as riquezas. Anseiam o sucesso. Outros, mesmo tendo ouvido sobre o caminho excelente do conhecimento e da sabedoria, apartam-se voluntária e afrontosamente dessa vereda. Buscam caminhos mais sedutores. Colocam os pés em estradas cercadas por mais aventuras. Cobiçam coisas mais imediatas. O fim dessas escolhas insensatas, entretanto, é a decepção e o fracasso. É melhor ser um sábio pobre do que um rico tolo. É melhor ter conhecimento do que ajuntar riquezas. É melhor obedecer aos preceitos de Deus do que deles se apartar!

Cuide bem da sabedoria – *Não desampares a sabedoria, e ela te guardará; ama-a, e ela te protegerá* (Pv 4.6). A neutralidade é um erro intolerável. A mornidão é pior do que a frieza. O ser humano não pode ser indiferente ou lerdo em relação ao que é certo. A sabedoria não pode ser desamparada. Se ela é o caminho da vida, precisamos nos apegar a ela. Se ela nos livra da vergonha, do fracasso e da morte, não pode ser esquecida. Deixar de investir na sabedoria para buscar avidamente os prazeres transitórios do pecado é loucura. Expor-se às aventuras do mundo, buscando nelas prazer, é colher decepções. Render-se aos vícios e ser escravo deles é rumar para a própria morte. Só a sabedoria pode nos guardar. A sabedoria é mais do que um conceito; é uma pessoa. A Sabedoria é Jesus. Ele é a nossa Sabedoria. É o único que pode nos guardar de tropeços. Só ele pode nos sustentar firmes na jornada da vida e depois nos receber na glória. Só quando amamos a sabedoria e somos regidos por ela é que seremos protegidos de quedas desastrosas. Só quando nosso coração é devotado à sabedoria é que somos conduzidos em segurança em nossa peregrinação para a glória.

Faça o investimento certo – *O princípio da sabedoria é: Adquire a sabedoria; sim, com tudo o que possuis, adquire o entendimento. Estima-a, e ela te exaltará; se a abraçares, ela te honrará; dará à tua cabeça um diadema de graça e uma coroa de glória te entregará* (Pv 4.7-9). A sabedoria precisa ser desejada com todas as forças da alma e com todos os recursos disponíveis. Ela é mais preciosa que riqueza, mais valiosa que os melhores tesouros da terra. Ser sábio é investir tudo na sabedoria. O melhor investimento é adquirir o entendimento. Sem entendimento e sabedoria, as riquezas são tropeço para os pés, as glórias humanas são degraus da queda, e os prazeres transitórios do pecado passam a ter gosto de enxofre. A sabedoria traz exaltação e honra, conduz ao sucesso e à riqueza. A sabedoria é o caminho da felicidade histórica e da bem-aventurança eterna. Quem são os sábios? Não são os sábios aos olhos do mundo. A sabedoria do mundo é terrena e levedada pela corrupção e pela maldade. A sabedoria do alto, porém, é pura e cheia de bondade. Essa é a sabedoria de Deus. Essa sabedoria é mais do que discernimento. É mais do que claro e imparcial julgamento. Essa Sabedoria é Jesus. Ele é quem nos exalta e nos honra. Ele é quem nos tira da escuridão do pecado e nos transporta para um reino da luz. Ele é quem tira de nossa cabeça o opróbrio e nela coloca um diadema de glória.

Obediência, a fórmula da longevidade – *Ouve, filho meu, e aceita as minhas palavras, e se te multiplicarão os anos de vida* (Pv 4.10). A obediência aos pais é um mandamento com promessa. Carrega em seu bojo uma recompensa. Os filhos que honram os pais têm da parte de Deus a garantia de que serão bem-sucedidos e viverão dias dilatados na terra. Aqui, Salomão repete a mesma ênfase do quinto mandamento. Há filhos que ouvem o ensinamento, mas não o aceitam. Há filhos que escutam as palavras, mas as rejeitam. Há aqueles, entretanto, que ouvem e aceitam. Esses têm os anos de sua vida multiplicados. A obediência aos pais previne contra perigos ameaçadores e livra os filhos de conceitos errados, companhias erradas e lugares errados. A obediência é o elixir da vida, a fórmula da longevidade, o território da bem-aventurança.

Ensino peripatético – *No caminho da sabedoria, te ensinei e pelas veredas da retidão te fiz andar. Em andando por* *elas, não se embaraçarão os teus passos; se correres, não tropeçarás* (Pv 4.11,12). Na Grécia antiga, o grande filósofo Aristóteles usava o método peripatético para ensinar seus discípulos, ou seja, enquanto caminhava com eles, ministrava-lhes seus ensinos. Essa é a metodologia usada aqui por Salomão. A sabedoria é ensinada no caminho. Ensinar no caminho significa andar junto, estar ao lado, ser exemplo. A sabedoria não é apenas um destino aonde se vai, mas uma maneira como se caminha. Aqueles que ensinam precisam caminhar com seus discípulos. O exemplo é a única forma eficaz de ensinar. A sabedoria é o caminho da retidão. Aqueles que andam pelas veredas da retidão não embaraçam seus pés nem tropeçam. O ímpio nem sabe em que tropeça. Seu caminho é cheio de armadilhas. O final desse caminho é a morte. Mas a sabedoria é uma vereda plana e iluminada. Aqueles que trilham esse caminho andam seguros e chegam felizes ao destino. Mesmo que os perigos sejam muitos e que os adversários sejam insolentes, todos aqueles que percorrem as sendas da sabedoria triunfam.

O valor da instrução – *Retém a instrução e não a largues; guarda-a, porque ela é a tua vida* (Pv 4.13). A instrução a que o escritor sagrado está se referindo é o ensino da Palavra de Deus, o reservatório da sabedoria. O filho sensato é aquele que escuta, entende, guarda e obedece a esses ensinamentos, colocando-os em prática. Ouvir sem praticar é como olhar-se no espelho e depois ir embora sem se lembrar de sua aparência. Não basta ouvir o que Deus preceitua em sua Palavra; precisamos reter essa instrução. E não apenas reter por um tempo e depois esquecer, mas reter e guardar. Muitos escutam a Palavra de Deus por um tempo. Outros seguem esses ensinamentos por um período da vida, mas depois se desviam. Salomão afirma enfaticamente que essa instrução é mais do que conhecimento; é a própria vida. Dessa instrução dependem o sucesso no tempo e a bem-aventurança na eternidade. Os apóstatas que virarem as costas para a Palavra de Deus e se desviarem sofrerão amargamente as consequências desse desvio. Aqueles que se agarrarem às verdades eternas, que viverem nelas e por elas, desfrutarão vida plena, pois essa instrução é a própria vida.

Fuja do caminho dos perversos – *Não entres na vereda dos perversos, nem sigas pelo caminho dos maus. Evita-o; não passes por ele; desvia-te dele e passa de largo* (Pv 4.14,15). Os perversos têm uma vereda, e os maus têm um caminho. Esse caminho é largo. Por essa estrada trefega uma multidão. Nesse caminho, há muitas placas convidando os transeuntes para aventuras, deleites e prazeres. Nessa estrada de facilidades, nada é proibido; tudo é permitido. O caminho largo leva à morte. Seu destino é o inferno. Ser sábio é não entrar nesse caminho. Ser prudente é não seguir por essa vereda. Somos exortados a evitar esse caminho e a jamais passarmos por ele. Devemos nos desviar dele e passar longe dele, pois esse caminho é traiçoeiro. Seus atrativos são muitos, seus apelos são eloquentes, suas ofertas são vantajosas. Essa vereda promete prazeres imediatos, recompensa segura e vantagens irresistíveis. Porém, tais propostas são verdadeiros embustes. Suas ofertas são falsas. Suas vantagens são perdas inevitáveis. A vereda dos perversos é sinuosa e escorregadia. O caminho dos maus está coberto de lágrimas e sangue. Aqueles que, atraídos, entram por esse caminho tornam-se escravos do diabo e prisioneiros do pecado. O diabo é um enganador, e o pecado é uma fraude. Atrás de seu brilho sedutor, o pecado esconde o tormento eterno.

Compulsão para o mal – *Pois não dormem, se não fizerem o mal, e foge deles o sono, se não fizerem tropeçar alguém; porque comem o pão da impiedade e bebem o vinho das violências* (Pv 4.16,17). Os perversos e maus se alimentam da maldade e têm como propósito de vida derrubar aqueles que andam retamente. Seu triunfo é fazer tropeçar aqueles que caminham pela vida. Sentem-se recompensados quando derrubam alguém que cruza seu caminho. O pão do perverso é a impiedade, e seu prazer é praticar a violência. Essas pessoas têm uma espécie de compulsão para o mal. Rolam no leito não para conciliar o sono, mas para maquinar o mal contra o próximo. Empregam sua inteligência e energia não para fazer o bem, mas para engendrar formas de oprimir as pessoas. Quando não conseguem levar a cabo sua intenção maligna, perdem o sono. O que lhes acalma a mente irrequieta é exatamente conceber os intentos perversos do coração. Tão logo concebem o mal, colocam-no em ação. As lágrimas dos outros são a sua alegria. O fracasso dos outros é o seu triunfo. A morte dos outros é que dá razão à sua vida. A seiva que lhes sustenta a vida é a violência. A motivação que os mantêm acordados é a destruição do próximo. Esses são os perversos, sempre engajados no mais execrado dos projetos: maquinar o mal contra o próximo e levar esse propósito a cabo.

Um caminho cheio de luz – *Mas a vereda dos justos é como a luz da aurora, que vai brilhando mais e mais até ser dia perfeito* (Pv 4.18). Salomão contrasta o caminho dos maus com a vereda dos justos. Naquele reina a violência e a negridão subterrânea dos maus intentos; nesta habita a luz que esparrama sua claridade, como os raios do sol que surgem nas encostas dos montes. A vereda dos justos não é apenas um caminho iluminado, mas um caminho cuja luz vai crescendo como a luz do sol até ser dia perfeito. A vida do justo vai sendo aperfeiçoada de glória em glória. O brilho da face de Cristo resplandece no justo. O fulgor da glória de Deus sobre ele irradia. O justo é filho da luz e é também luz do mundo. Ele anda na luz, suas obras são feitas na luz e todo o seu corpo é iluminado. O justo não dá marcha a ré em seu testemunho. Não vive ziguezagueando, desperdiçando sua força em avanços e recuos. O justo caminha para a frente, faz uma escalada para as alturas. Sua vida não estaciona na região nebulosa do comodismo. O justo cresce no conhecimento e na graça. Avança para o alvo. Busca as coisas lá do alto, onde Cristo vive. Contempla o galardão. Aspira a coisas mais excelentes. Sua história começa na conversão e avança no processo da santificação, mas seu alvo é a glorificação, o dia perfeito. Todas as nuvens que se interpõem no caminho da luz serão dissipadas. Então, os justos entrarão na cidade onde não haverá noite, pois o Cordeiro será sua lâmpada!

Um caminho cheio de escuridão – *O caminho dos perversos é como a escuridão; nem sabem eles em que tropeçam* (Pv 4.19). Se a vereda dos justos é um caminho cheio de luz, o caminho dos perversos é uma estrada mergulhada em densas trevas. A escuridão é ausência completa de luz. É lugar de cegueira. É território lôbrego de confusão. É cenário de medo e pavor. É estrada povoada por aqueles que não sabem aonde vão nem em que tropeçam. Se a luz é o símbolo de conhecimento, a escuridão é o emblema da ignorância. Se a luz é o símbolo de pureza, a escuridão é a evidência de sujeira. Se a luz é o símbolo da santidade, a escuridão é o sinal de iniquidade. Se a luz é o símbolo do amor, a escuridão é a prova de ódio. O caminho dos perversos é como a escuridão, uma senda na qual as coisas mais vergonhosas são praticadas sem nenhum pudor. É um trilho sinuoso que leva à morte. Os perversos caminham de solavanco em solavanco. Caem aqui, tropeçam acolá e nem sabem em que tropeçam. Longe de trilharem uma caminhada ascendente rumo à glória, seguem uma descida vertiginosa rumo ao abismo. Oh, caminho perigoso! Oh, caminhada inglória! Oh, triste destino! Só aqueles que amam a destruição continuam por esse caminho. Só aqueles que rejeitam a oferta da graça preferem esse caminho. Só aqueles que se recusam a crer em Jesus, o novo e vivo caminho, permanecem nessa estrada de densas trevas.

Os benefícios da Palavra de Deus – *Filho meu, atenta para as minhas palavras; aos meus ensinamentos inclina os ouvidos. Não os deixes apartar-se dos teus olhos; guarda-os no mais íntimo do teu coração. Porque são vida para quem os acha e saúde, para o seu corpo* (Pv 4.20-22). O missionário Ronaldo de Almeida Lidório ensinou durante alguns anos a Palavra de Deus ao povo konkomba, em Gana, África. Certa feita, depois de ensinar versículos da Bíblia a várias pessoas que vinham de aldeias distantes, uma mulher tomou seu caminho de volta para casa. Depois de caminhar três dias a pé, esqueceu-se de um versículo e não hesitou em voltar ao missionário. Quando este a viu, ficou surpreso e perguntou: "Por que você voltou?" Ela respondeu: "Porque me esqueci de um versículo!" Ele retrucou: "Mas não era preciso voltar só por isso!" A mulher respondeu: "A Palavra de Deus é muito preciosa para ficar perdida pelo caminho". Devemos inclinar nossos ouvidos, abrir nossos olhos e franquear nosso coração para entendermos e apreendermos a Palavra de Deus. Todo o nosso ser precisa estar concentrado para não perdermos sequer uma palavra de todas aquelas que procedem da boca de Deus. A Palavra de Deus traz vida para a alma e saúde para o corpo. Traz santidade e sanidade, salvação e vigor. A Palavra de Deus é remédio para o corpo e alimento para a alma. Conduz-nos em segurança pelo caminho da felicidade na terra e da bem-aventurança no céu.

Coração, o reservatório inesgotável – *Sobre tudo o que se deve guardar, guarda o teu coração, porque dele procedem as fontes da vida* (Pv 4.23). O ser humano tem a tendência de guardar as coisas. Às vezes, guarda coisas que deveriam ser descartadas. O ser humano tem uma compulsão para guardar tesouros e armazenar bens materiais. Pensa, com isso, garantir sua felicidade e sua segurança. Ledo engano. As coisas materiais não são permanentes. Não podem nos dar segurança, nem mesmo nos proporcionar felicidade. A traça, a ferrugem e os ladrões podem subtrair de nós essas coisas. Por isso, o sábio Salomão, homem que possuía uma riqueza colossal, nos aconselha a guardar o coração. E que razão Salomão aduz para guardarmos o coração? Porque dele procedem as fontes da vida! O coração, na cultura hebraica, é o centro da personalidade. O que pensamos, sentimos e realizamos emana do coração. Dessa fonte jorra toda a expressão do nosso ser. Se essa fonte for limpa, então toda a nossa vida desabotoará em torrentes cristalinas. Porém, se essa fonte estiver poluída, tudo o que daí proceder levará consigo as marcas da poluição.

Cuidado com o que você fala – *Desvia de ti a falsidade da boca e afasta de ti a perversidade dos lábios* (Pv 4.24). Ninguém pode ser sábio se sua boca destilar a falsidade e se seus lábios forem arautos da perversidade. A língua é um pequeno órgão do corpo, mas o governa totalmente. É como o freio de um cavalo ou o leme de um navio. O freio tem o propósito de controlar a força do cavalo, e o leme tem a função de guiar o navio nas águas profundas dos mares. A língua é como fogo e como o veneno. Pode destruir rapidamente uma pessoa. Por outro lado, a língua pode alimentar alguém como uma árvore frutífera e como uma fonte. A vida e a morte estão no poder da língua. Podemos matar ou dar vida aos nossos relacionamentos dependendo da maneira como nos comunicamos. Devemos afastar dos nossos lábios a mentira, a acusação falsa e a maledicência descaridosas. Devemos afastar dos nossos lábios palavras torpes e proclamar apenas palavras boas para a edificação, conforme a necessidade, transmitindo graça aos que ouvem. Nossa língua precisa ser fonte de vida, e não cova de morte; canal de bênção, e não instrumento de maldição.

Cuidado com o que você vê – *Os teus olhos olhem direito, e as tuas pálpebras, diretamente diante de ti* (Pv 4.25). Jesus disse que os olhos são a lâmpada do corpo. Se os nossos olhos forem bons, toda a nossa vida será luminosa. Porém, se os nossos olhos forem maus, estaremos mergulhados em densas trevas. Há pessoas que olham, mas não olham direito. Seus olhos são maliciosos. Veem tudo com maldade e suspeita. Porque o coração delas é impuro, veem tudo com impureza. Há aqueles cujos olhos são cheios de cobiça. Desejam o que não lhes é lícito e usam toda artimanha para colocarem em ação seu intento perverso. Não poucos têm os olhos cheios de inveja. Entristecem-se por aquilo que os outros têm, em vez de se alegrarem com o que eles próprios possuem. Choram pelo sucesso dos outros e se alegram quando estes fracassam. Há pessoas cujos olhos são lascivos. Seus olhos estão cheios de adultério. Suas piscadelas são laços de morte. O coração deseja o que vê. Quem não vigia seus olhos endereça seus pés para um terreno escorregadio. Aqueles, porém, que guardam seus olhos do mal e olham direito, esses poupam a sua alma de flagelos e tormentos.

Cuidado com os lugares em que você anda – *Pondera a vereda de teus pés, e todos os teus caminhos sejam retos. Não declines nem para a direita nem para a esquerda; retira o teu pé do mal* (Pv 4.26,27). Muitas pessoas caminham para a morte deliberadamente. Colocam os pés em caminhos sinuosos e escorregadios. Andam por estradas eivadas de perigos. Trefegam por sendas cheias de bifurcações e encruzilhadas que conduzem a alma para longe de Deus. Oh, como devemos ter cuidado com os nossos pés! Devemos nos afastar do caminho dos pecadores e da roda dos escarnecedores. Devemos fugir, horrorizados, de todo ambiente que possa ser um laço para os nossos pés. Os redutos do pecado são territórios minados pelo diabo. A casa do adultério, com todo o brilho de sedução, é uma masmorra escura. A praça dos prazeres, que oferece alegrias sem fim nas asas do álcool e das drogas, tornar-se-á o calabouço de sua vontade. O brilho ofuscante da riqueza fácil atrairá seus pés para um caminho cheio de vantagens, mas, no fim, prenderá sua alma numa armadilha de morte. Oh, afaste seus pés desse caminho sinuoso! Não se desvie nem para a direita nem para a esquerda. Siga o caminho da retidão, e sua alma desfrutará de delícias perpetuamente.

Capítulo 5

Advertência contra a lascívia
(Pv 5.1-23)

OS LÁBIOS DA MULHER ADÚLTERA – *Filho meu, atende a minha sabedoria; à minha inteligência inclina os ouvidos; para que conserves a discrição, e os teus lábios guardem o conhecimento; porque os lábios da mulher adúltera destilam favos de mel, e as suas palavras são mais suaves do que o azeite* (Pv 5.1-3). Salomão está ainda dando instruções acerca da sabedoria. Agora, alerta sobre o perigo de entabular uma conversa com uma mulher sedutora, sagaz e atraente, porém adúltera. Essa mulher é experimentada na arte de conquistar corações incautos. Sua aparência é estimulante. Suas palavras são aveludadas, sua voz é melíflua, seus lábios destilam não apenas mel, mas favos de mel. Torrentes de doçura brotam de sua boca. Suas palavras são mais suaves que o azeite. Tudo nessa mulher é sedutor. Tudo nela parece encantador. Aqueles que são atraídos a dar-lhe atenção caem na sua rede. Aqueles que disponibilizam os ouvidos para dar guarida às suas palavras são atraídos para seus braços e enredados em sua trama. A voz dessa mulher é como o canto da sereia. Leva à destruição os mais fortes navegantes. O segredo da vitória é fugir. Ninguém é suficientemente forte para lidar com o pecado da sedução. Ser forte é fugir. Ser corajoso é não cair em tentação. Ser valente é não entrar por esse caminho ladeado por luzes atraentes. Ser prudente é tapar os ouvidos à voz suave da mulher cujos lábios são macios como manteiga, mas cujo coração é cortante como a espada. Ser sábio é nunca começar uma conversa que poderá desembocar na cama do adultério.

A sedução da morte – *Mas o fim dela é amargoso como o absinto, agudo, como a espada de dois gumes* (Pv 5.4). A mulher adúltera não é apenas aquela que vive da prostituição. Essa não esconde sua identidade. Somente aqueles que desregradamente já perderam o pudor se lançam em seus braços. A sedução mais perigosa vem daquelas ou daqueles que se escondem atrás de máscaras atraentes e usam todo o jogo da sedução para atrair com os seus encantos os imprudentes. Embora essa sedução venha envelopada com palavras doces, o fim dessa linha é amargo como o absinto. Embora a cama do adultério seja cheia de prazeres picantes, no fim, ela se transforma na maca da morte. Assim é o pecado: atraente aos olhos, mas perigoso para a alma. Tem cheiro de prazer, mas depois exala enxofre. Tem colorido atraente, mas depois revela densa escuridão. Traz numa bandeja de prata toda sorte de aventuras, mas depois escraviza e atormenta. Faz propaganda de vida, mas no final asfixia e mata. A mulher adúltera esconde atrás de sua sedução o punhal da morte. Ela atrai para sua cama macia e seus lençóis de cetim, mas o prazer dessa cama é fugaz e seu tormento é permanente. Os deleites dessa cama evaporam numa noite de êxtase, mas suas consequências permanecem a vida toda. A mulher adúltera não é instrumento de prazer, mas agente de sofrimento, vergonha e dor.

Os passos da mulher adúltera – *Os seus pés descem à morte; os seus passos conduzem-na ao inferno* (Pv 5.5). Envolver-se com a mulher adúltera é colocar os pés numa cova e descer ao inferno. Sua ruína não se limita ao tempo; transcende para a eternidade. O adultério é um pecado horrendo contra Deus, contra o cônjuge e contra o próprio corpo. A infidelidade conjugal é uma espécie de punhalada nas costas do cônjuge. É a quebra de uma aliança. É a apostasia do amor, o fracasso da virtude, a morte da decência. Os pés do adúltero descem à morte. Aqueles que permanecem na prostituição, entregando seu corpo no altar infamante do prazer ilícito, trilham uma estrada de morte. O adultério é a quebra do sétimo mandamento da lei de Deus. É obra da carne. O adultério é pecado, e o salário do pecado é a morte. O pecado é pior do que a enfermidade que leva à morte. Aliás, o pecado é pior do que a própria morte, pois esta não pode afastar o ser humano de Deus, mas o pecado o afasta de Deus no tempo presente e depois lança sua alma no inferno eterno. Os adúlteros não herdarão o reino de Deus. Eles são lançados no lago de fogo. A menos que se arrependam e abandonem esse caminho trevoso, descerão ao abismo no qual passarão toda a eternidade banidos da face do Senhor. Permanece, portanto, o alerta: Não se ponha a caminho com a mulher adúltera, pois seus passos levarão à morte.

O caminho errante – *Ela não pondera a vereda da vida; anda errante nos seus caminhos e não o sabe* (Pv 5.6). A mulher adúltera e o homem devasso têm a mente entorpecida e o coração cauterizado. Eles se entregam ao pecado da impureza e nem sentem mais vergonha ou tristeza por isso. Falta-lhes a capacidade de reflexão. Eles não ponderam a vereda da vida. Caminham sem nenhuma avaliação. São como seres irracionais. Vivem governados pelo instinto animal. Não há neles nenhum sinal de arrependimento ou disposição para mudar sua conduta reprovável. Os adúlteros pulam de cama em cama, de aventura em aventura, e gabam-se de suas loucuras. Andam errantes em seus caminhos. Estão inclinados a se desviarem. Seus pés não se acertam com os caminhos retos, e eles até mesmo desprezam as veredas da justiça. Esse desvio de conduta, porém, deixa de ser consciente. De repente, tais pessoas acreditam que esse é o único caminho por onde andar. Elas se acostumam com o pecado. Celebram a permissividade. Aclamam o despudor. Comemoram suas loucas aventuras como troféus de sua vaidade carnal. Não entregue sua honra àqueles que não têm honra. Não siga aqueles que andam na escuridão. Fuja enquanto é tempo. Salve a sua vida!

Fuja da mulher adúltera – *Agora, pois, filho, dá-me ouvidos e não te desvies das palavras da minha boca. Afasta o teu caminho da mulher adúltera e não te aproximes da porta da sua casa* (Pv 5.7,8). Salomão é enfático em seu conselho. Diante dos solenes alertas, chama-nos a uma tomada de decisão. O segredo da vitória nessa área não é enfrentar a tentação de cara limpa e peito aberto, mas dar ouvidos à Palavra de Deus e não se desviar de seus estatutos. Ninguém é suficientemente forte para lidar com as tentações do sexo. Ser forte é fugir e manter-se distante. Sábio é aquele que não flerta com o pecado nem dá brecha à sedução. Salomão aconselha o homem a nem passar perto da casa da mulher adúltera. Aqueles que hoje estão com uma grossa corrente atrelada no pescoço não tinham a intenção de cair. Achavam que podiam se aproximar e dar uma espiadela inocente. Julgavam-se no controle da situação. Porém, calcularam errado as probabilidades da queda. Avaliaram mal as inclinações do coração. Foram capturados porque se aproximaram. Foram arruinados porque quiseram passar por perto. Foi isso o que aconteceu com Eva no Éden. Ela estava perto da árvore cujo fruto era proibido. Estava no lugar errado, na hora errada, na companhia errada e com a motivação errada. Por isso, caiu. Fuja do pecado! O pecado o levará mais longe do que você gostaria de ir e lhe cobrará um preço mais alto do que você gostaria de pagar.

O adultério conduz à desonra e à pobreza – *Para que não dês a outrem a tua honra, nem os teus anos, a cruéis; para que dos teus bens não se fartem os estranhos, e o fruto do teu trabalho não entre em casa alheia* (Pv 5.9,10). O adultério está na moda. A grande mídia estimula o adultério. As tramas das novelas e dos filmes induzem as pessoas ao adultério. Escondem, porém, suas desgraças e tragédias. Aqui, Salomão alerta sobre dois efeitos do adultério. Em primeiro lugar, o adultério traz desonra. Aquilo que acontece a portas fechadas torna-se público. O que era para ser apenas uma noite de aventuras torna-se uma aventura de pesar. Aquilo que se intencionava que fosse apenas um caso isolado torna-se um laço para toda a vida. Quantas pessoas rendidas ao vexame! Quantas pessoas cuja honra foi maculada por causa do adultério! Em segundo lugar, o adultério traz prejuízo financeiro. Quantas famílias precisam dividir seus recursos com os filhos do adultério! Quantas famílias são prejudicadas financeiramente por causa da insensatez daqueles que precisaram repartir com os aventureiros do prazer proibido o fruto de seu trabalho! O adultério é uma tragédia. Traz vergonha e pobreza no tempo presente e condenação na eternidade. Macula o corpo e faz perder a alma. Traz lágrimas e pesar, desonra e pobreza.

Quem não escuta conselhos, escuta: "Coitado!" — *E gemas no fim de tua vida, quando se consumirem a tua carne e o teu corpo, e digas: Como aborreci o ensino! E desprezou o meu coração a disciplina!* (Pv 5.11,12). A vida é feita de escolhas. Somos não o que sentimos e falamos, mas o que escolhemos fazer. Não basta receber o ensino; é preciso valorizá-lo e colocá-lo em prática. Não basta ser criado na disciplina e admoestação do Senhor; é preciso aprender com essas providências divinas. Aquele que tapa os ouvidos à voz do ensino e fecha o coração à disciplina sofrerá duros golpes na vida. Quem não escuta conselhos, escuta: "Coitado!" A obediência é a marca do cristão. A Palavra de Deus está cheia de ensinos e exortações, de preceitos e correções. O sábio é aquele que escuta e coloca em prática o que aprende. Acumular conhecimento para depois acintosamente desprezá-lo é insensatez. Receber instrução para depois negligentemente abandoná-la é tolice. Ser disciplinado e mesmo assim rebelar-se contra a correção é consumada loucura. Aqueles que não ouvem a doce voz do ensino receberão o rude chicote do castigo. Aqueles que são alertados sobre os riscos do adultério, e ainda seguem por esse caminho sofrerão na carne as consequências inevitáveis de sua rebeldia. A vida promíscua tem um alto preço. Aqueles que se entregam a esses prazeres efêmeros gemerão no fim da vida, consumidos pela culpa e pelas doenças do corpo e da alma.

Escute seus mestres – *E não escutei a voz dos que me ensinavam, nem a meus mestres inclinei os ouvidos! Quase que me achei em todo mal que sucedeu no meio da assembleia e da congregação* (Pv 5.13,14). A obediência é o caminho seguro da bem-aventurança. Porém, pelas estradas da desobediência encontram-se os destroços daqueles que taparam os ouvidos ao ensino e não os inclinaram aos mestres do bem. O escritor sagrado registra sua própria experiência negativa e diz que chegou à beira do abismo por causa dessa displicência espiritual. Deus coloca placas em nosso caminho. Placas que nos alertam acerca das curvas sinuosas, das pontes estreitas, dos aclives íngremes e dos declives perigosos. Fazer a viagem da vida sem observar essas placas é correr na direção do desastre. O segredo de uma viagem segura e de uma chegada certa é observar as placas de sinalização. Deus nos deu mestres e nos instrui em sua Palavra. Andar de acordo com o conselho de sua vontade é a forma mais segura de caminhar vitoriosamente. Viver dentro das balizas sacrossantas da verdade é a maneira mais eficaz de ser feliz.

Desfrute plenamente a vida conjugal – *Bebe a água da tua própria cisterna e das correntes do teu poço. Derramar-se-iam por fora as tuas fontes, e, pelas praças, os ribeiros de águas?* (Pv 5.15,16). Na mesma medida que Salomão adverte sobre os perigos do sexo fora da relação conjugal, ele enfatiza as delícias da vida sexual dentro da aliança do casamento. A vida íntima de um casal deve ser plena de prazer. Em vez de o marido correr sofregamente em busca de prazer nos braços da mulher estranha, ele deve beber a água da sua própria cisterna. Deve dedicar todo o seu amor à sua esposa e usufruir todo o fluxo do seu afeto. O sexo é santo, puro e deleitoso. O sexo antes do casamento, porém, é fornicação e está em total desacordo com o ensino das Escrituras. O sexo fora do casamento é adultério, e só os loucos entram por essa porta. Mas o sexo no casamento é ordenança divina. Se a prática do sexo antes e fora do casamento constitui pecado, a prática do sexo no casamento é mandamento. O marido não tem o direito de privar sua mulher do prazer sexual, nem a mulher pode sonegar a seu marido esse privilégio. Ao contrário, o leito conjugal, sem mácula, deve ser uma fonte de prazer, um manancial de delícias, um jardim de carícias, um rio transbordante de afetos, em que marido e mulher se abastecem continuamente. Todo esse reservatório de delícias deve ser usufruído pelo cônjuge e só por ele. A fidelidade conjugal é o mapa da verdadeira felicidade conjugal!

Fidelidade conjugal, bênção singular — *Sejam para ti somente e não para os estranhos contigo. Seja bendito o teu manancial, e alegra-te com a mulher da tua mocidade* (Pv 5.17,18). O casamento é uma aliança de amor e fidelidade, feita na presença de Deus, entre um homem e uma mulher. O casamento está edificado sobre o firme fundamento da fidelidade conjugal. O cônjuge precisa ser um jardim fechado, uma fonte reclusa. O leito conjugal não pode ser compartilhado com estranhos. O marido deve à esposa amor, respeito e fidelidade; a esposa deve ao marido submissão, respeito e fidelidade. A vida sexual do marido e de sua esposa é uma fonte que não pode jorrar para os estranhos. O leito conjugal precisa ser sem mácula, ou seja, o relacionamento sexual entre marido e mulher precisa ser puro e santo, pois Deus julgará os impuros. Em vez de o marido ficar à cata de aventura sexual fora do casamento, deve alegrar-se com a mulher de sua mocidade. Ela deve ser a fonte de seu prazer, o motivo de sua exultação, o alvo de todos os seus afetos e carícias. O prazer sexual na cama do adultério produz tormento e dor, culpa e vergonha, mas o prazer sexual no leito conjugal é fonte de delícias e prazer. Valorize, portanto, seu cônjuge! Invista o melhor do seu tempo na vida de sua mulher. Ela merece todo o seu afeto. Não sonegue a ela seu amor, nem deixe de desfrutar toda a doçura de suas carícias.

As delícias da intimidade sexual – *Corça de amores e gazela graciosa. Saciem-te os seus seios em todo o tempo; e embriaga-te sempre com as suas carícias* (Pv 5.19). O escritor sagrado pontua de maneira vívida e eloquente as delícias da intimidade sexual, comparando a esposa amada a uma corça de amores e a uma gazela graciosa. Longe do homem procurar satisfazer seus desejos sexuais nos seios da mulher estranha; ele deve saciar-se nos seios de sua amada, e fazer isso constantemente. Em vez de buscar êxtase na cama do adultério, deve embriagar-se sempre com as carícias de sua amada. Com isso, Salomão está dizendo que a vida sexual dos casados não deve ser uma relação insípida, mas cheia de poesia e carícias. Não deve ser uma aridez constante, mas um êxtase sem pausa. Não deve ser uma relação mecânica e sem entusiasmo, mas uma experiência de delícias embriagadoras. Deus criou o homem e a mulher, o macho e a fêmea, e lhes concedeu a capacidade de dar e sentir prazer. O sexo é puro, santo, bom e deleitoso; e, experimentado no contexto do casamento, deve ser usufruído superlativamente. O sexo é uma das melhores e maiores dádivas de Deus a seus filhos. Dos prazeres terrenos, poucos podem ser comparados a ele. Deus instituiu o casamento para que homem e mulher pudessem desfrutar desse privilégio de forma maiúscula e abundante, não apenas num curto período da vida, mas ao longo de toda a existência.

O adultério rouba o discernimento – *Por que, filho meu, andarias cego pela estranha e abraçarias o peito de outra?* (Pv 5.20). O adultério tem o poder de obscurecer a visão, entenebrecer o coração e cauterizar a consciência. Aqueles que são enredados pelos laços desse pecado ignominioso tornam-se cegos e cegamente buscam satisfazer seus apetites na cama do adultério. Em vez de beberem a largos sorvos de sua própria cisterna, correm para beber de fontes estranhas. Em vez de se embriagarem com as carícias de sua própria mulher, correm para abraçar o peito da mulher estranha. Em vez de darem sua honra e seu prazer à mulher de sua mocidade, tornam-se uma só carne com a prostituta. Essa inclinação para o erro provoca no escritor sagrado uma pergunta cheia de espanto: *Por que, filho meu?* A compulsão e a rendição ao adultério são uma loucura, uma cegueira, uma maldade. Significam quebrar uma aliança feita na presença de Deus. Representam a apostasia do amor, a negação da fidelidade, a expressão mais grotesca da crueldade. Equivalem a ferir da forma mais vil a pessoa que deveria merecer o maior cuidado. São punhaladas pelas costas à pessoa que deveria ser o alvo do mais desvelado afeto. Adultério é pecado aos olhos de Deus. É traição ao cônjuge. É crueldade com a família. É atentado contra a sociedade. É escândalo para a igreja. É autodestruição.

Ninguém pode se esconder de Deus – *Porque os caminhos do homem estão perante os olhos do SENHOR, e ele considera todas as suas veredas* (Pv 5.21). Adultério é um pecado tramado nos bastidores do anonimato, longe dos holofotes. A cama do adultério está escondida atrás das cortinas da infidelidade, sob a luz bruxuleante do engano. Muitos adúlteros percorrem essa passarela do prazer ilícito posando de pessoas honradas. Outros escondem cuidadosamente seus delírios e passam ilesos da censura pública. Há aqueles que conseguem trair seu cônjuge, vivendo uma vida dupla, fazendo juras de amor ao cônjuge durante o dia e se entregando aos braços da amante à noite. Aqueles que logram êxito escondendo seus pecados do cônjuge, da família, da igreja e da sociedade não conseguem, obviamente, esconder seus delitos dos olhos daquele que tudo vê, a todos sonda e a todos julga. Os caminhos dos seres humanos estão perante os olhos do Senhor e ele considera todas as suas veredas. Haverá um dia em que as máscaras cairão. Aquilo que as pessoas fizeram às ocultas será proclamado publicamente. Aquilo que fizeram longe dos holofotes, com a porta do quarto trancada, será exposto sem nenhuma reserva. Oh, como será terrível o dia em que Deus chamar as pessoas para um acerto de contas! Como ficarão desamparados aqueles que se gabaram de suas aventuras! Como ficará confuso e perdido aquele que andou desavergonhadamente envolto pelas roupas contaminadas do adultério!

Prisão e morte – *Quanto ao perverso, as suas iniquidades o prenderão, e com as cordas do seu pecado será detido. Ele* *morrerá pela falta de disciplina, e, pela sua muita loucura, perdido, cambaleia* (Pv 5.22,23). O diabo é um embusteiro, e o pecado é uma farsa. Atrás da isca apetitosa do pecado, esconde-se o anzol da morte. Aqueles que se gabam de sua liberdade para experimentar os prazeres deste mundo ficarão presos pelas grossas correntes de sua iniquidade. Aqueles que estadeiam suas aventuras sexuais como troféus de sua luxúria ficarão detidos na fria e escura masmorra da culpa e da vergonha. Aqueles que sacudiram de si o jugo da disciplina morrerão justamente pela falta de disciplina. Aqueles que afirmaram que o pecado compensa e sorvem cada gota de suas aventuras pervertidas cambalearão confusos e perdidos até se precipitarem irremediavelmente no inferno. Oh, o pecado não passa de uma prisão insalubre! Prometendo liberdade, escraviza. Prometendo felicidade, atormenta. Prometendo delícias, açoita. Prometendo vida, mata. A vida sem Deus, por mais glamorosa que pareça, é um arremedo de vida. É antivida. É prisão. É escravidão. É morte!

Capítulo 6

A sabedoria alerta sobre as armadilhas a evitar
(Pv 6.1-35)

NÃO SEJA FIADOR – *Filho meu, se ficaste por fiador do teu companheiro e se te empenhaste ao estranho, estás enredado com o que dizem os teus lábios, estás preso com as palavras da tua boca* (Pv 6.1,2). No mundo dos negócios, exige-se, às vezes, que, ao adquirir determinado produto ou propriedade, você dê garantias de que pode pagar o que está adquirindo. Uma das formas mais conservadoras de fazer isso é exigir um fiador, um avalista. Quando alguém assina como fiador, está garantindo que o indivíduo que fez a dívida irá pagá-la conforme o combinado e, se não o fizer, o fiador arcará integralmente com essa responsabilidade. Há dois perigos aqui. Primeiro, a pessoa que fez a dívida pode cair em desgraça financeira e não cumprir seu compromisso, ainda que tenha boa intenção de fazê-lo. Segundo, a pessoa que contraiu a dívida pode ter más intenções e, propositadamente, dar um calote, colocando o peso dessa responsabilidade sobre os ombros do fiador. Quem assina como avalista é legalmente responsável pelo pagamento do débito, caso o autor primário da dívida não cumprir seu dever. A melhor maneira de não enfrentar dissabores com essa situação é ter como princípio não ser fiador. Isso porque a palavra empenhada ou a assinatura feita são o mesmo que firmar um compromisso legal que pode acarretar prejuízo financeiro. Não entregue o fruto de seu trabalho nas mãos de aventureiros. Há um ditado que diz: "É melhor ficar vermelho por uma hora do que amarelo a vida inteira".

Não se dê por vencido – *Agora, pois, faze isto, filho meu, e livra-te, pois caíste nas mãos do teu companheiro: vai, prostra-te e importuna o teu companheiro; não dês sono aos teus olhos, nem repouso às tuas pálpebras; livra-te, como a gazela, da mão do caçador e, como a ave, da mão do passarinheiro* (Pv 6.3-5). Salomão agora se dirige àquele que já assumiu o compromisso de ser fiador. Fala àquele que já está obrigado a pagar uma dívida que não contraiu, a investir seu dinheiro num bem do qual não usufruiu, a quitar um débito que não lhe acrescentará nenhum patrimônio. Salomão aconselha os que já caíram nessa armadilha. O que fazer? Primeiro, não se dê por vencido. Reaja. Não entregue os pontos. Não jogue a toalha. Não desista de lutar, ainda que isso lhe custe o sono e o repouso. Se você caiu nessa trama, livre-se como a gazela da mão do caçador ou como a ave da mão do passarinheiro. Se você se acomodar, perderá todos os seus bens. Se você não se mover para resgatar seus próprios recursos, acabará entregando-os nas mãos daqueles que não suaram a camisa para usufruí-los. Já que você foi lento em reflexão ao aceitar ser fiador, agora seja ágil para livrar suas propriedades desse saque. Se você ficar desamparado para cuidar de sua própria família, porque arriscadamente amparou a família alheia, isso lhe custará um preço muito alto, e você será cobrado sem clemência até mesmo pelas gerações pósteras. Você ainda não foi chamado a ser fiador? Fuja quando for solicitado! Já se tornou um fiador? Lute até a exaustão para livrar-se dos efeitos desastrosos dessa armadilha!

A formiga, nossa pedagoga – *Vai ter com a formiga, ó preguiçoso, considera os seus caminhos e sê sábio. Não tendo ela chefe, nem oficial, nem comandante, no estio, prepara o seu pão, na sega, ajunta o seu mantimento* (Pv 6.6-8). O sábio é aquele que tem os olhos abertos para contemplar a riqueza da criação de Deus e aprender com ela. Salomão coloca no palco uma sábia pedagoga e nos convida a aprender com ela. A formiga é trabalhadora. Apesar de não possuir chefe, oficial nem comandante, no estio prepara seu pão e, durante a colheita, ajunta seu mantimento. A formiga sabe que no inverno não se pode trabalhar. Então, cuidadosa e previdentemente, faz seu estoque para ter em abundância no período invernal. Ela é precavida, preventiva e provedora. Não deixa as decisões importantes da vida para a última hora. Age com antecedência e planejamento. Ela trabalha de modo planejado e incansável no tempo da colheita para ter provisão necessária no tempo em que não se pode trabalhar. Salomão exorta os preguiçosos a aprenderem com a formiga. Há pessoas que passam por crises e necessidades porque não são precavidas. Vivem descuidadamente. Não gostam de trabalhar. Não planejam nem saem a campo a fim de ganhar o pão de cada dia e fazer uma poupança para os tempos de dificuldades. A formiga não fez um curso de gestão nem tem diploma de economia, mas se apresenta como pedagoga para nos ensinar grandes e duradouras lições na área da administração e da economia.

As desculpas do preguiçoso – Ó preguiçoso, até quando ficarás deitado? Quando te levantarás do teu sono? Um pouco para dormir, um pouco para toscanejar, um pouco para encruzar os braços em repouso (Pv 6.9,10). Depois de exortar o preguiçoso a seguir o exemplo da formiga, o sábio cutuca o preguiçoso dorminhoco, com o propósito de mexer com o seu brio. Ferroa-o com o aguilhão da responsabilidade. Sacode-o com o propósito de despertá-lo de sua letargia. O preguiçoso é tratado aqui como uma pessoa cujo único objetivo é dormir e desfrutar os deleites do descanso. Ele quer apenas os confortos da vida, e não o peso da responsabilidade. Quer apenas desfrutar as benesses da existência, e não a labuta do trabalho pesado. Quer apenas desfrutar da farta colheita do sono, sem ter semeado diligentemente com o suor do seu rosto. O preguiçoso anda cansado e tem necessidade de dormir. O trabalho para ele é um castigo. Os desafios da vida são para ele barreiras intransponíveis. Seu projeto de vida é desfrutar de uma cama macia e render-se a um sono benfazejo. Nada de estresse. Nada de esforço. Nada de trabalho. Dormir e dormir é seu lema. Gozar a vida é sua aspiração. O preguiçoso não é previdente como a formiga. Não faz provisão para o tempo do inverno. Não ajunta em celeiros para os dias de crise. Só pensa no agora. Só investe em seu descanso. Só quer dormir para acordar e dormir novamente. Seu ciclo de vida não vai além do um pouco para dormir, um pouco para toscanejar, um pouco para cruzar os braços em repouso.

O resultado da preguiça – *Assim sobrevirá a tua pobreza como um ladrão, e a tua necessidade, como um homem armado* (Pv 6.11). Há uma lei inevitável e irreversível na natureza: só colhe quem planta; só ceifa quem semeia. Aqueles que encolhem as mãos preguiçosas na semeadura jamais estenderão as mãos diligentes para colher. Quem não semeia com lágrimas não colhe com júbilo. A herança dos preguiçosos é a pobreza. Na crise, faltar-lhes-á o necessário, porque, quando todos estavam trabalhando e fazendo a sua reserva, os preguiçosos estavam dormindo. Salomão destaca dois resultados da preguiça. O primeiro deles é a pobreza repentina e inesperada. O ladrão vem sem aviso prévio e de forma repentina. A prosperidade é fruto do trabalho e da bênção de Deus. Quem cruza os braços para trabalhar e quer apenas gozar os benefícios do sono, sem o peso do trabalho, enfrentará pobreza. Deus não premia a preguiça nem galardoa os preguiçosos. O segundo resultado da preguiça é a necessidade. Ela vem como um homem armado. É inescapável e inevitável. A formiga não passa fome no inverno porque laboriosamente ajuntou sua provisão na ceifa. Mas o preguiçoso desfruta os deleites do sono enquanto os trabalhadores, com fadiga e suor no rosto, sofrem as agruras do sol e o desconforto das chuvas. Porém, no dia da crise, aqueles que se preveniram desfrutarão do trabalho de suas mãos, mas o preguiçoso passará necessidade.

O perfil do homem mau – *O homem de Belial, o homem vil, é o que anda com a perversidade na boca, acena com os* *olhos, arranha com os pés e faz sinais com os dedos. No seu coração há perversidade; todo o tempo maquina o mal; anda semeando contendas* (Pv 6.12-14). O homem mau entrega todo o seu corpo à prática da maldade. Boca, olhos, pés, mãos e coração, tudo é colocado a serviço da perversidade. A boca do mau profere mentiras e semeia contendas. Seus olhos, cheios de lascívia e cobiça, são armadilhas de morte. Seus pés são céleres em correr na direção de ser ele cáustico com o próximo. Suas mãos se apressam a derramar sangue e a oprimir o fraco. Seu coração é um laboratório no qual se processa toda sorte de crueldade. Não há pausa nem trégua em seu coração. O tempo todo, em todo o tempo, o projeto de vida do vil é maquinar o mal. Por onde anda, esse homem de Belial semeia contendas, destrói relacionamentos, joga uma pessoa contra outra, cria inimizades, abre feridas nos corações e levanta muros, em vez de construir pontes. Esse homem de Belial não é mau porque pratica o mal; ele pratica o mal porque é mau, da mesma forma que uma laranjeira não é laranjeira porque dá laranja, mas dá laranja porque é laranjeira. O coração desse homem é corrupto e violento, por isso tudo que brota dele vem manchado pela corrupção e pela violência. A maldade que ele pratica não é algo divorciado do seu caráter. Não se trata de um cochilo, um resvalo, um escorregão. Ao contrário, quando esse homem faz o mal, está fazendo aquilo que todo o seu ser deseja.

A colheita do homem mau – *Pelo que a sua destruição virá repentinamente; subitamente, será quebrantado, sem que haja cura* (Pv 6.15). Uma pessoa não pode semear violência e colher paz; semear intriga e colher concórdia; semear maldade e colher bondade. Aquele que fez de sua vida uma trajetória de crueldade, espalhando contendas, concebendo e praticando maldades contra seu próximo, colherá, oportuna e repentinamente, os frutos amargos de sua semeadura maldita. O mal que ele planejou contra o próximo cairá sobre sua própria cabeça. A maldade que ele concebeu e executou lhe sobrevirá de forma repentina; e, quando vier, ele jamais escapará. Será quebrado repentinamente sem oportunidade de arrependimento. Será destruído sem nenhuma chance de cura. Então, beberá à exaustão o furor de sua própria maldade. Sorverá cada gota de sua própria violência. Sofrerá na carne tudo o que fez contra o próximo. Para ele, não haverá piedade nem escape. Sua sentença será beber o refluxo de seu próprio fluxo. Oh, triste colheita do homem mau! Oh, amargo destino daquele cuja caminhada é marcada pela impiedade! Oh, miserável aquele que, tendo a oportunidade de fazer o bem, maquinou o mal e, tendo a oportunidade de ser agente de vida, tornou-se instrumento de morte!

Os pecados que Deus abomina – *Seis coisas o SENHOR aborrece, e a sétima a sua alma abomina; olhos altivos, língua mentirosa, mãos que derramam sangue inocente, coração que trama projetos iníquos, pés que se apressam a correr para o mal, testemunha falsa que profere mentiras* (Pv 6.16-19*a*). Essa lista de pecados pode ser comparada àquela registrada em Romanos 1 e 2Timóteo 3. Aqui, entretanto, o escritor sagrado acrescenta o fato de que Deus aborrece a esses pecados. Que pecados são esses? Primeiro, a soberba. Os olhos altivos se referem a alguém que se julga melhor que os outros e olha os demais de cima para baixo. Segundo, a mentira. A mentira é a omissão, a negação ou a adulteração da verdade com o propósito de enganar as pessoas. Terceiro, a violência. As mãos que derramam sangue inocente são uma descrição de alguém que fere, saqueia e mata por maldade ou ganância. Trata-se da violência que oprime, mesmo quando o outro não lhe oferece resistência. Quarto, a maldade de coração. Há pessoas que usam toda a sua capacidade mental para tramar e urdir o mal contra o próximo. Elas fazem do coração o laboratório de iniquidade, opressão e violência contra o próximo. Quinto, a crueldade. Os pés que se apressam a correr para o mal se referem àqueles que não apenas concebem projetos iníquos, mas têm pressa para executá-los. Seu prazer é roubar, matar e destruir. Sexto, o falso testemunho. Esse é o pecado de inverter intencionalmente as coisas, para que o culpado seja tido como inocente e o inocente como culpado. Diz respeito à pessoa que vende sua consciência e por conveniência se presta à vergonhosa função de coibir o bem e promover o mal. A esses pecados a alma de Deus aborrece.

O pecado que Deus mais abomina – [...] *e o que semeia contenda entre irmãos* (Pv 6.19*b*). Na lista dos pecados a que Deus aborrece, o escritor sagrado destaca um ao qual a alma de Deus abomina. Esse é o pecado mais ignominioso aos olhos de Deus. Que pecado é esse? O pecado da intriga, ou seja, daquele que semeia contenda entre irmãos. Se o maior de todos os mandamentos da lei é amar a Deus e ao próximo, jogar uma pessoa contra a outra é o pecado ao qual a alma de Deus mais abomina. Se um indivíduo é conhecido como filho de Deus por ser um pacificador, então os que promovem contendas entre irmãos são objetos do maior desgosto de Deus. Nada fere mais o coração de Deus do que uma pessoa viver causando intrigas, promovendo desavenças e provocando contendas entre irmãos. Deus não tem prazer naqueles que vivem semeando contendas. A alma de Deus abomina o pecado da intriga.

Compromisso com a obediência – *Filho meu, guarda o mandamento de teu pai e não deixes a instrução de tua mãe; ata-os perpetuamente ao teu coração, pendura-os ao teu pescoço. Quando caminhares, isso te guiará; quando te deitares, te guardará; quando acordares, falará contigo* (Pv 6.20-22). A obediência aos pais é um mandamento da lei de Deus acompanhado de duas promessas: longevidade e prosperidade. Sensato é o filho que se submete sem resistência a esse princípio. A lei de Deus não é dada para oprimir ou subjugar os filhos, mas para protegê-los e abençoá-los. Pai e mãe são autoridades de Deus na vida dos filhos. Honrar e obedecer a pai e mãe é honrar o próprio Deus, pois esse mandamento procede do Senhor. Os filhos devem guardar o mandamento e a instrução. Devem colocá-los como colar no pescoço e carregá-los constantemente perto do coração. A obediência não é uma postura casual. Deve ser uma filosofia de vida, um princípio permanente. A obediência aos pais é o mapa para uma viagem segura. Traz descanso e segurança tanto no deitar quanto no levantar. Ou seja, em toda a dinâmica da vida, os filhos obedientes aos pais terão direção e proteção. Muitos filhos tomam decisões erradas na vida sentimental porque não escutam os conselhos dos pais. Outros se envolvem com más companhias e se perdem nos labirintos dos vícios porque taparam os ouvidos aos conselhos dos pais. Há aqueles que encurtam seus dias porque se rebelaram contra o ensinamento dos pais. Obediência é o caminho da segurança e da bem-aventurança.

Proteção contra a mulher adúltera – *Porque o mandamento é lâmpada, e a instrução, luz; e as repreensões da disciplina são o caminho da vida; para te guardarem da vil mulher e das lisonjas da mulher alheia* (Pv 6.23,24). A vida sexual desregrada não começa com a luxúria, mas com a desobediência aos preceitos de Deus. Quando o homem sacode o jugo de Deus, rebela-se contra a Palavra de Deus e tapa os ouvidos à voz de Deus, então a sedução do adultério e as lisonjas da mulher alheia vêm sobre ele com força irresistível. O que nos protege da mulher e do homem vil, das lisonjas da mulher e do homem alheio, é a Palavra de Deus. A Palavra de Deus é a espada do Espírito. Com ela em punho, vencemos a tentação. Não podemos enfrentar vitoriosamente as tentações sexuais com armas carnais. Não conseguimos resistir à sedução avassaladora fiados em nossa própria força. O mandamento que emana das Escrituras é uma lâmpada que alumia nosso coração e clareia nosso caminho. A instrução da Palavra de Deus lança luz sobre nossas trevas e nos livra de tropeços. As repreensões e a disciplina de Deus são o caminho da vida. Aqueles, porém, que buscam sofregamente satisfazer todos os seus apetites no banquete da luxúria colherão os frutos amargos dessa loucura. A obediência à Palavra de Deus é um freio moral que nos protege de quedas vergonhosas. É um antídoto contra o veneno letal da cama do adultério. É uma blindagem da alma contra as ameaças sutis do pecado.

A sedução da mulher adúltera – *Não cobices no teu coração a sua formosura, nem te deixes prender com as suas olhadelas* (Pv 6.25). Salomão alerta no texto em tela sobre o aspecto sedutor do pecado sexual. A mulher vil, que estende sua rede para apanhar uma vida preciosa, esbanja beleza e encanto. Seu corpo é escultural. Sua aparência é atraente. Suas vestes são sedutoras. Sua beleza é notória. Cobiçar no coração a beleza dessa mulher é cair numa armadilha de morte. Desejar ir para a cama com ela é colocar os pés numa estrada escorregadia. Dispor o coração para alimentar fantasias com essa mulher é risco fatal. Além da formosura, essa mulher vil usa uma outra arma: a sedução de suas olhadelas. Seus olhos são convidativos para o prazer. A profundidade do seu olhar deixa perturbados aqueles que a contemplam com desejo lascivo. A força do seu olhar parece irresistível para aquele que se rendeu aos seus encantos. As olhadelas dessa mulher são muitas. Ela olha e torna a olhar. Ela lança a rede e a puxa. Ela seduz e prende. Suas olhadelas são uma prisão. Há correntes grossas que mantêm no calabouço do pecado todos aqueles que se deixam levar pela sua sedução. Aquilo que parecia ser apenas uma noite de prazer torna-se uma vida inteira de vergonha, tormento e dor. A taça transbordante de prazer transforma-se num cálice cheio de culpa e dor.

A prostituta e a adúltera – *Por uma prostituta o máximo que se paga é um pedaço de pão, mas a adúltera anda à caça de vida preciosa* (Pv 6.26). Há aqui uma clara distinção entre a prostituta e a adúltera. A primeira usa o corpo para sobreviver; a segunda usa o leito para caçar uma vida preciosa. A prostituta se deita com quem paga por seu "serviço"; a adúltera só vai para a cama depois de uma análise meticulosa daquele a quem desejar atrair. A prostituta não nutre nenhum sentimento pela pessoa que lhe paga o pedaço de pão; a adúltera atrai sua presa e lhe saqueia até a alma. A prostituta perdeu o amor-próprio e entregou seu corpo no altar vil do comércio sexual; a adúltera valoriza-se, coberta de formosura e encanto, para atrair a seu leito pessoas de valor, para arruinar sua reputação e destruir sua família. A prostituta não tem perspectiva de vida, apenas pula de cama em cama com alguém desconhecido, a fim de receber o seu quinhão diário; a adúltera estuda criteriosamente seus casos a fim de tirar o máximo proveito de suas vítimas. Tanto a prostituta como a adúltera estão a serviço do mal e colherão a safra maldita de sua semeadura pecaminosa. Ambas sacrificam o corpo no altar da promiscuidade. Ambas provocam desastres por onde passam. Ambas são destruidoras de famílias. Ambas vivem em fel de amargura, pois laboram na iniquidade, pecando contra Deus, contra o próximo e contra si mesmas.

Não brinque com fogo – *Tomará alguém fogo no seio, sem que as suas vestes se incendeiem? Ou andará alguém sobre brasas, sem que se queimem os seus pés? Assim será com o que se chegar à mulher do seu próximo; não ficará sem castigo todo aquele que a tocar* (Pv 6.27-29). É impossível brincar com fogo e sair ileso. É impossível tomar fogo no seio sem incendiar as vestes. É impossível andar sobre brasas e não queimar os pés. Também é impossível alguém tocar a mulher do próximo sem ser castigado. O adultério é uma tragédia. É tão devastador quanto um incêndio. É tão letal quanto o fogo. Flertar com o adultério é o mesmo que brincar com fogo. Essa aventura não ficará impune. Tocar de forma lasciva a mulher do próximo é o mesmo que atear fogo ao próprio corpo. Só aqueles que querem se destruir cometem tal loucura. Só aqueles que perderam o juízo e querem se arruinar entram por esse caminho de morte. O prazer do adultério será reduzido a cinzas. O sofrimento do adultério será como o tormento de uma queimadura severa. O castigo do adultério será como a devastação de um incêndio: deixará um terrível rastro de destruição. Os adúlteros serão desmascarados e expostos às chamas do opróbrio. O que eles fizeram no anonimato será proclamado dos eirados. O que fizeram movidos por louca paixão se transformará em culpa vergonhosa. O que fizeram com promessas de prazer secará a sua alma. O que buscaram com avidez manchará para sempre a sua memória. O que fizeram sobre lençóis de cetim se tornará um fogaréu sem fim.

O roubo não compensa – *Não é certo que se despreza o ladrão, quando furta para saciar-se, tendo fome? Pois este, quando encontrado, pagará sete vezes tanto; entregará todos os bens de sua casa* (Pv 6.30,31). O ladrão é aquele que subtrai os bens do próximo furtivamente. Tem cara de honesto, mas carece de integridade. Como Judas Iscariotes, ocupa um cargo de confiança, mas não faz jus a essa confiança. Salomão nomeia duas razões pelas quais o roubo não compensa. Em primeiro lugar, o ladrão, mesmo roubando para comer, quando é descoberto, cai em desprezo e desgraça. É uma terrível pecha ser chamado de ladrão. Não há pena maior do que receber essa alcunha. Mesmo que o ladrão acumule muitos bens desonestos como resultado de sua sanha, ele não conseguirá andar de cabeça erguida, pois carregará o rótulo de ladrão. Em segundo lugar, o ladrão, quando descoberto, terá de devolver o produto roubado e até sua casa será devastada. Os bens mal adquiridos vazam pelos dedos. Desidratam e escoam rapidamente. O roubo que foi feito às escondidas, na calada da noite, ao arrepio da lei, agora é exposto publicamente; a casa que andava ornada com os frutos do roubo agora é exposta e saqueada sob a luz do dia. O resultado final do roubo é a vergonha, o opróbrio e a pobreza. De fato, o roubo não compensa. Os ladrões não herdarão o reino de Deus, ainda que edifiquem na terra um reino de iniquidade.

A loucura do adultério – *O que adultera com uma mulher está fora de si; só mesmo quem quer arruinar-se é que pratica tal coisa. Achará açoites e infâmia, e o seu opróbrio nunca se apagará* (Pv 6.32,33). Salomão chama o adúltero de louco. Só quem perdeu o juízo e está confuso acerca do valor de sua vida entrega-se aos devaneios do adultério. Não há adultério indolor. Não há infidelidade conjugal sem dramáticas consequências. O preço a pagar é tão alto que o texto diz enfaticamente que só aqueles que querem arruinar-se praticam tal coisa. A ruína é financeira, emocional, moral e espiritual. A tragédia desaba sobre a vida financeira e sobre os relacionamentos familiares. Tudo entra em colapso depois de um adultério. Um terremoto abala os alicerces do casamento. Um vendaval devastador tira tudo do lugar. O adúltero é objeto de açoites e infâmia. Sofre na carne as consequências de sua loucura. Perde a própria honra. O pecado do adultério, mesmo depois de perdoado, deixa cicatrizes profundas. Salomão diz que seu opróbrio nunca se apagará. O adultério de Davi com Bate-Seba tem sido contado e recontado milhões de vezes. Embora Deus tenha perdoado Davi, essa mácula jamais foi retirada de sua história. Davi pagou um preço altíssimo por seu erro. Sua filha Tamar foi desonrada. Seu filho Amnon foi assassinado. Seu filho Absalão morreu numa conspiração que visava tomar o trono de Davi. O que Davi fez às ocultas, num quarto fechado, foi proclamado à exaustão do eirado da história.

O perigo do ciúme – *Porque o ciúme excita o furor do marido; e não terá compaixão no dia da vingança. Não se contentará com o resgate, nem aceitará presentes, ainda que sejam muitos* (Pv 6.34,35). Uma das consequências amargas do adultério é o adúltero ter de lidar com o ciúme e a revolta do cônjuge traído. O ciúme excita o furor do marido; e este não terá compaixão no dia da vingança. O amor traído não pode ser recompensado com presentes, mesmo que sejam muitos. Nada fere mais o coração de um marido ou de uma esposa do que seu cônjuge ir para a cama com outra pessoa, quebrando a aliança conjugal. Nada agride mais um indivíduo do que ver sua esposa sendo possuída por outro homem. Nada suscita mais revolta no coração de um homem do que saber que foi enganado, traído e envergonhado. Muitos crimes passionais têm sido cometidos por essa causa. O prazer de poucas horas na cama do adultério transforma-se num pesadelo a vida toda. Em virtude dessa loucura, muitos casamentos têm sido destruídos. Muitos filhos ficam feridos na alma. Muitos desses traumas perduram a vida inteira. As sequelas de um adultério passam de geração para geração. O adultério é uma insanidade que desemboca em outras perigosas loucuras. Sensato é o homem que foge da sedução do adultério!

Capítulo 7

Guardar os mandamentos: a chave para viver
(Pv 7.1-27)

A MENINA DOS OLHOS – *Filho meu, guarda as minhas palavras e conserva dentro de ti os meus mandamentos. Guarda os meus mandamentos e vive; e a minha lei, como a menina dos teus olhos* (Pv 7.1,2). A Palavra de Deus é muito preciosa para ser ouvida e abandonada. É muito solene para ser lida e esquecida. É muito útil para ser examinada e preterida. Salomão nos aconselha a guardar a Palavra de Deus e conservar dentro de nós os mandamentos. Devemos guardar a melhor coisa: a Palavra; no melhor lugar: o coração; com o melhor propósito: não pecar contra Deus. Os preceitos divinos nos são dados não para subtrair nossa alegria nem para nos privar de liberdade.

A lei de Deus não é uma prisão, mas a chave da liberdade. Quando guardamos os mandamentos que emanam da lei de Deus, desfrutamos de vida plena, maiúscula e superlativa. A lei de Deus deve ser valorizada como a menina dos nossos olhos. A menina dos olhos é a parte mais sensível da visão. Nós a protegemos instintivamente, celeremente, constantemente. Quando guardamos a Palavra, ela nos guarda. Quando a escondemos no coração, ela nos livra de tropeços. Quando a colocamos em prática, ela nos conduz em triunfo. A Palavra de Deus é a espada do Espírito. Com ela atacamos as fortalezas do inferno. Quando terçamos essa adaga com prudência e fidelidade, triunfamos nas refregas da vida.

Mãos e coração – *Ata-os aos teus dedos, escreve-os na tábua do teu coração* (Pv 7.3). Os mandamentos que emanam das Escrituras são muito preciosos. Valem mais do que o ouro depurado e são mais doces do que o mel e o destilar dos favos. Os preceitos de Deus são puros e iluminam os olhos. A lei de Deus é perfeita e restaura a alma. Há grande recompensa para aqueles que guardam esses preceitos. À semelhança de Esdras, devemos dispor nosso coração para ler, viver e ensinar a Palavra de Deus (Ed 7.10). Devemos saborear e degustar cada palavra. Devemos observar cada preceito. Devemos colocar em prática cada mandamento. Devemos ensinar com alegria cada estatuto. Salomão nos instrui a atar essas verdades magnas aos nossos dedos. Nossas mãos precisam ser governadas pela Palavra. Nossas ações precisam ser dirigidas pela Palavra. Salomão ordena ainda que os mandamentos de Deus sejam escritos na tábua do nosso coração. A lei de Deus foi escrita em tábuas de pedra, mas agora, pelo ministério do Espírito, na vigência da nova aliança, esses mandamentos são escritos em nosso coração. Agora, temos deleite na Palavra. Agora, capacitados pelo Espírito, podemos obedecer aos preceitos da Palavra. Agora, o que é guardado no coração se expressa através das nossas ações. Mãos e coração caminham juntos.

Parentes chegados – *Dize à Sabedoria: Tu és minha irmã; e ao Entendimento chama teu parente, para te guardarem da mulher alheia, da estranha que lisonjeia com palavras* (Pv 7.4,5). Sabedoria e Entendimento devem estar tão próximos a nós como parentes de sangue. Devem fazer parte da nossa intimidade. Sabedoria é olhar para a vida com os olhos de Deus, e Entendimento é separar o precioso do vil. A Sabedoria deve ser nossa irmã, e o Entendimento, nosso parente chegado. E por que Sabedoria e Entendimento devem caminhar conosco, como nossos parentes chegados? Para nos guardarem de deslizes morais, de quedas vergonhosas, de envolvimentos ilícitos, de relacionamentos extraconjugais. A mulher alheia é aquela que, embora casada, acena com os olhos, atrai e seduz sua presa para a cama do adultério. Ela tem doçura nas palavras, encanto na aparência e sedução nos gestos. A mulher alheia está sempre bem vestida, e sua apresentação é sempre sedutora. Seu olhar é sempre apaixonante, sua voz é sempre cálida, e seu perfume sempre atraente. Seus elogios são arrebatadores, e suas propostas são quase irresistíveis. Somente tendo a Sabedoria e o Entendimento como nossos parentes próximos, podemos nos livrar dessa arapuca perigosa. Somente o temor a Deus pode nos livrar de cair nessa cilada. A pureza moral deve ser uma luta constante. Jamais podemos abrir guarda. Jamais devemos transigir, nem por um momento sequer!

Um passeio perigoso – *Porque da janela da minha casa, por minhas grades, olhando eu, vi entre os simples, descobri entre os jovens um que era carecente de juízo, que ia e vinha pela rua junto à esquina da mulher estranha e seguia o caminho da sua casa, à tarde do dia, no crepúsculo, na escuridão da noite, nas trevas* (Pv 7.6-9). A vida é como uma passarela, uma estrada ou uma rua agitada pela qual pessoas trafegam de dia e de noite. Nessa avenida da vida, há pessoas simples e jovens que vão, vêm e passam, e alguns deles são carentes de juízo. O que é ser carente de juízo? É deixar de ter a sabedoria como irmã e o entendimento como parente próximo. É caminhar pela vida sem reflexão e sem cuidado. É fazer uma jornada sem ler as placas de advertência à beira do caminho. Nessa rua movimentada, há uma esquina emblemática. Nela mora a mulher estranha e sedutora. Essa esquina é um terreno escorregadio. Ali se esconde o território da tentação. Essa esquina é o palco de muitas aventuras loucas, de muitas quedas vergonhosas, de muitas famílias destruídas. Essa esquina é um cemitério da honra. Aqueles que são faltos de juízo passam por ali sem nenhum cuidado à tarde do dia, no crepúsculo, na escuridão da noite, nas trevas. E muitos são atraídos, enredados, apanhados no laço da sedução, acabando prisioneiros na cama do adultério. Há lugares que devemos evitar se não quisermos nos expor a perigos. Há companhias das quais devemos nos privar, se não quisermos ser apanhados na rede do pecado. Há passeios que não devemos fazer, se quisermos permanecer de pé.

Um encontro perigoso – *Eis que a mulher lhe sai ao encontro, com vestes de prostituta e astuta de coração* (Pv 7.10). Um passeio perigoso pode desembocar num encontro perigoso. Aqueles que trafegam desatentamente e passam pela esquina da sedução, altas horas da noite, de repente são abordados pela mulher alheia. Não é uma abordagem casual. Essa mulher sai ao seu encontro, deliberadamente, propositadamente, como o predador sai à cata de sua presa, como o caçador espreita a sua caça. Como essa hora já está marcada pela penumbra da noite, ela sai com vestes de prostituta. Sua oferta sexual não é mais camuflada. Sua sedução não é mais indireta. Suas vestes mostram mais seu corpo escultural do que o cobrem. Revelam tanto seu interior como desvelam seu exterior. As vestes sedutoras e atraentes despertam o desejo sexual, mas escondem a astúcia do coração. Sua proposta é de prazer, mas no coração seu projeto é devastador. Seus encantos convidam para um banquete de delícias do amor, mas no coração há uma saga de vergonha e dor. Esse encontro é muito perigoso. O homem sozinho não consegue escapar dele facilmente. O simples fato de ter passado por essa esquina nas sombras da noite, embalado pelas asas da solidão, já demonstra falta de prudência. Esse transeunte é uma presa fácil, um alvo certo, uma vítima prestes a cair na armadilha do adultério.

Uma inquietude perigosa – *É apaixonada e inquieta, cujos pés não param em casa; ora está nas ruas, ora, nas praças, espreitando por todos os cantos* (Pv 7.11,12). A mulher adúltera tem um fogo que não cessa de arder em seu interior. É apaixonada, governada por seus sentimentos avassaladores. Não é regida pela sabedoria nem possui entendimento. É inquieta. Vive desassossegada. Seus pés não param em casa. Ela está sempre buscando uma brecha, alguém a quem possa atrair e derrubar. Suas idas e vindas pelas ruas e praças têm um objetivo: encontrar alguém atraente a quem possa lançar suas olhadelas. Alguém de valor sobre quem possa jogar o seu charme. Alguém de honra a quem possa dirigir suas palavras macias como azeite. Alguém aquinhoado financeiramente de quem possa subtrair os haveres. Alguém de família ilibada à qual possa aplicar o seu golpe fatal. Ah, essa mulher espreita por todos os lados! É uma caçadora implacável. De longe enxerga seu alvo e, como uma flecha, corre em sua direção. Seus olhos brilham de paixão. Seu corpo semicoberto pelas vestes da sedução resplandecem todo o seu poder de atração. Suas palavras melífluas e aveludadas arrastam os incautos para sua rede de prazer imediato. É experimentada em sua intenção de espreitar. É irrequieta em seu propósito de seduzir. É fatal em seu plano de levar os incautos para a cama do adultério.

Um beijo perigoso – *Aproximou-se dele, e o beijou, e de cara impudente lhe diz: Sacrifícios pacíficos tinha eu de oferecer; paguei hoje os meus votos. Por isso, saí ao teu encontro, a buscar-te, e te achei* (Pv 7.13-15). Esse caminhante desatento pela rua dos desejos, passando pela esquina da sedução, é apanhado pela mulher alheia, vestida com as roupas atraentes da tentação. O olhar dessa mulher é penetrante. Suas palavras são delicadas. Seu beijo é irresistível. O beijo proibido é quente, cheio de paixão, carregado de desejo lascivo. Incendeia o corpo, anestesia a consciência, calcifica a alma. Esse beijo é uma isca de morte. É o prelúdio da queda, o caminho aberto para o adultério. Esse homem que caminhava desatentamente é beijado e conquistado pelo falso discurso de que era tudo o que ela sempre sonhou na vida. Ele era o resultado de suas buscas, o achado de sua procura, o desejado de sua alma, o motivo do sacrifício pacífico que ela precisa oferecer. Usando uma linguagem religiosa, a mulher mente para ele na cara dura. Ela exalta esse homem e o faz sentir-se importante, único, desejado. Sem tempo para respirar, ele é fisgado por sua atração fatal. Seu coração pulsa forte e sua mente congela sem nenhuma reflexão. Está prisioneiro do desejo de satisfazer seus apetites mais primitivos. Está pronto a atender a todos os seus apelos. Caiu na armadilha da tentação. Foi derrotado pela falta de sabedoria e pela ausência do entendimento.

Um convite perigoso – *Já cobri de colchas a minha cama, de linho fino do Egito, de várias cores; já perfumei o meu leito com mirra, aloés e cinamomo. Vem, embriaguemo-nos com as delícias do amor, até pela manhã; gozemos amores* (Pv 7.16-18). A mulher adúltera faz pelo homem estranho o que nunca fez pelo marido. Seu quarto é um território detalhadamente preparado para atrair os insensatos. Sua cama é um cenário de rara beleza e requinte. Está coberta de colchas, do melhor tecido, o linho fino do Egito, com a melhor estampa, de várias cores. Seu leito já está perfumado com as melhores essências. Todo o cenário foi preparado para uma celebração embriagadora de sexo explosivo. Seu convite é para uma experiência nova, arrebatadora e inesquecível. Seu corpo é uma taça transbordante de paixão na qual o amante é convidado a embriagar-se com as delícias do amor. O sexo que ela promete e proporciona é um frenesi sem pausa, um êxtase sem interrupção até o amanhecer. Ela conclama esse homem beijado e atraído pela paixão a gozar amores vários e nunca conhecidos. Oh, como é caudaloso o rio da paixão! Como são abundantes as torrentes do desejo! Como são avassaladores os prazeres prometidos! Como são incomuns as ofertas de carícias! Aqueles que são faltos de juízo e perambulam desatentos pela vida, desprovidos de sabedoria, são apanhados nessa rede, e o fim dessa linha é a vergonha, a dor, a culpa, a ruína e a morte.

Uma informação perigosa – *Porque o meu marido não está em casa, saiu de viagem para longe. Levou consigo um saquitel de dinheiro; só por volta da lua cheia ele tornará para casa* (Pv 7.19,20). A mulher adúltera, depois de jogar todo o seu charme em cima do homem a quem atraiu e beijou, agora dá mais um passo: assegura-lhe que ir para a cama com ela não oferecerá nenhum risco. Ela informa que essa noitada de prazeres será uma experiência guardada em segredo. Promete que esse culto ao prazer, esse sacrifício da mentira, nesse altar de profanação, ficará restrito apenas aos dois, que desfrutarão dos prazeres dessa noite incomparável. A mulher adúltera atesta que seu marido saiu para uma viagem longa e demorada. Levou consigo provisão suficiente para ficar fora de casa por várias semanas. Não voltará senão por volta da lua cheia. Com essa senha de segurança, a mulher adúltera acrescenta à sua sedução a garantia de que ir para a cama será uma aventura segura e sem nenhuma ameaça. Quantos cônjuges ainda hoje traem o consorte usando essas mesmas artimanhas! Quantas pessoas entram para a câmara do adultério imaginando que estão seguros dentro das quatro paredes! Ledo engano. Aquilo que é feito no recesso das portas fechadas será publicado dos eirados. Mesmo que o marido ou a mulher traída não chegue de surpresa, os olhos de Deus estão contemplando e condenando esse banquete da impiedade, essa celebração proibida da paixão!

Uma sedução perigosa – *Seduziu-o com as suas muitas palavras, com as lisonjas dos seus lábios o arrastou* (Pv 7.21). O homem que caminhava desatento da esquina da sedução foi abordado, beijado e seduzido pela mulher adúltera. Essa mulher calculou cada assalto ao coração do homem

Guardar os mandamentos: a chave para viver

desatento. Agarrou-o em seus braços atraentes, envolveu-o com seu beijo apaixonado e enganou-o com suas palavras cheias de sedução. O instrumento da sedução foi a palavra, as muitas palavras. Palavras suaves como o azeite. Palavras doces como o mel. Palavras macias como o veludo. Essa mulher arrastou o homem para a cama do adultério com as lisonjas dos lábios. O que é lisonja? É um conjunto de elogios eloquentes, mas falsos. A mulher adúltera fez aquele homem se sentir a pessoa mais importante e mais atraente do mundo. Ela levantou sua estima, colocou seu retrato numa moldura de rara beleza e o fez sentir-se único, incomparável, assaz desejado. A mulher sedutora derrubou esse homem não apenas com suas vestes sumárias, com seus lençóis de linho fino do Egito, com seu beijo quente, mas sobretudo com as lisonjas de seus lábios. O homem caiu na lábia daquela mulher experimentada no pecado. Ele comprou gato por lebre. Pensou que ela era uma coisa, enquanto era outra. Viu mais do que existia. Foi arrastado para a cama do adultério porque lhe faltaram sabedoria e entendimento. Caiu porque não vigiou.

Uma armadilha perigosa — *E ele num instante a segue, como o boi que vai ao matadouro; como o cervo que corre para a rede, até que a flecha lhe atravesse o coração; como a ave que se apressa para o laço, sem saber que isto lhe custará a vida* (Pv 7.22,23). O homem desprovido de sabedoria e de entendimento tentou a si mesmo quando deixou de ouvir os solenes alertas de Deus para não colocar os seus pés na estrada da tentação. Talvez tivesse pensado que seria forte suficiente para retroceder diante do perigo. Talvez, irresponsavelmente, estivesse tentando Deus, querendo que Deus fosse parceiro de sua loucura, resgatando-o das garras do adultério.

Porque tapou os ouvidos à voz de Deus, abriu-os aos apelos e lisonjas da mulher adúltera. Caiu no alçapão como uma ave atabalhoada. Caiu na armadilha como uma caça indefesa. Caiu nos braços da adúltera e foi para a cama com ela buscando prazer. O que encontrou? A morte! O quarto do adultério foi o seu matadouro. A cama dos prazeres foi a rede que prendeu a sua alma. As carícias embriagadoras foram as flechas que atravessaram o seu coração. O prazer que ele pensou encontrar na volúpia do sexo ilícito custou a sua honra, o seu casamento, a sua família, a sua vida. O pecado que lhe parecia tão inofensivo prendeu-o com grossas correntes. Os prazeres que pareciam tão apetitosos transformaram-se em fel de amargura para a sua alma. Os perfumes que encheram a cama do adultério passaram a ter cheiro de enxofre. Aquele encontro casual não lhe abriu os portões do prazer, mas trancou sua alma na masmorra da culpa e o jogou na cova da morte.

Fuja enquanto é tempo – *Agora, pois, filho, dá-me ouvidos e sê atento às palavras da minha boca; não se desvie o teu coração para os caminhos dela, e não andes perdido nas suas veredas* (Pv 7.24,25). O caminho escorregadio do adultério é frequentado por muitos transeuntes. Muitos caminham para lá e para cá e acabam presos nessa estrada perigosa, porque não leram as placas de alerta ao longo do caminho. Outros atravessam e escapam. O segredo da vitória é olhar para cima, para o Senhor, e lembrar-se de sua Palavra. A Palavra é arma de defesa e de ataque. Jesus triunfou sobre o diabo no monte da tentação brandindo apenas essa espada de dois gumes. Depois, é preciso olhar para dentro de si e manter o coração comprometido com a verdade de Deus. Não podemos nos afastar nem para a direita nem para a esquerda.

Não podemos fazer concessões ao erro. Não podemos relativizar os absolutos de Deus. Finalmente, devemos olhar para a frente a fim de reconhecer as terríveis consequências do pecado. O pecado é maligníssimo. Seu salário é a morte. Note que não é pecado ser tentado, mas é trágico cair em tentação. Não é pecado ser tentado, mas é pecado tentar Deus, caminhando por lugares que Deus proíbe. É pecado tentar Deus, esperando livramento na estrada da desobediência. Não brinque com a sedução sexual. Você não é forte o suficiente para sair ileso desse campo minado. Fuja enquanto é tempo. Livre a sua alma!

Uma experiência desastrosa — *Porque a muitos feriu e derribou; e são muitos os que por ela foram mortos. A sua casa é caminho para a sepultura e desce para as câmaras da morte* (Pv 7.26,27). A mulher adúltera é mais devastadora do que um exército armado em marcha de guerra. Deve ser mais temida do que a espada do inimigo. Oferece mais riscos do que uma horda de invasores. Por onde ela passa, deixa um rastro de destruição. Aqueles que cruzam o seu caminho saem feridos. Aqueles que cedem aos seus caprichos e caem em sua lábia tombam vencidos e são derrubados do alto de sua honra. Aqueles que são atraídos por suas lisonjas acabam acorrentados no tronco da vergonha e do opróbrio. Aqueles que recebem o seu beijo e se embriagam com suas carícias terminam acicatados pelo aguilhão da culpa. Aqueles que se enrolam em seus lençóis de linho fino e multicoloridos findam envolvidos no manto da escravidão. Aqueles que são atraídos pelo seu perfume sentem, no final, o gosto de enxofre. O caminho dessa mulher é um cemitério semeado de vítimas. Sua casa é o próprio caminho da sepultura. Entrar em sua casa e deitar em sua cama é descer às câmaras da morte. O adultério não é apenas uma escorregadela inofensiva. É uma queda radical. Não produz apenas alguns arranhões, mas provoca a própria morte. Fuja, portanto, do caminho da mulher adúltera. Afaste seus pés dessa estrada sinuosa e escorregadia. Salve sua vida enquanto é tempo!

Capítulo 8

A excelência da sabedoria
(Pv 8.1-36)

O CLAMOR DA SABEDORIA – *Não clama, porventura, a Sabedoria, e o Entendimento não faz ouvir a sua voz? No cume das alturas, junto ao caminho, nas encruzilhadas das veredas ela se coloca; junto às portas, à entrada da cidade, à entrada das portas está gritando* (Pv 8.1-3). A Sabedoria e o Entendimento têm voz. Não são uma ideia abstrata, mas uma pessoa concreta. Não são uma pessoa meramente humana, mas a pessoa divina. A Sabedoria e o Entendimento são uma expressão eloquente do próprio Jesus, o Filho de Deus. A Sabedoria clama, e o Entendimento faz ouvir sua voz. Clama do cume dos montes para atingir as multidões que habitam nos vales. Ergue sua voz nas encruzilhadas para alcançar aqueles que caminham por caminhos diversos, rumando a lugares diversos, a fim de encontrarem o caminho da vida. Faz soar sua voz junto às portas, à entrada da cidade, a fim de que os que entram e os que saem conheçam sua mensagem. A Sabedoria não sussurra sua mensagem com voz tíbia. Grita com voz altissonante para que todos ouçam. Grita com eloquência singular para que todos escutem. Sua mensagem é urgente e absolutamente vital. Tapar os ouvidos à voz da Sabedoria é caminhar para a morte e fazer uma viagem rumo ao desastre. Deus nos falou muitas vezes, de muitas maneiras, aos pais pelos profetas, mas agora ele nos fala pelo seu Filho. Jesus é a Sabedoria de Deus. Ouvir sua voz é viver. Obedecer à sua voz é caminhar para a bem-aventurança eterna!

Escute a voz da Sabedoria – *A vós outros, ó homens, clamo; e a minha voz se dirige aos filhos dos homens. Entendei, ó simples, a prudência; e vós, néscios, entendei a sabedoria. Ouvi, pois falarei coisas excelentes; os meus lábios proferirão coisas retas* (Pv 8.4-6). A Sabedoria não apenas fala, mas apela às pessoas. Aquele que veio para dar vida às pessoas clama aos seus ouvidos. Ninguém fica longe do alcance dessa voz. Os simples devem entender a prudência, para não entrarem por caminhos escorregadios, não caírem em ciladas mortais e não descerem à cova da morte. Na caminhada da vida, há vales escuros, pântanos lodacentos, pinguelas estreitas, mares revoltos, rochas submersas, ameaças perigosas. A prudência nos dá discernimento. A prudência nos livra de colocar nossos pés nessa estrada da morte. Os néscios são convocados a entenderem a sabedoria. A olharem para a vida com os olhos de Deus. A tomarem decisões pautadas pelos princípios de Deus, e não pelas conveniências humanas.

A Sabedoria precisa ser ouvida e obedecida. Ela fala coisas excelentes. Os lábios da Sabedoria só proferem coisas retas. Bem-aventurados aqueles que a escutam, a atendem e seguem sua direção. Jesus é a Sabedoria divina que clama aos nossos ouvidos e nos convida a viver de forma maiúscula e abundante.

O discurso da Sabedoria – *Porque a minha boca proclamará a verdade; os meus lábios abominam a impiedade. São justas todas as palavras da minha boca; não há nelas nenhuma coisa torta, nem perversa. Todas são retas para quem as entende e justas, para os que acham o conhecimento* (Pv 8.7-9). A Sabedoria não apenas proclama a verdade, mas também abomina a impiedade. As palavras de sua boca não apenas são justas, mas também nelas não se encontra nada torto nem perverso. Todas as suas palavras são retas para aqueles cujo entendimento foi iluminado pelo Espírito de Deus, e são justas para aqueles que inclinaram os ouvidos ao conhecimento. Os loucos, os néscios e os escarnecedores ouvem as palavras da Sabedoria, mas as desprezam. Escutam os conselhos de Deus, mas os repudiam. Recebem o apelo urgente e veemente dos céus, mas tapam os ouvidos da alma para seguirem, rebeldemente, seu caminho de morte. Uns escutam a voz de Deus e são quebrantados; outros a escutam e ficam ainda mais endurecidos. O mesmo sol que amolece a cera endurece o barro. A mesma mensagem que salva uns condena outros. Os que vivem na impiedade e praticam a perversidade rejeitam a Sabedoria e por ela serão rejeitados. Abominam a Sabedoria e por ela serão abominados.

O valor da Sabedoria – *Aceitai o meu ensino, e não a prata, e o conhecimento, antes do que o ouro escolhido. Porque* *melhor é a sabedoria do que joias, e de tudo o que se deseja nada se pode comparar com ela* (Pv 8.10,11). O ser humano corre sofregamente atrás de prata, ouro, joias e riquezas. Investe seu tempo, usa sua energia, devota sua inteligência e emprega seus talentos para amealhar riquezas. Muitos chegam a alcançar sucesso nessa empreitada, porém deixam para trás os destroços de sua busca insaciável. Há aqueles que destroem o casamento e a família para atingirem o topo da pirâmide social. Acumulam bens, mas perdem a família. Ajuntam tesouros, mas perdem a alma. A Sabedoria divina nos adverte: o ensino é melhor do que a prata; o conhecimento é melhor do que o ouro escolhido; a sabedoria é melhor do que joias; e nada neste mundo, nem as riquezas nem os prazeres, pode ser comparado à sabedoria. O néscio ajunta tesouros julgando que essa riqueza lhe dará felicidade e segurança. Porém, esses tesouros acabam se transformando no combustível de sua própria destruição. Quando alguém busca conhecimento e sabedoria em vez de correr atrás de prata, ouro e joias, encontra segurança, felicidade e riqueza.

A morada da Sabedoria – *Eu, a Sabedoria, habito com a prudência e disponho de conhecimento e de conselhos. O temor do* SENHOR *consiste em aborrecer o mal; a soberba, a arrogância, o mau caminho e a boca perversa, eu os aborreço* (Pv 8.12,13). A Sabedoria mora na mansão da prudência. Aí não faltam o cardápio do conhecimento e as iguarias dos bons conselhos. A Sabedoria está aliançada com o temor ao Senhor, e uma das marcas indeléveis do temor ao Senhor é a atitude firme de aborrecer o mal. A Sabedoria não transige com o erro, não faz vistas grossas ao pecado. Ela aborrece a soberba, repudia a arrogância, rejeita o mau caminho e não tolera a boca perversa. Onde a Sabedoria habita, aí prevalece o conhecimento. Onde a Sabedoria governa, aí há conselhos que endereçam nossos pés para a verdade. A Sabedoria jamais guiará nossos pés por estradas sinuosas e escorregadias. Ao contrário, ela nos tomará pela mão e nos matriculará na escola do temor ao Senhor. Nessa escola, o mal não é maquiado de bem. O mal, com todas as suas vilezas, é aborrecido e rechaçado. Na escola do temor ao Senhor, a soberba e a arrogância, que empinam o nariz presunçosamente para, do pináculo de sua altivez, se considerarem superiores às virtudes mais excelentes, são desprezadas. Na casa da Sabedoria, aqueles que se atrevem a desandar a boca para proferir sandices e perversidades são repudiados. Na morada da Sabedoria, o mal não encontra hospedagem nem boas-vindas!

O reinado da Sabedoria – *Meu é o conselho e a verdadeira sabedoria, eu sou o Entendimento, minha é a fortaleza. Por meu intermédio, reinam os reis, e os príncipes decretam justiça. Por meu intermédio, governam os príncipes, os nobres e todos os juízes da terra* (Pv 8.14-16). A Sabedoria reina soberana numa fortaleza inexpugnável. O conselho lhe pertence, pois essa sabedoria não é sinônimo de esperteza, para servir-se e locupletar-se do poder. A Sabedoria que vem do alto é personificada pelo próprio Deus. Ela é o próprio Entendimento. Aqui está a verdadeira fortaleza, jamais conquistada pelos inimigos. A Sabedoria estabelece a ordem e dita as leis. É por seu intermédio que reinam os reis. A Sabedoria normatiza o que é certo, estabelece o que é justo, e, por seu intermédio, os príncipes decretam justiça. Toda a autoridade constituída governa por seu intermédio, com sua legitimidade, para a exaltação de suas virtudes. Os príncipes, os nobres e todos os juízes da terra governam por seu intermédio. Sem a Sabedoria, fundamento da justiça, o que são os governos, senão uma máquina de corrupção e uma corja de ladrões? Sem a justiça, o poder corrompe e revela os corrompidos. Sem a Sabedoria, a estrutura política e social de um reino entra em colapso e se desmantela. Somente quando os governantes se colocam debaixo da autoridade de Deus, a essência da Sabedoria, é que eles governam para o bem, e não para o mal. Que os reis da terra, que os príncipes deste mundo, que os líderes das nações se coloquem debaixo da autoridade da Sabedoria, a fim de governarem com entendimento e justiça!

O fruto da Sabedoria – *Eu amo os que me amam; os que me procuram me acham. Riquezas e honra estão comigo, bens duráveis e justiça. Melhor é o meu fruto do que o ouro, do que o ouro refinado; e o meu rendimento, melhor do que a prata escolhida* (Pv 8.17-19). A Sabedoria é uma pessoa que se relaciona. É o próprio Deus que se fez carne e habita entre nós. É o Emanuel. Ele ama aqueles que o amam e se deixa encontrar por aqueles que o buscam. Aqueles que se relacionam com ele colhem frutos abençoadores. Seus frutos são riqueza e honra, bens duráveis e justiça. Seu fruto é melhor do que o ouro, do que o ouro refinado. Seu rendimento é melhor do que a prata escolhida. A riqueza honesta é uma dádiva de Deus. É ele quem fortalece nossas mãos para adquirirmos riquezas. Riquezas e glórias vêm de suas mãos. A honra também é uma dádiva de Deus, pois é ele quem exalta. É Deus quem apanha o pobre e necessitado e o faz assentar-se entre príncipes. Os bens deste mundo são perecíveis, mas os bens concedidos por Deus são duráveis. Deus nos reveste de sua justiça, e Jesus Cristo, o

Filho de Deus, é a nossa justiça. Os que buscam ouro e prata descobrem que esses tesouros não são permanentes nem satisfazem. As riquezas deste mundo não podem dar segurança nem promover a verdadeira felicidade. Aqueles, porém, que conhecem a verdadeira Sabedoria e são governados por ela desfrutam agora de segurança e paz e gozarão a plena felicidade por toda a eternidade.

O caminho da Sabedoria – *Ando pelo caminho da justiça, no meio das veredas do juízo, para dotar de bens os que me amam e lhes encher os tesouros* (Pv 8.20,21). A Sabedoria se apresenta, nesses versículos, como um transeunte que caminha pelas veredas da justiça. Seu trajeto circunscreve-se ao reduto do juízo. Ela não faz desvios. Não entra em lugares tenebrosos. Não se afasta da luz. A Sabedoria trafega pelas veredas do juízo com um propósito elevado. Seu desiderato é dotar de bens os que a amam e lhes encher os tesouros. Diferentemente da mulher adúltera que fica à espreita nas esquinas ensombrecidas para apanhar em sua rede os incautos, a Sabedoria anda sobranceira pelo caminho da justiça para estender seus benefícios, distribuir bênçãos e cumular de tesouros aqueles que a amam. Amar a Sabedoria é o propósito da vida. A Sabedoria é o próprio Deus encarnado. Jesus é a nossa Sabedoria. Jesus não apenas anda no caminho da justiça, mas ele mesmo é o caminho. Ele não apenas dota de bens aqueles que o amam, mas ele mesmo é o nosso maior bem. Ele não apenas concede os melhores tesouros da terra, mas também presenteia aqueles que o amam com os mais excelentes tesouros do céu. Você tem andado de mãos dadas com a Sabedoria? É governado por ela? Tem recebido seus dons excelentes? Ela é seu prazer e sua recompensa?

A eternidade da Sabedoria – *O Senhor me possuía no início de sua obra, antes de suas obras mais antigas. Desde a eternidade fui estabelecida, desde o princípio, antes do começo da terra. Antes de haver abismos, eu nasci [...]. Quando ele preparava os céus, aí estava eu* (Pv 8.22-29). Essa é uma linguagem poética para expressar a eternidade e a pessoalidade da Sabedoria. A Sabedoria não é apenas um atributo moral de Deus; é o próprio Deus que se fez carne. Assim como o Criador fez todas as coisas com sabedoria, fez também todas as coisas por intermédio do seu Filho, a Sabedoria encarnada. A Sabedoria de Deus, Jesus, estava presente na criação e foi o agente da criação. Ele precede a criação, pois é eterno. Ele estava na criação, pois por ele todas as coisas foram criadas nos céus e na terra, as visíveis e as invisíveis. Tudo foi feito por intermédio dele e sem ele nada do que foi feito se fez. Ele sustenta a criação pela palavra do seu poder. A Sabedoria estava presente quando Deus preparava os céus vastíssimos e insondáveis. Até hoje, ainda ficamos extasiados com a imensidão e inescrutabilidade do universo. Como já foi dito o universo tem mais de 93 bilhões de anos-luz de diâmetro. Isso significa que, se conseguíssemos voar à velocidade da luz, a 300 mil quilômetros por segundo, levaríamos mais de 93 bilhões de anos para ir de uma extremidade à outra. Oh, eterna Sabedoria! Oh, insondável Sabedoria! Oh, divina Sabedoria!

A obra da Sabedoria – *Então, eu estava com ele e era seu arquiteto, dia após dia, eu era as suas delícias, folgando perante ele em todo o tempo; regozijando-me no seu mundo habitável e achando as minhas delícias com os filhos dos homens* (Pv 8.30,31). Jesus, a Sabedoria de Deus, é coigual, coeterno e consubstancial com o Pai. Ele é Deus de Deus e luz de luz. É perfeitamente Deus sem deixar de ser perfeitamente homem. Quando Deus criou o universo, ali estava a Trindade excelsa: o Pai, o Filho e o Espírito Santo. O Filho estava com o Pai. O Filho era o arquiteto do Pai. Ele foi o agente da criação, pois todas as coisas foram feitas por ele. As mesmas mãos que seguraram a plaina do carpinteiro também cinzelaram as estrelas na abóbada celeste. As mesmas mãos que multiplicaram pães e peixes também espalharam os mundos estelares. As mesmas mãos que foram pregadas na cruz também fizeram os céus, a terra e todas as coisas que neles habitam. Mas Jesus, a Sabedoria de Deus, não é apenas o agente da criação; é também o deleite do Pai, em quem ele tem todo o prazer. Jesus não apenas criou, mas também se alegrou na criação. Viu sua obra, e sua alma se alegrou. Só que, além de criar, ele também veio resgatar, com o preço de seu sangue, aqueles que o Pai lhe deu; e nestes ele tem todo o prazer.

O apelo da Sabedoria – *Agora, pois, filhos, ouvi-me, porque felizes serão os que guardarem os meus caminhos. Ouvi o ensino, sede sábios e não o rejeiteis. Feliz o homem que me dá ouvidos, velando dia a dia às minhas portas, esperando às ombreiras da minha entrada* (Pv 8.32-34). A Sabedoria sobe ao púlpito e prega. Assume a cadeira de Mestre e ensina. Reveste-se de autoridade e exorta. Sua palavra é positiva. Suas promessas são alvissareiras. Àqueles que obedecem a seus caminhos, é oferecida a felicidade plena e maiúscula. A Sabedoria e a felicidade são irmãs gêmeas. O sábio é aquele que ouve e não rejeita o ensino da Sabedoria. O sábio, ao obedecer, bebe a largos sorvos as delícias da felicidade. A felicidade não está presente no banquete da iniquidade. O prazer da vida não é encontrado nas aventuras da sensualidade.

As taças transbordantes dos prazeres deste mundo podem ser doces ao paladar, mas se tornam amargas ao estômago. Podem satisfazer por um momento, mas atormentam por toda a eternidade. As delícias da felicidade só podem ser encontradas no banquete da Sabedoria. A pessoa que dá ouvidos a ela, velando dia a dia às suas portas, esperando às ombreiras de sua entrada, experimenta uma profunda alegria, uma felicidade superlativa e um gozo inefável. Agora mesmo, a Sabedoria apela a seu coração e conclama sua alma. Escute a Sabedoria. Dê ouvidos a seu clamor. Então você será verdadeiramente feliz, superlativamente feliz, eternamente feliz!

As promessas da Sabedoria – *Porque o que me acha acha a vida e alcança favor do* SENHOR. *Mas o que peca contra mim violenta a própria alma. Todos os que me aborrecem amam a morte.* (Pv 8.35,36). A Sabedoria faz promessas sublimes e alertas solenes. Quais são as promessas? Aquele que a encontra, esse acha a vida. A Sabedoria é vida e concede vida a todos aqueles que a encontram. A Sabedoria é uma personificação de Jesus, aquele que é a vida e concede vida aos homens. Só em Cristo há vida. Fora dele reina a morte e o juízo. A segunda promessa feita pela Sabedoria é que aquele que a encontra alcança o favor do Senhor. Achar a Sabedoria é mergulhar na fonte da graça. É beber das torrentes que fluem do trono de Deus. É ser alcançado pelo favor imerecido de Deus. A Sabedoria promete aqui a salvação. A salvação é vista aqui como o desabrochar da vida. Ser salvo é receber vida. Ser salvo é ser objeto da graça, encontrar o favor do Senhor. Mas a Sabedoria também faz alertas solenes. Que alertas? Primeiro, pecar contra a Sabedoria é violentar a própria alma. É insurgir-se contra si mesmo. É decretar a própria ruína. Segundo, aborrecer a Sabedoria é amar a morte. É cavar a própria sepultura. É caminhar com os próprios pés para a condenação eterna. A Sabedoria propõe diante de você a vida e a morte e nos exorta a escolher a vida, para que vivamos agora e para todo o sempre!

Capítulo 9

Sabedoria vs insensatez
(Pv 9.1-18)

O BANQUETE DA SABEDORIA – *A Sabedoria edificou a sua casa, lavrou as suas sete colunas. Carneou os seus animais, misturou o seu vinho e arrumou a sua mesa [...]. Vinde, comei do meu pão e bebei do vinho que misturei. Deixai os insensatos e vivei; andai pelo caminho do entendimento* (Pv 9.1-6). A Sabedoria prepara uma grande festa. Sua casa é edificada para realizar um grande banquete. A provisão é farta. Os convidados são muitos. Há carne e vinho. Há pão com fartura em sua mesa. Todos são convidados a vir e comer pão e vinho. Os convidados devem deixar a companhia dos insensatos para entrar na sala do banquete. Os convidados são convocados a andar pelo caminho do entendimento. Nessa festa, está presente a vida, a verdadeira vida, a vida eterna. Essa é a festa da salvação. Essa festa acontece no melhor lugar, a Casa do Pai, o céu, o paraíso. Essa festa é promovida pelo melhor anfitrião. O próprio Deus é quem nos convida. Essa festa terá as melhores companhias. Todos os remidos estarão lá. Essa festa terá a melhor música. Os anjos e os remidos entoarão um cântico ao Filho de Deus e exaltarão a Sabedoria de Deus, o Cordeiro imaculado. Essa festa terá as melhores provisões. Quem comer desse pão jamais terá fome. Essa festa nunca vai acabar. Hoje, Jesus convida você para esse banquete da salvação.

O escarnecedor e o sábio – *O que repreende o escarnecedor traz afronta sobre si; e o que censura o perverso a si mesmo se injuria. Não repreendas o escarnecedor, para que te não aborreça; repreende o sábio, e ele te amará. Dá instrução ao sábio, e ele se fará mais sábio ainda; ensina ao justo, e ele crescerá em prudência* (Pv 9.7-9). As pessoas estão divididas em dois grandes grupos. Não entre ricos e pobres, brancos e negros, doutores e analfabetos, religiosos e céticos. Mas entre perversos e justos, entre sábios e escarnecedores. Quem é o escarnecedor? É aquele que não é ensinável. Repreendê-lo é inútil. Chamar a atenção do escarnecedor é trazer sobre si desgaste e aborrecimento. Longe de emendar seus caminhos e arrepender-se de seus devaneios, ele prorrompe em blasfêmias contra aquele que intentou ajudá-lo. Quem é o sábio? É aquele que é ensinável. Quando um sábio é repreendido, ele agradece a repreensão e passa a amar o repreensor. O sábio é humilde para acolher uma exortação e reconhecer seus erros. O sábio não estadeia justiça própria; ao contrário, anseia ardentemente crescer em graça e sabedoria. Quanto mais você ensina ao sábio, mais sabedoria ele adquire, mais prudente ele se torna e mais amor ele demonstra. Ensinar ao justo é o mesmo que semear em boa terra. A vida do justo é um campo fértil, no qual brota a semente da verdade e crescem os frutos da justiça. Como você reage quando é confrontado? Justifica-se? Repudia o ensino e a repreensão? Ou você se humilha e acolhe o ensinamento para produzir mais frutos ainda?

O temor ao Senhor, fonte de vida – *O temor do Senhor é o princípio da sabedoria, e o conhecimento do Santo é prudência. Porque por mim se multiplicam os teus dias, e anos de vida se te acrescentarão. Se és sábio, para ti mesmo o és; se és escarnecedor, tu só o suportarás* (Pv 9.10-12). Temer ao Senhor não é ter medo de Deus, mas demonstrar a ele reverência. A motivação para um filho obedecer a seu pai deve ser o respeito e o amor a ele, mais do que o medo de ser castigado. O temor ao Senhor é a síntese do livro de Provérbios. Aqui está a gênese da toda a sabedoria e também a sua própria essência. O temor ao Senhor é o grande freio moral que nos protege das propostas sedutoras do enriquecimento ilícito e nos blinda da sedução perigosa das aventuras sexuais. O temor ao Senhor nos afasta dos caminhos escorregadios e firma os nossos passos nas veredas da justiça. O temor ao Senhor nos desvia de companhias erradas e de lugares errados. Temer a Deus é conhecê-lo, honrá-lo, obedecer-lhe. Temer a Deus é colocar os pés na estrada da santidade e beber das torrentes da felicidade. Quando tememos a Deus, nossos dias são dilatados na terra e somos poupados de muitas aflições.

O convite sedutor da mulher adúltera – *A loucura é mulher apaixonada [...]. Assenta-se à porta de sua casa [...] para dizer aos que passam e seguem direito o seu caminho: Quem é simples, volte-se para aqui. E aos faltos de senso diz: As águas roubadas são doces, e o pão comido às ocultas é agradável. Eles, porém, não sabem que ali estão os mortos, que os seus convidados estão nas profundezas do inferno* (Pv 9.13-19). A mulher adúltera e a loucura têm a mesma face. Vestem-se com a mesma desonra. Habitam debaixo do mesmo teto e dormem na mesma cama. A mulher sedutora posta-se em frente à sua casa, fazendo dessa geografia uma armadilha de morte para quem passa. Ela convida os incautos a entrar. Ela convida os faltos de entendimento a comer e beber em sua mesa. Ela faz apologia do pecado e exalta o adultério. Diz que as águas roubadas são doces e que o pão comido às ocultas é agradável. Oh, mentira perversa! Oh, engano fatal! Aquilo que é roubado na calada da noite vem à tona em plena luz do dia. O pão que se come às ocultas torna-se escândalo público. Cair na lábia da mulher apaixonada pelo pecado é cair numa cova de morte. Atender ao convite dessa mulher é rumar para as profundezas do inferno. O adultério é uma tragédia. Somente os loucos, que querem se destruir, entram por esse caminho. O adultério pode parecer prazeroso. As aventuras sexuais podem parecer uma conquista desta sociedade permissiva. Porém, esse é um caminho de morte. É um atalho rápido para as profundezas do inferno. Os adúlteros não herdarão o reino de Deus. Somente os puros de coração verão Deus, pois sem santificação ninguém verá o Senhor.

Capítulo 10

O justo em contraste com o perverso
(Pv 10.1-32)

Filhos, fonte de alegria ou de tristeza — *O filho sábio alegra a seu pai, mas o filho insensato é a tristeza de sua mãe* (Pv 10.1). Os filhos são um manancial de alegria ou uma fonte de tristeza para os pais. Eles trazem grandes alegrias ou profundo sofrimento. Há filhos sábios, que obedecem e honram aos pais. Esses se tornam bem-aventurados na vida e dilatam seus dias sobre a terra. Porém, há filhos insensatos, que escarnecem da educação recebida pelos pais e jogam fora todos os princípios aprendidos no lar. Esses filhos entram pelos atalhos e descaminhos da vida, ajuntam-se a más companhias, mergulham nos labirintos escuros dos vícios e entregam-se a toda sorte de devassidão. Nessa jornada inglória, colhem os frutos malditos de sua semeadura insensata. Transtornam a própria vida, envergonham a família e provocam sofrimentos indescritíveis à sua volta, especialmente aos pais. Benditos são os filhos que se regem pela sabedoria, e não pela insensatez. Benditos são os filhos que andam pela estrada da santidade, em vez de naufragarem nos pântanos da impureza. Benditos são os filhos que ouvem e honram os pais e são motivo de alegria para eles. São aqueles que glorificam Deus, abençoam a família, fortalecem a igreja e constroem uma sociedade justa. São aqueles que experimentam a bênção de uma vida superlativa aqui e, por meio de Cristo, desfrutarão da bem-aventurança eterna.

Os tesouros da impiedade – *Os tesouros da impiedade de nada aproveitam, mas a justiça livra da morte* (Pv 10.2). Estamos vivendo uma crise sem precedentes em nossa sociedade. A crise que mais nos assola é a da integridade. Os valores morais estão sendo tripudiados. A lei do levar vantagem em tudo parece governar nossa gente. Políticos inescrupulosos vendem a alma da nação para serem eleitos. Esquemas de corrupção escondem quadrilhas de colarinho branco que trafegam pelos corredores do poder amealhando os tesouros da impiedade. As riquezas que deveriam socorrer os aflitos e levantar as colunas de uma sociedade justa são desviadas para contas bancárias de grã-finos que fazem as leis, escarnecem das leis e escapam da lei. Aqueles, porém, que acumulam os tesouros da impiedade, que vivem no fausto e no luxo, e que ajuntam para si riquezas mal adquiridas, verão que esses bens se tornaram o combustível de sua própria destruição. A riqueza injusta produz morte, mas a justiça livra da morte. É melhor ser um pobre íntegro do que um rico desonesto. É melhor comer um prato de hortaliças onde há paz do que viver na casa dos banquetes com a alma atribulada. É melhor ser um pobre rico do que um rico pobre.

Deus cuida do justo – *O Senhor não deixa ter fome o justo, mas rechaça a avidez dos perversos* (Pv 10.3). Deus não desampara aqueles que nele confiam. O Senhor trabalha no turno da noite para cumular de bênçãos aqueles que andam retamente. Aos seus amados, dá ele o pão enquanto dormem. Não há Deus como o nosso, que trabalha para aqueles que nele esperam. Ele cavalga nas alturas para nos ajudar. Está assentado na sala de comando do universo, tem nas mãos o controle da história e age de tal maneira que todas as coisas cooperem para o bem daqueles que o amam. Essa não é a linguagem da conjectura hipotética, mas da certeza experimental. Deus cuida do justo e não o deixa ter fome. Davi disse: *Fui moço e já, agora, sou velho, porém jamais vi o justo desamparado, nem a sua descendência a mendigar o pão* (Sl 37.25). Se Deus assiste os justos, também rechaça a avidez dos perversos. Deus alimenta os famintos, mas despede vazios os ricos. Ele se deleita nos humildes, mas se coloca contra os soberbos. Ele cuida dos justos, mas desampara aqueles que, de forma avarenta, ajuntam apenas para si. John Mackay, ilustre reitor da Universidade de Princeton, disse que o maior problema do mundo não é a escassez de recursos, mas a má distribuição das riquezas. Precisamos ter o coração aberto para Deus e as mãos abertas para o próximo.

Preguiça, a mãe da pobreza – *O que trabalha com mão remissa empobrece, mas a mão dos diligentes vem a enriquecer-se* (Pv 10.4). A preguiça é a mãe da miséria e a patrona da pobreza. Aqueles que têm alergia ao trabalho e fogem dele como uma praga contagiosa empobrecem. Aqueles que amam o sono e encontram toda sorte de desculpas para não trabalhar acabam tendo a mente cheia de coisas perversas. O ditado popular diz: "Mente vazia, oficina do diabo". O trabalho é uma bênção. Não é castigo nem fruto do pecado. É uma ordem de Deus. O ser humano trabalhava antes da queda e vai trabalhar depois da glorificação. O céu não será uma bem-aventurança contemplativa, mas um trabalho dinâmico e deleitoso. A Bíblia diz que no céu os servos de Deus o servirão (Ap 22.3). O trabalho dignifica o ser humano, supre as necessidades da família, faz prosperar a sociedade e glorifica Deus. O trabalho é uma bênção, e devemos nos aplicar a ele com profundo zelo. Todo trabalho feito com honestidade é digno. Podemos trafegar da indústria ao santuário com a mesma devoção. O trabalho gera riqueza, pois a mão dos diligentes vem a enriquecer-se. Por intermédio do trabalho fazemos o que é bom, cuidamos de nós mesmos e da nossa família e ainda acudimos o necessitado.

Faça uma poupança – *O que ajunta no verão é filho sábio, mas o que dorme na sega é filho que envergonha* (Pv 10.5). John Wesley disse, com razão, que devemos ganhar tudo o que pudermos, poupar tudo o que pudermos e dar tudo o que pudermos. A previdência não pode nos levar à usura nem à generosidade irresponsável. Precisamos ajuntar no tempo da fartura como José fez no Egito. Não podemos gastar tudo o que ganhamos nem comer todas as sementes que colhemos. Precisamos poupar a fim de ter um saldo positivo nos dias de vacas magras. Vivemos em uma sociedade consumista, que ama as coisas e se esquece das pessoas. O consumismo nos ilude com a tola ideia de que somos o que temos. Na década de 1950 consumíamos cinco vezes menos do que consumimos hoje e não éramos menos felizes por isso. Na década de 1970, mais de 70% das famílias dependiam apenas de uma renda para manter toda a família. Hoje, mais de 70% das famílias dependem de duas rendas para manter o mesmo padrão. O luxo de ontem tornou-se a necessidade de hoje. Entramos nessa espiral do consumismo e acabamos comprando o que não precisamos, com o dinheiro que não temos, para impressionar pessoas que não conhecemos. Precisamos trabalhar mais; precisamos poupar mais; precisamos investir mais. Esse é o caminho da sabedoria!

O justo é abençoado – *Sobre a cabeça do justo há bênçãos, mas na boca dos perversos mora a violência* (Pv 10.6). Vale a pena conhecer Deus, andar com Deus e servi-lo. Sobre a cabeça do justo há bênçãos. A casa do justo é abençoada. Ele é como uma árvore plantada junto à corrente das águas, que nunca murcha e no devido tempo dá o seu fruto. O justo floresce como a palmeira. Quem é o justo? Não é aquele que tem justiça própria, mas aquele que foi justificado. Não é aquele que é recebido por Deus pelos próprios méritos, mas aquele que, apesar dos seus deméritos, crê em Cristo e veste-se com a sua justiça. O justo é abençoado não porque corre atrás da bênção, mas porque é conhecido e amado pelo abençoador. Se a cabeça do justo é o endereço onde mora a bênção de Deus, a boca do perverso é o lugar onde habita a violência. A bênção que marca o justo vem do céu, do alto, de Deus; a violência que procede do perverso brota dele mesmo, pois a boca fala do que está cheio o coração. Sobre a cabeça do justo há bênçãos vindas de Deus que se espalham para outras pessoas; da boca dos perversos, contudo, procede a violência que destrói e mata. O perverso segue pela estrada larga da condenação, espalhando palavras de morte, enquanto o justo esparge a luz de Cristo, trescala seu perfume e distribui bênçãos ao redor. Ele é abençoado por Deus e, por isso, torna-se um abençoador para as outras pessoas.

O bom nome vale mais do que o dinheiro – *A memória do justo é abençoada, mas o nome dos perversos cai em podridão* (Pv 10.7). A história está repleta de pessoas que dormiram em camas de marfim, mas cujo colchão estava cheio de espinhos. Elas dormiram em berços de ouro, mas não tinham paz no coração. Moraram em palacetes, condomínios fechados e apartamentos de cobertura, mas viveram encurraladas pelos presságios mais horríveis. O dinheiro tem enfeitiçado muitos. Por amor ao dinheiro, muitos passam por cima dos outros, escarnecem da virtude e arrastam seu nome na lama. Esquecem-se de que o dinheiro não traz segurança nem felicidade. O dinheiro não pode comprar as coisas mais importantes da vida. O dinheiro pode comprar bajuladores, mas não amigos. Pode comprar favores sexuais, mas não amor. Pode comprar uma casa, mas não um lar; pode comprar diversão, mas não alegria; pode comprar um prato requintado, mas não apetite; pode comprar uma cama confortável, mas não o sono reparador; pode comprar um caixão de cedro, mas não a vida eterna. Aqueles que destroem sua honra por causa do dinheiro verão seu nome cair na podridão e sua família encher-se de vergonha e opróbrio. Mas a memória do justo é abençoada. O justo, mesmo depois de morto, ainda influencia gerações. Ele passa, mas sua memória continua inspirando milhares de pessoas.

A obediência é o caminho da sabedoria – *O sábio de coração aceita os mandamentos, mas o insensato de lábios vem a arruinar-se* (Pv 10.8). A obediência é o caminho mais curto para a felicidade. A essência da vida bem-aventurada é a obediência. A queda dos nossos primeiros pais foi fruto da desobediência. A tragédia da confusão de línguas na torre de Babel foi resultado da desobediência. A peregrinação do povo de Israel no deserto por quarenta anos foi consequência da desobediência. O cativeiro babilônico do povo de Judá foi produto da desobediência. A queda de Jerusalém em 70 d.C. foi resultado direto da desobediência. As grandes tragédias históricas vieram como desdobramento da desobediência. Tapar os ouvidos aos mandamentos de Deus e enveredar pela estrada escorregadia da desobediência é consumada loucura. Assim como não podemos transgredir uma lei física sem sofrer as consequências, também não podemos transgredir a lei moral sem colher os inevitáveis resultados. O sábio de coração aceita os mandamentos e obedece, mas o insensato de lábios, que desanda a boca em falar impropérios, vem a arruinar-se. A obediência não é uma camisa de força nem uma viseira que nos oprime; é a nossa carta de libertação, nosso grito de independência, o único caminho que nos conduz à verdadeira felicidade. Não seja insensato, mas sábio. Não fale sem refletir, obedeça!

A integridade é o melhor seguro de vida – *Quem anda em integridade anda seguro, mas o que perverte os seus caminhos será conhecido* (Pv 10.9). O melhor seguro de vida é a integridade; a melhor defesa, a consciência pura. Aqueles que vivem na corda bamba da desonestidade, com o rabo preso na ratoeira da mentira, metidos em toda sorte de corrupção, não andam em paz. Vivem atormentados e desassossegados. Os desonestos, que torcem a lei, assaltam o direito do inocente, roubam os cofres públicos e, ainda assim, escapam ilesos da justiça humana, podem até andar em carros blindados, com colete à prova de bala, armados até os dentes, com seguranças parrudos dando-lhes cobertura, mas não podem ter segurança. A verdadeira segurança procede da consciência limpa, do coração puro e da conduta irrepreensível. Aqueles que, na calada da noite ou nos bastidores do poder, fazem acordos escusos, corrompem e são corrompidos, pensando que ficarão escondidos sob o manto do anonimato ou impunes diante de seus pérfidos delitos, perceberão que a máscara da mentira não é tão segura assim. Eles serão descobertos e envergonhados, e sobre eles cairão o opróbrio e a vergonha. A blindagem do dinheiro, do prestígio e do sucesso não pode protegê-los da execração pública nem do reto e justo juízo de Deus. Permanece o alerta divino: *Quem anda em integridade anda seguro, mas o que perverte os seus caminhos será conhecido.*

Cuidado com o flerte – *O que acena com os olhos traz desgosto, e o insensato de lábios vem a arruinar-se* (Pv 10.10). O homem pode tropeçar e cair tanto pelo que vê como pelo que fala. O texto se refere ao olhar lascivo e ao flerte malicioso. Esse aceno com os olhos é um laço, e aqueles que estendem essa armadilha caem nela, como presas indefesas. O resultado é o desgosto, a decepção e o sofrimento. O pecado não compensa. É uma fraude medonha. Promete mundos e fundos, prazeres e aventuras, delícias e mais delícias, mas nesse pacote tão atraente vêm a dor, as lágrimas e a morte. Muitos casamentos foram desfeitos por causa de um aceno com os olhos. Muitos indivíduos foram arruinados emocionalmente porque corresponderam a esse aceno com os olhos. O patriarca Jó disse: *Fiz aliança com meus olhos; como, pois, os fixaria eu numa donzela?* (Jó 31.1). Entrar por esse caminho escorregadio é cair no pecado da defraudação, e defraudar alguém é despertar na outra pessoa o que não se pode satisfazer licitamente. O segredo da felicidade não é a mente impura, os olhos maliciosos e os lábios insensatos. A felicidade é irmã gêmea da santidade. A bem-aventurança não está nos banquetes do pecado, mas na presença de Deus. É na presença de Deus que há alegria perene e delícias perpetuamente. Cuidado com os seus olhos! Ponha guarda na porta dos seus lábios!

Fonte de vida ou armadilha de morte – *A boca do justo é manancial de vida, mas na boca dos perversos mora a violência* (Pv 10.11). Jesus disse que a boca fala do que o coração está cheio. A língua reflete o coração. Ela externaliza o que é interno. Põe para fora o que está por dentro. A língua nos coloca pelo avesso, mostra nossas entranhas e escancara os segredos do nosso coração. A língua pode ser remédio ou veneno; pode dar vida ou matar; pode construir pontes ou cavar abismos. Pode ser fonte de vida ou armadilha de morte. O sábio Salomão diz que a boca do justo é manancial de vida. O justo fala a verdade em amor. Sua palavra é boa e traz edificação. É oportuna e transmite graça aos que ouvem. Da boca do justo jorram aos borbotões louvores a Deus e encorajamento ao próximo. A boca do justo é como uma árvore frutífera que alimenta e deleita. É como um manancial cujo fluxo leva vida por onde passa. Porém, na boca dos perversos mora a violência. Na boca dos perversos, há blasfêmias contra Deus e insultos contra o próximo. A língua dos perversos semeia contendas, promove intrigas, instiga inimizades e produz morte. A língua dos perversos é um poço de impureza, um esgoto nauseabundo de sujidades e um campo minado de violência. Devemos pedir a Deus um novo coração, para que nossos lábios sejam um manancial de vida, e não uma armadilha de morte.

Não odeie, ame! *O ódio excita contendas, mas o amor cobre todas as transgressões* (Pv 10.12). Tanto o ódio como o amor são sentimentos que brotam do coração. São opostos e produzem resultados diferentes. Se o ódio excita contendas, o amor cobre as transgressões. Se o ódio afasta as pessoas, o amor as aproxima. Se o ódio expõe os defeitos das pessoas, o amor as protege. Se o ódio cava abismos, o amor constrói pontes. O ódio é um sentimento irracional e avassalador. Antes de destruir os outros, arruína quem o nutre. Quem tem ódio no coração destrói a si mesmo antes de excitar contendas entre os outros. O ódio é uma espécie de autofagia. É como beber um copo de veneno pensando que o outro é quem vai morrer. O amor, porém, tem origem diferente e produz frutos diferentes. O amor procede de Deus, e seu resultado não é amaldiçoar o próximo nem jogar uma pessoa contra a outra, mas abençoar as pessoas, protegê-las e reconciliá-las. O amor é paciente com os erros dos outros e benigno com as pessoas, mesmo em suas fraquezas. Quem ama protege a pessoa amada. Quem ama cobre as transgressões do outro e proclama suas virtudes. Quem ama tira os holofotes de si mesmo para enaltecer o próximo. O ódio traz o DNA da morte, mas o amor é fonte da vida. Não odeie, ame! Não seja um instrumento de contendas, mas um agente da reconciliação.

Não seja tolo, mas sábio – *Nos lábios do prudente, se acha sabedoria, mas a vara é para as costas do falto de senso*

(Pv 10.13). O prudente é aquele que pauta sua vida pelos princípios de Deus, segue a retidão e anda em santidade. Em seus lábios habita a sabedoria. Ouvir uma pessoa prudente é matricular-se na escola da sabedoria, assentar-se nos bancos do conhecimento e colocar os pés na estrada da bem-aventurança. Por outro lado, o tolo ou falto de senso, por desprezar o conhecimento e escarnecer da sabedoria, sofre as consequências inevitáveis de sua loucura. Por lhe faltar sabedoria nos lábios, ele recebe chibata nas costas. O sofrimento do tolo é autoimposto. O falto de senso produz a própria tempestade que o destrói. Ele transtorna a própria vida. Tece o azorrague que flagela o próprio corpo e abre a cova para os próprios pés. O prudente, porém, afasta seu coração do conselho dos ímpios, retira seus pés do caminho dos pecadores e não se assenta na roda dos escarnecedores. O prudente alimenta sua alma com os manjares da verdade de Deus e, por isso, seus lábios destilam o néctar da sabedoria. Sabedoria é mais do que conhecimento; é a aplicação correta do conhecimento, é olhar para a vida com os olhos de Deus. É fazer as escolhas de conformidade com a vontade de Deus e para a glória de Deus.

Conhecimento, a melhor poupança – *Os sábios entesouram o conhecimento, mas a boca do néscio é uma ruína iminente* (Pv 10.14). O conhecimento é melhor do que o ouro, é mais seguro do que a moeda mais valorizada do mercado. Os ladrões podem roubar nossos tesouros, e as traças podem corroer nossas relíquias, mas o conhecimento é uma riqueza que ninguém pode nos tirar. Os sábios entesouram o conhecimento e, com ele, vêm a reboque as riquezas da terra. O conhecimento é a melhor poupança, o mais lucrativo investimento. Ninguém, porém, entesoura conhecimento de uma hora para a outra. Esse é um processo longo. Para entesourar conhecimento, é preciso dedicação, esforço e muito trabalho. Os tolos e preguiçosos acharão muito trabalhoso fazer esse investimento. Preferem o sono, o lazer e a diversão. Aqueles, porém, que têm a mente vazia de conhecimento também têm a boca cheia de tolices. A boca do néscio é uma ruína iminente. Em vez de ajudar as pessoas a trilhar pelas sendas da justiça, ele as desencaminha para os abismos da morte. A língua do néscio é um veneno mortífero. Seus lábios são laços traiçoeiros. Sua boca é uma cova de morte. O sábio, porém, que entesoura o conhecimento não apenas supre a si mesmo com o melhor desta terra, mas também se torna uma fonte de bênção para quem vive à sua volta.

Refúgio temporário – *Os bens do rico são a sua cidade forte; a pobreza dos pobres é a sua ruína* (Pv 10.15). Há alguns mitos acerca do dinheiro. O primeiro deles é que o dinheiro produz segurança. Será isso verdade? Não, absolutamente não. A Bíblia nos ensina a não colocar a nossa confiança na instabilidade da riqueza (1Tm 6.17). O dinheiro não pode nos livrar dos maiores perigos nem pode nos dar as coisas mais importantes da vida. O dinheiro pode nos dar uma mansão, mas não um lar; pode nos dar bajuladores, mas não amigos; pode nos dar aventuras sexuais, mas não amor. Pode nos dar uma cama confortável, mas não o sono; uma mesa farta, mas não apetite; dar remédios, mas não saúde; um lindo funeral, mas não a vida eterna. É bem verdade que o rico considera os bens como sua cidade forte, até que chega a tempestade, e seus bens são dissipados e arrastados pela rua como lama. O pobre, que nada tem, pensa que a pobreza é sua própria ruína e lamenta. Mas, quando chega a crise, perece tanto o rico como o pobre, tanto o velho como o jovem, tanto o doutor como o iletrado. O rico não pode gloriar-se na sua riqueza; o forte não pode gloriar-se na sua força; nem o sábio pode gloriar-se na sua sabedoria. O único refúgio verdadeiro é Deus. Ele é a rocha dos séculos que jamais será abalada. Nele, e só nele, estamos seguros agora e eternamente.

O fruto de seu trabalho – *A obra do justo conduz à vida, e o rendimento do perverso, ao pecado* (Pv 10.16). O que uma pessoa semeia, isso ela colhe; as sementes que cultivamos determina os frutos que colhemos. Quem semeia o bem colhe os frutos doces desse investimento; quem semeia o mal vê seu malfeito caindo sobre sua própria cabeça. Quem semeia vento colhe tempestade, e quem semeia na carne, da carne colhe corrupção. Nosso trabalho sempre trará resultados para o bem ou para o mal. A obra do justo conduz à vida. O que ele faz é abençoado e abençoador. Suas obras são movidas por Deus, feitas de acordo com a vontade de Deus e visam a glória de Deus. O justo não realiza suas obras com o propósito de alcançar o favor de Deus; ele as faz como gesto de gratidão pela graça recebida. Suas obras não são a causa de sua salvação, mas o resultado. Suas obras glorificam Deus no céu e conduzem as pessoas à vida na terra. O rendimento do perverso, porém, leva ao pecado. Suas obras não apenas arruínam ele próprio, mas também transtornam os outros. Porque o coração do perverso não é reto diante de Deus, suas obras incitam os outros ao pecado. Sua boca é um poço de lodo, seus pés se apressam para o mal e suas mãos laboram para a perdição.

A obediência tem uma linda recompensa – *O caminho para a vida é de quem guarda o ensino, mas o que abandona* *a repreensão anda errado* (Pv 10.17). Há muitos caminhos que são espaçosos, largos e sem nenhum muro, mas esses caminhos com tantos atrativos e nenhum obstáculo desembocam na escravidão e na morte. A Bíblia chega a dizer: *Há caminho que ao homem parece direito, mas ao cabo dá em caminhos de morte* (Pv 14.12). O sábio é categórico ao declarar que o caminho para a vida é de quem guarda o ensino. A obediência ao ensino da Palavra de Deus livra nossos pés da queda e nossa alma do inferno. A rebeldia, porém, é como o pecado da feitiçaria; é uma rebelião contra Deus. Tapar os ouvidos à repreensão de Deus é colocar o pé na estrada do erro, é marchar célere para o abismo, é chegar ao destino inglório da condenação eterna. Só os insensatos vivem às cegas, desapercebidos, sem nenhum senso de perigo. Uma vida sem reflexão é uma vida construída para o desastre. O caminho seguro da vida é a estrada da obediência. Obedecer a Deus e andar conforme os seus conselhos é o caminho seguro na estrada da vida. Essa estrada é estreita e apertada. Não são muitos os que andam por ela. Mas seu destino é a glória, a bem-aventurança eterna. Aqueles que andam pelas veredas da obediência receberão uma linda recompensa.

Não armazene ódio – *O que retém o ódio é de lábios falsos, e o que difama é insensato* (Pv 10.18). Há duas maneiras erradas de lidar com o ódio. A primeira delas é a explosão da ira, quando o indivíduo, como um vulcão em efervescência, desanda a boca para difamar o próximo. Essa explosão começa com a agressão verbal e culmina na violência física. Pessoas destemperadas emocionalmente transtornam a vida de quem está à sua volta. A segunda maneira errada de lidar com a ira é retê-la e armazená-la.

Essas pessoas não explodem, não provocam um escândalo público e até mantêm as aparências, mas azedam o coração e destilam falsidade com os lábios. Há muitas pessoas que vivem uma mentira. Os lábios produzem palavras macias, mas o coração é duro como uma pedra. Os lábios tecem elogios, mas o coração trama a morte. Há um descompasso entre o que se sente e o que se fala, um abismo entre a boca e o coração. Tanto a explosão da ira como sua retenção são atitudes incompatíveis com a vida cristã. Não podemos apontar essa arma de grosso calibre contra os outros nem contra nós mesmos. A solução não é ferir os outros ou a nós mesmos, mas é nos perdoarmos mutuamente, como Deus em Cristo nos perdoou. Em vez de esconder o veneno da maldade debaixo da língua, devemos abençoar uns aos outros e preferir em honra uns aos outros. Só assim, desfrutaremos de uma vida verdadeiramente feliz.

Vigie a porta de seus lábios – *No muito falar não falta transgressão, mas o que modera os lábios é prudente* (Pv 10.19). Quem fala muito, erra muito. Até o tolo quando se cala é tido por sábio. A Palavra de Deus é categórica: *Todo homem seja pronto para ouvir, tardio para falar, tardio para se irar* (Tg 1.19). Pessoas que falam para depois pensar, que falam sem refletir e que falam mais do que o necessário muito transgridem. Devemos falar a verdade em amor. A verdade é o conteúdo, e o amor é a forma. A verdade sem o amor agride; o amor sem a verdade engana. Só devemos falar o que é bom e oportuno. Só devemos abrir a boca se for para transmitir graça aos que ouvem. O tolo fala muito e pensa pouco; fala muito e comunica pouco; fala muito e acerta pouco. O prudente, porém, modera os lábios e amplia sua influência. Fala pouco e reflete muito; fala pouco e comunica muito; fala pouco e abençoa muito. Devemos ser cautelosos em nossa fala, pois a vida e a morte estão no poder da língua. Podemos dar vida ou matar um relacionamento dependendo de como nos comunicamos. A comunicação é o oxigênio que nutre nossos relacionamentos. Nossa língua, portanto, precisa ser fonte de vida, e não cova de morte; precisa ser medicina, e não veneno; precisa ser bálsamo que consola, e não fogo que destrói.

Quanto valem suas palavras? – *Prata escolhida é a língua do justo, mas o coração dos perversos vale muito pouco* (Pv 10.20). As palavras de um justo são mais preciosas do que os metais mais nobres. A língua do justo é prata escolhida: tem beleza e valor. Quando o justo fala, as pessoas são edificadas, consoladas e encorajadas. Quando o justo abre a boca, uma torrente de sabedoria jorra de seus lábios. Suas palavras são medicina para o corpo e bálsamo para a alma. A língua do justo é como a luz que aponta a direção, é como o sal que dá sabor, é como o perfume que inebria todos com sua fragrância. Quem ouve o justo não anda em trevas, mas na luz; não caminha por trilhas incertas, mas segue por caminho seguro; não cruza os desertos tórridos e inóspitos, mas atravessa os campos férteis da prosperidade. Quem acolhe as palavras do justo segue o caminho perfeito de Deus e é sustentado pelo braço onipotente de Deus, até chegar à cidade de Deus, para reinar com o Filho de Deus. Se a língua do justo tem palavras tão belas e preciosas, o coração do perverso, do qual fluem suas próprias palavras, vale muito pouco, pois é poço de perdição, laboratório de engano, usina de mentiras, território no qual domina a maldade. É tempo de avaliarmos o valor das nossas palavras. Elas são prata ou escória? São belas e atraentes ou feias e repugnantes? Têm valor como a prata escolhida ou valem tão pouco quanto o coração do perverso?

Apascente com sua língua – *Os lábios do justo apascentam a muitos, mas, por falta de senso, morrem os tolos* (Pv 10.21). Há muitas bombas que têm um grande poder de destruição. Hiroshima e Nagasaki foram destruídas pelo poder devastador da bomba atômica. Hoje fala-se na bomba de nêutrons e na bomba de hidrogênio. Mesmo com uma política internacional de desarmamento nuclear, o arsenal que temos hoje é suficiente para destruir nosso planeta várias vezes. No entanto, a bomba mais poderosa não é a atômica nem a de hidrogênio, mas a bomba das ideias, e as ideias são veiculadas pela língua. Com o poder da eloquência, Adolf Hitler enfeitiçou uma nação inteira e provocou a Segunda Guerra Mundial. A Bíblia diz, porém, que os lábios do justo apascentam muitos. A língua do justo é como um pastor de almas, um ministro fiel, um conselheiro sábio que conduz muitos pelas veredas da justiça. Suas palavras apontam o caminho certo para os errantes e consolam os tristes. Vivificam os abatidos e fortalecem os fracos. Curam os doentes e colocam de pé os trôpegos. O justo apascenta com a língua. Porém, os tolos, por falta de senso, não conseguem apascentar nem a si mesmos. Os tolos não encontram orientação para sua vida, por isso tombam vencidos nessa jornada. Sua morte torna-se o monumento inglório de sua tolice. Por desprezar o conhecimento de Deus, o tolo perde a própria vida. Por tapar os ouvidos à instrução, perece para sempre.

A bênção de Deus enriquece – *A bênção do* Senhor *enriquece, e, com ela, ele não traz desgosto* (Pv 10.22). A teologia da prosperidade está em alta. Muitos pregadores rendem-se a essa visão, movidos pela ganância, e prometem aos fiéis mundos e fundos em nome de Deus. Ensinam que a evidência da bênção divina é a prosperidade material. Essa interpretação, entretanto, está em desacordo com a Palavra de Deus. Há ricos pobres e pobres ricos. John Rockfeller, o primeiro bilionário do mundo, disse que o homem mais pobre que ele conhecia era aquele que só tinha dinheiro. Os que querem ficar ricos caem em tentação e cilada, pois o amor ao dinheiro é a raiz de todos os males. Não postulamos a teologia da prosperidade nem a teologia da miséria. A pobreza não é uma virtude nem a riqueza, um pecado. A Bíblia é categórica em afirmar que a bênção de Deus enriquece e, com ela, não traz desgosto. Deus é a fonte de todo bem. Dele procede toda boa dádiva. É Deus quem fortalece as nossas mãos para adquirirmos riqueza. Riquezas e glórias vêm das mãos de Deus. A riqueza que Deus dá não é fruto da desonestidade. Não é produto do roubo nem da corrupção. A riqueza que Deus dá é fruto da bênção que vem do céu e do trabalho honrado feito na terra. Essa é uma riqueza que não traz desgosto nem tira o sono. Sua fonte é limpa, sua natureza é santa, seu propósito é sublime.

Diversão perigosa – *Para o insensato, praticar a maldade é divertimento; para o homem inteligente, o ser sábio* (Pv 10.23). Qual é a sua diversão? O que você mais gosta de fazer? O que lhe dá prazer? A Bíblia diz que o insensato se diverte praticando a maldade. Há muitos programas humorísticos, muitas telenovelas, muitos *shows* musicais, muitas peças de teatro, muitas rodas de *happy hour* que não passam de diversão frívola, de maldade travestida de diversão. Aqueles que encontram no mal um prazer mórbido e se divertem revolvendo a lama infecta dos porões sujos da obscenidade são insensatos. O verdadeiro prazer e sentido da vida não está na prática da maldade, mas na busca da sabedoria. O inteligente não se imiscui nessa roda dos escarnecedores. Não chafurda nesse pântano pestilento. O inteligente busca reger sua vida pela sabedoria. Não oferece seus ouvidos ao lixo do mundo. Não põe diante dos seus olhos coisas imundas. Não coloca seus pés na estrada do mal, nem lança suas mãos naquilo que é uma desonra para sua alma. O inteligente não tem prazer no pecado, antes seu deleite está em conhecer e glorificar Deus. Ele não busca sua diversão nas sucursais do pecado, mas nos celeiros da sabedoria. Seu prazer não está nos banquetes da terra, mas nas delícias do céu.

Presságios perigosos – *Aquilo que teme o perverso, isso lhe sobrevém, mas o anelo do justo Deus o cumpre* (Pv 10.24). O perverso tem presságio, mas o justo possui esperança. O perverso teme o mal e este lhe sobrevém, mas o justo busca o bem, e Deus atende ao seu desejo. A grande pergunta é: Por que aquilo que o perverso teme lhe sobrevém? É porque o perverso colhe o que planta. O perverso semeia vento e colhe tempestade. Ele semeia na carne e da carne colhe corrupção. Ceifa os frutos amargos de sua própria semeadura insensata. Assim como há uma lei natural, há também uma lei moral. Assim como é impossível colher figos dos espinheiros, também é impossível colher da semeadura da maldade o fruto da felicidade. O perverso faz o mal com a pretensão de receber o bem. Ele faz o mal para os outros, mas tem medo de que o mal caia sobre sua própria cabeça. Aquilo, porém, que ele teme é exatamente o que lhe acontece. Não é assim a vida do justo. Seus anelos são santos, e suas motivações são puras. O justo deleita-se em Deus e ama ao próximo. O justo promove o bem aos outros, e Deus mesmo lhe devolve com bem. A Bíblia diz: *Certos de que cada um, se fizer alguma coisa boa, receberá isso outra vez do Senhor* (Ef 6.8). Deus cumpre o desejo do justo. Ampara-o na aflição, sustenta-o nas provas, fortalece-o na caminhada, dá-lhe vitória nas lutas e depois o recebe na glória.

Firme fundamento – *Como passa a tempestade, assim desaparece o perverso, mas o justo tem perpétuo fundamento* (Pv 10.25). A tempestade é intensa, perigosa e provoca grandes desastres por onde passa, mas passa e desaparece. Depois que ela se vai, deixa um rastro de destruição e lembranças amargas. Em janeiro de 2011, as cidades serranas do Rio de Janeiro, Petrópolis, Teresópolis e Nova Friburgo foram devastadas por uma terrível tempestade. A tempestade foi rápida, mas deixou marcas indeléveis. Mais de mil pessoas foram soterradas debaixo de um montão de lama, e suas casas foram arrastadas por enxurradas violentas. É assim a vida do perverso; ele passa como passa a tempestade. Sua passagem, entretanto, deixa marcas devastadoras. Mas, enquanto o perverso é levado pela avalancha da tempestade, o justo tem fundamento perpétuo. Ele é como uma árvore plantada junto à corrente das águas. Está firmado na rocha dos séculos, que nunca se abala. É como um edifício cujo fundamento perpétuo é Cristo. Sua vida é inabalável. Sua estabilidade é constante. Sua memória é abençoada na terra. Mesmo que a tempestade venha, o justo não é desarraigado, porque sua confiança não está na força do seu braço, nem na sua riqueza ou sabedoria, mas no Deus Todo-poderoso, Criador e Sustentador do universo.

A preguiça é uma tragédia – *Como vinagre para os dentes e fumaça para os olhos, assim é o preguiçoso para aqueles que o mandam* (Pv 10.26). O vinagre provoca nevralgia nos dentes, e a fumaça produz grande desconforto para os olhos. Quando os dentes, pelo efeito do vinagre, ficam sensíveis, não conseguimos mastigar bem o alimento ou sentir seu sabor. Quando os olhos são atingidos pela fumaça, sentimos um profundo incômodo e perdemos a capacidade de enxergar com clareza as coisas à nossa volta. Esse é o desconforto que o preguiçoso sente toda vez que alguém lhe ordena fazer alguma coisa útil. O preguiçoso é inimigo do trabalho e sente-se desconfortável diante daqueles que rogam por seus préstimos. O preguiçoso é amante do conforto. Pensa apenas em seu bem-estar. Despende suas energias apenas para abastecer seu mórbido comodismo. Nutre perigosas fantasias acerca dos perigos que lhe podem acontecer, caso se lance em alguma atividade. Retém sua mão de semear porque teme o mau tempo. Deixa de sair de casa para trabalhar porque acha que será assaltado no caminho. Deixa de procurar um emprego para sustentar-se e cuidar da família porque acredita que todas as portas das oportunidades estão irremediavelmente fechadas. O preguiçoso faz provisão para o desastre. Ele semeia o nada e colhe o vazio. Por isso, é como aqueles que andam sempre com os dentes embotados e os olhos vermelhos.

Longevidade abençoada – *O temor do Senhor prolonga os dias da vida, mas os anos dos perversos serão abreviados* (Pv 10.27). O temor ao Senhor é um freio contra o mal. É o princípio da sabedoria. Nada pode deter alguém de praticar o mal, a não ser o temor ao Senhor. Haverá momentos em que você estará longe dos seus pais, dos seus filhos, do seu cônjuge, dos seus amigos, da sua pátria, e nessas horas de solidão e isolamento a tentação baterá na porta do seu coração com ímpeto ou manhosa sedução. Nessas horas, o único freio moral é o temor ao Senhor. O temor ao Senhor é a sirene que acorda a consciência. O temor ao Senhor impediu José do Egito de deitar-se com a mulher de Potifar. O temor ao Senhor impediu Neemias de ser um político corrupto. O temor ao Senhor nos livra de lugares perigosos, atitudes suspeitas e pessoas sedutoras. O temor ao Senhor prolonga os dias de nossa vida. Por outro lado, os anos do perverso, que não anda no temor ao Senhor, são abreviados. Isso porque ele não conhece Deus, a fonte da vida. Por não andar no temor ao Senhor, ele envereda pelos caminhos sinuosos do pecado. Por desprezar os conselhos divinos, ele se envolve em tramas de morte e encurta seus dias sobre a terra. O temor ao Senhor, porém, é o elixir da vida. Quando andamos por esse caminho, desfrutamos de abençoada longevidade.

Esperança feliz – *A esperança dos justos é alegria, mas a expectação dos perversos perecerá* (Pv 10.28). Todos nós temos sonhos. Quem não sonha não vive. Quem deixou de sonhar deixou de viver. É possível, porém, que você tenha perdido seus sonhos mais bonitos pelas estradas da vida. É possível também que você tenha visto seus sonhos mais sublimes transformando-se em pesadelos. É possível até mesmo que você já tenha desistido de seus sonhos, que os tenha enterrado e colocado sobre o túmulo deles uma lápide com letras garrafais: "Aqui jazem os meus sonhos". Quero encorajar você a colocar esses sonhos novamente na presença de Deus, pois a esperança dos justos é alegria. Deus tem pensamentos de vida e paz a seu respeito. Se, agora, você só enxerga nuvens escuras, saiba que, por trás delas, o sol está brilhando. As nuvens vão passar, mas o sol jamais deixará de brilhar. Você não está a caminho do fracasso, mas marchando rumo à glória. Em Cristo, Deus já fez você mais do que vencedor. Não é assim, porém, a expectação dos perversos. Os sonhos deles se tornarão amargos pesadelos. Eles semearam ventos e colherão tempestades. Eles jogaram espinhos no útero da terra e não colherão figos. Tanto os perversos como a sua esperança perecerão.

O caminho do Senhor – *O caminho do* SENHOR *é fortaleza para os íntegros, mas ruína aos que praticam a iniquidade* (Pv 10.29). O caminho de Deus é perfeito. O caminho de Deus passa pelas veredas da justiça. É o caminho estreito que conduz à salvação. Esse caminho é aberto a todos, mas não a tudo. Nele trafegam os pecadores arrependidos, que nasceram de novo e foram lavados no sangue do Cordeiro. Enfileiram-se nesse caminho os que amam a santidade e todo aquele cujo coração é totalmente do Senhor. O caminho do Senhor não apenas conduz os íntegros à vida abundante, mas também os protege dos aleivosos perigos. O caminho de Deus é chão para os pés do íntegro e muralha protetora contra os dardos inflamados do maligno. Ao mesmo tempo que o caminho do Senhor protege o íntegro, é uma inevitável ruína para os que praticam a iniquidade. O caminho do Senhor não é neutro. É como uma espada de dois gumes: oferece vida aos que obedecem e condena os que praticam a iniquidade. Aos que correm para os braços de Deus arrependidos, buscando graça, abrem-se os portais da glória. Porém, aqueles que fogem de Deus, desobedecem à sua Palavra e escarnecem da sua graça, esses recebem a dura sentença de se apartarem para sempre daquele que é a fonte da vida.

A estabilidade do justo – *O justo jamais será abalado, mas os perversos não habitarão a terra* (Pv 10.30). Salomão mais uma vez faz um vívido contraste entre o justo e o perverso. Mais uma vez, a ideia é ressaltar a estabilidade do justo e a instabilidade do perverso. O justo mantém-se firme apesar da tempestade. Ele não é poupado dos problemas, mas *nos* problemas. Sobre a casa do justo também cai a chuva no telhado, sopra o vento na parede e batem os rios no alicerce. Mas sua casa fica de pé, porque ele a construiu sobre a rocha. Ele não será abalado, não porque é forte em si mesmo, mas porque seu fundamento é o próprio Deus, a rocha dos séculos. O perverso, porém, que muitas vezes aparenta ser forte e inexpugnável e que manifesta ao mundo a robustez do seu intelecto, a pujança do seu dinheiro e o poder de sua influência política, será desarraigado como uma palha levada pelo vento. Ele não habitará a terra da promessa, não permanecerá na congregação dos justos nem desfrutará a bem-aventurança eterna. O perverso vive um vazio existencial e constrói para o nada, pois o que adianta ganhar o mundo inteiro e perder a sua alma? O que adianta ter riquezas e bens se o dinheiro não pode nos dar segurança nem felicidade? O justo herdará a terra, pois tem Deus como sua herança e sua eterna fonte de prazer.

A boca do justo, fonte de sabedoria – *A boca do justo produz sabedoria, mas a língua da perversidade será desarraigada. Os lábios do justo sabem o que agrada, mas a boca dos perversos, somente o mal* (Pv 10.31,32). A boca do justo é uma fonte de vida; a do perverso, uma cova de morte. Quando o justo abre sua boca, a sabedoria jorra como água fresca para o sedento; quando o perverso fala, sua língua é fogo que destrói e veneno que aniquila. A sabedoria do justo leva as pessoas a olharem para a vida com os olhos de Deus, a sentir com o coração de Deus e a agir para a glória de Deus. Porém, a maldade do perverso afasta as pessoas de Deus e as seduz para um caminho de transgressão, cujo paradeiro final é a morte. A língua é como o leme de um navio: pode conduzi-lo em segurança para seu destino ou direcioná-lo para as rochas submersas e provocar um grande naufrágio. A língua do justo é manancial perene de sabedoria. Por meio dela, as pessoas aprendem os caminhos da vida; porém, a língua do perverso, que será desarraigada, maquina o mal, e toda a sua instrução produz incredulidade, rebeldia e desastre. Precisamos falar aquilo que exalta a Deus, edifica os outros e promove o bem. Nossa língua deve ser um manancial de sabedoria, e não um instrumento de iniquidade; um bálsamo do céu para os aflitos, e não um chicote de tortura para os abatidos.

Capítulo 11

Integridade, o caminho da vida
(Pv 11.1-31)

Honestidade nos negócios, o prazer de Deus – *Balança enganosa é abominação para o Senhor, mas o peso justo é o seu prazer* (Pv 11.1). A lei do levar vantagem em tudo está na moda. Vivemos a cultura da exploração desde a descoberta do Brasil. Nossos colonizadores vieram para o Brasil a fim de explorar suas riquezas, e não com o objetivo de investir nesta terra. Essa tendência permanece nas relações comerciais. A falta de integridade nos negócios é um mal crônico. A balança enganosa é um símbolo dessa desonestidade. Nos dias do profeta Amós, os ricos vendiam o produto inferior do trigo, por um peso menor e um preço maior, a fim de explorar os pobres e encher seus cofres com riquezas ilícitas. Esquecem-se os avarentos que Deus abomina a balança enganosa. Deus não tolera a desonestidade nas transações comerciais, pois o peso justo é o seu prazer. As riquezas da impiedade, fruto da corrupção e produto do roubo e da exploração, granjeadas sem trabalho honesto e sem a bênção de Deus, trazem pesar e desgosto. Essas riquezas se tornarão combustível para a destruição daqueles que as acumularam. A bênção de Deus, porém, enriquece e com ela não traz desgosto. A honestidade nos negócios é o prazer de Deus. Aquele que é o dono de todas as coisas e a fonte de todo o bem requer dos seus filhos integridade em todas as áreas da vida.

Humildade, o caminho da sabedoria – *Em vindo a soberba, sobrevém a desonra, mas com os humildes está a sabedoria* (Pv 11.2). O soberbo é aquele que deseja ser mais do que é, e ainda se coloca acima dos outros para humilhá-los e envergonhá-los. O soberbo é aquele que superdimensiona a própria imagem e diminui o valor dos outros. É o narcisista que, ao se olhar no espelho, dá nota máxima para si mesmo, aplaude a si mesmo, ao mesmo tempo que endereça suas vaias aos que estão ao redor. Por isso, o sábio diz que, em vindo a soberba, sobrevém a desonra. A soberba é a sala de espera da desonra. É o corredor do vexame. É a porta de entrada da vergonha e da humilhação. A Bíblia diz que Deus resiste ao soberbo, declarando guerra contra ele. Por outro lado, com os humildes está a sabedoria. O humilde é aquele que dá a glória devida a Deus e trata o próximo com honra. A humildade é o palácio onde mora a sabedoria. Os humildes são aqueles que se prostram diante de Deus, reconhecendo seus pecados e nada reivindicando para si mesmos; estes, em tempo oportuno, serão exaltados por Deus. A Palavra de

Deus é categórica em nos dizer que Deus humilha os soberbos, mas exalta os humildes. O reino de Deus pertence não aos soberbos, mas aos humildes de espírito.

Integridade, um farol na escuridão – *A integridade dos retos os guia; mas, aos pérfidos, a sua mesma falsidade os destrói* (Pv 11.3). A integridade é como um farol na escuridão. As nuvens escuras das provações se ajuntam sobre a cabeça do íntegro. Muitas vezes, na jornada da vida, o justo é encurralado num beco sem saída, e sua reputação é colocada à prova. Foi isso o que aconteceu com o profeta Daniel no Império Medo-Persa. Conspiraram contra ele. Armaram uma rede para os seus pés. O homem de Deus acabou sendo jogado na cova dos leões, o mais cruel sistema de pena de morte daquele reino. No entanto, mesmo sendo considerado culpado por seus malfeitores, tinha a consciência limpa diante de Deus. A integridade foi sua maior defesa diante de Deus e das pessoas. A integridade foi a luz que iluminou seu caminho e o escudo protetor que o livrou das mãos de seus algozes e dos dentes afiados dos leões. Aqueles que perfidamente tramaram o mal contra Daniel viram que esse mal caiu sobre sua própria cabeça. Daniel foi tirado da cova dos leões, e seus inimigos foram nela lançados e destruídos irremediavelmente. Os traidores cavam um abismo para seus próprios pés. Eles tramam o mal contra os outros, e esse mal cai sobre eles mesmos. O caminho do perverso é como uma escuridão, mas o caminho do justo é como a luz da aurora que vai brilhando mais e mais até ser dia perfeito.

Riquezas, um frágil bordão – *As riquezas de nada aproveitam no dia da ira, mas a justiça livra da morte* (Pv 11.4).

Há dois mitos acerca das riquezas. O primeiro deles é que as riquezas produzem felicidade. Há muitas pessoas que se casam e se divorciam por causa das riquezas. Outras morrem e matam por causa do dinheiro. Há aqueles que se corrompem e são corrompidos pelo amor ao dinheiro. Mas, quando chegam ao topo da pirâmide social, descobrem que a felicidade não está lá. O apóstolo Paulo diz que aqueles que querem ficar ricos caem em tentação e cilada e atormentam a sua alma com muitos flagelos. O segundo mito é que as riquezas produzem segurança. O dinheiro oferece uma falsa segurança. Por essa razão, o apóstolo Paulo ordena aos ricos não colocarem sua confiança na instabilidade das riquezas, mas em Deus. O sábio diz que as riquezas de nada aproveitam no dia da ira; ao contrário, elas podem atrair ainda maior fúria e devastação. Porém, a justiça livra da morte. Os justos são aqueles que foram justificados por Deus: estão sob o manto da justiça de Cristo e sobre eles não pesa mais nenhuma condenação. É melhor ser justo do que ser rico. A riqueza sem justiça é pobreza, mas a justiça, mesmo desprovida de riqueza, é grande tesouro. No dia do juízo, o dinheiro não nos livrará, mas, se estivermos vestidos com o manto da justiça de Cristo, estaremos seguros.

Justiça, o mapa seguro do íntegro – *A justiça do íntegro endireita seu caminho, mas pela sua impiedade cai o perverso* (Pv 11.5). Warren Wiersbe, ilustre escritor norte-americano, tem razão quando diz que a maior crise da atualidade é a crise de integridade. Essa crise está presente nos palácios e nas choupanas, entre os ricos e no meio dos pobres, dentro das famílias e até mesmo nas igrejas. A falta de integridade é um câncer moral que adoece mortalmente nossa sociedade. No meio desse mar de corrupção, o íntegro é uma ilha que ergue sua bandeira e faz ouvir sua voz. A justiça do íntegro endireita seu caminho. Mesmo que atravesse desertos tórridos, passe por vales escuros e ande sobre pinguelas estreitas em pântanos perigosos, o íntegro chega a seu destino seguro e salvo. Porém, a impiedade é para o perverso uma armadilha mortal. O injusto maquina o mal contra o próximo e cai nessa mesma armadilha. O perverso despende suas energias arquitetando estratagemas para explorar o próximo e enriquecer-se ilicitamente, mas essas tramas urdidas na calada da noite se voltam contra ele mesmo. Seu malfeito cai sobre sua própria cabeça. O ímpio pode até escapar por um tempo, mas não escapará a vida toda. Pode até livrar-se do juízo humano, porém jamais será inocentado no juízo divino. Por sua impiedade cai o perverso, mas a justiça do íntegro endireita seu caminho.

Maldade, um laço para os pés – *A justiça dos retos os livrará, mas na sua maldade os pérfidos serão apanhados* (Pv 11.6). Vale a pena ser honesto. Mesmo que a integridade prive você dos tesouros da terra, ela concederá paz na pobreza e livramento na hora da crise. A consciência sem culpa é melhor do que a riqueza iníqua, e o caráter íntegro vale mais do que o sucesso meteórico. A justiça dos retos os livrará, senão diante dos seres humanos, certamente diante de Deus. José do Egito foi considerado culpado pelo tribunal humano, mas era inocente diante do tribunal divino. Daniel foi condenado à cova dos leões pelos homens, mas sua integridade o livrou da morte. João Batista, mesmo degolado por ordem de um rei bêbado, tem sua memória abençoada na terra. Não é assim, porém, com o ímpio. Ele pratica o mal às escondidas, na calada da noite. Mas aquilo que ele faz no anonimato, Deus traz à tona em plena luz do dia. Os pérfidos serão apanhados na sua maldade. Eles cairão na própria armadilha que arquitetaram para os outros. Receberão a maldita recompensa de seus próprios atos malignos. A Bíblia diz que só os loucos zombam do pecado, pois estes serão apanhados pelas cordas do seu pecado, e o salário do pecado é a morte.

A esperança do ímpio, pura frustração – *Morrendo o homem perverso, morre a sua esperança, e a expectação da iniquidade se desvanece* (Pv 11.7). Diz o ditado popular que a esperança é a última que morre. Mas morre. Quando o perverso morre, morre com ele sua esperança. Isso porque sua esperança se limita a este mundo e a esta vida. Todo investimento do perverso encerra quando ele desce à sepultura. Tudo o que ele ajuntou ficará aqui mesmo. Ele nada trouxe nem nada levará desta vida. A expectação da iniquidade desvanece como névoa. O mais grave, porém, é que o fim da linha do perverso não é o túmulo gelado, mas uma eternidade de trevas e tormentos, banido para sempre da presença de Deus. A esperança do perverso desemboca no mais tormentoso desespero. Aqueles, porém, que esperam em Deus têm uma viva esperança. Esses renovam suas forças e sobem com asas como águias, correm e não se cansam, caminham no vigor do Onipotente e não se fatigam. Os que esperam no Senhor não fecham as cortinas da vida no ocaso da existência, pois a morte para eles não é o fim da jornada, mas o amanhecer de uma eternidade de gozo inefável e cheio de glória. A esperança do cristão não é uma quimera nem um devaneio; não é uma utopia nem uma ilusão. É uma pessoa; é Jesus. Jesus Cristo, o Rei da glória é a nossa esperança.

Angústia, a paga do perverso – *O justo é libertado da angústia, e o perverso a recebe em seu lugar* (Pv 11.8). É impossível passar pela vida sem experimentar angústia. Todos nós, em dado momento da jornada, sentimos um nó na garganta, um aperto no coração e uma dor avassaladora na alma. É a angústia que enfia em nós seus tentáculos e nos esmaga com rigor desmesurado. A boa notícia que a Palavra de Deus nos dá é que o justo é libertado da angústia. Deus nunca nos permite passar por uma prova maior do que nossas forças. Com a angústia, vem também o livramento. A noite pode ser tenebrosa e medonha, mas o sol sempre despontará ao amanhecer. As lágrimas quentes e grossas podem rolar pela nossa face, mas o consolo divino sempre nos alcançará. O orvalho do céu que asperge nossa cabeça, como o óleo, cura as nossas feridas. O perverso que se esquece de Deus e se insurge contra sua graça torna-se o destino final das angústias que são removidas do justo. O fardo pesado que é retirado das costas do justo é lançado sobre as costas do perverso. A angústia torna-se a sua paga. Há bem-aventurança para o justo, mas tormento para o perverso. Há recompensa para o justo, mas nenhuma promessa para o perverso. Há consolo para o justo, mas angústia para o perverso.

A boca do ímpio, espada afiada – *O ímpio com a boca destrói o próximo, mas os justos são libertados pelo conhecimento* (Pv 11.9). A boca do ímpio é uma arma mortal, e sua língua, uma espada afiada. A língua é como uma fagulha que incendeia uma floresta. Uma palavra dita com a motivação errada e a entonação de voz errada pode provocar desastres irreparáveis. É como subir no alto de uma montanha e abrir um saco de penas. Elas serão levadas pelo vento e se espalharão por todos os cantos. Impossível é recolhê-las todas de volta. A boca do ímpio espalha palavras cheias de veneno. Sua boca é uma sepultura aberta, que destrói o próximo. Porém, a língua do justo é remédio que cura, é bálsamo que consola, é veículo que leva o conhecimento. Quando o justo fala, de seus lábios jorra o conhecimento que conduz à vida e à libertação. O justo conhece a Deus, a fonte de todo o conhecimento verdadeiro. Conhece-o não apenas de ouvir falar, mas na intimidade. Esse conhecimento é fruto de comunhão e deleite. Tape seus ouvidos à voz daqueles que desandam a boca para blasfemar contra Deus e falar impropérios contra as outras pessoas. Aproxime-se daqueles que trafegam pelas veredas da verdade e são dela embaixadores. Junte-se a essa caravana que sobe para a Sião Celestial e deleite-se naquele que é a Verdade.

O justo, fonte de alegria para a cidade – *No bem-estar dos justos exulta a cidade, e, perecendo os perversos, há júbilo* (Pv 11.10). Os justos são a alegria de uma cidade, mas os perversos o seu pesadelo. Os justos promovem sua paz, mas os perversos a transtornam. Os justos são os agentes do progresso, mas os perversos são os protagonistas do desastre. Quando os jornais anunciam a morte de um criminoso de alta periculosidade, o povo se sente aliviado. Quando a imprensa divulga a prisão de um traficante, a cidade respira aliviada. Quando os perversos perecem, há júbilo na cidade. Porém, no bem-estar dos justos exulta a cidade. O justo é alguém que foi salvo pela graça e vive para praticar o bem. Sua descendência é santa, sua vida é irrepreensível, seu testemunho é exemplar. O justo anda na luz, fala a verdade e pratica o bem. Da sua boca procedem palavras de vida, e das suas mãos provêm atos generosos. Quanto mais o justo floresce, mais a cidade é abençoada, pois na casa do justo habita a bênção de Deus. Na casa do justo há prosperidade. Todas as nações que foram colonizadas tendo a Palavra de Deus como base foram prósperas e bem-aventuradas. O justo é, de fato, uma fonte de alegria para a cidade. A sua cidade, caro leitor, é melhor pelo fato de você nela habitar? Sua presença na cidade é abençoadora? Seu exemplo inspira outros a andarem em retidão? Sua vida tem sido fonte de alegria para os que estão à sua volta?

O perverso, causa de ruína para a cidade – *Pela bênção que os retos suscitam, a cidade se exalta, mas pela boca dos perversos é derribada* (Pv 11.11). O justo não é apenas abençoado; ele suscita bênçãos. O justo não é apenas receptáculo da bênção, mas também seu veículo. O sábio diz que, pela bênção que os retos suscitam, a cidade se exalta. Deus abençoa toda uma cidade pela presença de seus filhos nela. Se houvesse dez justos em Sodoma, Deus não a teria destruído. Porém, a boca dos perversos é uma bomba explosiva. A cidade é derribada quando segue os conselhos insensatos dos perversos, quando dá ouvidos às suas loucuras. A boca do perverso hoje é a mídia sem o temor a Deus, que despeja o lixo da degradação moral nos ouvidos da cidade. As telenovelas, os filmes e os programas de entretenimento, com raras exceções, com o mentiroso argumento de que estão tão somente retratando a realidade, promovem e instigam toda sorte de corrupção dos valores, solapando, assim, os alicerces da família e destruindo os valores morais que devem sustentar a sociedade. Uma cidade nunca é verdadeiramente forte se o povo que nela habita está rendido ao pecado e à devassidão. É a virtude, e não o vício, que exalta a cidade; é a bênção decorrente do justo, e não a maldição oriunda do perverso, que levanta as colunas de uma sociedade justa e feliz.

Cuide de seu próximo – *O que despreza o próximo é falto de senso, mas o homem prudente, este se cala* (Pv 11.12). Desprezar e ridicularizar o próximo é uma insensatez. Tratar os vizinhos com desdém é uma falta de bom senso. Jesus contou uma parábola para mostrar que devemos amar o nosso próximo, e não apenas de palavras, mas de fato e de verdade. Jesus falou sobre o homem que caiu nas mãos dos salteadores e, despojado de seus bens, foi largado à beira da estrada ferido e agonizante. O sacerdote e o levita, homens religiosos, passaram por ele e o deixaram entregue à sua desdita. O samaritano, porém, ao ver o homem caído, passou por perto, pensou-lhe as feridas, levou-o a um lugar seguro e tratou dele. É assim que devemos agir com o próximo, seja ele um parente ou um estrangeiro, seja um amigo ou um desafeto. Nosso papel não é humilhar as pessoas nem nos omitir quando elas precisam de socorro. Nossa função não é espalhar boatarias para jogar uma pessoa contra a outra, mas colocar guardas na porta dos nossos lábios e falar somente aquilo que edifica e traz graça aos que ouvem. O coração e a língua podem ser fontes de vida ou laboratórios em que se fabricam os mais letais venenos. O próximo é alguém muito especial. Devemos honrá-lo e protegê-lo, em vez de desprezá-lo. O amor ao próximo é a evidência do nosso amor a Deus e o cumprimento da lei e dos profetas.

Guardar segredo, uma atitude sensata – *O mexeriqueiro descobre o segredo, mas o fiel de espírito o encobre* (Pv 11.13). Um indivíduo que não guarda segredo não merece a confiança das pessoas. Quem tem a língua solta torna-se uma ameaça para seu próximo. O mexeriqueiro é um assassino de relacionamentos. As pessoas que vivem bisbilhotando a vida alheia à procura de informações sigilosas a fim de espalhá-las com malícia tornam-se agentes de intrigas e inimizades. A Bíblia diz que o pecado que Deus mais odeia é o de espalhar contendas entre os irmãos. O mexeriqueiro não apenas descobre o segredo das pessoas, mas, ao divulgá--los com astúcia e maldade, destrói a reputação delas. Não é assim a vida de um indivíduo fiel. Ele é confiável. Com ele, podemos abrir o coração, na certeza de que não nos desprezará por causa de nossas fraquezas nem as espalhará ao vento para nos envergonhar. O fiel de espírito encobre o segredo das pessoas, em vez de descobri-lo. Ele protege o próximo, em vez de o expor ao ridículo. Ele é agente de vida, e não coveiro da morte. É bálsamo que consola a alma, e não vinagre na ferida. É instrumento de Deus que cura, e não agente do maligno que fere e mata. Precisamos de gente assim na família e na igreja, na academia e na política, na indústria e no comércio. Gente que seja agente de vida e portadora de esperança.

Governo tolo, povo abatido – *Não havendo sábia direção, cai o povo, mas na multidão de conselheiros há segurança* (Pv 11.14). A história está repleta de exemplos de maus governantes que trouxeram desgraça e opressão para a nação, ao mesmo tempo que destaca a importância dos conselheiros sábios para dar segurança ao povo. A loucura de Adolf Hitler transtornou a Alemanha e provocou a Segunda Guerra Mundial, com 60 milhões de pessoas mortas. O truculento governo de Mao Tse-tung matou na China mais de 50 milhões de pessoas. Ainda hoje ditadores carrascos abastecem-se do poder e vivem nababescamente enquanto o povo geme sob o tacão cruel da pobreza e da opressão. O sábio diz: *Não havendo sábia direção, cai o povo.* Cenário bem diferente apresenta a nação que é governada por conselheiros sábios. Na multidão dos conselheiros, há segurança. Quando o justo governa, o povo é abençoado. Quando a verdade se assenta no trono, floresce a justiça. Feliz é a nação cujo Deus é o Senhor. Todas as nações que foram estabelecidas sob a égide da Palavra de Deus tornaram-se prósperas e felizes; todas aquelas que proibiram a liberdade e perseguiram o evangelho caíram em opróbrio.

É perigoso ser avalista – *Quem fica por fiador de outrem sofrerá males, mas o que foge de o ser estará seguro* (Pv 11.15). O fiador é aquele que dá garantias de que o devedor irá cumprir sua palavra e pagar suas dívidas; caso contrário, ele mesmo arcará com o ônus. O fiador empenha sua palavra, sua honra e seus bens, garantindo ao credor que o devedor saldará seus compromissos a tempo e a hora. O fiador fica, assim, obrigado, mediante a lei, a pagar em lugar do devedor, caso este não cumpra seu compromisso. Multiplicam-se os exemplos dos muitos sofrimentos e prejuízos sofridos pelos fiadores. Há pessoas que perdem tudo o que granjearam com seu trabalho honrado, ao pagar as dívidas dos outros. Não poucos, de boa-fé, foram fiadores de gente desonesta e acabaram pobres e desamparados. A Bíblia nos alerta de fugir dessa prática. Quem foge de ser fiador estará seguro. Não temos a responsabilidade de financiar a irresponsabilidade dos outros. Não podemos comprometer o sustento e a estabilidade financeira da nossa família para assegurar os negócios arriscados daqueles que nos pedem um aval. Fuja de ser avalista. Esse é um caminho escorregadio, e o fim dessa linha é o desgosto.

Coração bondoso, melhor do que bolso cheio – *A mulher conquista o respeito, mas os homens cruéis só conquistam* *riquezas* (Pv 11.16, NVI). Há um contraste aqui entre a mulher de coração generoso que conquista o respeito diante dos poderosos e os homens cruéis que só conquistam riquezas. Há ricos que são desprezados pelo povo, porque adquiriram essa riqueza com opressão, corrupção e devassidão. A riqueza da iniquidade não traz honra, mas desprezo. Não é fruto do trabalho honesto, mas do roubo criminoso. Não promove a glória de Deus; ao contrário, atrai sua ira. Não promove o bem do próximo, mas lhe impõe opressão. Os cruéis só têm dinheiro, mas nenhum respeito. Quando deixarem este mundo, nada levarão de suas riquezas, mas levarão certamente o desgosto do povo e a condenação divina. A mulher de coração generoso, porém, mesmo não tendo acumulado riquezas na terra, possui um tesouro no céu. Seu coração não é um poço de avareza, mas uma fonte de generosidade. Seus bens estão a serviço de Deus e do próximo, porque seu tesouro não está aqui, mas lá no alto, onde Cristo vive. Permanece o conselho do sábio: um coração bondoso é melhor do que um bolso cheio. É melhor conquistar respeito do que riquezas. É melhor ajuntar tesouros no céu do que os acumular na terra.

Bondade, um investimento em si mesmo – *O homem bondoso faz bem a si mesmo, mas o cruel a si mesmo se fere* (Pv 11.17). Quando fazemos o bem aos outros, somos os primeiros beneficiados. O bem que praticamos aos outros retorna para nós mesmos. A Bíblia diz: *Certos de que cada um, se fizer alguma coisa boa, receberá isso outra vez do Senhor* (Ef 6.8). Colhemos com fartura o que semeamos no campo do outro. A prática do bem é o melhor e o mais seguro investimento que podemos fazer na vida. O apóstolo Paulo diz que o marido que ama a sua mulher a si mesmo se ama. E Salomão diz que aquele que faz o bem aos outros a si mesmo o faz. Não é essa, porém, a realidade do perverso. O mal que ele intenta fazer contra o próximo cai sobre sua própria cabeça. Ele recebe a paga de sua própria maldade. O homem cruel é como um louco que fere a si mesmo. Ele comete o desatino da autofagia. As flechas envenenadas que ele lança sobre os outros voltam-se contra ele próprio. A crueldade, antes de destruir seu destinatário, destrói seu remetente. A bondade é um investimento em si mesmo, mas a crueldade é a destruição de si mesmo. Fazer o bem compensa, mas praticar o mal é a mais consumada loucura.

Perversidade, um salário ilusório – *O perverso recebe um salário ilusório, mas o que semeia justiça terá recompensa verdadeira* (Pv 11.18). O dinheiro granjeado com desonestidade é como um salário ilusório. Do mesmo jeito que chega fácil, vai embora rápido. A ânsia pela riqueza transforma muitas pessoas em verdadeiros monstros. Temos visto filhos matando seus pais para tomar posse antecipada da herança. Temos visto cônjuges tramando a morte de seu consorte para açambarcar seus tesouros. Temos visto políticos desonestos que roubam o erário público para abastecer contas robustas nos paraísos fiscais. Temos visto empresários bandidos que compram a peso de ouro licitações públicas e se mancomunam com órgãos públicos para enriquecer ilicitamente. Esses expedientes, entretanto, não são seguros. De vez em quando, a luz da verdade chega a esses porões imundos e traz à tona toda a podridão da corrupção, deixando envergonhados seus protagonistas de colarinho branco. O sábio é enfático: o perverso recebe um salário ilusório. O que semeia a justiça, mesmo privado das benesses da riqueza terrena, tem uma recompensa verdadeira. Há coisas mais importantes do que o dinheiro: o bom nome, a paz de espírito, uma família harmoniosa e a comunhão com Deus. Não ajunte os tesouros da impiedade; ajunte tesouros lá no céu!

Justiça, o caminho da vida – *Tão certo como a justiça conduz para a vida, assim o que segue o mal, para a sua morte o faz* (Pv 11.19). A prática da justiça é um caminho seguro. Mesmo que as outras pessoas não a reconheçam ou até mesmo nos persigam por causa dela, somos bem-aventurados. A justiça conduz à vida. Aqueles, porém, que seguem o mal armam ciladas para seus próprios pés. Aqueles que andam pelos caminhos escorregadios da maldade transtornam a vida dos outros e abreviam seus próprios dias. Se a justiça é o caminho da vida, a maldade é a autopista da morte. A justiça é um caminho estreito, e poucos acertam com ele; a maldade, porém, é uma avenida larga e espaçosa, e uma multidão se aglomera nessa maratona cuja reta de chegada é a morte. A justiça, mesmo cruzando vales escuros, subindo ladeiras íngremes e atravessando pinguelas estreitas em pântanos lodacentos, tem seu destino final na glória eterna. A justiça não ficará sem recompensa. A justiça conduz à vida, pois os justos são aqueles que foram justificados por Cristo e receberam dele a vida eterna. A maldade tem sua paga e seu salário. Também receberá sua justa recompensa. A Palavra de Deus é categórica: *O que segue o mal, para a sua morte o faz*. Siga o caminho da vida; fuja do caminho da morte!

A vida do íntegro, o deleite de Deus – *Abomináveis para o SENHOR são os perversos de coração, mas os que andam em integridade são o seu prazer* (Pv 11.20). Deus não é um ser apático e amoral. Ele se deleita naqueles que andam em integridade e sente repulsa pelos perversos de coração. Ele tem prazer na vida do justo e abomina aqueles que no coração maquinam o mal. Deus não se impressiona com as aparências. Há muitos perversos de coração que usam palavras doces, praticam gestos nobres e se apresentam como verdadeiros beneméritos da sociedade. Normalmente são pessoas que ocupam posições estratégicas nos altos escalões do governo e aparecem na mídia como heróis nacionais. Mas Deus não se deixa enganar. Ele não se impressiona com o desempenho rebuscado. Ele vê o coração, e não apenas o exterior. Deus abomina não apenas a perversidade quando esta já mostra seu maldito fruto maduro; Deus abomina o perverso quando essa maldade é apenas uma semente em seu coração. Se os perversos de coração são abomináveis para Deus, os que andam em integridade são o seu prazer. Deus é luz, e não podemos ter comunhão com ele andando nas trevas. Deus é santo, e não podemos navegar pelos mares da impureza e ao mesmo tempo desfrutar de intimidade com ele. Só os puros de coração verão Deus. Só aqueles que trajam vestiduras brancas andarão na Cidade Santa com o Senhor.

O homem mau recebe o castigo certo – *O mau, é evidente, não ficará sem castigo, mas a geração dos justos é livre* (Pv 11.21). É impossível praticar o mal e ficar sem castigo. É até possível que esse castigo não seja visto. É até mesmo possível que nesta vida a recompensa do mal não seja paga. Porém, mesmo aqueles que escaparam do juízo humano, jamais escaparão do justo julgamento de Deus. Asafe entrou em crise quando viu o ímpio que blasfemava contra Deus prosperando e tendo saúde para dar e vender, enquanto ele, um homem íntegro e fiel, era castigado todas as manhãs. Chegou a pensar que não valia a pena manter a integridade e lavar as mãos na inocência. Todavia, quando Asafe entrou na casa de Deus e atinou com o fim do ímpio, os olhos da sua alma foram abertos, e ele percebeu que o ímpio será desamparado irremediavelmente. O mau não prevalecerá na congregação dos justos e não encontrará amparo quando tiver de enfrentar o tribunal de Deus. A geração dos justos, porém, será poupada e desfrutará da verdadeira liberdade. Aqueles que buscam Deus e confiam na sua graça recebem perdão para seus pecados e justificação diante do tribunal divino. Enquanto o mau será apanhado pelas cordas do seu pecado, o justo ficará livre dos seus pecados para sempre. O mau recebe o castigo certo, mas o justo não ficará sem o seu galardão.

Beleza física não é tudo – *Como joia de ouro em focinho de porco, assim é a mulher formosa que não tem discrição* (Pv 11.22). Uma mulher bonita sempre chama a atenção. Quando Deus criou a mulher, não colocou mais a mão no barro, mas a tirou da costela do homem. A mulher é a última obra da criação, a mais bela, a mais encantadora. A mulher tem uma beleza física singular. Porém, a beleza exterior sem a beleza interior é uma completa frustração. A Bíblia diz que enganosa é a graça e vã a formosura. O apóstolo Pedro admoesta: *Não seja o adorno da esposa o que é exterior* (1Pe 3.3). O sábio Salomão compara a mulher bonita, mas indiscreta, a uma joia no focinho de um porco. O porco é um animal imundo, que vive se arrastando na lama. Seu focinho o tempo todo revira o lixo e a podridão. Assim é a mulher que tem um corpo bonito, mas uma língua solta; tem uma aparência atraente, mas desanda a boca para espalhar boatarias. Formosura e leviandade não combinam. A beleza externa de uma mulher é completamente apagada se a sua língua é uma fonte da qual jorra a maldade. Nesse tempo em que se cultua a beleza e se escarnece da virtude, precisamos dar ouvidos à palavra do sábio Salomão: *Como joia de ouro em focinho de porco, assim é a mulher formosa que não tem discrição.* Beleza física não é tudo. É melhor ser bonito por dentro do que ser formoso apenas por fora!

Desejos santos, frutos bons – *O desejo dos justos tende somente para o bem, mas a expectação dos perversos redunda em ira* (Pv 11.23). Lawrence Crabb Júnior, ilustre psicólogo norte-americano, diz que o desejo produz o comportamento, e o comportamento desemboca em sentimento. O ser humano faz o que pensa em sua mente e o que deseja em seu coração. O que ele faz determina o que sente. Tudo começa com o desejo. É dessa fonte que brotam os ribeiros da vida ou os rios da morte. O coração é a cabeceira na qual nasce esse rio. Esse rio pode carregar a vida ou transportar a morte. O desejo dos justos tende para o bem, pois seu coração já foi transformado. Longe de ser uma fonte envenenada, é um manancial do qual fluem águas cristalinas que dessedentam os cansados. Já a esperança dos perversos é como uma torrente caudalosa que transborda para fora do leito, levando destruição por onde passa. A expectação dos perversos redunda em ira, pois parte de um coração soberbo, violento e impuro. A esperança do perverso é como um mar agitado que lança lodo e lama. As ondas revoltas que se levantam do coração do ímpio são verdadeiros *tsunamis* que devastam tudo por onde passam. O desejo do justo dá bons frutos, mas a esperança do perverso redunda em ira.

Mãos abertas, bolsos cheios – *A quem dá liberalmente, ainda se lhe acrescenta mais e mais; ao que retém mais do que é justo, ser-lhe-á em pura perda* (Pv 11.24). Na economia de Deus, você tem o que dá e perde o que retém. O dinheiro é como uma semente: só se multiplica quando é semeado. A semente que se multiplica não é a que comemos nem a que guardamos, mas a que semeamos. A semeadura generosa terá uma colheita farta, pois quem dá liberalmente, a este se acrescenta mais e mais. É o próprio Deus quem multiplica a nossa semente e faz prosperar a nossa sementeira, quando abrimos a mão para abençoar. Mãos abertas produzem bolsos cheios. Porém, o contrário também é verdadeiro. Ao que retém mais do que é justo, isso lhe será pura perda. É algo que vaza entre os dedos. É como receber o salário e colocá-lo num saco furado. Aqueles que acumulam com avareza o que poderia socorrer o aflito descobrem que esse dinheiro acumulado não pode lhes dar felicidade nem segurança. Aqueles que ajuntam fortunas e vivem no luxo, deixando à míngua o próximo à sua porta, descobrirão que, quando a morte chegar, não poderão levar um centavo. Não há caminhão de mudança em enterro nem gaveta em caixão. Mas aquilo que você dá com generosidade, isso é como uma semente bendita que se multiplica e alimenta a milhares.

Generosidade, a fonte da prosperidade – *A alma generosa prosperará, e quem dá a beber será dessedentado* (Pv 11.25). A prosperidade não é resultado da usura, mas da generosidade. A avareza é a mãe da pobreza, mas a generosidade é a progenitora da prosperidade. Aqueles cujo coração foi aberto por Deus têm as mãos e os bolsos abertos para socorrer os necessitados. Jesus Cristo disse que mais bem-aventurado é dar do que receber. A contribuição não é um favor que fazemos às pessoas, mas uma graça que recebemos de Deus. Quando abrimos a mão para ofertar, estamos investindo em nós mesmos e semeando em nosso próprio campo. Quem dá ao pobre empresta a Deus, e ele jamais fica em débito conosco. Deus multiplica a sementeira daquele que semeia na vida dos seus irmãos. Quem dá alívio aos outros, alívio receberá. A Bíblia diz: *Bem-aventurado o que acode ao necessitado; o* S*enhor* *o livra no dia do mal. O* S*enhor* *o protege, preserva-lhe a vida e o faz feliz na terra; não o entrega à discrição dos seus inimigos. O* S*enhor* *o assiste no leito da enfermidade; na doença, tu lhe afofas a cama* (Sl 41.1-3). Quando damos a beber a quem tem sede, dessedentamos a nós mesmos. O bem que fazemos aos outros retorna para nós em dobro. No reino de Deus, nós temos o que damos e perdemos o que retemos.

Sede de lucro, a maldição certa – *Ao que retém o trigo, o povo o amaldiçoa, mas bênção haverá sobre a cabeça do seu vendedor* (Pv 11.26). Em tempos de guerra ou recessão econômica, comerciantes avarentos e gananciosos retêm os alimentos básicos para vendê-los por um preço maior. Nos dias de Salomão e dos profetas, os comerciantes endinheirados compravam e armazenavam todo o produto da lavoura, de modo que, na hora da fome, chantageavam o povo, cobrando preços exorbitantes. Desta forma, muitas famílias precisavam hipotecar suas casas para comprar o trigo. Essa avareza criminosa é denunciada pela Palavra de Deus. Aqueles que adotavam essa prática criminosa foram amaldiçoados pelo povo e rejeitados por Deus. O texto bíblico diz enfaticamente que haverá bênção sobre a cabeça do comerciante íntegro que não tenta se enriquecer com a infelicidade alheia. Não há lucro maior do que suprir a necessidade do próximo. Não há bênção maior do que ser instrumento de Deus para socorrer os necessitados. Sede de lucro é maldição certa, mas integridade generosa é fonte das bênçãos mais copiosas. É melhor ter um lucro menor com a bênção de Deus do que ganhar muito dinheiro e ser maldito pelo povo e reprovado pelo Senhor.

Busque o bem, e ele virá a seu encontro – *Quem procura o bem alcança favor, mas ao que corre atrás do mal, este lhe sobrevirá* (Pv 11.27). Você encontra aquilo que procura. Se a sua vida é uma corrida atrás do bem, você será respeitado e verá cumprido o seu desejo. Porém, se você corre atrás do mal, ele virá ao seu encontro. O filho pródigo deixou a casa do pai e partiu para um país distante. Gastou seu dinheiro em rodas de amigos e com prostitutas. Viveu dissolutamente e esbanjou irresponsavelmente sua herança. Acabou colhendo o que semeou. Ficou sem dinheiro no bolso e sem amigo na praça. A fome o torturava, até que ele foi parar num chiqueiro. Ele buscou o mal, e o mal lhe deu um abraço apertado. Esse jovem, então, caiu em si e lembrou-se do pai e de como havia pão com fartura em sua casa. Arrependido do seu erro, resolveu voltar para a casa paterna. Sabedor de que havia sido feliz inconscientemente na casa do pai, estava agora conscientemente infeliz no país distante. Ao colocar o pé na estrada de volta para casa, encontrou seu pai de braços abertos. Disposto a ser apenas um trabalhador, recebeu de volta a posição de filho. Porque o filho pródigo procurou o bem, alcançou o favor do pai. Faça você o mesmo. Busque o bem, empenhe-se por alcançá-lo, e ele virá ao seu encontro. Deteste o mal, e ele fugirá de você.

Confiar na riqueza é queda certa – *Quem confia nas suas riquezas cairá, mas os justos reverdecerão como a folhagem* (Pv 11.28). As riquezas não são confiáveis. São um falso refúgio. Não podemos depositar nossa confiança na instabilidade das riquezas. Elas não podem nos dar segurança verdadeira nem felicidade permanente. Aqueles que confiam nas suas riquezas, em vez de confiar em Deus, percebem que o dinheiro evapora como nuvem passageira. O dinheiro não tem raízes. É liso como sabão. Desaparece no horizonte como um relâmpago que risca os céus e depois se esconde na escuridão. O dinheiro não pode nos dar as coisas mais importantes da vida como o lar, o amor, a felicidade, a paz e a salvação. O dinheiro não pode transpor conosco os umbrais da morte. Nada trouxemos para este mundo, e nada dele levaremos. O dinheiro pode até nos dar um belo funeral, mas não nos garantirá a vida eterna. Só os loucos pensam que a segurança da sua alma está no dinheiro. Confiar na riqueza é queda certa. Porém, os justos, aqueles que confiam em Deus, reverdecerão como a folhagem. Mesmo que as crises cheguem, eles não perderão sua beleza nem deixarão de dar o seu fruto. É melhor ser um justo pobre do que um rico insensato. É mais seguro confiar em Deus do que depositar a confiança no dinheiro.

Cuide de sua casa ou herde o vento – *O que perturba a sua casa herda o vento, e o insensato é servo do sábio de coração* (Pv 11.29). Receber o vento por herança é herdar o nada. Aqueles que causam problemas à sua família herdarão somente o vento. Não terão o respeito nem a gratidão de seus entes queridos. Estarão condenados a viver na solidão e na miséria. Nada é mais perigoso para o futuro do que destruir a própria família. Aqueles que transtornam sua própria casa não encontrarão abrigo no dia da tempestade. Aqueles que infernizam a família não encontrarão amparo no dia da calamidade. Terão de se alimentar de pó e receber o vento como herança. O insensato, que não investe na família, antes luta para destruí-la com as próprias mãos, acabará servo do sábio de coração. Suas bravatas se desfarão como água, e sua tola arrogância baixará a crista. Nessa hora, o jugo da escravidão lhe esfolará o pescoço, pois desprezou tanto a família como a sabedoria. O texto em tela é um solene alerta para nós. Precisamos investir em nossa família para não termos apenas o vento como herança. Precisamos buscar a sabedoria para não sermos escravos dos sábios. Aquele que não cuida da sua família é pior do que o incrédulo. Nossa casa precisa ser o primeiro território da nossa generosidade!

Ganhar almas, a grande sabedoria – *O fruto do justo é árvore de vida, e o que ganha almas é sábio* (Pv 11.30). A vida do justo é como uma árvore plantada junto à corrente das águas, e o fruto do justo é árvore de vida. O fruto do justo alimenta os famintos e fortalece os fracos. Da boca do justo saem palavras de vida eterna, e das mãos do justo se originam obras da bondade. O justo também é sábio, e a maior expressão de sabedoria é investir na salvação dos perdidos. Aquele que ganha almas faz um investimento eterno e ajunta tesouros que os ladrões não podem roubar nem a traça pode destruir. Investir na salvação de almas é investir numa causa de consequências eternas. Uma alma vale mais do que o mundo inteiro. De nada adianta ganhar o mundo inteiro e perder a sua alma. Da nada adianta ajuntar tesouros na terra se esses bens não estão a serviço de Deus para ganhar almas. O melhor e mais duradouro investimento que podemos fazer é investir na salvação de vidas. O melhor e mais sábio uso do nosso tempo é proclamar as boas-novas de salvação. A maior alegria que podemos ter é gerar filhos espirituais. A maior recompensa que poderemos ter do nosso trabalho é ver almas se rendendo aos pés de Jesus como fruto do nosso labor. Seja sábio, invista seu tempo, seu dinheiro e sua vida na grande empreitada de ganhar almas!

Punição do ímpio, certa e rigorosa – *Se o justo é punido na terra, quanto mais o perverso e o pecador!* (Pv 11.31). Não é verdade que a vida do justo é um mar de rosas. Ser cristão não é viver numa colônia de férias nem num parque de diversões. O justo é afligido na terra, seja por suas fraquezas, seja por praticar a justiça. O apóstolo Paulo diz que nos importa entrar no reino de Deus por meio de muitas tribulações (At 14.22). Mas, se o justo não é poupado de punição na terra, quanto mais o perverso e o pecador! Eles estão acumulando ira para o dia da ira. Eles sofrerão não apenas o castigo que seus atos merecem, mas também sofrerão penalidade de eterna destruição. Eles serão banidos para sempre da face do Deus vivo e serão lançados nas trevas exteriores, onde haverá choro e ranger de dentes. O sofrimento do justo é disciplina, e não castigo. Deus disciplina a quem ama. A disciplina é ato responsável de amor. As aflições do justo não vêm para o destruir, mas para lhe fortalecer a alma. Porém, o castigo do perverso, em vez de lhe quebrantar o coração, ainda o torna mais duro e rebelde, pois o mesmo sol que amolece a cera endurece o barro. O justo é castigado e corre arrependido para os braços do Pai, mas perverso é afligido e blasfema contra o Senhor.

Capítulo 12

A sabedoria contrasta a retidão com a impiedade
(Pv 12.1-28)

Disciplina, o caminho da sabedoria – *Quem ama a disciplina ama o conhecimento, mas o que aborrece a repreensão é estúpido* (Pv 12.1). A disciplina não é castigo, mas um ato responsável de amor. Não visa esmagar nem destruir o ofensor, mas lhe restaurar a alma. A disciplina é preventiva, pois evita que outros caiam no mesmo erro; e também restauradora, pois ajuda o caído a levantar-se. A disciplina não produz alegria imediata, mas frutos permanentes. As feridas provocadas pela disciplina trazem cura, mas curar superficialmente uma ferida gera a morte. Deus só disciplina os filhos a quem ama. Os bastardos, que não são filhos, não são corrigidos. Por isso, perecem em seus pecados. Salomão é categórico: *Quem ama a disciplina, ama o conhecimento*. Aprendemos pelos preceitos, pelos exemplos e também pelos nossos erros. Um fracasso só é fracasso quando não aprendemos com ele. Nossos erros não precisam ser nossos coveiros; podem ser nossos pedagogos. Só os estúpidos aborrecem a repreensão; os sábios amam a disciplina. A disciplina é o caminho do conhecimento prático e da sabedoria que vem lá do alto.

Bondade, o canal do favor divino – *O homem de bem alcança o favor do* SENHOR, *mas ao homem de perversos desígnios, ele o condena* (Pv 12.2). Deus não tem prazer no mau. Ele não se deleita naqueles cujo coração é uma indústria de perversidades. O bom alcança o favor de Deus, mas aquele que planeja a maldade, o Senhor o condena. Deus não é um ser amoral, que faz vistas grossas ao pecado; nem Deus é um ser imoral, que aplaude o vício e escarnece da virtude. Deus é santo e justo. Ele aborrece o mal e ama o bem. Ele é luz e não há nele treva nenhuma. Ele aborrece os altivos de coração e resiste ao soberbo. Ele abomina até mesmo o sacrifício dos perversos. Deus reprova os intentos e desígnios dos perversos, mas abençoa aqueles que, de coração reto, buscam o bem. A bondade é um atributo moral de Deus. A bondade é fruto do Espírito. Só podemos ser pessoas de bem quando imitamos Deus e somos conduzidos pelo seu Espírito. Andar por essa estrada é ter a promessa segura do favor divino. Deus se torna galardoador daqueles que o buscam. Entrar, porém, pelos labirintos da maldade é colocar-se sob a ira de Deus e expor-se ao seu reto e justo juízo.

A vida do justo, firmeza inabalável – *O homem não se estabelece pela perversidade, mas a raiz dos justos não será* *removida* (Pv 12.3). A prática do mal não compensa. Pode até render benefícios imediatos, mas depois traz tormentos permanentes. Aqueles que tentam se firmar mediante a impiedade serão desarraigados repentinamente. Serão como a palha que o vento dispersa. Serão como uma casa construída sobre a areia. A tempestade passará e a arrastará irremediavelmente, e essa será sua grande destruição. Quanto maior a altura conquistada pelos artifícios da corrupção, maior será o tombo. Quanto mais alto o posto ocupado mediante os expedientes da maldade, mais humilhante será sua descida ao fundo do poço. Se o perverso se torna como uma lasca solta num mar bravio, o justo é como uma árvore solidamente plantada, cujas raízes não podem ser removidas. O justo pode até passar por provas amargas, por injustiças violentas e por terríveis borrascas, mas sua raiz não será removida. Ele pode até perder sua vida e seus bens, mas jamais perderá sua reputação e sua descendência santa. A vida do justo é sólida aqui e feliz eternamente. O tempo não pode apagar sua memória nem deslustrar seu nome. O justo ultrapassará os umbrais da eternidade e habitará com o Senhor, para todo o sempre, na mais esplêndida bem-aventurança.

A mulher virtuosa, coroa do marido – *A mulher virtuosa é a coroa do seu marido, mas a que procede vergonhosamente é como podridão nos seus ossos* (Pv 12.4). A Bíblia fala de dois tipos de mulheres. Não as classifica em belas e feias, ricas e pobres, ou jovens e velhas, mas em virtuosas e desavergonhadas. A mulher virtuosa é a recompensa de seu marido: traz-lhe alegria e honra. A desavergonhada é como câncer em seus ossos: produz-lhe sofrimento atroz e abrevia seus dias. A virtuosa é fiel, e o coração de seu marido confia nela. A desavergonhada entrega-se às paixões e ao adultério e destrói com suas mãos a própria casa. A mulher que procede vergonhosamente é aplaudida hoje em nossa cultura moribunda. A decadência dos costumes e o colapso da ética estimulam o adultério e promovem a infidelidade. O casamento tornou-se frágil, e o divórcio, banal. Os filhos estão se tornando órfãos de pais vivos, enquanto os cônjuges buscam com mais avidez novas aventuras. Nessa corrida desenfreada rumo à decadência dos valores morais, precisamos erguer bem alto a bandeira da verdade e dizer que a virtude traz honra, mas o comportamento despudorado promove sofrimento e morte. Precisamos alçar nossa voz e dizer que a mulher virtuosa é feliz e promove felicidade, mas a mulher desavergonhada é infeliz e fonte de profundo desgosto.

O conselho do perverso, engano perigoso – *Os pensamentos do justo são retos, mas os conselhos do perverso, engano* (Pv 12.5). O justo é uma fonte da qual jorram a justiça e a retidão. Nas suas palavras, há sabedoria e, nos seus conselhos, verdade; mas, quando o perverso abre a boca, seus conselhos são traiçoeiros e puro engano. Suas palavras produzem morte. Um clássico exemplo dessa fatídica realidade foi o conselho maligno que Jonadabe deu a Amnon, filho do rei Davi. O jovem príncipe apaixonou-se doentiamente por sua meia-irmã Tamar. Em vez de buscar conselho com homens sábios, abriu seu coração para um jovem sagaz e perigoso, uma víbora venenosa. Os lábios de Jonadabe destilaram peçonha mortal. Seus conselhos deram início a uma tragédia irremediável na vida de Amnon e sua família. Tamar foi violentada. Amnon foi assassinado. Absalão tornou-se homicida, e a casa de Davi foi transtornada. Os conselhos do perverso são como uma fagulha que incendeia toda uma floresta e traz destruição e morte. Os pensamentos do justo, porém, são retos. O justo não se insurge contra Deus nem maquina o mal contra o próximo. Ele tem a mente de Cristo e o coração transformado. De sua boca fluem palavras de vida, e não conselhos de morte.

A boca do perverso, armadilha mortal – *As palavras dos perversos são emboscadas para derramar sangue, mas a boca dos retos livra homens* (Pv 12.6). A língua é um pequeno órgão do nosso corpo, mas tem um grande poder. Assim como o leme governa um navio e um freio controla um cavalo, a língua dirige todo o nosso corpo. Quem domina a sua língua controla todo o seu corpo. A língua tanto arma emboscadas de morte como desarma bombas devastadoras. Tem a capacidade de matar e também de dar vida. A Bíblia diz que a morte e a vida estão no poder da língua. É tanto o remédio que sara as feridas como o veneno que acarreta a morte. A boca dos perversos é uma tocaia perigosa. Seus lábios são mais venenosos do que uma víbora peçonhenta. Quando os perversos abrem a boca, o inocente é apanhado por sua emboscada mortal. Uma emboscada é uma armadilha invisível cuja finalidade é o derramamento de sangue. No entanto, a boca dos retos desfaz as tramas, desata os nós e desarticula os planos diabólicos dos perversos. Na boca dos retos, há palavras de vida e paz. Os retos são mensageiros da paz e agentes da reconciliação. Não são semeadores de contendas, mas pacificadores que constroem pontes onde os perversos só cavaram abismos.

A casa do justo, firmeza na tempestade – *Os perversos serão derribados e já não são, mas a casa dos justos permanecerá*

(Pv 12.7). Os perversos, não poucas vezes, tornam-se fortes e poderosos na terra. Adquirem riquezas ilícitas, saqueiam os pobres, torcem as leis e violam o direito dos inocentes. Colocam o seu ninho entre as estrelas e blindam a si mesmos com armaduras de aço. Pensam que seu dinheiro e seu prestígio político podem lhes dar segurança. Porém, o castelo dos perversos é feito de areia. Quando a tempestade chega, essa casa cai, e há grande ruína. Mesmo que os perversos escapem da justiça humana, não escaparão do reto juízo divino. Mesmo que sejam aplaudidos na terra, não serão aprovados no céu. Os justos nem sempre são notados na terra. Muitas vezes, enquanto o ímpio prospera, o justo é castigado. Porém, no dia da tempestade, enquanto a casa deste permanece de pé, a casa daquele entra em colapso. Porque o justo fez de Deus seu alto refúgio e edificou sua vida sobre a rocha que não se abala, a chuva pode cair em seu telhado, os ventos podem bater em sua parede e os rios podem chicotear seu alicerce, mas ele permanecerá imperturbavelmente de pé. A firmeza dos perversos é apenas aparente, mas a estabilidade dos justos é real. A casa dos perversos pode ser opulenta por um tempo, mas perecerá eternamente, enquanto a casa do justo permanecerá para sempre.

Mente lúcida, honra certa – *Segundo o seu entendimento, será louvado o homem, mas o perverso de coração será desprezado* (Pv 12.8). Deus nos criou à sua imagem e semelhança e, por isso, podemos pensar, refletir e ter entendimento acerca das coisas visíveis e invisíveis, materiais e espirituais. A falta de entendimento é uma degradação da natureza humana. Torna o ser humano uma fera selvagem ou o faz como uma mula que precisa de freio para ser governada. É por isso que o perverso de coração será desprezado, pois

A sabedoria contrasta a retidão com a impiedade

toda a cogitação da sua mente é para a autogratificação ou para a exploração do próximo. Ele emprega sua inteligência para fazer o mal, e não para promover o bem. Por isso, sua memória será maldita na terra. Por outro lado, aqueles que usam seu entendimento para promover o bem alcançam os maiores louvores. Nossa inteligência é uma dádiva de Deus. Devemos usá-la para desenvolver nossos dons e talentos e colocá-los a serviço do nosso próximo. Não vivemos nem morremos para nós mesmos. Nossa vida precisa ser útil, e nossa morte, um exemplo. Nossa vida precisa desafiar as pessoas no presente, e nossa morte precisa deixar um legado para o futuro. Não precisamos entrar para o rol daqueles que são desprezados; podemos fazer parte daqueles que são louvados na terra e amados no céu.

Você não é o que fala, mas o que faz – *Melhor é o que se estima em pouco e faz o seu trabalho do que o vanglorioso que tem falta de pão* (Pv 12.9). O mundo está cheio de gente que fala muito e faz pouco, propagandeia seus feitos, mas não os apresenta como fatos; o mundo está tomado por gente cujas obras negam suas palavras. O falastrão é aquele que comenta aos quatro ventos que está construindo um arranha-céu, mas na verdade está levantando apenas um galinheiro. Ele superdimensiona sua autoimagem e faz propaganda enganosa de si mesmo e de suas obras. Gasta seu tempo falando de façanhas que nunca realizou, de fortunas que nunca granjeou, de influências que nunca exerceu, de planos que nunca se tornaram realidade. Aqueles que habitam na casa da ilusão e vivem no reino da mentira enfrentarão a dura realidade da pobreza extrema. A sabedoria mostra que é melhor falar pouco e dar conta do recado do que falar muito e nada fazer. É melhor ser humilde e fazer o seu trabalho. É melhor fazer do que falar, pois o ser humano não é aquilo que ele fala, mas aquilo que ele faz. O fim da linha da vanglória é o desprezo, mas a reta de chegada da humildade é a honra. Quem fala e não faz é alcançado pela pobreza, mas quem se estima em pouco e faz o seu trabalho alcança a prosperidade.

Generosidade até com os animais – *O justo atenta para a vida dos seus animais, mas o coração dos perversos é cruel* (Pv 12.10). Aquilo que uma pessoa é transborda em suas atitudes. Nosso caráter se reflete em nossos gestos. A generosidade do nosso coração se revela em nossas posturas, até mesmo com os animais domésticos. O justo lida de forma correta não apenas com Deus, com o próximo e consigo mesmo, mas também com seus animais domésticos. Um indivíduo que tem o coração generoso jamais trata com crueldade seus bichinhos. Podemos identificar a casa de um justo ao observar como seus animais são tratados. Aqueles que espancam seus animais domésticos e os deixam passar fome revelam um coração cruel, mas os que atentam para a vida de seus bichinhos são justos. Atitude inversa é dar mais valor aos animais do que às pessoas. Hoje gasta-se mais com animais domésticos do que com as crianças. Em muitos lares, os animais são mimados e cobertos de carinho, enquanto os filhos são tratados com grosseria. Há animais que são cobertos de beijos e abraços, enquanto os familiares vivem à míngua, carentes de um gesto de amor. Tanto um extremo como o outro são nocivos. Quanto aos animais, não podemos tratá-los com crueldade nem os colocar no lugar de pessoas. Quanto às pessoas, não podemos tratá-las como animais, mas como nossos próximos!

Trabalho, a fonte da riqueza – *O que lavra a sua terra será farto de pão, mas o que corre atrás de coisas vãs é falto de senso* (Pv 12.11). A preguiça é a mãe da pobreza, mas o trabalho é o útero no qual a riqueza é gestada. Aqueles que buscam os atalhos de um enriquecimento rápido ou caem na sedução do enriquecimento ilícito demonstram ser insensatos. O que lavra sua terra será farto de pão. O que investe em seu campo e cultiva a sua terra terá pão com fartura, mas aquele que cruza os braços e se entrega à insolência terá privações. Não importa em que área você atua, esmere-se por fazer o melhor. Faça tudo com excelência. Seja um especialista. O mundo hoje não pertence mais aos generalistas. Precisamos lavrar a nossa terra, investir em nossos estudos e colocar no ventre da terra as sementes do nosso trabalho. Aqueles que têm as mãos remissas para o trabalho só enxergarão as dificuldades. Esses não lavrarão sua terra. Por isso, seus campos cobrir-se-ão de urtiga. Na casa do preguiçoso, não haverá prosperidade, nem haverá em sua mesa fartura de pão. A riqueza é fruto do trabalho honesto e consequência da dedicação. Os que se acomodam e cruzam os braços não prosperarão, mas os diligentes terão abundância de bens e fartura de pão. O trabalho não é um castigo, mas um privilégio; não é uma fonte de desgosto, mas um manancial de riqueza.

Cobiça, o caminho do fracasso – *O perverso quer viver do que caçam os maus, mas a raiz dos justos produz o seu fruto* (Pv 12.12). Os ímpios cobiçam as riquezas ilícitas acumuladas pelos maus. Como parasitas, procuram viver da seiva dos outros. Como sanguessugas, nunca se satisfazem, querem sempre mais. São ávidos pelo lucro fácil. São rápidos para armarem esquemas de corrupção a fim de assaltar os cofres públicos. São espertos para tirar vantagens imediatas. Para isso, estão dispostos a mentir, a corromper, a roubar e a matar. O perverso quer viver do que caçam os maus. Os maus são os predadores, as bestas-feras que atacam e sangram suas vítimas. Os perversos são aqueles que se repastam e se abastecem dos despojos deixados pelos maus. Nossa sociedade fermentada pela maldade, embriagada pela injustiça e dominada pela opressão tem produzido uma alcateia desses lobos devoradores. Suas vítimas estão espalhadas por todos os lados. Porém, o fruto dessa cobiça é a maldição, a miséria e a morte. O justo não é governado pela ganância insaciável, mas pelo trabalho honesto. O justo não é um parasita que se alimenta da seiva alheia, mas sua raiz floresce, e ele produz o seu próprio fruto. O perverso é uma maldição para a sua geração, mas o justo é uma bênção entre o seu povo.

Língua, uma armadilha perigosa – *Pela transgressão dos lábios o mau se enlaça, mas o justo sairá da angústia* (Pv 12.13). A língua é como um chicote que açoita as costas dos maus. É um veneno que mata os ímpios. É um fogo que destrói os escarnecedores. É uma rede que prende os pés dos perversos. Aqueles que mentem para se livrar de suas transgressões acabam caindo numa armadilha mortal. Aqueles que desandam a boca para falar impropérios acabam se enlaçando nas próprias cordas de seus pecados. A língua dos maus é o ventre no qual a angústia é gestada. No ventre, esse filho bastardo se desenvolve como um monstro e, quando nasce, destrói aqueles que o criaram. A transgressão da língua é uma espécie de autofagia. Quem peca com a língua cava um abismo para seus próprios pés. A transgressão da língua é também uma "outrofagia". Quem peca com a língua destrói não apenas a si mesmo, mas também as pessoas à sua volta. Se pela transgressão dos lábios o mau se enlaça, o justo sairá da angústia. A língua do justo não o coloca no calabouço do desespero, mas lhe abre uma porta espaçosa para uma vida bem-aventurada e muito feliz. A língua do justo é portadora de boas-novas de salvação, é fonte da qual jorra água límpida que dessedenta os exaustos, é árvore de vida que produz bons frutos para alimentar os famintos.

Língua bendita, mãos abençoadas — *Cada um se farta de bem pelo fruto da sua boca, e o que as mãos do homem fizerem ser-lhe-á retribuído* (Pv 12.14). Do fruto da sua boca, o ser humano se beneficia. Palavras verdadeiras, boas, oportunas e sábias produzem ricos dividendos. Se a língua dos maus é um campo que produz o espinheiro da angústia, a língua dos justos é um terreno fértil no qual se colhem fartos frutos de alegria e prosperidade. Se a língua dos perversos é uma fonte contaminada da qual jorram as águas sujas da maldade, a língua dos retos é uma fonte bendita da qual fluem copiosamente rios de água viva. Quando a língua é bendita, as mãos são abençoadas, pois assim como o ser humano se farta de bem pelo fruto de sua boca, ele também é recompensado pelo trabalho de suas mãos. O trabalho honesto e diligente não fica sem retribuição. Essa retribuição brota da terra e emana do céu. Vem das pessoas e também de Deus. Há quatro recompensas preciosas para aqueles que são dedicados à sua obra: a recompensa da satisfação interior, a recompensa do reconhecimento humano, a recompensa da prosperidade e a recompensa da aprovação divina. Você tem recebido essas recompensas? Tem usufruído dessas bênçãos? Tem se fartado dos frutos benditos de sua própria boca?

Autoengano, um perigo real – *O caminho do insensato aos seus próprios olhos parece reto, mas o sábio dá ouvidos aos conselhos* (Pv 12.15). Há um ditado popular que diz: "O pior cego é aquele que não quer ver". O insensato é assim. Ele não discerne as coisas. Há uma venda em seus olhos e um tampão em seus ouvidos. Seu coração está endurecido, e sua consciência está cauterizada. Ele coloca os pés numa estrada escorregadia e avança como se estivesse em terra firme. Envolve-se em tramas de morte e caminha despercebidamente. Esquece-se o insensato de que o diabo é um estelionatário e que o pecado é uma fraude. O diabo cega o entendimento dos incrédulos e lhes anestesia a alma. Os insensatos são corrompidos de tal forma que, além de não enxergarem os riscos de seu caminho sinuoso, ainda esses caminhos parecem retos aos seus próprios olhos. Os insensatos invertem os valores e tapam os ouvidos aos sábios conselhos. Por estarem num caminho de escuridão, nem sabem em que tropeçam. Por estarem surdos à verdade, marcham célere para a morte sem receber a oferta graciosa da vida eterna. O autoengano é o último estágio da degradação moral, pois aqueles que estão dormindo nos braços desse comodismo moral despertarão tarde demais, quando já terá passado o tempo do arrependimento e da oferta da graça.

Autocontrole, a proteção segura – *A ira do insensato num instante se conhece, mas o prudente oculta a afronta* (Pv 12.16). O insensato é alguém destemperado emocionalmente. É um poço de amargura, um protagonista de intrigas e um provocador de contendas. Sua vida é uma ameaça aos que vivem à sua volta. Suas palavras, ações e reações são explosivas. O insensato não tem domínio próprio, mas constantes acessos de ira. Por falta de autocontrole, joga estilhaços em todos à sua volta. Por falta de discernimento, fala sem refletir e expõe as pessoas à sua volta a situações vergonhosas e constrangedoras. As palavras do insensato ferem como espada e provocam contendas entre os irmãos. O prudente, porém, não perde as estribeiras quando é afrontado. Ele não paga o mal com o mal, mas vence o mal com o bem. Ele não se destempera ao ser agredido com palavras maldosas e atitudes injustas, mas abençoa até mesmo seus inimigos. Ele não é governado pela carne, mas pelo Espírito, e o fruto do Espírito é domínio próprio. O prudente tem controle não apenas sobre suas ações, mas também sobre suas reações. Quando ferido numa face, volta a outra; quando forçado a caminhar uma milha, caminha duas; quando lhe tomam a túnica, dá também a capa. O prudente sabe que aquele que domina o seu espírito é mais forte do que aquele que conquista uma cidade.

Verdade, a promotora da justiça – *O que diz a verdade manifesta a justiça, mas a testemunha falsa, a fraude* (Pv 12.17). No tribunal de Deus, a verdade sempre manifesta a justiça, mas no tribunal humano, não poucas vezes, a justiça é negada aos inocentes. No tribunal humano, algumas vezes, os injustos são inocentados e os justos são condenados. No tribunal humano, com certa frequência, acolhem-se falsas testemunhas, e a fraude prevalece. No tribunal humano, o jovem José vai para a prisão, e a infiel mulher de Potifar é tida como molestada. No tribunal humano, o adúltero rei Herodes condena à morte o profeta João Batista, e o covarde Pilatos sentencia à morte de cruz o Filho de Deus. No tribunal humano, Jesus é acusado de um crime teológico e político, de blasfêmia e sedição, mas as testemunhas eram falsas e a sentença contra ele foi injusta. A verdade precisa ser restabelecida nos tribunais, nas transações comerciais, nos relacionamentos familiares e nos púlpitos das igrejas. Precisamos repudiar com toda a veemência a testemunha falsa, que vende sua consciência por suborno, que torce a verdade por vantagens imediatas, que cospe na cara da justiça e que dá à luz esse monstro perverso que é a fraude.

A língua, espada ou medicina? – *Alguém há cuja tagarelice é como pontas de espada, mas a língua dos sábios é medicina* (Pv 12.18). Tagarelar é falar pelos cotovelos. É falar ao vento. É falar muito e pensar pouco. É falar sem pesar as consequências de sua fala. É ser irresponsável com a mordomia da comunicação. A língua do tagarela fere como pontas de espada. Destrói como veneno e devasta como fogo. A língua do tagarela transporta a morte, e não a vida, pois semeia inimizade entre os irmãos e provoca contendas entre as pessoas. A língua do tagarela é como um cavalo selvagem sem freio e como um navio em alto-mar sem leme. Ambos são agentes de morte, e não de vida. A língua do sábio, entretanto, é medicina para os doentes, bálsamo para os aflitos, tônico para os cansados e fonte de vida para os que jazem prostrados. A língua dos sábios é veículo que transporta a verdade e canal que conduz a esperança. O sábio é aquele que fala a verdade em amor. Da boca do sábio não saem palavras torpes, apenas palavras para a edificação, conforme a necessidade, transmitindo graça aos que ouvem. Resta-nos uma pergunta: Nossa língua é como pontas de espada ou como medicina? Transporta vida ou é instrumento de morte? É vinagre na ferida ou bálsamo que refrigera? Faça agora mesmo a sua escolha!

A verdade vive mais do que a mentira – *O lábio veraz permanece para sempre, mas a língua mentirosa, apenas um momento* (Pv 12.19). Há um ditado popular que diz: "A mentira tem pernas curtas". Para sustentar uma mentira, uma pessoa precisa ter boa memória, pois outras mentiras precisarão ser forjadas para que ela não caia em contradição. Consequentemente, a língua mentirosa não dura para sempre. Tem vida curta. A mentira não compensa, pois o pai da mentira é o diabo, e os mentirosos não herdarão o reino de Deus. A Palavra de Deus nos exorta a falar a verdade. Jesus diz que a nossa palavra deve ser "sim, sim" ou "não, não", pois o que passar disso vem do maligno. Uma pessoa mentirosa não tem credibilidade. Sua língua é como a escuridão: deixa as pessoas confusas e errantes. Mas a verdade é luz que aponta o caminho. Quem anda na luz não tropeça. A verdade, mesmo quando amordaçada pela violência, acaba prevalecendo. A verdade, mesmo quando escamoteada nas ruas e oprimida nos tribunais, acaba prevalecendo. Nesse caso, é verdadeiro o adágio: "O tempo é o senhor da razão". Ninguém pode ir contra a verdade, senão a favor da verdade. O lábio veraz permanece para sempre.

Coração, o laboratório das ações – *Há fraude no coração dos que maquinam o mal, mas alegria têm os que aconselham a paz* (Pv 12.20). A violência que choca a opinião pública e nos deixa atordoados pela sua explosão mortal tem sua origem no silêncio do coração. O coração humano é o laboratório em que o mal é gestado e a fábrica que produz todo esse veneno letal que destrói a humanidade. O mal só é maquinado e praticado porque há fraude no coração. Primeiro, o mal é concebido no coração, depois ele nasce como um monstro. É do coração que procedem os maus desígnios. É dessa fonte poluída que jorra toda sorte de sujidades. Se os que maquinam o mal têm fraude no coração, os que aconselham a paz têm grande alegria. Como é bom ser um instrumento de Deus na vida de alguém! Como é bom ser um conselheiro sábio, um pacificador, um amigo do bem, um semeador da paz, um arauto de boas-novas! Quando seu coração é transformado, suas mãos se tornam mestras da bondade, e seus lábios se tornam agentes da paz. Ser um conselheiro da paz produz alegria para você e bênção para os outros. Em vez de seu coração ser uma fonte venenosa, transforma-se num manancial de vida!

Ser justo, uma grande recompensa – *Nenhum agravo sobrevirá ao justo, mas os perversos, o mal os apanhará em cheio* (Pv 12.21). A justiça é um escudo protetor contra o mal. Os que foram justificados por Deus, por causa da redenção em Cristo, estão guardados sob as asas do Onipotente. Praga nenhuma chega à sua tenda. As setas que voam de dia e a peste que assola à noite não destroem aqueles que estão sob o abrigo do sangue do Cordeiro de Deus. A tempestade furiosa que inunda o mundo inteiro não pode destruir aqueles que estão dentro da arca da salvação. Nenhum agravo sobrevirá ao justo, pois Deus é o seu protetor e seu escudo. Nenhum vingador de sangue pode atacar o justo, pois ele está escondido com Cristo em Deus, na cidade de refúgio. Se o justo é guardado, os perversos são entregues ao mal que eles mesmos maquinam. O mal que eles planejam para outros os apanhará em cheio. O malfeito cairá sobre sua própria cabeça. Os perversos cavam um abismo para seus próprios pés. Como Hamã, eles constroem a forca na qual eles mesmos serão executados. O mal que desejaram para os outros não apenas respingará sobre eles, mas os apanhará em cheio. A injustiça não compensa, mas ser uma pessoa justa traz uma grande recompensa.

Mentira, abominação para Deus – *Os lábios mentirosos são abomináveis ao* S<small>ENHOR</small>*, mas os que obram fielmente são o seu prazer* (Pv 12.22). A mentira está presente nos tribunais e nos templos religiosos. Mostra sua carranca no comércio e no parlamento. Intromete-se nas famílias e aninha-se no coração. Mas o que é a mentira? A mentira é a negação da verdade. Mas pode também significar a distorção intencional da verdade ou até mesmo a ocultação dolosa da verdade. Os lábios mentirosos são abomináveis para Deus, porque o pai da mentira é o diabo; e quem mente não apenas revela seu caráter maligno, mas também executa seus planos perversos. A mentira é uma insensatez, pois tem pernas curtas; não pode ir muito longe nem se manter de pé. Os lábios mentirosos caem em descrédito diante dos seres humanos e são desprezíveis para Deus, pois os mentirosos não herdarão o reino de Deus. Por outro lado, aqueles que obram fielmente são o prazer de Deus. Aqueles que falam a verdade, juram com dano próprio e não se retratam são verdadeiros cidadãos dos céus. A mentira que hoje se disfarça e se veste com beleza será desnudada e se cobrirá de trapos, mas os fiéis andarão de branco na presença de Deus e jamais serão envergonhados!

Fanfarronice, pura insensatez – *O homem prudente oculta o conhecimento, mas o coração dos insensatos proclama a estultícia* (Pv 12.23). O sábio é aquele que sabe que nada sabe. O prudente não vive tocando trombetas acerca do seu conhecimento nem fazendo propaganda de suas virtudes. Fanfarronice é pura insensatez. Não devem ser os nossos lábios que nos louvam. A soberba é a porta de entrada do fracasso, a sala de espera da vergonha, o palco da queda. Os que se exaltam serão humilhados. Os que querem ocupar os primeiros lugares serão colocados no final da fila. O prudente oculta o conhecimento. Ele não enaltece a si mesmo como um fariseu soberbo nem se compara aos demais apenas para se sobressair. A humildade é o caminho da honra, enquanto a altivez é a autopista da vergonha. O insensato não apenas proclama a estultícia, mas também anuncia virtudes que não possui. Apresenta-se como herói, quando seu verdadeiro papel é o de vilão. Apresenta-se em público como benfeitor, mas na verdade não passa de um larápio. O insensato é um falso intelectual e um falso filantropo. Ele vive apenas de aparência. É apenas um ator que representa um papel no palco da vida. Não vale a pena viver como um hipócrita, tentando enganar os outros e enganando a si mesmo.

Sucesso, o fruto do trabalho – *A mão diligente dominará, mas a remissa será sujeita a trabalhos forçados* (Pv 12.24). Thomas Alva Edison, um dos maiores cientistas de todos os tempos, disse que as nossas vitórias resultam de 10% de inspiração e 90% de transpiração. O sucesso é o resultado do esforço diligente e do trabalho abnegado. Aqueles que se dedicam aos estudos, que se esmeram no seu labor, que trabalham com diligência e que fazem tudo com excelência são conduzidos às posições de liderança em todas as áreas da vida. O sucesso não é uma questão de sorte, mas de diligência. O preguiçoso, que faz corpo mole, que não se empenha nos estudos nem trabalha com dedicação, empobrecerá. Na verdade, aqueles cujas mãos são lerdas e remissas acabam sendo destinados aos trabalhos mais rudes e menos remunerados. Na vida, nós colhemos o que plantamos. Aqueles que semeiam pouco têm uma safra medíocre, mas aqueles que semeiam com fartura ceifarão com abundância. Aqueles que cobrem a fronte de suor e trabalham com esmerado esforço terão sua recompensa. Honra e riquezas estão destinadas aos diligentes, mas pobreza e desprezo são a porção dos preguiçosos. O trabalho não é maldição, mas bênção. O trabalho não é um fardo, mas um deleite. O trabalho não mata; ao contrário, motiva-nos a viver de forma exponencial!

Ansiedade, o abatimento do coração – *A ansiedade no coração do homem o abate, mas a boa palavra o alegra* (Pv 12.25). A ansiedade é o mal do século, o transtorno mais democrático da nossa geração. Atinge crianças e velhos, doutores e analfabetos, religiosos e ateus. A palavra "ansiedade", na língua grega, significa "estrangulamento". A ansiedade sufoca e tira o oxigênio. A ansiedade não nos ajuda a resolver os problemas hoje, apenas nos enfraquece para enfrentá-los amanhã. A ansiedade envolve ocupar-se de um problema que ainda não está acontecendo. Setenta por cento dos assuntos que nos deixam ansiosos nunca vão acontecer. A ansiedade é inútil porque, por mais ansiosos que estejamos, não poderemos acrescentar nem sequer alguns dias à nossa vida. A ansiedade é prejudicial porque drena as nossas energias, rouba nossas forças e superdimensiona as nossas crises. A ansiedade é um sinal evidente de incredulidade porque só aqueles que não confiam na providência de Deus vivem ansiosos quanto ao futuro. A ansiedade abate o espírito das pessoas, mas a boa palavra as alegra. Devemos alimentar nossa alma com as palavras que emanam da boca de Deus, em vez de abastecer nosso coração com o alarido da ansiedade. Devemos olhar não para o fragor da tempestade, mas para aquele que está no controle da tempestade e nos traz bonança.

A vida do justo, um guia confiável – *O justo serve de guia para o seu companheiro, mas o caminho dos perversos os faz errar* (Pv 12.26). O justo é aquele que, embora não tenha justiça própria, foi justificado pela imputação da justiça do Justo. Deus é justo e é o justificador daquele que crê. O justo é aquele que foi coberto com o manto da justiça de Cristo e recebido na família de Deus; ele está quite com a lei de Deus e com as demandas da sua justiça. O justo é aquele que foi transferido do reino das trevas para o reino da luz, da potestade de Satanás para o senhorio de Cristo. A vida do justo é como a luz da aurora, que vai brilhando mais e mais até ser dia perfeito. O justo serve de guia para o seu companheiro. Ele é confiável. O caminho dos perversos, porém, é uma estrada larga, convidativa e cheia de atrações, mas o seu destino final é a perdição eterna. O caminho dos perversos é cheio de encruzilhadas e bifurcações. Ao longo desse caminho, há muitas placas prometendo prazeres, aventuras e sucesso, mas isso não passa de um engodo e uma consumada farsa. O caminho do perverso, embora pareça muito iluminado, é coberto de densa escuridão. Os ímpios nem sabem em que tropeçam. O caminho dos perversos faz que as pessoas errem, pois distancia as pessoas de Cristo, e ele é o Caminho!

Preguiça, a causa de muitas perdas – *O preguiçoso não assará a sua caça, mas o bem precioso do homem é ser diligente* (Pv 12.27). O preguiçoso dá alguns passos importantes na vida, mas cessa de trabalhar antes de concluir seu propósito. Ele sai ao campo para caçar, mas, quando apanha a sua caça, não tem disposição para assá-la. Ele passa fome e perde o resultado do seu trabalho porque a preguiça não o deixa concluir aquilo que começou. Quantas perdas na vida por causa da preguiça! Quantos casamentos acabados por causa da preguiça! Quanto dinheiro perdido por causa da preguiça! O preguiçoso não usufrui o fruto do seu trabalho. Não tem perseverança. É acomodado. Prefere a indolência, o conforto, o sono, a cama e a pobreza ao trabalho. Porém, nosso bem precioso é a diligência. O diligente encontra um tesouro no trabalho, e não apenas no resultado do trabalho. Ele se deleita no trabalho, e não apenas nos seus frutos. Para o diligente, a própria semeadura é uma tarefa encantadora, pois o trabalho em si é uma das mais preciosas recompensas do labor. Não ter nada para fazer ou não fazer nada é uma maldição, mas ocupar-se com o trabalho é uma recompensa que desemboca em muitos outros ganhos. Quem não trabalha dá trabalho, mas quem trabalha amealha riquezas e desfruta de grandes alegrias.

Justiça, um caminho de vida – *Na vereda da justiça, está a vida, e no caminho da sua carreira não há morte* (Pv 12.28). As pessoas são ávidas para encontrar o sentido da vida. Buscam esse sentido nas aventuras, riquezas, prazeres e sucesso. Sorvem todas as taças dos prazeres e provam todas as iguarias do banquete do mundo. Embora as pessoas entrem por largas avenidas e espaçoso caminho na busca pela felicidade, muitos rumam para a perdição. Esse caminho parece direito, mas é caminho de morte. Oferece liberdade, mas escraviza. Promete alegria, mas paga com a tristeza. Proclama a vida, mas o que se vê ao longo dessa estrada é a carranca da morte. Na vereda da justiça, porém, está a vida, e no caminho da sua carreira não há morte. Jesus é o caminho, e ele também é a vida. Quando andamos nele, saboreamos a verdadeira vida. Quando permanecemos nele, a morte não tem mais a última palavra sobre nós. A justiça é o caminho da vida. Esse caminho é estreito, mas seguro. É apertado, mas seu destino é a glória. Nesse caminho, passamos pelo vale da sombra da morte, mas não precisamos temer mal algum. Não estamos sós. O bom Pastor caminha conosco, oferecendo-nos segurança, refrigério e vitória. E, quando nossa jornada terminar aqui, habitaremos na Casa do Pai, e isso por toda a eternidade.

Capítulo 13

A sabedoria instrui sobre como viver retamente
(Pv 13.1-25)

FILHO, ESCUTE SEU PAI – *O filho sábio ouve a instrução do pai, mas o escarnecedor não atende à repreensão* (Pv 13.1). A obediência aos pais é o caminho mais seguro para a felicidade e a rota mais certa para a prosperidade. É ordem de Deus: *Honra teu pai e tua mãe, para que se prolonguem os teus dias na terra que o SENHOR, teu Deus, te dá* (Êx 20.12). O apóstolo Paulo disse que este é o primeiro mandamento com promessa. A obediência aos pais é uma atitude justa, um princípio universal. Sua ausência é um sinal de decadência da sociedade. O filho sábio ouve a instrução do pai, mas o escarnecedor não atende à repreensão. Aqueles, porém, que não escutam os conselhos sofrerão a chibata. Aqueles que fecham os ouvidos à repreensão oferecerão as costas aos açoites. Muitas tragédias acontecem ainda hoje porque os filhos tapam os ouvidos aos conselhos dos pais. Muitos casamentos acabam porque os filhos não escutam os pais. Muitos acidentes ocorrem porque os filhos são rebeldes aos ensinamentos dos pais. As cadeias e os hospitais estão cheios de filhos vitimados pela rebeldia, e os cemitérios estão salpicados de jovens que foram ceifados precocemente, porque foram rebeldes e não quiseram ouvir o conselho de seus pais. Permanece o alerta: Filhos, escutem seus pais. Esse é o caminho deleitoso da vida!

O lucro certo das boas palavras – *Do fruto da boca o homem comerá o bem, mas o desejo dos pérfidos é a violência* (Pv 13.2). Nossas palavras nunca são neutras. Elas são bênção ou maldição. Produzem frutos doces ou amargos. São canais de vida ou instrumentos de morte. Servem como bálsamo ou ferem. Curam ou matam. Aqueles que cultivam uma comunicação saudável dentro de casa semeiam amizade, fortalecem o companheirismo e colhem os abundantes frutos do amor. Porém, aqueles que semeiam contendas, que desandam a boca para espalhar boatarias e se entregam à maledicência, esses cultivam espinheiros que vão lhes ferir os pés e amargar a alma. As palavras boas têm lucro certo. Produzem dividendos benditos, promovem causas nobres, encorajam os fracos, levantam os abatidos e curam os enfermos. Mas o apetite dos infiéis se alimenta da violência. Os pérfidos cultivam o mal no coração e o destilam com a boca. O homem mau corre pelas ruas, percorre os campos e destrói vidas por onde passa. Mas aqueles cujo coração foi transformado pela graça de Deus têm lábios que destilam mel, mel que alimenta e deleita. Que tipo de fruto você tem colhido com a semeadura de suas palavras?

A língua pode ser um laço – *O que guarda a boca conserva a sua alma, mas o que muito abre os lábios a si mesmo se arruína* (Pv 13.3). Há muitas pessoas que tropeçam na própria língua. Caem na armadilha de suas próprias palavras. A língua solta é uma prisão ameaçadora. Quem fala sem pensar é açoitado por sua própria língua. Quem fala sem refletir acaba prisioneiro de sua própria estultícia. O que controla a boca preserva a sua vida, mas quem fala demais traz sobre si grande ruína. A Bíblia menciona Doegue, o homem que delatou Davi ao insano rei Saul. Como resultado de sua inconsequente maledicência, houve uma chacina na cidade de Nobe, e 85 sacerdotes foram mortos, além de homens, mulheres e crianças. O próprio Doegue, o fofoqueiro, precisou acionar a espada assassina contra as pessoas inocentes. Doegue arruinou não apenas a própria vida, mas se tornou instrumento de morte para dezenas de outras pessoas. A discrição é uma virtude fundamental. Até o tolo, quando se cala, é tido por sábio. Quem muito fala, muito erra. Palavras são como o vento: depois de proferidas, não é mais possível administrá-las. É como soltar um saco de penas do alto de uma montanha. Não se pode mais recolhê-las. Cuidado com sua língua!

O trabalho produz riqueza – *O preguiçoso deseja e nada tem, mas a alma dos diligentes se farta* (Pv 13.4). A preguiça é a mãe da pobreza e a irmã gêmea da fome. O preguiçoso alimenta o coração de devaneios e o estômago de escassez de pão. Ele fala de grandes projetos, mas não realiza nem mesmo pequenas coisas. Anuncia aos quatro cantos da terra que está edificando um arranha-céus, mas lança as bases apenas de um casebre. O preguiçoso deseja muitas coisas, mas não tem nada. Ele anseia pelos frutos do trabalho, mas não ama o trabalho. Prefere o sono e o conforto à fadiga da luta. O trabalho é uma bênção. Foi Deus quem o instituiu, e isso antes mesmo de o pecado entrar no mundo. O trabalho continuará na eternidade, mesmo depois que o pecado for banido da criação. O trabalho não apenas tonifica o nosso corpo, mas também fortalece as musculaturas da nossa alma. O trabalho farta a alma dos diligentes, produz riquezas, promove progresso, multiplica os recursos naturais. Torna a vida mais deleitosa, a família mais segura e a sociedade mais justa. O trabalho engrandece a nação e dá glória ao nome de Deus. Fomos criados por Deus para o trabalho. Aquele que nos fez é nosso maior exemplo, pois ele trabalha até agora. Não se renda à preguiça; trabalhe com diligência!

A mentira precisa ser odiada – *O justo aborrece a palavra da mentira, mas o perverso faz vergonha e se desonra* (Pv 13.5). A palavra mentirosa precisa ser odiada. Precisamos repudiá-la com todas as forças da nossa alma. A mentira é um câncer nos relacionamentos. Quebra a confiança, desfaz laços, promove conflitos e protagoniza grandes tragédias. A mentira é maligna. Ela procede do diabo, está a serviço do diabo, e os mentirosos serão lançados no lago de fogo junto com o diabo. Não podemos sustentar nem promover a causa da mentira. Não podemos aplaudir os mentirosos nem nos calar diante de sua ação perversa. O justo odeia a palavra mentirosa. O justo odeia o que é falso. Os ímpios que promovem a mentira são motivo de vergonha e trazem sobre si grande desonra. A mentira pode desfilar na passarela do tempo, pode subir no palco e apresentar-se garbosamente para o delírio dos insensatos, mas a mentira será desmascarada. Ficará desnuda e mostrará suas vergonhas. Todos verão sua carranca horrenda. E os mentirosos, cheios de desonra, serão expostos à vergonha pública e à condenação eterna. Ainda é tempo de mudança. A Palavra de Deus nos exorta: *Por isso, deixando a mentira, fale cada um a verdade com o seu próximo* (Ef 4.25).

Vale a pena ser íntegro – *A justiça guarda ao que anda em integridade, mas a malícia subverte ao pecador* (Pv 13.6). O maior seguro que podemos fazer contra as tragédias da vida é vivermos de forma íntegra. A honestidade nos protege mais do que carros blindados e coletes à prova de bala. A justiça guarda quem é correto em seu caminho. A retidão protege o homem íntegro. Mesmo que os íntegros sejam injustiçados nos tribunais e lançados nas prisões, eles têm a proteção da consciência e a proteção divina. É melhor sofrer como justo do que ser promovido como culpado. José do Egito preferiu ir para a cadeia como inocente a viver em liberdade, mas prisioneiro do pecado. João Batista preferiu a prisão e a morte a ser conivente com o pecado do rei Herodes. Daniel preferiu ir para a cova dos leões a pecar contra o seu Deus. Mesmo que Deus não nos livre da morte por causa de nossa integridade, ele nos livrará *na* morte. É melhor morrer como justo do que viver como ímpio. Quando o justo morre, entra imediatamente no gozo eterno, mas a perversidade transtorna o pecador, e sua condenação é eterna. A integridade em si mesma já é uma grande recompensa. Os íntegros têm paz de consciência aqui e bem-aventurança por toda a eternidade.

Ricos pobres e pobres ricos – *Uns se dizem ricos sem terem nada; outros se dizem pobres, sendo mui ricos* (Pv 13.7). John Rockfeller, o primeiro bilionário do mundo, disse que o homem mais pobre que ele conhecia era aquele que só possuía dinheiro. Na verdade, o problema não é possuir dinheiro, mas o dinheiro nos possuir. Não é carregar dinheiro no bolso, mas entronizá-lo no coração. O dinheiro em si mesmo é bom, pois com ele desfrutamos coisas boas e promovemos o bem. O problema é amar o dinheiro. O amor ao dinheiro é a raiz de todos os males. Há indivíduos que se casam e se divorciam por causa do dinheiro. Há pessoas que corrompem e são corrompidas por causa do dinheiro. Há aqueles que matam e morrem por causa do dinheiro. Mas o dinheiro não oferece felicidade nem segurança. Logo, há ricos que são pobres. Porém, há pobres que são ricos, pois aprenderam a viver contentes em toda e qualquer situação. O contentamento é uma atitude de plena satisfação em Deus. A vida de uma pessoa não consiste na abundância de bens que ela possui. Podemos ser pobres e ao mesmo tempo ricos. Podemos dizer como o apóstolo Paulo: *Entristecidos, mas sempre alegres; pobres, mas enriquecendo a muitos; nada tendo, mas possuindo tudo* (2Co 6.10).

A segurança da pobreza – *Com as suas riquezas se resgata o homem, mas ao pobre não ocorre ameaça* (Pv 13.8). O rico vive inseguro, apesar de sua riqueza. Anda com segurança particular, viaja em carros blindados e mora em palacetes com cercas elétricas e sofisticados sistemas de alarme. Mesmo assim, o tempo todo, teme ser assaltado ou sequestrado. Sua riqueza, embora lhe proporcione conforto, não lhe oferece paz. No caso de um rapto, os criminosos exigem recompensa, e as riquezas servem de resgate para sua vida. Porém, o pobre nunca recebe ameaças. Não precisa andar blindado por fortes esquemas de segurança. Anda de peito aberto e com irrestrita liberdade. Sua pobreza, longe de colocá-lo no corredor da insegurança, é seu escudo protetor. Ele caminha sem preocupações de casa para o trabalho e do trabalho para casa. Seus filhos vão e voltam da escola em segurança. Sua pobreza não lhe permite requintes e confortos, mas lhe oferece segurança. Ao pobre não ocorre ameaça. O pobre dorme tranquilo depois de um dia longo e árduo de trabalho. Seus músculos latejam de cansaço, mas o sono reparador lhe restaura as forças para um novo dia de jornada. O rico, com suas muitas preocupações, deita-se em lençóis de cetim, mas lhe foge o sono, porque, embora rico, ainda quer mais; embora blindado, ainda se sente inseguro; embora cheio de bens, ainda se sente vazio.

O justo brilha esplendidamente – *A luz dos justos brilha intensamente, mas a lâmpada dos perversos se apagará* (Pv 13.9). Os perversos têm uma lâmpada, e essa lâmpada brilha. Mas esse brilho se apagará, pois na hora da crise faltará aos perversos o combustível necessário. Então, a vida deles será como a escuridão. Caminharão às cegas para um abismo trevoso. Totalmente diferente é a vida dos justos. Eles seguem Jesus, a luz do mundo. Ele é a verdadeira luz que, vinda ao mundo, ilumina todos. Quem segue a Jesus não anda em trevas; pelo contrário, verá a luz da vida. A luz dos justos brilha com grande fulgor. A vida dos justos é como a luz da aurora que vai brilhando mais e mais até ser dia perfeito. O justo anda na luz, pois não há engano em seu coração nem falsidade em seus lábios. O justo vive na luz porque se aparta do pecado. O justo deleita-se na luz porque ama a santidade, tem prazer na misericórdia e exercita o amor. O justo, além de ser filho da luz, de ser luz do mundo e de viver na luz de Cristo, caminha também para a Cidade Santa, a Nova Jerusalém, onde não precisará mais da luz do sol nem da lua, pois o Cordeiro de Deus será sua lâmpada.

O orgulho não compensa – *Da soberba só resulta a contenda, mas com os que se aconselham se acha a sabedoria* (Pv 13.10). O orgulho só gera discussões; a arrogância só produz conflitos. Da soberba só resulta a contenda. O orgulho é uma atitude execrável. É a tendência de querer ser maior e melhor do que os outros. O orgulhoso é aquele que se coloca no pedestal e olha todos de cima para baixo, do alto de sua tola prepotência. Sente-se superior, mais sábio e mais forte do que os outros. E não apenas isso: o orgulhoso é aquele que busca ocasiões para humilhar e desprezar os outros. Sempre faz comparações para exaltar suas pretensas virtudes e diminuir o valor dos outros. A soberba, porém, precede a ruína, pavimenta a estrada do fracasso e conduz à queda. Onde a soberba entra, chega com ela a contenda. Onde o orgulho desfila, provoca discussões. Onde a arrogância mostra sua cara, produz conflitos. Totalmente diferente é a postura dos humildes. Eles não se julgam donos da verdade. Têm a mente aberta para aprender e o coração receptivo à instrução. Os humildes buscam conselhos e sabem que na multidão dos conselheiros está a sabedoria. O humilde é aquele que abre mão de suas ideias para abraçar a ideia do outro, se convencido de que encontrou melhor entendimento. O soberbo, mesmo estando errado, mantém-se irredutível, preferindo o vexame do fracasso a abrir mão de suas posições inflexíveis.

O perigo da riqueza fácil – *Os bens que facilmente se ganham, esses diminuem, mas o que ajunta à força do trabalho terá aumento* (Pv 13.11). Uma recente pesquisa afirmou que a maioria dos artistas e esportistas que ganham muito dinheiro quando jovens gasta sem critério seus bens e acaba seus dias na pobreza. Da mesma, forma o dinheiro ganho com desonestidade diminuirá, seja pelo esbanjamento irresponsável, seja pela exigência da lei de devolver publicamente aos verdadeiros donos os bens roubados furtivamente. Os bens mal adquiridos tornam-se maldição, e não bênção, para aqueles que os ajuntam. As casas construídas com sangue jamais podem ser refúgios de paz. O dinheiro retido com fraude ergue sua voz ao céu e clama por justiça. Os bens roubados tornam-se combustível para a própria destruição daqueles que os roubam. Porém, as riquezas adquiridas com o trabalho honesto são a expressão da bênção de Deus. Essas riquezas trazem progresso e bem-estar. Elas se tornam instrumentos de bênção para aqueles que as ajuntam e fonte de bênção para todos os que delas usufruem. O trabalho muitas vezes pode ser penoso, mas o seu fruto é deleitoso. O trabalho pode ser árduo, mas o seu resultado pode dar descanso para a alma.

A esperança adiada adoece o coração – *A esperança que se adia faz adoecer o coração, mas o desejo cumprido é árvore de vida* (Pv 13.12). A esperança é o oxigênio da vida. Se ela falta, perecemos. Se ela é adiada, adoecemos o coração. Porém, o anseio satisfeito é árvore de vida. A vida é feita de decisões. Não somos aquilo que falamos, mas o que fazemos. Não é sábio deixar para depois aquilo que podemos fazer hoje. Não é sensato empurrar com a barriga decisões que precisam ser tomadas com pressa. Não é prudente jogar para debaixo do tapete aquilo que precisamos resolver com agilidade. A esperança adiada entristece o coração. Talvez você venha deixando para depois aquela conversa que precisaria ter com seu cônjuge, com seus filhos ou com seus pais. Talvez você venha fugindo da responsabilidade de tomar algumas decisões na sua vida. É melhor o desconforto do confronto do que a posição confortável da omissão. Não espere mais para falar, agir e se posicionar. Levante-se e seja forte. Ninguém pode assumir o seu lugar para tomar as decisões que só você pode tomar. Não adie mais. Rompa com esse ciclo vicioso. Sacuda a poeira. Ponha o pé na estrada. Mantenha a visão do farol alto. Suba nos ombros dos gigantes e comece uma marcha vitoriosa na vida. Não deixe para amanhã o que você precisa fazer hoje!

Quem não escuta conselho, escuta: "Coitado!" – *O que despreza a palavra a ela se apenhora, mas o que teme o mandamento será galardoado* (Pv 13.13). Há um ditado que diz: "Quem não escuta conselho, escuta: 'Coitado!'". Quem zomba da instrução pagará por ela, e pagará caro. Quem despreza conselhos traz sobre si destruição, pois é na multidão de conselhos que há sabedoria. Quem não aprende com amor em casa talvez aprenda com dor na rua. Quem não escuta a voz da sabedoria receberá a chibata da disciplina. Quem não abre os ouvidos para escutar conselhos oferece as costas ao chicote do juízo. A obediência é o caminho da bem-aventurança. Traz doçura para a alma, descanso para o coração e sucesso para a vida. Somos livres quando obedecemos, e não quando transgredimos os mandamentos. Somos livres para dirigir nosso carro quando obedecemos às leis de trânsito. Somos livres como cidadãos quando cumprimos os preceitos da lei. Um trem é livre para transportar em segurança os passageiros quando corre sobre os trilhos. Assim também somos livres para viver uma vida feliz e vitoriosa quando cumprimos os mandamentos. Os que guardam os mandamentos serão galardoados.

O ensino sábio livra da morte – *O ensino do sábio é fonte de vida, para que se evitem os laços da morte* (Pv 13.14). As cadeias estão lotadas de homens e mulheres que taparam os ouvidos aos sábios ensinos de seus pais. Os cemitérios estão repletos de vítimas da desobediência. O ensino do sábio é fonte de vida, quem o segue caminha em segurança e usufrui o melhor da vida. E ainda livra os seus pés dos laços da morte. Há muitas armadilhas perigosas e mortais espalhadas ao longo do nosso caminho. São laços de morte que nos cercam. São atrativos que apelam ao nosso coração. São prazeres que gritam aos impulsos da nossa carne. São vantagens imediatas que acendem os faróis e nos incitam a buscá-las. O pecado, porém, é um embuste. Embora venha embalado de forma atrativa, é um veneno mortal. Não obstante ser agradável aos olhos e desejável ao paladar, é maligníssimo. Quem coloca os pés nesse laço cai na cova da morte. O pecado é enganador. Promete mundos e fundos, mas não tem nada a oferecer que não seja dor, sofrimento e morte. Mas o ensino do sábio é árvore de vida. Alimenta e deleita, fortalece e alegra, enriquece e abençoa.

O valor inestimável do bom senso – *A boa inteligência consegue favor, mas o caminho dos pérfidos é intransitável* (Pv 13.15). O bom senso cabe em todo lugar. O bom senso abre portas, desbloqueia caminhos, remove obstáculos e alcança favores. O bom senso ou a boa inteligência não trilha o caminho da arrogância. Não estica o pescoço com a tola intenção de sobressair-se sobre os demais. O bom senso não proclama seus próprios feitos, não faz propaganda de suas obras, nem se arvora soberbamente contra outras pessoas apenas para denunciar suas fraquezas. A boa inteligência consegue favor porque segue as pegadas da humildade, e a humildade é o portal da honra. Completamente diferente é o caminho do pérfido. Ele é soberbo e infiel. Seu caminho é áspero e intransitável. Sua companhia é indesejável; suas palavras são insensatas; suas ações, injustas; sua vida, um laço mortal. A Palavra de Deus nos mostra que o segredo da felicidade é nos afastarmos do caminho dos perversos. Diz o salmista: *Bem-aventurado o homem que não anda no conselho dos ímpios, não se detém no caminho dos pecadores, nem se assenta na roda dos escarnecedores. Antes, o seu prazer está na lei do SENHOR, e na sua lei medita de dia e de noite* (Sl 1.1,2).

O conhecimento vale mais do que ouro — *Todo prudente procede com conhecimento, mas o insensato espraia a sua loucura* (Pv 13.16). O conhecimento é um bem inalienável. Investir em conhecimento é acumular um tesouro que ninguém pode roubar. O conhecimento vale mais do que ouro. É uma joia que brilha sempre e nunca perde o valor. O prudente procede com conhecimento. Seu conhecimento o promove, o destaca e o faz assentar-se entre príncipes. Os bens materiais podem ser roubados e saqueados, mas nenhuma força da terra pode arrombar o cofre no qual você entesoura o conhecimento. O prudente, porém, não é apenas aquele que tem conhecimento, mas também aquele que procede com conhecimento. Sabedoria é exatamente conhecimento corretamente aplicado. Não basta saber; é preciso colocar em prática o que se sabe. Tanto o saber sem agir como o agir sem saber são atitudes insensatas. O tolo é aquele que rejeita o conhecimento e ao mesmo tempo espraia sua loucura. Fala o que não entende e age inconsequentemente. Esparrama sua tolice, provoca desconforto com suas ideias insensatas e machuca as pessoas ao redor com suas atitudes agressivas. Invista no conhecimento; ele vale mais do que ouro!

O alto valor do mensageiro fiel – *O mau mensageiro se precipita no mal, mas o embaixador fiel é medicina* (Pv 13.17). Um mensageiro é aquele que leva uma mensagem de alguém para outro alguém. O mensageiro fiel é aquele que leva essa mensagem com fidelidade e agilidade. Ele não retarda o tempo nem muda a mensagem. O mau mensageiro é infiel àquele que o comissionou. É negligente com respeito ao conteúdo da mensagem e descuidado com sua urgência. O mau mensageiro não apenas se precipita no mal e cai em dificuldade, mas também faz que outros caiam no mal. O mau mensageiro também é aquele que transporta mensagens de morte, e não de vida; de escravidão, e não de liberdade; de perdição, e não de salvação. É um agente das trevas, e não da luz. É um portador de más notícias, e não um arauto das boas-novas. Completamente diferente é o embaixador fiel. Ele é íntegro em seu caráter, fiel à sua missão e zeloso em sua proclamação. O embaixador fiel é medicina. Tem pés formosos e lábios que destilam a verdade. É mensageiro de salvação. É embaixador dos céus, ministro da reconciliação e profeta do Altíssimo. Sua vocação é sacrossanta, sua missão é bendita, sua mensagem é restauradora. O embaixador fiel leva esperança por onde passa, espalha o perfume de Cristo por onde anda e esparge a luz do evangelho por todos os recantos.

A pobreza é filha da ignorância – *Pobreza e afronta sobrevêm ao que rejeita a instrução, mas o que guarda a repreensão será honrado* (Pv 13.18). Rejeitar a instrução é consumada loucura. Desprezar a disciplina é uma insensatez. Fazer pouco caso da correção é cair nas malhas da afronta. A ignorância é a mãe da pobreza. Os tolos desprezam o conhecimento, abandonam a instrução e fogem da árdua lida dos estudos. Só não podem fugir da pobreza. Esta é filha da ignorância. O que guarda, porém, a repreensão recebe tratamento honroso. Aquele que tem humildade para aprender e coração quebrantado para ser repreendido é colocado em lugar de honra. Deus dá graça aos humildes, mas rejeita os soberbos. Deus exalta os humildes e humilha os arrogantes. Só os ignorantes rejeitam a repreensão. Só os tolos abandonam a instrução. Só os insensatos fazem troça da disciplina. Esses caminharão pela estrada sinuosa da pobreza e da desonra. Aqueles, porém, cuja cerviz se dobra diante da correção e cujo coração é humilde para receber instrução recebem honra e riqueza. Esses caminham pela estrada reta da bem-aventurança, alcançam os horizontes ensolarados da prosperidade e chegam ao destino certo da felicidade.

Não desista de seus sonhos – *O desejo que se cumpre agrada a alma, mas apartar-se do mal é abominável para os insensatos* (Pv 13.19). Sonhos realizados, anseios satisfeitos e desejos cumpridos agradam a alma. Todos nós temos sonhos e anelamos vê-los cumpridos. Quem não sonha não vive; quem desistiu de sonhar desistiu de viver. Muitos veem seus sonhos transformando-se em pesadelos. Outros desistem de seus sonhos e os sepultam, colocando sobre o túmulo deles uma lápide: "Aqui jazem os meus sonhos". Enterrar os sonhos é sepultar-nos vivos na mesma cova.

Isso rouba nossa alegria e faz murchar nossa alma. Porém, o desejo que se cumpre agrada a Deus. Isso nos faz lembrar de Ana, mulher de Elcana. Ela tinha um sonho, o sonho de ser mãe. Seu sonho estava sendo adiado, pois ela era estéril e, por onde passava, as pessoas tentavam matar o seu sonho. Sua rival a provocava; o sacerdote Eli um dia a chamou de bêbada, quando na verdade ela estava derramando sua alma diante de Deus em oração; seu marido tentou dissuadi-la a abandonar o sonho de ser mãe. Ana, porém, perseverou crendo no milagre; seu sonho foi realizado e ela deu à luz Samuel, o maior profeta, o maior sacerdote e o maior juiz de sua geração. Os seus sonhos, caríssimo leitor, também podem se tornar realidade. Não desista, nunca!

Cuidado com suas amizades – *Quem anda com os sábios será sábio, mas o companheiro dos insensatos se tornará mau* (Pv 13.20). Há um ditado popular que diz: "Dize-me com quem andas, e eu te direi quem és". Esse adágio é verdadeiro. Nossas amizades dizem muito a nosso respeito. Aproximamo-nos daqueles que se parecem conosco. Refletimos aqueles com quem andamos. Se andarmos com pessoas íntegras, honestas e piedosas, refletiremos o caráter delas em nossa vida e seremos bem-aventurados. Porém, se nos unirmos a pessoas insensatas, perversas e más, acabaremos comprometidos com essas mesmas atitudes e transtornaremos nossa vida. Por isso, a Palavra de Deus nos exorta: *Filho meu, se os pecadores querem seduzir-te, não o consintas. Se disserem: Vem conosco, embosquemo-nos para derramar sangue, espreitemos, ainda que sem motivo, os inocentes; traguemo-los vivos, como o abismo, e inteiros, como os que descem à cova; acharemos toda sorte de bens preciosos; encheremos de despojos a nossa casa; lança a tua sorte entre nós; teremos todos* *uma só bolsa. Filho meu, não te ponhas a caminho com eles; guarda das suas veredas os pés; porque os seus pés correm para o mal e se apressam a derramar sangue* (Pv 1.10-16). É melhor viver só que mal acompanhado. Busque amigos verdadeiros, amigos que o inspirem a viver mais perto de Deus.

O que você planta, isso você colhe – *A desventura persegue os pecadores, mas os justos serão galardoados com o bem* (Pv 13.21). A lei da semeadura e da colheita é um princípio universal. Colhemos o que plantamos e colhemos mais do que plantamos. Quem semeia com fartura ceifará com abundância. A natureza da semente que plantamos determina a natureza da colheita que teremos. Não podemos plantar o mal e colher o bem. Não podemos colher figos dos espinheiros. A árvore má não produz bons frutos. A Palavra de Deus diz que aquele que semeia ventos colhe tempestade, e quem semeia na carne, da carne colherá corrupção. A desventura, o infortúnio e o mal perseguem os pecadores. Mas os justos serão galardoados com o bem. A prosperidade é a recompensa do justo. A prática do bem, ainda que fique sem a recompensa humana, jamais ficará sem a recompensa divina. José do Egito foi injustiçado por seus irmãos, mas Deus transformou essa injustiça em bênção. O apóstolo Paulo investiu sua vida na plantação de igrejas nas províncias da Galácia, Macedônia, Acaia e Ásia Menor. Sofreu açoites e prisões. Foi apedrejado e fustigado com varas. Carregou no corpo as marcas de Cristo. No final da vida, foi abandonado numa masmorra romana, mas Deus o assistiu e o revestiu de forças. Mesmo não recebendo sua herança na terra, recebeu seu galardão no céu.

Para quem você deixará herança? — *O homem de bem deixa herança aos filhos de seus filhos, mas a riqueza do pecador é depositada para o justo* (Pv 13.22). A Bíblia diz que os pais entesouram para os filhos. Esse é um princípio que rege todas as culturas. O texto em tela, porém, vai além e diz que a pessoa de bem deixa herança não apenas para seus filhos, mas também para seus netos. É diferente, entretanto, o destino da riqueza do pecador. Ele ajunta seus bens com grande sofreguidão, e não poucas vezes até de forma desonesta, mas esses dividendos serão depositados para o justo. O pecador não apenas deixará de usufruir plenamente esses valores, mas também não os deixará como herança para seus filhos e netos. Aqueles que, com ganância, ajuntam campo a campo e casa a casa e acumulam bens mal adquiridos, esses jamais se aquecem nem jamais se fartam. Eles têm tudo, mas não sentem satisfação em nada. Acumulam bens, mas essas riquezas não lhes proporcionam felicidade. Vivem em luxuosos condomínios fechados, mas não se sentem seguros. Aquilo que entesouram com tanta gana vaza por seus dedos e escapa de suas mãos. Por buscarem em primeiro lugar a riqueza e por amarem o dinheiro mais do que a Deus, atormentarão sua alma com muitos flagelos e ainda não deixarão sua herança para sua futura geração.

Quando a justiça falha — *A terra virgem dos pobres dá mantimento em abundância, mas a falta de justiça o dissipa* (Pv 13.23). Há pobreza que não é resultado de indolência, mas de injustiça. Há pessoas honradas que lutam com grande empenho e trabalham com grande esforço, mas não usufruem o resultado de seu trabalho em virtude do sistema perverso e injusto que assalta o seu direito. O povo de Israel, muitas vezes, foi oprimido por inimigos políticos.

Eles plantavam suas lavouras e colhiam seus frutos abundantes, mas precisavam entregar o melhor de sua colheita para pagar pesados tributos aos reinos estrangeiros. Outras vezes, eles eram explorados pelos próprios irmãos, que, em tempos de aperto, lhes emprestavam dinheiro com usura e depois, com juros pesados, acabavam tomando suas terras, suas lavouras, suas casas e até mesmo seus filhos. Essa dolorosa realidade existe ainda hoje. Temos em nossa nação uma das mais pesadas cargas tributárias do mundo. Trabalhamos à meia com o governo. Nossa terra produz mantimento com abundância, mas o injusto sistema tributário dissipa o fruto do nosso trabalho. Aqueles que, por dever de consciência, não lançam mão da sonegação gemem para pagar seus impostos. E, o pior, veem estarrecidos essas riquezas caindo no ralo da corrupção, desviadas para abastecer contas robustas de indivíduos inescrupulosos.

Disciplina, ato responsável de amor – *O que retém a vara aborrece a seu filho, mas o que o ama, cedo, o disciplina* (Pv 13.24). Disciplina não é punição nem castigo, mas ato responsável de amor. Os filhos precisam de limites. Precisam saber o que é certo e errado. Precisam ter balizas claras e princípios firmes. Os pais não podem premiar a desobediência nem ser coniventes com o pecado dos filhos. Os pais não podem ser omissos diante da rebeldia dos filhos. Quem se nega a disciplinar seu filho não o ama. O pai que ama o filho com responsabilidade não hesita em discipliná-lo. A disciplina também precisa ser aplicada no tempo certo. Uma planta tenra facilmente pode ser envergada, mas, depois que cresce, engrossa o caule e se torna uma árvore frondosa, é impossível dobrá-la. Precisamos corrigir nossos filhos desde a mais tenra idade. Precisamos inculcar neles a verdade de Deus desde a meninice. Precisamos ensinar-lhes não o caminho em que eles querem andar, nem o caminho em que eles precisam andar. A ordem de Deus é ensiná-los *no* caminho, servindo-lhes de exemplo. A ausência de disciplina desemboca em insubmissão. Mas a disciplina aplicada com amor e integridade produz os frutos pacíficos da justiça.

Fome insaciável – *O justo tem o bastante para satisfazer o seu apetite, mas o estômago dos perversos passa fome* (Pv 13.25). A fome do corpo pode ser mitigada com um prato de comida, mas a fome da alma não se satisfaz com o pão da terra. Os prazeres desta vida e as riquezas deste mundo não satisfazem nossa alma. Temos um vazio no coração com o formato de Deus, e nada nem ninguém pode preencher esse vazio, a não ser o próprio Deus. Os dons de Deus não substituem Deus. As dádivas não substituem o doador. A bênção não é um substituto do abençoador. Só Deus pode nos satisfazer. O justo não é desamparado, nem sua descendência mendiga o pão. O justo tem pão com fartura e desfruta de todas as iguarias da mesa do Pai. Ele tem o bastante para satisfazer seu apetite, pois alimenta-se do Pão vivo que desceu do céu. O estômago do perverso, porém, passa fome, e sua alma definha de inanição espiritual. O ímpio alimenta-se de pó. Mesmo que ele jogue para dentro da sua alma as mais diversas aventuras, não encontra nelas nenhum prazer. O ímpio constrói casas, mas não se sente seguro nem feliz dentro delas. Ele planta vinhas, mas não se delicia com o vinho delas oriundo. Ele se assenta ao redor de lautos banquetes, mas seu estômago não se sacia com nenhuma dessas iguarias. Na verdade, a fome do perverso é insaciável, pois ele não conhece Deus, o único que pode satisfazer a alma.

Capítulo 14

A sabedoria instrui acerca do temor do Senhor
(Pv 14.1-35)

O VALOR DA MULHER SÁBIA – *A mulher sábia edifica a sua casa, mas a insensata, com as próprias mãos a derruba* (Pv 14.1). As mulheres sempre estiveram na vanguarda dos valores morais que sustentam a vida familiar. Quando as mulheres abandonam esses princípios, é porque a sociedade está chegando ao fundo do poço de sua degradação. O sábio nos fala a respeito de dois tipos de mulheres. Não se refere a mulheres ricas e pobres, jovens e velhas, belas e desprovidas de beleza, mas a mulheres sábias e insensatas. A mulher sábia edifica a sua casa, pois é arquiteta dos valores morais que ornam a vida familiar. Se a construção com pedras e tijolos exige investimento e perícia, quanto mais a construção do lar e dos relacionamentos! A mulher sábia é aquela que investe seu tempo, sua vida, seus sentimentos, seus recursos e sua alma em pessoas, mais do que em coisas. Ela valoriza mais relacionamentos do que objetos. Dá mais importância à beleza interna do que ao requinte externo. A mulher insensata, porém, é demolidora. Suas palavras e ações provocam um verdadeiro terremoto na família. Ela desagrega, divide e separa. Suas mãos não trabalham para o bem, mas para o mal. Ela não é uma escultora do eterno, mas uma costureira do efêmero.

Não ande por caminhos tortuosos – *O que anda na retidão teme ao Senhor, mas o que anda em caminhos tortuosos, esse o despreza* (Pv 14.2). Só há dois caminhos: o largo e o estreito; o caminho da vida e o da morte; o caminho da retidão e o caminho tortuoso. Só há duas portas: a porta da salvação e a porta da perdição. Só há dois destinos: a bem-aventurança eterna e o sofrimento eterno. Aqueles que andam pelas veredas da retidão temem o Senhor e nele se deleitam. Aqueles, porém, que andam pelos caminhos tortuosos, pelas estradas atrativas do pecado, desprezam o temor ao Senhor. Se o temor ao Senhor é o princípio da sabedoria, só os insensatos desprezam o temor ao Senhor. A Bíblia fala que há caminhos que ao ser humano parecem direito, mas, no final, são caminhos de morte. Há caminhos que nos levam para as vantagens imediatas e para os prazeres mais arrebatadores, mas depois nos cobram um preço altíssimo. O pecado não compensa. O pecado é um embuste. Promete mundos e fundos, mas nos tira tudo: a comunhão com Deus, a paz e o sentido da vida. O pecado é maligníssimo. Esconde atrás de seus atrativos uma isca mortal. Não acompanhe aqueles que seguem rápido pelas estradas sinuosas, desprezando o temor ao Senhor. Esses estão marchando para o abismo, para a morte inevitável.

A língua, chicote da alma – *Está na boca do insensato a vara para a sua própria soberba, mas os lábios do prudente o preservarão* (Pv 14.3). O insensato é aquele que fala muito, não comunica nada e se complica todo. O insensato tropeça na própria língua. A língua do tolo é o chicote que açoita sua própria vida empapuçada de soberba. O soberbo é aquele que pensa que é melhor do que os outros, e o insensato é aquele que, além de pensar assim, ainda fala sobre isso publicamente. Como Deus não tolera o soberbo e declara guerra aos altivos de coração, permite que a língua dos insensatos lhes dê a merecida coça. Diferente do insensato é o prudente, cujos lábios o preservam de situações perigosas e de constrangimentos desnecessários. O sábio não ostenta poder, conhecimento ou grandeza. O sábio não humilha o próximo; antes, trata-o com respeito e dignidade, considerando os outros superiores a si mesmo. Enquanto a língua do insensato é um chicote que o açoita, a língua do prudente desarma as ciladas tramadas contra ele. Da boca do sábio fluem palavras de vida, e não sementes de morte. Da boca do sábio prorrompem palavras de consolo para o coração, e não tormento para a alma. O prudente é alguém cuja vida é uma bênção para as outras pessoas; o insensato é alguém que não consegue poupar nem a si mesmo de suas loucuras.

Mania de limpeza, um perigo real – *Não havendo bois, o celeiro fica limpo, mas pela força do boi há abundância de colheitas* (Pv 14.4). Há pessoas que têm mania de limpeza.

Preferem a falta de atividade à desarrumação empreendedora. Preferem ver a casa limpa a qualquer movimento de trabalho. Preferem ver o celeiro limpo, mesmo não havendo bois. O trabalho gera movimento, e movimento produz desconforto, barulho, desinstalação. Um celeiro cheio de bois jamais fica impecavelmente limpo. No entanto, a limpeza sem trabalho não é sinal de progresso, mas de estagnação. A limpeza sem trabalho desemboca em pobreza, e não em prosperidade. Quando há boi no celeiro, quando há gado no curral, mesmo que isso gere o desconforto da sujeira, também produz a recompensa do trabalho e a abundância das colheitas. Há muitas casas em que os filhos não podem tirar uma cadeira do lugar. Os móveis estão sempre impecavelmente limpos, os tapetes sempre bem escovados, mas nessas casas não há a agitação de estudantes com livros abertos, nem o movimento de trabalhadores que se lançam na faina do progresso. Esse tipo de limpeza cujos resultados incluem mente vazia, mãos ociosas e falta de abundantes colheitas não é um bem a ser desejado, mas um perigo real a ser evitado.

A testemunha verdadeira e a testemunha falsa – *A testemunha verdadeira não mente, mas a falsa se desboca em mentiras* (Pv 14.5). Uma testemunha é alguém que viu alguma coisa e compartilha isso com fidelidade. Uma testemunha não reparte impressões subjetivas, mas experiências objetivas. Não fala o que sente, mas o que viu. O papel da testemunha não é dar sua versão dos fatos, mas fazer uma narração com integridade. A testemunha verdadeira não mente, não adultera os fatos nem se deixa subornar por vantagens inconfessas. Jesus foi condenado pelo Sinédrio judaico porque os próprios juízes contrataram testemunhas falsas para acusá-lo. O mesmo destino sofreu Estêvão, o primeiro mártir do cristianismo. Nossas palavras devem ser "sim, sim" e "não, não". O que passa disso é inspirado pelo maligno. A mentira procede do maligno e promove seus interesses. Por isso, a falsa testemunha se desboca em mentiras, conspirando contra a verdade. Como a mentira tem pernas curtas e como o tempo é o senhor da razão, a mentira pode ficar encoberta por algum tempo, mas não por todo o tempo. A mentira pode enganar alguns, mas não a todos. A mentira pode ter recompensas imediatas, mas sofrerá as consequências de um vexame eterno.

A sabedoria não habita onde existe insensatez – *O escarnecedor procura a sabedoria e não a encontra, mas para o prudente o conhecimento é fácil* (Pv 14.6). Sabedoria é mais do que conhecimento. Sabedoria é o uso correto do conhecimento. Sabedoria é olhar para a vida com os olhos de Deus. Há muitas pessoas cultas que são tolas, enquanto há indivíduos que, mesmo não tendo perlustrado os bancos de uma universidade, são sábios. Sabedoria não se aprende na academia, mas na escola da vida. Sabedoria aprende-se aos pés do Senhor. O temor ao Senhor é o princípio da sabedoria. É por isso que o escarnecedor procura a sabedoria e não a encontra: porque o escarnecedor jamais procura Deus. Ele não conhece a Palavra de Deus nem se deleita na lei de Deus. Seu prazer está no pecado, e não na santidade. A sabedoria não habita na casa da insensatez. Já o prudente busca o conhecimento e com ele acha a sabedoria. A sabedoria é mais do que uma percepção diante das realidades e dos desafios da vida. A sabedoria é uma pessoa. Jesus é a nossa sabedoria. Aqueles que conhecem Jesus e vivem em sua presença e para o louvor da sua glória alcançam o verdadeiro sentido da vida.

O perigo das más companhias – *Foge da presença do homem insensato, porque nele não divisarás lábios de conhecimento* (Pv 14.7). Quem anda com o tolo, tolo se torna. Porém, quem anda com os sábios aprende a sabedoria e encontra a felicidade. Assim como não podemos colher figos de espinheiros nem bons frutos de uma árvore má, também não podemos encontrar conhecimento na presença do insensato. A orientação de Deus não é filtrar aquilo que o tolo fala, mas fugir de sua presença. A única forma de nos livrarmos da influência maléfica das palavras do tolo é nos mantermos longe dele. O primeiro degrau da felicidade é nos afastarmos do conselho dos ímpios, do caminho dos pecadores e da roda dos escarnecedores. Só depois, encontraremos deleite na meditação da Palavra de Deus. Não podemos permanecer em más companhias e ao mesmo tempo deleitar-nos na presença de Deus. Não podemos viver no pecado e ao mesmo tempo ter prazer na leitura da Bíblia. Dwight Moody certa feita disse a seus ouvintes: "A Bíblia afastará vocês do pecado, ou o pecado afastará vocês da Bíblia".

Conhece-te a ti mesmo – *A sabedoria do prudente é entender o seu próprio caminho, mas a estultícia dos insensatos é enganadora* (Pv 14.8). O grande reformador João Calvino diz na introdução das *Institutas da religião cristã* que nós só podemos conhecer Deus porque ele se revelou a nós. Isso é um fato acima de questionamento. Também é uma verdade incontroversa que não podemos conhecer a nós mesmos, a não ser pelas lentes da sabedoria. O pecado nos tornou seres ambíguos, contraditórios e paradoxais. Somos seres em conflito. Conflito com Deus, com o próximo, com nós mesmos e com a natureza. Há uma esquizofrenia instalada em nosso peito. O bem que queremos fazer, esse não fazemos; mas o mal que não queremos, esse praticamos. O prudente, portanto, é aquele que busca entender o seu próprio caminho, e isso à luz da Palavra de Deus, pela iluminação do Espírito Santo. O tolo, com sua estultícia, além de viver enganado acerca de sua identidade e do seu destino, ainda faz da vida uma corrida inglória com o propósito de enganar outras pessoas. O tolo não sabe o que faz. Sua vida é uma miragem. Seus conselhos são perversos. Seus lábios são cheios de engano. Seu caminho desemboca na ruína.

Quem zomba do pecado é louco – *Os loucos zombam do pecado, mas entre os retos há boa vontade* (Pv 14.9). O pecado é um embuste. É uma isca apetitosa, mas esconde a fisga da morte. Promete o maior dos prazeres e paga com a maior das desventuras. O pecado é o maior de todos os males. É pior do que a pobreza, a solidão, a doença e a própria morte. Todos esses males, embora graves, não podem nos afastar de Deus, mas o pecado nos afasta de Deus agora e por toda a eternidade. O pecado é maligníssimo. Seu salário é a morte. Por isso, só uma pessoa louca zomba dele. Só os tolos pecam e não se importam. Só os insensatos zombam da ideia de reparar o pecado cometido. Entre os retos, porém, há coração quebrantado, arrependimento e boa vontade. Os retos são aqueles que reconhecem seus pecados, os confessam e os deixam. Eles sentem tristeza pelo pecado, e não apenas pelas consequências do pecado. Os retos são aqueles que encontram o favor de Deus, recebem seu perdão e ficam livres da culpa. Os retos abominam as coisas que Deus abomina, afastam-se daquilo que Deus repudia e buscam o que Deus ama. Os retos fogem do pecado para Deus, enquanto os tolos fogem de Deus para o pecado.

A vida não é um mar de rosas – *O coração conhece a sua própria amargura, e da sua alegria não participará o estranho* (Pv 14.10). A vida não é um parque de diversões nem um mar de rosas. A vida não é uma estufa espiritual nem uma redoma de vidro. Não podemos nos blindar contra os reveses da vida. A vida não é indolor. Nosso coração é um campo onde se travam muitas batalhas. Nessa peleja renhida, muitas vezes, nosso coração conhece profundas amarguras. Lutamos contra medos e fraquezas. Travamos uma batalha sem trégua contra o diabo e o pecado. Pelejamos contra os outros e ainda contra nós mesmos. Entramos no palco da vida como seres ambíguos e contraditórios. Decepcionamos as pessoas, e as pessoas nos decepcionam. Choramos por nós mesmos e por nossos familiares. Nessa saga cheia de gemidos, a cidadela do nosso coração é um país distante e uma terra desconhecida, em que não repartimos nossas amarguras mais profundas com as pessoas mais íntimas nem dividimos nossas alegrias com os estranhos. Muitas vezes, a solidão é nossa companheira de caminhada. Conversamos com nossa própria alma. Abrimos um solilóquio com o nosso próprio coração e rasgamos nosso íntimo para conhecer nossas amarguras e alegrias.

Não construa sua casa na areia – *A casa dos perversos será destruída, mas a tenda dos retos florescerá* (Pv 14.11). Uma casa pode ser muito bonita e atraente, mas, se não for construída sobre um sólido fundamento, será destruída quando a tempestade chegar. É como construir uma casa sobre a areia. Quando a chuva cai, o vento sopra e os rios batem nos alicerces, essa casa vai ao chão. É assim que acontece com a casa do perverso. A vida daqueles que não conhecem Deus não tem fundamento. A Bíblia diz que, se o Senhor não edificar a casa, em vão trabalham aqueles que a edificam. Construir uma família sem a presença de Deus é construir para o desastre. Dinheiro e sucesso não podem manter uma família firme diante das tempestades da vida. A maior necessidade da família não é de coisas, mas de Deus. É por isso que a tenda dos retos florescerá. Não porque sua casa esteja fora do alcance da tempestade, mas porque, embora a chuva caia no telhado, os ventos soprem contra a parede e os rios açoitem o alicerce, a casa permanece de pé, porque não foi construída sobre a areia, mas sobre a rocha. Essa tenda floresce porque Deus nela habita. Essa tenda floresce porque a bênção de Deus está sobre ela. Essa tenda floresce porque aqueles que nela habitam são como árvores plantadas junto às correntes das águas, que jamais murcham e nunca deixam de produzir o seu fruto.

Cuidado com os caminhos de morte – *Há caminho que ao homem parece direito, mas ao cabo dá em caminhos de morte* (Pv 14.12). As aparências enganam. As coisas nem sempre são aquilo que aparentam ser. Há caminhos que parecem ser retos aos nossos olhos, mas desembocam na morte. Há caminhos que parecem conduzir nossos passos ao destino da felicidade, mas traiçoeiramente nos empurram para o abismo da infelicidade. Assim são os prazeres da vida. Quantas pessoas se entregam às aventuras, na ilusão de encontrar a felicidade! Quantas pessoas pensam que uma noite de paixão pode lhes saciar os desejos do coração! Quantos indivíduos se entregam à bebida pensando que a felicidade está no fundo de uma garrafa! Quantos cedem à sedução das drogas, na ilusão de que terão experiências arrebatadoras! O diabo, com sua astúcia, mostra os atrativos do pecado, mas esconde suas amargas consequências. Por trás da isca da sedução, está o anzol da morte. Por trás do sexo ilícito, está a culpa. Por trás do amor ao dinheiro, está o tormento. Por trás do copo reluzente da bebida alcoólica, está a escravidão. Por trás das drogas, está a morte. O pecado é um embuste. É um engano fatal. Quem segue por essa estrada larga, no bonde dos prazeres, desembarcará no inferno.

Quando o riso é temperado com a dor – *Até no riso tem dor o coração, e o fim da alegria é tristeza* (Pv 14.13). Certa feita, eu estava pregando em um congresso de médicos. Uma sorridente enfermeira que nos recepcionava naquele encontro, depois de uma palestra ministrada, perguntou diretamente a mim: "O senhor está vendo esse belo sorriso que tenho?" Respondi-lhe: "É impossível deixar de ver". Então, ela me disse: "Esse sorriso é uma mentira. Por trás desse sorriso, carrego um coração sofrido e doente". Há muitos indivíduos que abrem os lábios para cantar, mas o coração está esmagado pela dor. A dor é uma companheira inseparável, que pulsa em nossa alma e lateja em nosso coração até mesmo quando abrimos um sorriso em nossa face. O patriarca Jó certa vez disse: *Se eu me calar, minha dor não cessa* (Jó 16.6). O sorriso pode esconder a tristeza; pois, quando a felicidade vai embora, a tristeza já chegou. Nossa jornada aqui é marcada por dor e sofrimento. Aqui choramos e sangramos. Entramos no mundo chorando e não raras vezes saímos dele com dor no coração. Entre nossa entrada e nossa saída, muitas vezes nossa alegria é interrompida pelas perdas, pela doença e pelo luto. Mas haverá um dia em que Deus enxugará dos nossos olhos toda lágrima. Então não haverá mais pranto nem luto nem dor.

A lei da semeadura e da colheita – *O infiel de coração dos seus próprios caminhos se farta, como do seu próprio proceder, o homem de bem* (Pv 14.14). A lei da semeadura e da colheita é universal. Cada pessoa colhe o que plantou. Os maus terão o que merecem, mas a pessoa de bem será recompensada pelo que faz. Os infiéis receberão a retribuição de sua conduta, mas a pessoa boa receberá galardão até por um copo de água fria que der a alguém em nome de Jesus. Em outras palavras, o que uma pessoa semeia, é isso mesmo que ela colhe. Quem espalha sementes de bondade colhe bondade. Quem semeia maldade ceifará maldade. O infiel de coração não só colhe o mal que semeou, mas faz uma abundante colheita a ponto de fartar-se. Ele semeia apenas vento, mas sua colheita é tempestade. O mal que ele intentou no coração encurrala sua vida por todos os lados. Aquilo que ele desejou em secreto transborda publicamente para todas as direções. O mal que ele desejou para os outros recai sobre sua própria cabeça. Totalmente diferente é a pessoa de bem. Ela é recompensada pelo seu proceder. Seu coração é generoso, suas mãos são prestativas e sua vida é uma inspiração. Mesmo que os outros lhe façam mal, ela paga com o bem. Mesmo que sofra injustiças, ela perdoa. Mesmo que lhe firam a face, ela volta a outra face. A pessoa de bem é uma abençoadora. Sua recompensa não vem da terra, mas do céu; não vem dos outros, mas de Deus.

Cautela não faz mal a ninguém – *O simples dá crédito a toda palavra, mas o prudente atenta para os seus passos* (Pv 14.15). A pessoa simples é crédula e acredita em tudo. O inexperiente não examina onde pisa e acredita em qualquer coisa. Quem não tem cautela torna-se presa fácil dos espertalhões e cai na armadilha dos exploradores. A exploração está presente em todas as áreas da vida e em todos os setores da sociedade. Vende-se gato por lebre. Maquia-se a mentira com um verniz tênue de verdade, e os incautos caem por falta de conhecimento e prudência. No campo religioso, abundam os exploradores que sobem ao púlpito com a Bíblia na mão e fazem promessas mirabolantes ao povo, apenas para lhes extorquir o último centavo que têm no bolso. Por falta de conhecimento, o povo se rende a esses apelos e acaba prisioneiro de espertalhões que fazem da religião uma fonte de lucro, e da fé um comércio sagrado. Precisamos de cautela. Devemos examinar todas as coisas e passar todas elas pelo filtro da verdade. A Bíblia diz que se julga uma árvore por seus frutos. Uma árvore má não pode produzir bons frutos. Uma pessoa inescrupulosa e falastrona não merece crédito. Não podemos dar guarida a tudo aquilo que escutamos. Um pouco de cautela não faz mal a ninguém.

Não se envolva em encrencas – *O sábio é cauteloso e desvia-se do mal, mas o insensato encoleriza-se e dá-se por seguro* (Pv 14.16). Há pessoas que atraem problemas, envolvem-se facilmente em discussões tolas e perdem a calma, a compostura e a razão. O insensato encoleriza-se e dá-se por seguro. O tolo é impetuoso e irresponsável. É descuidado e age sem pensar. É arrogante e confia em si mesmo. Envolve-se com frequência em encrencas que lhe custam a honra, a paz e até a própria vida. Muito diferente é a atitude do sábio. Ele desvia os seus pés do mal. Quem tem juízo toma cuidado a fim de não se meter em dificuldades. Os jornais destacam todos os dias os muitos crimes que acontecem no campo e na cidade. Quando se vai fazer um diagnóstico desses desatinos, percebe-se que a maioria tem o mesmo pano de fundo: embriaguez, drogas e promiscuidade. Precisamos ter cautela para nos afastarmos de más companhias. Precisamos ter sabedoria para nos ausentarmos de lugares e ambientes que são um laço para a nossa alma. Precisamos ter coragem para fugirmos das paixões da carne. O caminho da felicidade não é a aventura pecaminosa, mas a santidade. A bem-aventurança não está nas taças dos prazeres do mundo, mas na intimidade com o Senhor.

Cuidado com a ira – *O que presto se ira faz loucuras, e o homem de maus desígnios é odiado* (Pv 14.17). A ira é um fogo crepitante e assaz perigoso. Uma pessoa iracunda é uma bomba mortífera prestes a explodir. E, quando explode, espalha estilhaços para todos os lados e fere as pessoas à sua volta. Quem se zanga facilmente fala muito, pensa pouco e provoca grandes transtornos a si mesmo e aos demais. A pessoa de maus desígnios é odiada. Torna-se *persona non grata*. O destempero emocional provoca muitas tensões e conflitos no lar, no trabalho e nos demais setores da vida comunitária. É melhor morar no deserto do que se relacionar com uma pessoa rixosa. É melhor viver só do que ser acompanhado por uma pessoa irritadiça. Há duas maneiras erradas de lidar com a ira. A primeira delas é a explosão da ira. Um indivíduo temperamental e explosivo machuca as pessoas com suas palavras e atitudes. Torna-se duro no trato e maligno em suas ações. A segunda maneira errada de lidar com a ira é o seu congelamento. Há aqueles que não explodem, mas armazenam a ira. Não externalizam sua agressividade, mas a acumulam no coração. Tornam-se pessoas amargas, mal-humoradas, que se fecham como uma cabeça de repolho e acabam azedando a alma. A solução não é a explosão nem o congelamento da ira, mas o exercício do perdão. O perdão cura e restaura. O perdão é assepsia da alma, a faxina da mente e a cura das emoções.

Valorize o conhecimento – *Os simples herdam a estultícia, mas os prudentes se coroam de conhecimento* (Pv 14.18). O conhecimento é o melhor tesouro que podemos acumular. Os bens se dissipam, mas o conhecimento permanece. O dinheiro pode ser roubado, mas ninguém pode assaltar o cofre da nossa mente para roubar o que lá depositamos. Os tesouros que granjeamos aqui podem ser dilapidados pela ferrugem, carcomidos pela traça e saqueados por ladrões, mas o conhecimento que granjeamos é um bem inalienável que ninguém nos pode tirar. Aqueles que desprezam o conhecimento e se gabam de coisas são tolos e herdam a estultícia, mas os prudentes se coroam de conhecimento. Os sábios investem tempo na busca do conhecimento. Eles se privam de confortos imediatos para adquirirem o conhecimento, mas esse conhecimento é em si mesmo um grande prazer. O conhecimento distingue o prudente, coroa-o de honra e eleva-o a uma posição de destaque. A Bíblia nos ensina a empregarmos o melhor dos nossos recursos para adquirir a sabedoria. Os tolos fazem troça da sabedoria e folgam-se com sua sandice, mas, no final, serão envergonhados e receberão como herança apenas aquilo que não tem nenhum valor. Mas os prudentes que buscaram o conhecimento herdarão honra e felicidade.

A recompensa da bondade – *Os maus inclinam-se perante a face dos bons, e os perversos junto à porta do justo* (Pv 14.19). As pessoas más, temporariamente, parecem ser mais fortes, mais espertas e mais bem-sucedidas do que as pessoas boas. Prevalecem pela força. Fazem estardalhaço nos tribunais e amedrontam pelas suas bravatas. Porém, essa vantagem dos maus é apenas aparente e temporária. A maldade não compensa. As conquistas alcançadas pelo uso da maldade terminam em derrotas amargas e fatídicas. O prevalecimento pela força torna-se fraqueza consumada. As vitórias adquiridas pela injustiça convertem-se em fracasso vergonhoso. Os justos, mesmo sofrendo afrontas e ameaças, mesmo colhendo perdas e prejuízos, triunfarão; os maus terão de inclinar-se perante a face dos bons, e os perversos terão de se dobrar à porta dos justos. A maldade não compensa. Pode parecer robusta e imbatível, mas carrega dentro de si o potencial para o desastre. A bondade, porém, tem recompensa garantida. Os bons podem até descer à cova, vítimas da mais clamorosa injustiça, mas receberão do reto Juiz a bem-aventurada recompensa. Os justos podem até sofrer temporariamente escárnios e perseguições, mas no final receberão gloriosa recompensa.

Os dramas da pobreza – *O pobre é odiado até do vizinho, mas o rico tem muitos amigos* (Pv 14.20). Os valores em nossa sociedade estão invertidos. Os relacionamentos estão se tornando utilitaristas. As pessoas se aproximam umas das outras não porque desejam servir, mas porque anseiam receber alguma coisa em troca. O Salmo 73 retrata bem essa realidade. O ímpio vê suas riquezas aumentando e, mesmo assentado na cadeira da soberba, tem sua casa cheia de amigos. Esses amigos, porém, não são verdadeiros. São exploradores. São aproveitadores. Buscam uma oportunidade para alcançar algum favor. Na verdade, esses amigos não passam de bajuladores, pessoas sem escrúpulo, cujo caráter é governado pela cobiça. O pobre, em sua penúria, por outro lado, vive na solidão. Sua pobreza não lhe dá prestígio. Os aduladores não encontram no pobre um porto seguro para seus interesses avarentos. Abandonam-no à sua desdita. Até mesmo os vizinhos mais achegados desprezam o pobre e passam a odiá-lo porque não recebem nenhuma recompensa imediata desse relacionamento. Vale, entretanto, ressaltar que é melhor viver só, com integridade, do que cercado de falsos amigos. É melhor ser pobre, mas colocar a cabeça no travesseiro da integridade, do que viver cercado de bens mal adquiridos, mas sofrer tentando dormir sobre um colchão cheio de espinhos.

A felicidade da compaixão – *O que despreza ao seu vizinho peca, mas o que se compadece dos pobres é feliz* (Pv 14.21). O desprezo ao próximo, especialmente ao vizinho, é uma atitude reprovável em qualquer código moral humano e também uma afronta à lei de Deus. Devemos amar e abençoar nosso vizinho, em vez de desprezá-lo. Devemos buscar oportunidades para servi-lo, em vez de ignorá-lo. O desprezo ao vizinho é uma atitude insensata, pois quem semeia desprezo colhe solidão. Quem deixa de investir na vida das pessoas mais próximas acabará seus dias no mais doloroso ostracismo. A felicidade não está em vivermos de forma egoísta, mas em ser compassivos e generosos, especialmente com aqueles que jazem à nossa porta. *O que se compadece dos pobres é feliz*. Quem tem o coração franqueado para amar e o bolso aberto para socorrer os necessitados é que desfruta de verdadeira alegria. A generosidade é uma fonte de prazer. O amor ao próximo é o elixir da vida, o tônico da longevidade e a essência da própria felicidade. Quem dá ao pobre empresta a Deus. A alma generosa prosperará. Quem espalha na vida do pobre as sementes da bondade semeia num campo fértil e terá uma colheita abundante. O semeador encontra na própria ação de semear uma alegria indizível e no fim, ainda, terá uma recompensa que não necessariamente vem da terra, mas certamente virá do céu.

Planejamento, as sementes do futuro – *Acaso não erram os que maquinam o mal? Mas amor e fidelidade haverá para os que planejam o bem* (Pv 14.22). Não podemos construir uma casa sem uma planta. Não podemos fazer uma viagem sem decidir o roteiro. Não podemos iniciar um empreendimento sem examinar primeiro os custos. É insensatez agir sem planejamento. Quem faz sem planejar, planeja fracassar. O planejamento é a semente do futuro. Há pessoas que maquinam o mal e gastam seu tempo, suas energias e sua vida cogitando formas e meios de extorquir o próximo para adquirir riquezas ilícitas. Esses pecam contra Deus, contra o próximo e contra si mesmos. Na busca de uma felicidade egoísta, colhem amarga infelicidade. Porém, aqueles que planejam o bem e empregam sua potencialidade para buscar meios de abençoar as pessoas encontram nesse planejamento amor e felicidade. É impossível planejar o bem sem ser governado pelo vetor da fidelidade pessoal e do amor ao próximo. O bem não transige com a falta de integridade. Onde a integridade precisa ser comprometida, desse ninho a fidelidade já bateu asas. Onde o amor ao próximo não pode ser praticado, o que resta é a maldade, e não o bem. Que tipo de planejamento ocupa sua mente e seu coração, caro leitor? Que colheita você fará no futuro?

O trabalho é sempre proveitoso – *Em todo trabalho há proveito; meras palavras, porém, levam à penúria* (Pv 14.23). Vivemos a cultura do enriquecimento rápido. As loterias e as casas de jogos alimentam a esperança de um enriquecimento imediato e sem esforço. Os cassinos prometem uma via alternativa cujo destino é a riqueza sem o suor do rosto. Mas a riqueza não é filha da aventura, e sim do trabalho. Os tolos passam o tempo todo correndo atrás do vento, contando suas lorotas e fazendo seus planos mirabolantes, mas os prudentes põem a mão na massa e trabalham com dedicação. O trabalho enobrece o ser humano. Traz dignidade para a vida e robustez para o caráter. O trabalho faz crescer a sociedade e gera riquezas para a nação. O trabalho promove o progresso e oferece segurança e dignidade para a família. Há um adágio popular que diz: "Mente vazia, oficina do diabo". As mãos que não se ocupam com o trabalho acabam se ocupando com o crime. Os ociosos maquinam o mal. Os vagabundos, que se rendem à preguiça, são um peso para o Estado, uma vergonha para a família e uma ameaça à paz social. Até mesmo aqueles que cumprem pena no cárcere, privados de liberdade, deveriam ser matriculados na escola do trabalho. Só assim, terão chance de ser reintegrados ao convívio da sociedade como provedores da família, e não como parasitas da nação.

A sabedoria produz riqueza – *Aos sábios a riqueza é coroa, mas a estultícia dos insensatos não passa de estultícia* (Pv 14.24). A riqueza não produz sabedoria, mas a sabedoria produz riqueza. Nem todo rico é sábio, mas todo sábio é rico, pois riqueza não é tanto aquilo que possuímos, mas aquilo que somos. Riqueza não tem que ver apenas com o que carregamos no bolso, mas sobretudo com o que levamos no coração. Riqueza não é apenas uma fina camada de verniz de ouro, mas a nobreza de caráter. Há uns que se dizem ricos sendo muito pobres, mas há outros que, mesmo sendo pobres, são muito ricos. O apóstolo Paulo se refere àqueles que são pobres, mas enriquecem muitos; àqueles que nada têm, mas possuem tudo. A felicidade não mora na casa da riqueza, mas na casa da sabedoria. A felicidade não está no ter, mas no ser. O dinheiro não pode nos dar felicidade, mas o contentamento com piedade é grande fonte de lucro, pois o contentamento nos oferece tanto felicidade quanto segurança interior. Quando o nosso contentamento está em Deus, podemos viver contentes em toda e qualquer situação, quer morando num palacete quer num casebre, pois nossa felicidade não vem das circunstâncias, mas de Deus.

O valor da testemunha verdadeira – *A testemunha verdadeira livra almas, mas o que se desboca em mentiras é enganador* (Pv 14.25). Uma testemunha é alguém que fala a verdade acerca do que viu e ouviu. O papel de uma testemunha não é falar sobre seus sentimentos ou suas opiniões. Cabe à testemunha narrar com fidelidade os fatos que viu e ouviu. Ao longo da história, muitos tribunais proferiram sentenças injustas porque testemunhas infiéis deram falso testemunho, escondendo e escamoteando a verdade. José do Egito foi parar na cadeia quando a verdadeira culpada do crime era sua própria acusadora. O Sinédrio judaico contratou testemunhas falsas para acusar Jesus e assim o sentenciaram à morte. O mesmo destino sofreu o diácono Estêvão, que acabou apedrejado por uma turba ensandecida. O que abre sua boca para promover a mentira é um enganador. Aquele que vende sua consciência e altera a realidade dos fatos para obter vantagens pessoais, acusando inocentes e inocentando culpados, labora em erro e torna-se agente do mal. No entanto, a testemunha que fala a verdade salva vidas e livra as pessoas da morte. A verdade é luz. A verdade é pura. A verdade promove a justiça. Nossos lábios devem estar a serviço da verdade, e não da mentira; do bem, e não do mal; da justiça, e não da iniquidade. O verdadeiro cidadão do céu é aquele que jura com dano próprio e não se retrata.

Um castelo seguro para a família – *No temor do SENHOR, tem o homem forte amparo, e isso é refúgio para os seus filhos* (Pv 14.26). O temor ao Senhor não é fobia de Deus, mas reverência santa. O temor ao Senhor não nos leva a fugir de Deus, mas a corrermos para Deus. O temor ao Senhor é o princípio da sabedoria. É por meio dele que fugimos do mal e nos apegamos ao bem. Quando tememos a Deus, nossas palavras e ações são governadas pela santidade. Quando tememos a Deus, mantemos integridade nos relacionamentos, mesmo quando estamos longe dos holofotes. No temor ao Senhor encontramos um forte amparo, um firme apoio, uma fortaleza segura, uma confiança inabalável. Esse castelo seguro não é apenas para nós, mas também, e sobretudo, para nossa família. Quando uma pessoa teme a Deus, está com isso protegendo seus próprios filhos. O temor ao Senhor livra a família de tragédias. O temor ao Senhor afasta nossos filhos de pessoas nocivas, de conselhos perversos, de ambientes perigosos, de circunstâncias tentadoras e de caminhos sinuosos. O temor ao Senhor não é refúgio apenas para nós, mas também para nossos filhos. A melhor proteção que poderemos dar à nossa família é andarmos no temor ao Senhor. A melhor segurança que nossos filhos podem ter é viver no temor ao Senhor. As aventuras do pecado podem dar um prazer momentâneo, mas o temor ao Senhor oferece segurança permanente.

O temor ao Senhor é fonte de vida – *O temor do* SENHOR *é fonte de vida para evitar os laços da morte* (Pv 14.27). Um laço é uma armadilha invisível e imperceptível, porém real e mortífera. Um laço é uma espécie de arapuca que visa atrair a vítima com vantagens imediatas. É uma isca que oferece benefícios, mas esconde o anzol da morte. A vida está rodeada desses laços de morte. Muitas luzes multicoloridas apontam para o caminho do prazer, mas conduzem as pessoas para o corredor da morte. É assim, por exemplo, com as aventuras sexuais. O rei Davi jamais poderia imaginar que uma aventura sexual com Bate-Seba poderia lhe trazer tantos transtornos. O pecado é um embuste. Promete todas as taças dos prazeres e paga com o desgosto. Promete liberdade sem limites e escraviza. Promete vida abundante e mata. Caríssimo leitor, o pecado o levará mais longe do que você gostaria de ir, o reterá mais tempo do que você gostaria de ficar e lhe custará mais caro do que você gostaria de pagar. O temor ao Senhor nos dá discernimento para não colocarmos nossos pés nesse laço. O temor ao Senhor nos protege dessas armadilhas de morte. O temor ao Senhor nos dá deleite para a alma e descanso para o coração. O caminho do pecado pode parecer empolgante e cheio de aventuras, mas é cheio de espinhos e conduz irremediavelmente à escravidão e à morte.

Sem apoio popular, é impossível governar – *Na multidão do povo, está a glória do rei, mas, na falta de povo, a ruína do príncipe* (Pv 14.28). Há diferentes regimes de governo, como a monarquia, o presidencialismo e o parlamentarismo, mas nenhum deles funciona sem o apoio popular. A democracia se define como o governo do povo, pelo povo e para o povo. Sem o povo, o rei pode até ter a coroa, mas não tem o comando. É do povo que emana a legitimidade de um governo. Entendemos, à luz da Palavra de Deus, que o poder não vem do povo, mas de Deus. É Deus quem constitui e depõe reis. Mas Deus faz isso através do povo. O povo não é a fonte do poder do governo, mas o instrumento usado por Deus para legitimar o poder do governo. Por isso, Salomão diz: *Sem súditos, o príncipe está arruinado* (NVI). A grandeza de um rei depende do número de pessoas que ele governa; sem elas, o rei não é nada. O governante sábio é aquele que governa para o povo, e não para si mesmo. É um servo do povo, e não um explorador do povo. Trabalha para o bem do povo, e não para acumular glórias e riquezas para si mesmo. Essa mensagem é absolutamente oportuna e relevante em nossos dias, pois há uma crise de integridade galopante no mundo político. A roubalheira desavergonhada na vida pública acontece à luz do dia. Assistimos todos os dias, para nossa vergonha e tristeza, a políticos avarentos saqueando inescrupulosamente os cofres públicos e aviltando, assim, tanto o povo como Deus.

Paciência, a prova de sabedoria – *O longânimo é grande em entendimento, mas o de ânimo precipitado exalta a loucura* (Pv 14.29). Uma pessoa que tem pavio curto é mais explosiva do que uma bomba. Um indivíduo destemperado emocionalmente não apenas comete loucuras, mas exalta a loucura. Por onde passa, deixa um rastro devastador. Sempre que fala, agride e machuca as pessoas. A insensatez está em seus lábios e a agressão é demonstrada em seus atos. Muito diferente é o longânimo. Este pensa antes de falar. Suas palavras são medicina para a alma. São bálsamo para o coração e deleite para a vida. Uma pessoa paciente está sempre pronta a ouvir, mas reflete muito antes de abrir a boca. Suas palavras são poucas e comedidas. Mesmo quando ultrajada, ela não revida ultraje com ultraje. Prefere pagar o mal com o bem. Em vez de retribuir ódio com rancor, toma a decisão de perdoar. Em vez de amaldiçoar aqueles que a cobrem de críticas injustas, toma a decisão de abençoar e bendizer. Se a precipitação é a sala de espera da loucura, a paciência é o portal da sabedoria. A pessoa iracunda tenta controlar os outros com suas ameaças, mas o indivíduo paciente controla a si mesmo com sabedoria. Mais forte, porém, é aquele que tem domínio próprio do que aquele que ganha uma briga e conquista uma cidade.

Paz de espírito, o elixir da vida – *O ânimo sereno é a vida do corpo, mas a inveja é a podridão dos ossos* (Pv 14.30). Uma pessoa invejosa é aquela que se perturba com o sucesso dos outros. Ela não se alegra com o que tem, mas se entristece pelo que o outro tem. Um invejoso nunca é feliz, porque está buscando sempre aquilo que não lhe pertence. Um invejoso nunca é grato, pois está sempre querendo o que é do outro. Um invejoso nunca tem paz, porque sua mesquinhez é como um câncer que lhe destrói os ossos. A Organização Mundial da Saúde afirma que mais de 50% das pessoas que passam pelos hospitais são vítimas de doenças com fundo emocional. Quando a alma está inquieta, o corpo padece. Quando a mente não descansa, o corpo adoece. A paz de espírito é um bem precioso. Essa paz não está em coisas nem se compra na farmácia. A paz de espírito dá saúde ao corpo. Um coração em paz dá vida ao corpo. Um coração tranquilo é a vida do corpo. Mas como alcançar essa tão cobiçada paz de espírito? Através de meditação transcendental? Buscando a perigosa fuga nas drogas? Entrando pelos labirintos do misticismo? Não, mil vezes não! A paz de espírito é resultado da graça de Deus em nossa vida. Somente aqueles que foram reconciliados com Deus, por meio de Cristo, têm paz com Deus e desfrutam da paz de Deus.

Quem cuida do pobre honra a Deus – *O que oprime ao pobre insulta aquele que o criou, mas a este honra o que se compadece do necessitado* (Pv 14.31). Um dos atributos de Deus é a justiça. Ele é justo em todas as suas obras. Deus abomina toda forma de injustiça. Ele julga a causa dos pobres e oprimidos. Quem oprime o pobre, por ser ele fraco, sem vez e sem voz, insulta Deus. Quem torce a lei para levar vantagem sobre o pobre conspira contra o Criador. Quem corrompe os tribunais, subornando juízes e testemunhas para prevalecer sobre o pobre em juízo, entra numa batalha contra o próprio Deus onipotente. Insultar Deus, porém, é uma insanidade consumada, pois ninguém pode lutar contra ele e prevalecer. Por outro lado, quem socorre o necessitado agrada ao coração de Deus. Aquilo que fazemos para os pobres, isso fazemos para o próprio Senhor. Quem dá aos pobres empresta a Deus. A alma generosa prosperará. Deus multiplica a sementeira daqueles que semeiam a bondade na vida do pobre. Tanto o pobre como o rico foram criados por Deus. Ele ama tanto o pobre como o rico. Os ricos devem manifestar a generosidade de Deus aos pobres, e os pobres devem agradecer a bondade dos ricos a Deus. Aqueles que oprimem o pobre, mesmo que acumulem riquezas, não desfrutarão de seus tesouros. Aqueles, porém, que socorrem o necessitado, mesmo que desprovidos dos tesouros da terra, possuirão as riquezas do céu.

A esperança do justo não morre – *Pela sua malícia é derribado o perverso, mas o justo, ainda morrendo, tem* *esperança* (Pv 14.32). O perverso é aquele que professa o nome de Deus nos lábios e o nega com a vida. Diz conhecer Deus, mas vive como se Deus não existisse. É o ateu prático que professa uma coisa e vive outra. Há um abismo entre sua crença e sua conduta. O perverso é aquele que empurra Deus para a lateral da vida e se rende à maldade. A maldade, porém, leva os maus à desgraça. Quando chega a calamidade, esses ímpios são derrubados. Aquilo que eles desejaram e fizeram contra os outros cai sobre sua própria cabeça. A lança venenosa que atiram contra os outros volta-se contra eles mesmos. Eles recebem a paga de suas próprias obras perversas. O justo não é assim. Sua âncora está firmada numa rocha que não se abala. Sua esperança não é um devaneio incerto. Mesmo atravessando todos os desertos tórridos, mesmo cruzando os vales mais escuros, mesmo gemendo sob o látego da dor, mesmo descendo à tumba surrado pela doença mais atroz, o justo não perde a esperança, pois sua esperança não está apenas nesta vida. Sua esperança está em Deus. O justo tem uma viva esperança. Ele sabe que o seu Redentor vive. Ele caminha para uma eternidade de glória. Ele receberá um corpo de glória. Ele será coroado com uma coroa de glória. A esperança do justo jamais morre!

Coração, a moldura do caráter – *No coração do prudente, repousa a sabedoria, mas o que há no interior dos insensatos vem a lume* (Pv 14.33). Do coração procedem as fontes da vida. James Hunter, autor do livro *O monge e o executivo,* tem razão quando diz que não somos o que falamos, mas o que fazemos. Na verdade, não somos aquilo que proclamamos em público, mas aquilo que agasalhamos no coração em secreto. O que guardamos no coração, ainda que nos arquivos mais secretos, trancados pelos cadeados do sigilo, acaba vindo a lume e se tornando público, pois a boca fala do que está cheio o coração. O coração é a moldura do caráter. Dele transbordam torrentes que se esparramam por nossos poros. É do coração que procedem os maus desígnios. É desse poço profundo que brotam tanto o bem quanto o mal. A maldade escondida e maquiada dos insensatos acaba vindo à tona. Mas no coração do prudente repousa a sabedoria. Sabedoria é olhar para a vida com os olhos de Deus. É ser regido não pela cartilha da maioria, mas pelos valores morais que procedem da lei de Deus. Sabedoria é amar o que Deus ama e repudiar o que Deus odeia. Sabedoria é buscar as coisas lá do alto mais do que os tesouros da terra. Sabedoria é adorar a Deus, amar as pessoas e usar as coisas, em vez de amar as coisas, usar as pessoas e esquecer-se de Deus. Os prudentes saboreiam as finas iguarias no banquete da sabedoria nesta vida e depois alcançam as bem-aventuranças eternas, cujas glórias sublimes jamais se contaram aos mortais.

Uma nação envergonhada – *A justiça exalta as nações, mas o pecado é o opróbrio dos povos* (Pv 14.34). Os historiadores afirmam que o Império Romano só caiu nas mãos dos bárbaros porque já estava podre por dentro. Os grandes impérios caíram nas mãos de seus inimigos porque primeiro tropeçaram em seus próprios pecados. O profeta Oseias disse a Israel: *Pelos teus pecados, estás caído* (Os 14.1). O pecado é a vergonha dos povos, o opróbrio das nações. Uma nação não é maior do que seus valores morais. Se uma nação promove o pecado, faz apologia do vício, levanta a bandeira da imoralidade e inverte os valores morais, chamando luz de trevas e trevas de luz, então sua ruína já está lavrada. Uma nação não é maior que suas famílias. Se as famílias que a compõem estão trôpegas, cambaleando bêbadas pela volúpia do pecado, então essa nação está coberta de vexame e sua derrota é irremediável. A justiça, porém, exalta as nações. As nações em cujo berço estava a verdade e que beberam o leite da piedade, essas cresceram fortes, ricas, bem-aventuradas e se tornaram protagonistas das grandes transformações sociais. Tais nações sempre estiveram na vanguarda e lideraram o mundo na corrida rumo ao progresso. A justiça não pode ser apenas um verbete nos dicionários, mas uma prática presente nos palácios, nas cortes, nas casas legislativas, nas universidades, na indústria, no comércio, na família e na igreja.

A prudência tem recompensa – *O servo prudente goza do favor do rei, mas o que procede indignamente é objeto do seu furor* (Pv 14.35). O sucesso ou o fracasso dos nossos relacionamentos depende muito de quem somos. Favor ou fúria serão as colheitas da nossa semeadura. Se formos prudentes, ceifaremos favor; se formos indignos, colheremos fúria. Semearemos uma ação e colheremos uma reação. Aqueles que semeiam vento colhem tempestade. Quem semeia na carne colhe corrupção. Quem planta as sementes malditas do ódio colhe o desprezo. Porém, aqueles que semeiam amor farão uma abundante ceifa de amizade. O empregado prudente, que vive de forma irrepreensível, fala de forma irrefutável e realiza obras inegáveis, goza do respeito e do favor de seus superiores. Aqueles, porém, cujo proceder é irresponsável e indigno acabam provocando o furor dos seus superiores e o desprezo de seus pares. A Bíblia nos ensina a respeitar aqueles que exercem autoridade. Devemos entender que Deus instituiu a ordem, razão pela qual toda autoridade é por ele constituída. Devemos dar honra a quem tem honra. Não fazemos as coisas para ser reconhecidos. Não praticamos o bem para ser aplaudidos nem falamos palavras bonitas para ser bajulados. Nosso compromisso é com Deus e com nós mesmos. Mas, quando respeitamos as pessoas e honramos nossos superiores, recebemos favor, em vez de repúdio.

Capítulo 15

A sabedoria instrui sobre emoções corretas e a forma certa de viver
(Pv 15.1-33)

ÁGUA NA FERVURA – *A resposta branda desvia o furor, mas a palavra dura suscita a ira* (Pv 15.1). O nosso maior problema não é com nossas ações, mas com nossas reações. Podemos conviver em paz com uma pessoa a vida toda, desde que ela nos respeite. Porém, quando essa pessoa nos provoca com uma pergunta insolente, perdemos o controle e a compostura e tendemos a dar uma resposta à altura. É por isso que o sábio nos mostra que não é a palavra branda que desvia o furor, mas a resposta branda. Isso é mais do que ação; é reação. Mesmo diante de uma ação provocante, a pessoa tem uma reação branda. É como colocar água na fervura e acalmar os ânimos. Em outras palavras, é ter uma reação transcendental. O oposto disso é a palavra dura e deselegante. Essa palavra, em vez de jogar água na fervura, coloca mais lenha na fogueira. Em vez de abrandar o coração, provoca ira. A escolha é nossa: podemos ser pacificadores ou provocadores de contendas. Podemos dominar nossas ações e reações ou ferir as pessoas com nossa língua e nossas atitudes. Neste mundo em ebulição, o caminho mais sensato é jogar água na fervura. Diante das tensões da vida e da complexidade dos relacionamentos, o melhor caminho é ter palavras doces e respostas brandas.

Língua, o pincel dos sábios – *A língua dos sábios adorna o conhecimento, mas a boca dos insensatos derrama a estultícia* (Pv 15.2). A língua dos sábios não apenas revela conhecimento, mas também adorna o conhecimento. O conhecimento não é apenas útil, mas também belo. É não apenas necessário, mas também atraente. Uma pessoa sábia torna o conhecimento apetitoso. O aprendizado deixa de ser um processo doloroso para tornar-se algo prazeroso. O conhecimento na língua dos sábios recebe contornos de beleza invulgar. A língua dos sábios é como um pincel nas mãos de um artista. Transforma as coisas comuns da vida em raras obras de arte. O oposto disso é a boca dos insensatos. Quando uma pessoa tola abre a boca, sai uma torrente de estultícia. A boca do insensato é a enxada que abre sua própria cova. O tolo desanda a boca apenas para falar o que não convém e o que corrompe os bons costumes. Vangloria-se de suas palavras chulas e rasga a cara em gargalhadas espalhafatosas para contar suas piadas indecentes. A boca do insensato é como o romper de uma barragem. Provoca inundação e muita destruição. Da boca do insensato saem enxurradas pestilentas que arrastam para a vala da podridão a reputação das pessoas. Que Deus nos livre da boca dos insensatos! Que Deus nos ajude a adornarmos o conhecimento com nossa língua!

Deus está olhando para você – *Os olhos do Senhor estão em todo lugar, contemplando os maus e os bons* (Pv 15.3). Os ateus dizem que Deus não existe. Os agnósticos dizem que não podemos conhecê-lo. Os panteístas dizem que Deus não é pessoal. Os deístas dizem que Deus está muito distante de nós. A Bíblia, porém, nos ensina que os olhos do Senhor estão em todo lugar. Deus é onipresente. Não há um centímetro sequer do universo em que Deus não esteja presente. Ele não apenas está presente, mas também conhece e sonda todos os seres humanos. Seus olhos contemplam os maus e os bons. Deus não é um ser bonachão, nem um velho de barbas brancas como Papai Noel. Deus não é um ser amorfo e amoral que trata da mesma forma o bem e o mal. Ele é santo em seu caráter e justo em todas as suas obras. Ele faz distinção entre trevas e luz. Ele distingue entre o bem e o mal. Ele contempla os maus e os bons. Deus se deleita naqueles que seguem a bondade, mas abomina aqueles que maquinam o mal. Deus tem prazer quando andamos pelo caminho da santidade, mas sente desgosto quando capitulamos ao pecado. Deus está olhando para você. O que ele está vendo?

A terapia da comunicação – *A língua serena é árvore de vida, mas a perversa quebranta o espírito* (Pv 15.4). A língua é um pequeno órgão do corpo que, como o leme de um navio, o governa. Quem domina a sua língua domina todo o seu corpo. A língua pode ser como o bálsamo que alivia ou como o vinagre na ferida que agrava a dor. A língua pode ser o remédio que cura ou o veneno que mata.

Pode ser uma fonte de refrigério ou um fogo que se espalha. Pode ser árvore de vida ou tormento de morte. A língua serena é árvore de vida, alimenta, instrui e conduz pelos caminhos da vida abundante. A língua serena é a terapia da alma, um refrigério para o coração. Sempre que uma pessoa ferida se aproximava de Jesus com o coração quebrantado, saía com esperança para viver a vida com entusiasmo. As palavras de Jesus ainda curam, restauram e refazem a vida. Suas palavras são espírito e vida, são palavras de vida eterna. As ovelhas ouvem sua voz e o seguem rumo à glória. Porém, a palavra perversa, que doutrina para o mal e desvia as pessoas das sendas da justiça, atormenta e machuca. Há muitos filhos que carregam uma alma ferida porque desde a infância foram insultados com palavras insensatas pelos próprios pais. Há muitos indivíduos que nunca superaram seu passado de dor, porque foram quebrantados pela língua perversa.

Filhos, obedeçam a seus pais — *O insensato despreza a instrução de seu pai, mas o que atende à repreensão consegue a prudência* (Pv 15.5). O conflito de gerações está cada vez maior. Muitos pais perderam o controle sobre seus filhos, que já não respeitam seus progenitores. O lar tornou-se uma arena de disputas e brigas, ou um cenário de silêncio e indiferença. Hoje, muitos pais abandonam a trincheira da educação dos filhos e terceirizam essa nobilíssima tarefa à escola ou à televisão. Cada vez mais, os valores absolutos que devem reger a família e a sociedade estão sendo escarnecidos. Promove-se a imoralidade. Faz-se apologia do vício. Nesse cenário cinzento de relativismo e degradação, muitos filhos desprezam a instrução do pai e sacodem o jugo de disciplina. Isso é consumada insensatez. É colocar os pés na estrada escorregadia do fracasso. É lavrar a própria sentença de morte. O filho sábio é aquele que escuta e obedece a seus pais. É aquele que atende à repreensão e aceita humildemente a disciplina. É preciso erguer a voz nestes dias em que a família está sendo tão impiedosamente atacada para dizer que o caminho da vida não é a rebeldia, mas a obediência.

Cuidado com o lucro ilícito – *Na casa do justo há grande tesouro, mas na renda dos perversos há perturbação* (Pv 15.6). Está na moda a chamada teologia da prosperidade. Seus defensores medem a bênção de Deus pela quantidade de dinheiro que você tem. Pensam que uma pessoa fiel a Deus deve ser rica, pois consideram a pobreza uma maldição. Há, porém, coisas melhores do que dinheiro, como a paz de espírito, um cônjuge fiel e uma família unida. Na casa do justo, há grande tesouro. E esse tesouro pode ser material, fruto do trabalho honesto ou moral, resultado da permanente bênção celestial que inunda a casa de alegria, comunhão e paz. Sacrificar esses valores para buscar riquezas terrenas é insensatez. Construir o sucesso financeiro sobre os escombros da família é tolice. Acumular riquezas mal adquiridas é ajuntar tesouros para sua própria destruição. Na renda dos perversos, há inquietação. Não se usufrui plenamente aquilo que foi acumulado com desonestidade. Essas pessoas comem, mas não se fartam. Bebem, mas não se saciam. Deitam em camas macias, mas a mente não descansa. Cercam-se de ricas provisões, mas a alma não se deleita. É melhor ser um pobre rico do que um rico pobre. É melhor ser desprovido de riquezas, mas ter paz na família, do que estar cercado de ouro e viver um inferno existencial. Não corra atrás do lucro ilícito;

busque em primeiro lugar o reino de Deus, e as demais coisas lhe serão acrescentadas.

O canal do conhecimento – *A língua dos sábios derrama o conhecimento, mas o coração dos insensatos não procede assim* (Pv 15.7). O conhecimento não é um tesouro que se descobre na superfície, mas uma conquista que se alcança por meio de intenso esforço. O conhecimento não é um bem que adquirimos rapidamente, mas um processo que leva a vida toda. O conhecimento advém do estudo e da experiência, do exame e da observação. O conhecimento das coisas mais profundas não é, porém, apenas resultado da investigação, mas sobretudo da revelação. Só podemos conhecer Deus porque ele se revelou a nós. Não o conhecemos pela elucubração, mas pela revelação. Deus se revelou a nós na criação, em sua Palavra e em seu Filho Jesus Cristo. A língua dos sábios derrama esse conhecimento, porém o coração dos insensatos não procede assim. O coração do tolo não se aplica ao conhecimento das coisas de Deus. Ele apenas cogita das coisas humanas. Seu coração não busca as coisas lá do alto, onde Cristo vive. O insensato é terreno e só busca as coisas que seus olhos veem. Os sábios adquirem o conhecimento, e sua língua derrama esse conhecimento. Eles não apenas se abastecem nessa fonte da vida, mas também se tornam canais que distribuem essa bênção para os outros.

O culto sem vida não tem valor – *O sacrifício dos perversos é abominável ao SENHOR, mas a oração dos retos é o seu contentamento* (Pv 15.8). É ledo engano pensar que podemos adorar a Deus de qualquer jeito. É tolice pensar que podemos nos aproximar daquele que é santo tendo um coração entupido de sujeira. Deus não se satisfaz com ritos sagrados e liturgias pomposas. Ele vê o coração. Ele procura a verdade no íntimo. Os perversos também oferecem culto. Eles também fazem seus sacrifícios. Também têm uma expressão religiosa. Mas o serviço religioso daqueles que desonram Deus com a própria vida é abominável ao Senhor. Deus não se satisfaz com a adoração; ele procura adoradores que o adorem em espírito e em verdade. Se o culto dos perversos é abominável para Deus, a oração dos retos é seu contentamento. Antes de aceitar nossas orações, Deus precisa aceitar nossa vida. Antes de receber a oferta, Deus recebe o ofertante. Caim e Abel ofereceram sacrifícios a Deus; o Senhor agradou-se de Abel e de sua oferta, mas rejeitou Caim e sua oferta. Não é possível separar a adoração do adorador. Não é possível distinguir a oferta do ofertante. Se nossa vida é reprovada por Deus, nosso culto também não será aceito por ele. A melhor oração que podemos endereçar a Deus é nossa própria vida no altar.

Caminhos que agradam a Deus – *O caminho do perverso é abominação ao* SENHOR, *mas este ama o que segue a justiça* (Pv 15.9). A Bíblia fala sobre caminhos que parecem direitos ao ser humano, mas, no final, são caminhos de morte. O caminho do perverso é largo e cheio de luzes. É o caminho das facilidades, dos atrativos do mundo, dos prazeres da carne, das aventuras e das paixões infames. Nesse caminho, tudo é permitido e nada é proibido. Nesse caminho, não há tabus nem leis. Cada um vive a seu modo e segue os ditames de seu próprio coração. Nesse caminho, o sentimento de culpa é banido, a ideia de certo e errado é desfeita, e os valores morais são colocados de cabeça para baixo. Esse caminho é popular. Por ele, passa uma multidão com forte sentimento de liberdade. Uma multidão que escarnece daqueles que entram pelo caminho estreito da santidade. Mas o caminho do perverso, embora seja aplaudido pelos seres humanos, é abominação para Deus. O fim desse caminho largo é a morte e a condenação eterna. Por outro lado, Deus ama o que segue a justiça. Ainda que trilhando uma estrada estreita, íngreme e cheia de perigos, Deus ama aqueles que seguem por esse caminho. Esse caminho é estreito, mas seguro. Exige renúncias, mas oferece salvação. Exige arrependimento, mas conduz à bem-aventurança eterna. É rejeitado pelas pessoas, mas aprovado por Deus.

A disciplina é amarga, mas seu fruto é doce – *Disciplina rigorosa há para o que deixa a vereda, e o que odeia a repreensão morrerá* (Pv 15.10). Nossa natureza se inclina para o mal. Fomos concebidos em pecado e nascemos em pecado. O pecado não está apenas nas estruturas sociais e nas ideologias políticas, mas sobretudo está instalado em nosso coração. Todos nós precisamos ser corrigidos e disciplinados para não nos desviarmos pelos descaminhos da morte. Aqueles, porém, que deixam a vereda da justiça, e tapam os ouvidos à correção, sofrerão disciplina rigorosa. Quem não ouve a voz da exortação receberá o chicote do castigo. Quem não escuta conselhos escutará o lamento: "Coitado!" A disciplina rigorosa, mesmo amarga, ainda é uma expressão de graça, pois aqueles que endurecem a cerviz no caminho da desobediência, e odeiam a repreensão, caminharão céleres e irremediavelmente para a morte. Quantos jovens foram ceifados precocemente porque rejeitaram a disciplina! Quantos casamentos foram destruídos porque os cônjuges não aceitaram nenhum tipo de aconselhamento! Quantas famílias foram desfeitas porque não buscaram nenhum tipo de ajuda! A repreensão pode ser amarga, mas seu fruto é doce. A disciplina pode ser dolorosa, mas seu resultado traz descanso para a alma. É melhor ser ferido pela disciplina do que morrer na perversidade.

Não podemos nos esconder de Deus – *O além e o abismo estão descobertos perante o SENHOR; quanto mais o coração dos filhos dos homens!* (Pv 15.11). Deus é onisciente. Ele conhece todas as coisas, em todos os tempos, em todos os lugares, até mesmo aquelas que são ocultas. Ninguém pode fugir da sua face nem esconder alguma coisa de seus olhos. Ele sonda o coração das pessoas. Seus olhos penetram além do véu. Ele vê os segredos guardados a sete chaves. Penetra nas motivações mais secretas e inconfessas daqueles que tentam esconder seus pecados. Se o Senhor sabe o que acontece até mesmo no mundo dos mortos, como poderá alguém esconder dele os pensamentos? Até mesmo as sepulturas estão abertas diante de Deus, quanto mais o coração dos filhos dos homens! Deus é inescapável. Se tentarmos fugir de sua presença, colocando nosso ninho entre as estrelas, ele estará lá. Se descermos ao abismo e chegarmos ao fundo dos mares, ele também estará lá. Para ele, luz e trevas são a mesma coisa. Não é sensato continuar fugindo de Deus para ocultar nossos pecados. Ao contrário, precisamos nos voltar para ele, rogando: *Sonda-me, ó Deus [...] e conhece os meus pensamentos* (Sl 139.23). O que precisamos fazer não é fugir de Deus por causa do pecado, mas fugir do pecado por causa de Deus.

A tolice do escarnecedor – *O escarnecedor não ama àquele que o repreende, nem se chegará para os sábios* (Pv 15.12). A maior de todas as tolices não é ser tolo, mas se julgar. É não saber e julgar-se conhecedor. É ser carente de conhecimento, mas estar indisposto a aprender. Quando uma pessoa fecha a porta do aprendizado, passa a viver na masmorra da ignorância. Quando um indivíduo considera a pessoa que o reprende como um adversário, cava sua própria ruína. O escarnecedor, o vaidoso, não gosta de ser corrigido. Ao contrário, odeia qualquer pessoa que procura interferir em sua vida. Uma pessoa soberba sente-se autossuficiente. Está tão cheia de vaidade que não tem mais espaço para aprender coisa alguma. O altivo de coração é arrogante. É como um restolho, que só tem sabugo e palha. Mesmo assim, mantém-se empinado. É como o joio, que, embora externamente se pareça com o trigo, jamais se dobra diante do vento. A Bíblia diz que Deus resiste aos soberbos, mas dá graça aos humildes. Os que se exaltam serão humilhados. Aqueles que se afastam dos sábios, e passam a odiar os que os exortam, acabam colhendo os frutos de sua insensatez. Por não ouvirem a voz da exortação, oferecem as costas ao chicote da disciplina. Por não ouvirem conselhos, verão desabar sua própria cabeça diante do seu escárnio.

Coração alegre, rosto feliz — *O coração alegre aformoseia o rosto, mas com a tristeza do coração o espírito se abate* (Pv 15.13). A Organização Mundial da Saúde afirma que a maioria das doenças tem um pano de fundo emocional. As emoções refletem na saúde física. Muitas doenças são decorrentes da ansiedade. Muitos males que afloram no corpo procedem de um coração triste. Um coração angustiado resulta num espírito abatido, pois a tristeza deixa a pessoa oprimida. Nenhum cosmético pode dar mais formosura ao rosto do que um coração alegre. Nenhuma cirurgia plástica pode corrigir melhor o formato do rosto do que a paz interior. Essa paz de espírito não se alcança com meditação transcendental. Essa alegria do coração não existe em comprimidos para se comprar em farmácias. Poderemos vestir roupas de grife, andar em carros importados e morar em verdadeiros palacetes e, ainda assim, ter um coração triste, um rosto abatido e um espírito oprimido. Essa alegria do coração não está nas coisas, mas em Deus. Ele é a fonte da verdadeira alegria. É na presença de Deus que há plenitude de alegria e delícias perpetuamente. Jesus veio para nos dar vida, e vida em abundância. Somente vivendo em Cristo é que poderemos ter um coração alegre e um rosto feliz.

Caça ao tesouro – *O coração sábio procura o conhecimento, mas a boca dos insensatos se apascenta de estultícia* (Pv 15.14). O conhecimento é um tesouro mais precioso do que muito ouro depurado. Muitas pessoas buscam riquezas, prazeres e aventuras, mas, por falta de conhecimento, atormentam sua alma nessa busca. Quando Salomão iniciou o seu governo em Jerusalém, não pediu a Deus riquezas e poder, mas sabedoria e conhecimento. Com o conhecimento e a sabedoria, ele recebeu também riquezas, glórias e poder. Quem é sábio procura aprender. Quem é regido pela sede do aprendizado busca o conhecimento, mas os tolos estão satisfeitos com a sua própria ignorância. O tolo não investe em sua educação. Ele não se prepara para o futuro. É imediatista e não lavra seu campo, nem semeia no campo do aprendizado. O resultado dessa insensatez é a pobreza e o opróbrio. Enquanto o coração do sábio procura o conhecimento, a boca dos insensatos se apascenta de estultícia. O tolo fala do vazio da sua mente e do engano do seu coração. Sua língua é mestra de nulidades e instrumento de estultícia. O insensato não apenas é uma fonte poluída que contamina os outros, mas ele também apascenta a si mesmo de estultícia. Em vez de ser uma fonte de bênção, é um poço de vergonha e maldição para ele mesmo e para os outros.

É festa que não acaba mais – *Todos os dias do aflito são maus, mas a alegria do coração é banquete contínuo* (Pv 15.15). Não há banquete melhor do que a alegria do coração. Não há festa mais empolgante do que a paz de espírito. Não há prazer maior do que viver em paz com Deus, com o próximo e consigo mesmo. O sábio diz que o coração contente vive um banquete contínuo. O coração alegre está sempre em festa. A vida é sempre agradável para as pessoas que saboreiam as iguarias do banquete da alegria. Essa alegria não significa apenas presença de coisas boas nem apenas ausência de coisas ruins. Essa alegria não é uma circunstância nem mesmo um sentimento. Essa alegria é uma pessoa. Essa alegria é Jesus. Ele é a nossa alegria. Com Jesus, nossa alma tem um banquete contínuo. Por outro lado, todos os dias do aflito são difíceis, maus e infelizes. Ele pode ter a casa cheia de bens e saúde, e pode estar rodeado de amigos, mas, se não tiver paz de espírito, se seu coração estiver triste e oprimido, a alma murcha, o sorriso se apaga no rosto e a infelicidade predomina. O sol pode estar brilhando, as circunstâncias podem parecer favoráveis, mas, se a pessoa está aflita, nada disso a satisfaz. Tudo desvanece. A vida perde o sabor. O banquete cobre-se de cinzas, e as lágrimas passam a ser o seu alimento. A vida com Deus, mesmo timbrada agora de lágrimas e dor, é uma festa que nunca acaba. Haverá um dia em que Deus enxugará de nossos olhos toda lágrima. Então, nossa alegria será completa!

Quando a pobreza é melhor do que a riqueza – *Melhor é o pouco, havendo o temor do* SENHOR, *do que grande tesouro onde há inquietação* (Pv 15.16). A riqueza é preciosa quando vem como fruto da bênção de Deus e do trabalho honesto. A bênção de Deus enriquece e com ela não tem desgosto. É Deus quem fortalece nossas mãos para adquirirmos riquezas, pois riquezas e glórias vêm de Deus. Porém, de nada vale ser muito rico e viver inquieto. Não há proveito algum em dormir numa cama de marfim, mas não ter paz de espírito. De nada vale pôr a cabeça num travesseiro macio, se a mente está sendo assolada pela inquietação. É melhor ser pobre e andar no temor ao Senhor do que adquirir muitos bens, viver no fausto e no luxo, mas com a alma perturbada. É melhor ser pobre e temer a Deus do que ser rico e infeliz. É melhor ter pouco com o temor ao Senhor do que ter muito dinheiro, mas viver sem paz. A riqueza mal adquirida pode lhe dar conforto, mas não sossego para o coração. Pode lhe proporcionar uma casa bonita, mas não um lar feliz. Pode lhe oferecer um funeral pomposo, mas não a vida eterna. Temer a Deus é melhor do que granjear fortunas. É um tesouro mais precioso do que muito ouro depurado. Quem teme a Deus tem paz de espírito e, mesmo que sua riqueza aumente, não coloca nela o coração.

O amor supera a pobreza – *Melhor é um prato de hortaliças onde há amor do que o boi cevado e, com ele, ódio* (Pv 15.17). O que faz uma pessoa feliz não é um requintado cardápio sobre a mesa, mas o sentimento de amor no coração das pessoas que se assentam ao redor de uma refeição. Há famílias que podem ter sobre a mesa as melhores carnes, as mais refinadas iguarias e os doces mais apetitosos, porém esses pratos saborosos se tornam intragáveis porque as pessoas que se assentam ao redor da mesa não se amam. O ódio tira a paz e também o paladar. O ódio rouba a alegria e também o apetite. Onde há ódio, não há comunhão; e onde não há comunhão, a carne da melhor qualidade não tem sabor algum. Nossa família não precisa tanto de mais conforto quanto precisa de mais amor. Não precisamos de casas mais belas, de roupas mais sofisticadas ou de carros mais luxuosos. O que precisamos é de mais amizade, mais companheirismo e mais amor no lar. É melhor comer verduras na companhia daqueles a quem amamos do que comer a melhor carne onde existe ódio e indiferença. O amor supera a pobreza. As pessoas mais felizes não são aquelas que mais têm bens materiais, mas aquelas que têm mais amor. O amor transforma o casebre num palacete. O amor transforma um prato de hortaliças num cardápio sofisticado. O amor faz o deserto da pobreza florescer e tornar-se um rico jardim de mimosas flores.

Não ponha lenha na fogueira – *O homem iracundo suscita contendas, mas o longânimo apazigua a luta* (Pv 15.18). Um indivíduo raivoso, destemperado emocionalmente, que deixa vazar sua ira pelos poros da alma, é um incendiário. Está sempre colocando lenha na fogueira, atiçando as brasas da contenda e provocando o fogo das desavenças. Uma mente perturbada e um coração iracundo produzem uma língua solta. E uma pessoa que fala sem refletir suscita contendas, semeia intrigas e planta a inimizade no coração das pessoas. Não há pecado que Deus abomine mais do que esse espírito contencioso, de jogar uma pessoa contra a outra. O propósito de Deus para nós é o oposto desse caminho de guerra. Podemos ser pacificadores, em vez de provocadores de contendas. Podemos apaziguar os ânimos, em vez de acirrá-los. Podemos jogar água na fervura, em vez de colocar mais lenha na fogueira. Podemos ser ministros da reconciliação, em vez de ser agentes da guerra. Não fomos chamados por Deus para cavar abismos nos relacionamentos das pessoas, mas para construirmos pontes de contato. Nossa língua pode ser remédio que cura, em vez de ser espada que fere. Nossos gestos devem caminhar na direção de reconciliar as pessoas, em vez de jogá-las umas contra as outras. Somos agentes da paz, e não promotores da guerra; protagonistas do bem, e não feitores do mal; veículos do amor, e não canais do ódio.

O preguiçoso só vê dificuldades – *O caminho do preguiçoso é como que cercado de espinhos, mas a vereda dos retos é plana* (Pv 15.19). Um indivíduo preguiçoso vive fora da realidade. É dominado por fantasias. O preguiçoso enxerga as coisas de forma desfocada. Ele vê o que não existe e aumenta o que existe. O problema não existe, mas por causa de sua preguiça ele age como se existisse. O preguiçoso vê dificuldade em tudo. Ele não procura trabalho porque parte do pressuposto de que todas as oportunidades lhe estão fechadas. Ele não se dedica aos estudos porque está convencido de que não vale a pena estudar tanto para depois não ter recompensa. Ele só enxerga espinhos na estrada da vida, enquanto dorme o sono da indolência. É diferente a vereda do reto. Mesmo que haja espinhos, ele os enfrenta. Mesmo que a estrada seja sinuosa, ele a endireita. Mesmo que haja vales, ele os aterra. Mesmo que haja montes, ele os nivela. O reto é aquele que transforma dificuldades em oportunidades, obstáculos em trampolins, desertos em pomares, e vales em mananciais. Ele não foca sua atenção nos problemas, mas investe toda a sua energia na busca de soluções.

Os filhos são a alegria dos pais – *O filho sábio alegra a seu pai, mas o homem insensato despreza a sua mãe* (Pv 15.20). O lar é o palco das grandes alegrias ou das grandes tristezas da vida. É nessa arena que travamos nossas maiores batalhas. É nesse campo que fazemos nossas mais importantes semeaduras e nossas mais abundantes colheitas. Os filhos são a lavoura dos pais. Há filhos que produzem bons frutos, e esses são a alegria dos pais. Porém, há filhos que crescem e, depois de adultos, desprezam os pais, abandonando-os à sua desdita. Assim, se convertem em tristeza para a família. Um filho sábio alegra o seu pai, pois reflete na vida os valores aprendidos no lar. Um filho sábio honra o seu pai, pois transmite para as gerações pósteras o legado que recebeu dos antepassados. Um filho sábio é fonte de alegria para seu pai porque seu caráter impoluto, sua vida irrepreensível e seu testemunho ilibado são a melhor recompensa de seu investimento. Porém, é extremamente doloroso um filho chegar à idade adulta e, quando sua mãe já está velha, cansada e sem forças para o trabalho, desprezá-la, desampará-la e deixá-la sem sustento digno, sem proteção e sem apoio emocional. Não há desumanidade mais gritante do que desprezar pai e mãe. Não há agressão mais violenta do que colocar os pais, já idosos, no escanteio da vida, sem cuidado e sem amor. Os filhos devem ser a alegria dos pais, e não o seu pesadelo.

Nem toda alegria deve ser celebrada – *A estultícia é alegria para o que carece de entendimento, mas o homem sábio anda retamente* (Pv 15.21). Os tolos se folgam e se refestelam ao redor de uma mesa, contando piadas picantes e jogando conversa fora. Encontram graça nas desgraças da vida e dão gargalhada daquilo que lhes deveria levar às lágrimas. A alegria dos insensatos está grávida da estultícia e, quando dá à luz, nasce o filho bastardo da vergonha. Nenhum proveito há na alegria daqueles que carecem de entendimento. Esses riem quando deveriam chorar, celebram quando deveriam gemer, cantam quando deveriam se cobrir de pano de saco e cinza. O ignorante não é apenas aquele que não sabe, mas sobretudo aquele que rejeita o conhecimento. Aquele que, mesmo tendo a oportunidade de subir os degraus do saber, desce ao fundo do poço da cegueira intelectual e moral. A vida do justo é o oposto disso. Ele anda na luz e busca o conhecimento. Ele procura a sabedoria e empenha-se por alcançá-la. O sábio não apenas tem conhecimento, mas aplica o conhecimento que recebe no seu viver diário. Ele anda retamente. Sua doutrina governa sua ética, seu conhecimento molda seu caráter, sua sabedoria revela seus valores. A alegria dos tolos não merece ser celebrada, mas a vida do sábio, que anda retamente, deve ser proclamada como exemplo digno de ser imitado.

O valor inestimável de um bom conselheiro – *Onde não há conselho fracassam os projetos, mas com os muitos conselheiros há bom êxito* (Pv 15.22). Todos nós conhecemos os efeitos devastadores de um mau conselho. Amnon, filho de Davi, violentou sua irmã Tamar e foi assassinado por seu irmão Absalão, porque seguiu à risca o perverso conselho de seu primo Jonadabe. O rei Roboão viu seu reino se dividir, porque seguiu o conselho insensato dos jovens de sua nação. Caim matou seu irmão Abel porque se recusou a obedecer ao conselho de Deus. Um conselho sábio vale mais do que muitos tesouros. Onde não há conselho, fracassam os projetos. Por outro lado, com os muitos conselheiros, há grande possibilidade de sucesso. Na multidão dos conselhos, há sabedoria. Nem sempre conseguimos enxergar com clareza todos os ângulos da vida. Nem sempre conseguimos discernir todos os detalhes. O conselheiro é aquele que lança luz em nossa escuridão, que mostra uma saída onde só víamos muralhas, que nos faz perceber que uma crise na caminhada da vida pode ser transformada numa grande oportunidade. Nós precisamos uns dos outros. Não somos autossuficientes. Precisamos nos cercar de bons conselheiros, de gente madura na fé, de gente que tem caráter provado e coração generoso.

A terapia da palavra – *O homem se alegra em dar resposta adequada, e a palavra, a seu tempo, quão boa é!* (Pv 15.23). Responder antes de ouvir é falta de sabedoria; só os tolos fazem isso. Mas dar uma resposta abalizada, consistente e adequada traz benefício para quem ouve e alegria para quem fala. Alguém já disse, e com razão, que não existe pergunta insensata, e sim resposta tola. Aquele que é interrogado não pode cair na armadilha do interrogador. Quando alguém se aproximava de Jesus para testá-lo, fazendo-lhe uma pergunta de algibeira, com o propósito velado de armar-lhe um laço para os pés, Jesus devolvia a pergunta, e o interlocutor caía em sua própria armadilha. Porém, sempre que alguém aflito ou desnorteado se aproximava dele com inquietações na alma, fazendo-lhe perguntas ou rogando-lhe ajuda, Jesus levava a esse coração ferido uma palavra de esperança e uma ação de misericórdia. A palavra boa é remédio que cura. É bálsamo que consola. É alimento que fortalece. Precisamos ter respostas sábias para as grandes tensões da vida e usar a terapia da palavra para abençoar nossa casa, nossos amigos e aqueles que nos cercam. Precisamos ser boca de Deus, embaixadores de boas-novas, arautos da verdade, mensageiros da paz, terapeutas da alma.

Evite o caminho do inferno – *Para o sábio há o caminho da vida que o leva para cima, a fim de evitar o inferno, embaixo* (Pv 15.24). Só há dois caminhos, o estreito e o largo. Um nos leva para cima; o outro nos arrasta para baixo. O primeiro é o caminho da vida; o segundo é o caminho da morte. O caminho estreito nos leva ao céu; o caminho largo desemboca no inferno. O tolo prefere o caminho largo. Nesse caminho, há muitas aventuras e nenhuma exigência. Tudo é permitido e nada é proibido. É o caminho da licenciosidade e de nenhuma responsabilidade. Esse caminho vive congestionado por uma imensa multidão. O sábio, porém, escolhe o caminho da vida. Esse caminho é estreito e nele há muitos obstáculos. É o caminho da renúncia e do arrependimento, o caminho do novo nascimento e da santidade. Esse caminho não é popular, mas é seguro, pois é o caminho da vida que conduz à salvação. Quem sobe por esse caminho evita o inferno lá embaixo. Esse caminho não é um conceito filosófico nem mesmo um dogma religioso. É uma pessoa divina; é Jesus! Ele mesmo disse: *Eu sou o caminho, e a verdade, e a vida; ninguém vem ao Pai senão por mim* (Jo 14.6). A única maneira de você não descer ao inferno é andar pelo caminho da vida, que é Jesus!

A casa do soberbo cairá – *O Senhor deita por terra a casa dos soberbos; contudo, mantém a herança da viúva* (Pv 15.25). A soberba é a sala de espera do fracasso, a porta de entrada da ruína. Deus não tolera o soberbo. Ele declara guerra ao orgulhoso. Derruba a casa dos orgulhosos e humilha os de coração altivo. A Bíblia fala sobre Nabucodonosor, o megalomaníaco rei da Babilônia. Esse homem se encheu de orgulho. Aplaudia a si mesmo diante do espelho. Queria ser adorado como Deus. Construiu e embelezou a magnificente Babilônia, com monumentos de mármore e jardins suspensos, para sua própria glória. Deus, porém, quebrou o orgulho desse rei soberbo e o mandou pastar nos campos junto com os animais. O Senhor deita por terra a casa dos soberbos, derruba sobre a cabeça deles aquilo que parecia ser sua proteção mais segura. Porém, a viúva pobre e necessitada é sustentada por Deus. O Senhor mantém a sua herança. Deus dá graça aos humildes. Ele exalta aqueles que se humilham. Ele abate os fortes e fortalece os fracos. Deus derruba dos tronos os poderosos; levanta o pobre e necessitado e o faz assentar-se entre os príncipes. Deus derruba do alto da pirâmide os soberbos, levanta os humildes e os coloca no topo da montanha. A casa do soberbo sofrerá um terremoto e cairá, mas a casa do justo permanecerá firme para sempre.

Palavras que alegram o coração de Deus – *Abomináveis são para o SENHOR os desígnios do mau, mas as palavras bondosas lhe são aprazíveis* (Pv 15.26). Deus enxerga o que vai no seu coração. Ele sonda os pensamentos, desejos e motivações que se instalam em sua mente. Ele julga não apenas suas palavras e ações, mas também seu foro íntimo. O Senhor abomina não apenas as ações perversas, mas também os desígnios que as precedem e as alimentam. Deus repudia não apenas o assassinato que tira a vida do próximo, mas também o ódio que gera esse assassinato. O Senhor condena não apenas o adultério, mas também o desejo lascivo que o precede. Se os desígnios do mau são abomináveis para Deus, as palavras bondosas são o seu prazer. Palavras bondosas procedem de um coração transformado por Deus. A boca fala daquilo que o coração está cheio. Palavras bondosas são aquelas que confrontam os que vivem em pecado, consolam os que estão aflitos, encorajam os que estão fracos e orientam os que estão confusos. A bondade é a capacidade de investir o seu melhor na vida do outro. Barnabé era um homem bom. Toda a dinâmica da sua vida foi investir em pessoas à sua volta. Ele investiu em Paulo e em João Marcos. Demonstrou essa bondade aos pobres de Jerusalém e aos crentes de Antioquia. Foi bênção em casa e fora dos portões.

O lucro desonesto é uma desgraça – *O que é ávido por lucro desonesto transtorna a sua casa, mas o que odeia o suborno esse viverá* (Pv 15.27). A avareza é um saco sem fundo. Quanto mais você tem, mais deseja ter. Ela gera no coração humano uma sede insaciável, uma busca desenfreada pelo lucro desonesto e uma insatisfação desmedida. Há pessoas que mentem, corrompem, matam e morrem por causa do lucro desonesto. Há indivíduos que vendem a alma para o diabo a fim de conquistar riquezas. Passam por cima das pessoas, oprimem os fracos e torcem o direito do justo para acumular mais tesouros em sua casa. Essa riqueza ilícita, porém, não lhe dá segurança nem paz. A casa do ávido por lucro desonesto vive sobressaltada. As pessoas têm conforto, mas não paz. Têm luxo, mas não descanso. Dormem em camas macias, mas são assaltadas por pesadelos. Participam de banquetes, mas não se fartam. Sorvem os mais doces licores da vida, mas não se saciam. Não é o rico desonesto que vive abundantemente, mas aquele que, embora pobre, odeia o suborno. É melhor viver uma vida modesta, mas com dignidade, do que ajuntar riquezas e ter o nome sujo na praça. É melhor ser pobre e íntegro do que ser rico e não ter paz de espírito. A maior riqueza que uma pessoa pode ter é um coração transformado pelo evangelho, uma vida exemplar e um caráter irrepreensível.

Em boca fechada, não entra mosquito – *O coração do justo medita o que há de responder, mas a boca dos perversos transborda maldades* (Pv 15.28). Há um ditado popular que diz: "Em boca fechada, não entra mosquito". Falar sem pensar é consumada tolice. Responder antes de ouvir é estultícia. Proferir palavras torpes e desandar a boca para espalhar impropérios e maldades é perversidade sem tamanho. Esse não pode ser o caminho do justo. Uma pessoa que teme a Deus reflete antes de falar, sabe o que vai falar e como vai falar. Sua língua não é fonte de maldades, mas canal de bênção para as pessoas. Suas palavras não são espadas que ferem, mas bálsamo que consola e restaura. Uma pessoa íntegra gasta tempo pensando no que falar e em como falar. Suas palavras são verdadeiras, boas e oportunas. Transmitem graça aos que ouvem. Trazem edificação. Jesus nos deu o seu exemplo. Suas palavras eram espírito e vida. Sempre que ele abria a boca, as pessoas eram edificadas, consoladas e restauradas. As palavras têm um grande poder tanto para edificar como para destruir, tanto para levantar como para derrubar. Por isso, precisamos ser mordomos responsáveis da nossa palavra. Nossa língua precisa ser remédio para os enfermos, tônico para os fracos, refrigério para os cansados e alívio para os oprimidos.

Deus ouve nossas orações – *O Senhor está longe dos perversos, mas atende à oração dos justos* (Pv 15.29). Uma das verdades mais extraordinárias da vida cristã é que Deus ouve nossas orações. Orar é falar com aquele que está assentado na sala de comando do universo. Orar é unir-se com aquele que tem poder para mudar as circunstâncias. Nunca somos tão fortes como quando nos colocamos de joelhos diante de Deus. Um crente piedoso de joelhos enxerga mais longe do que um filósofo na ponta dos pés. Um crente de joelhos é mais forte que um exército. A rainha Maria Stuart, da Escócia, dizia que temia mais as orações de John Knox do que os exércitos da Inglaterra. Quando o rei Ezequias foi afrontado pelo rei Senaqueribe, da Assíria, Ezequias clamou ao Senhor, e Deus enviou um anjo que matou 185 mil soldados assírios num só dia. A vitória sobre o inimigo não foi resultado de um combate por meio de armas, mas foi fruto de muita oração. O soberano Deus escolheu agir na história em resposta às orações do seu povo. O altar está conectado com o trono. As orações que sobem do altar para o trono descem à terra em forma de intervenções soberanas de Deus. O mesmo Deus, porém, que atende à oração dos justos, está longe dos perversos. Deus se afasta daqueles que se afastam dele. Os que desprezam Deus são desmerecidos.

O poder curador das boas notícias – *O olhar de amigo alegra ao coração; as boas novas fortalecem até os ossos* (Pv 15.30). A companhia de um amigo sincero e verdadeiro é um tônico para nossas emoções. Seu olhar cheio de bondade e compreensão alegra o coração. Os olhos são a lâmpada do corpo. Comunicam mais do que palavras. Podemos censurar uma pessoa com um olhar. Podemos rejeitá-la com desdém pela forma como a olhamos. Mas se o olhar do inimigo, do crítico e do invejoso perturba a alma, o olhar do amigo alegra o coração. O olhar que censura envia uma mensagem negativa. Essa mensagem transtorna as emoções e adoece o corpo. Mas as boas-novas fortalecem até os ossos. Uma palavra boa e animadora tem um forte poder de levantar e motivar uma pessoa abatida. As palavras boas são como remédio. Tratam as emoções, tonificam a mente e fortalecem os ossos. Não podemos subestimar o poder das palavras. Elas adoecem o espírito ou encorajam o coração. Derrubam ou edificam. Arrastam para o abismo ou nos levam para as alturas. Geram sentimento de fracasso ou nos conduzem à vitória. Ser um embaixador de boas-novas é um ministério extraordinário. Deus nos chamou para sermos arautos da verdade, atalaias do bem, agentes da misericórdia, portadores de boas-novas e terapeutas da alma.

Morando entre os sábios – *Os ouvidos que atendem à repreensão salutar no meio dos sábios têm a sua morada* (Pv 15.31). Há repreensões que nos chegam aos ouvidos como um forte ruído. Fazem apenas barulho, mas não trazem nenhuma mensagem relevante. Outras repreensões partem de pessoas insensatas, com motivações maldosas, cujo propósito é apenas nos humilhar. A essas repreensões não devemos dar ouvidos. Escutar esses críticos de plantão é perder a paz, o sono e o apetite. Ainda mais, é perder o foco. Mas há repreensão que procede de gente sábia, que tem motivação santa, e seu resultado é benéfico e salutar. Aqueles que atendem a essa repreensão salutar alcançam a sabedoria e têm sua morada permanente entre os sábios. Só os tolos, que são arrogantes, rejeitam a repreensão. Só aqueles que se julgam acima do bem e do mal tapam os ouvidos aos conselhos. Uma pessoa sábia está sempre aberta a aprender. Uma pessoa humilde está sempre disposta a ser corrigida, se essa correção estiver fulcrada na verdade e proceder de alguém regido por uma motivação santa. Quando somos repreendidos, tiramos os pés do caminho escorregadio do pecado e fixamos nossa morada no meio dos sábios. É melhor morar entre os sábios do que na mais alta torre da soberba. É melhor habitar onde reina a sabedoria do que estabelecer nossa casa entre os tolos.

Não despreze sua alma – *O que rejeita a disciplina menospreza a sua alma, porém o que atende à repreensão adquire entendimento* (Pv 15.32). A palavra "disciplina" tem em nossa língua portuguesa uma conotação negativa. Traz a ideia de castigo. Porém, seu significado não é este. Ao contrário, significa ter alguém ao nosso lado como nosso encorajador. A disciplina tem o propósito de corrigir nossas atitudes e nossa rota, colocando-nos de volta no caminho da verdade. A disciplina pode até ser motivo de tristeza no momento em que está sendo aplicada. Nem sempre queremos mudar de atitude ou de direção. Mas quem rejeita a disciplina menospreza a sua alma e faz pouco caso de si mesmo. Quem não escuta conselho sofre as consequências de suas escolhas apressadas. Mas o fruto da disciplina traz paz e amadurecimento espiritual. Quem atende à repreensão adquire entendimento. Quem escuta a advertência investe em sua própria alma. Quem aceita a correção fica mais sábio. O propósito da disciplina não é nos destruir, mas nos purificar. O fogo da disciplina só queima as escórias e as amarras que nos prendem. A disciplina não nos enfraquece, mas tonifica nossa musculatura espiritual. A disciplina nos torna mais fortes, mais santos, mais sábios, mais prontos a viver a vida para a glória de Deus.

Humildade, o portal da honra – *O temor do* Senhor *é a instrução da sabedoria, e a humildade precede a honra* (Pv 15.33). O temor ao Senhor não é apenas o princípio da sabedoria, mas também a instrução da sabedoria. Quem teme a Deus foge dos caminhos sedutores do pecado. Quem teme a Deus não engrossa as fileiras dos pecadores que se vangloriam de sua insensatez, nem se assenta na roda dos escarnecedores que zombam das coisas santas. Quem teme a Deus busca instrução e coloca em prática o que aprende aos pés do Senhor. A evidência de uma pessoa que teme a Deus é a humildade. É impossível temer a Deus e ao mesmo tempo ser soberbo. A arrogância não combina com o temor ao Senhor, assim como a humildade não mora da casa do altivo de coração. Se a soberba é a sala de espera da ruína, a humildade é o portal da honra. Deus resiste ao soberbo, mas dá graça aos humildes. Os que se exaltam são humilhados, mas os humildes são exaltados. Os que batem palmas para si mesmos e entoam o hino "Quão grandes és tu" diante do espelho serão envergonhados e se cobrirão de opróbrio, mas aqueles que choram pelos seus pecados e se humilham sob a poderosa mão de Deus serão exaltados. O reino de Deus pertence aos humildes de espírito, e não aos arrogantes de coração. Só os humildes são seguidores daquele que se esvaziou a si mesmo e se tornou servo.

Capítulo 16

A sabedoria instrui sobre o cuidado providencial de Deus
(Pv 16.1-33)

DEUS TEM A ÚLTIMA PALAVRA – *O coração do homem pode fazer planos, mas a resposta certa dos lábios vem do SENHOR* (Pv 16.1). Antes de construirmos uma casa, fazemos o projeto. Antes de iniciarmos uma viagem, traçamos o roteiro. Antes de começarmos um empreendimento, estabelecemos planos e metas. Nem sempre o que planejamos acontece. Somos limitados e não conseguimos discernir todos os fatos que se escondem nas dobras do futuro. Alguns pensam que nossa vida segue um curso inflexível. Acreditam num determinismo cego e radical. Outros pensam que a história está dando voltas sem jamais avançar para uma consumação. Nós, porém, cremos que Deus está no controle do universo. Ele é o Senhor da história e tem nas mãos as rédeas dos acontecimentos. Nosso coração faz muitos planos, porém não é a nossa vontade que prevalece, mas o propósito de Deus. Não é a nossa palavra que permanece de pé, mas a resposta certa que vem dos lábios do Senhor. Deus conhece o futuro em seu eterno agora. Deus vê o que se esconde nos corredores escuros do porvir. Para ele, luz e trevas são a mesma coisa. Nada escapa ao seu conhecimento. Ele domina sobre tudo e sobre todos. O controle remoto do universo está em suas onipotentes mãos. É Deus quem tem a última palavra.

Deus julga nossas intenções – *Todos os caminhos do homem são puros aos seus olhos, mas o* S<small>ENHOR</small> *pesa o espírito* (Pv 16.2). Nosso conhecimento é limitado. Julgamos segundo a aparência. A camada de verniz que cobre a covardia e esconde a coragem muitas vezes nos impressiona a ponto de pensarmos que os robustos Eliabes são os escolhidos de Deus. Deus não vê as coisas como nós as vemos. Nós vemos o exterior; Deus vê o coração. Nós contemplamos a ação; Deus julga a motivação. Podemos pensar que tudo o que fazemos é certo, mas o Senhor julga nossas intenções. Somos a geração que aplaude a *performance*, que premia o desempenho, que acende as luzes do palco para o *glamour* da aparência. Somos uma geração que idolatra o corpo e cultua a beleza física. A Bíblia, porém, diz que enganosa é a graça e vã é a formosura, mas a pessoa que teme ao Senhor será louvada. O que conta para Deus não é o que aparentamos ser, mas o que somos. Não raro as pessoas amam não quem somos, mas quem aparentamos ser. Amam não nossa verdadeira identidade, mas nossa máscara. Não somos aquilo que somos em público, mas quem somos em secreto. O que tem valor aos olhos de Deus não é o que julgamos puro, mas o que Deus considera puro.

Planos bem-sucedidos – *Confia ao SENHOR as tuas obras, e os teus desígnios serão estabelecidos* (Pv 16.3). Nós somos seres contingentes e limitados. Não enxergamos o que se esconde nas fímbrias do futuro. Não sabemos o que é melhor para nós. Não sabemos nem mesmo orar como convém. Não poucas vezes, pedimos a Deus uma pedra pensando que estamos pedindo um pão. Por essa razão, precisamos submeter a Deus nossos sonhos, nossos planos e nossos desígnios. Não administramos os acontecimentos; nem mesmo temos a garantia de que estaremos vivos daqui a cinco minutos. Dependemos totalmente de Deus. Não podemos ficar de pé escorados no bordão da autoconfiança. Precisamos rogar a direção divina para tudo o que fazemos, a fim de ser bem-sucedidos. Precisamos confiar ao Senhor as nossas obras, para que nossos desejos sejam estabelecidos. Não é a nossa vontade que deve prevalecer no céu, mas a vontade de Deus que deve ser feita na terra. Não é sensato fazermos nossos planos para depois pedir a Deus que os aprove. Precisamos orar para que os planos de Deus sejam os nossos planos. Os caminhos de Deus são melhores do que os nossos, e os desígnios de Deus são mais elevados do que os nossos. Os planos bem-sucedidos são aqueles que descem do céu para a terra, e não aqueles que sobem da terra para o céu.

Os planos de Deus não podem ser frustrados – *O SENHOR fez todas as coisas para determinados fins e até o perverso, para o dia da calamidade* (Pv 16.4). Deus criou o universo mediante um plano perfeito, eterno e vitorioso.

Não há improvisação em Deus. Nada o apanha de surpresa. Ninguém consegue esconder-se de sua presença; ele é onisciente. Ninguém pode escapar do seu controle e vigilância; ele é onipresente. Ninguém consegue desafiar o seu poder e prevalecer; ele é onipotente. O universo não deu origem a si mesmo. A geração espontânea é uma teoria falaciosa. O universo não é produto de uma explosão cósmica. A desordem não pode gerar a ordem nem o caos pode produzir o cosmo. O universo não é fruto de uma evolução de milhões e milhões de anos. Deus criou o universo pela palavra do seu poder. E Deus não apenas fez todas as coisas, mas as fez com um propósito definido. Até mesmo os perversos foram feitos para o dia da calamidade. A rebelião dos perversos não deixa Deus em crise e confuso. Embora eles sejam totalmente responsáveis por sua rebelião, a própria rebelião deles cumpre o propósito de Deus. O apóstolo Pedro disse no dia de Pentecostes acerca de Jesus: *Sendo este entregue pelo determinado desígnio e presciência de Deus, vós o matastes, crucificando-o por mãos de iníquos* (At 2.23). Fica claro aqui que a soberania divina não anula a responsabilidade humana.

Os arrogantes não ficam sem castigo – *Abominável é ao* Senhor *todo arrogante de coração; é evidente que não ficará impune* (Pv 16.5). A arrogância é algo repulsivo aos olhos de Deus. Ele a abomina mesmo quando a vê encubada no coração humano. O Senhor identifica a arrogância na raiz. Ele diagnostica a malignidade dessa semente antes mesmo que ela brote, cresça e produza seus frutos amargos. Deus resiste aos soberbos. Declara guerra aos altivos de coração. Humilha aqueles que se exaltam. Não poupa o chicote do castigo às costas dos arrogantes. O Senhor detesta os orgulhosos de coração. Eles não ficarão sem castigo. A Bíblia diz que a pessoa que, muitas vezes repreendida, endurece a cerviz será quebrantada de repente sem que haja cura. Foi assim com o soberbo rei Nabucodonosor. Ele queria ser adorado como Deus. Levantou monumentos a si mesmo. Colocou seu ninho junto às estrelas. Mas de lá do alto, Deus o derrubou. Tirou-o do trono e o enviou para pastar com os bois. Seu corpo foi coberto pelo orvalho da noite, e suas unhas cresceram como casco. Deus, na sua muita misericórdia, quebrou a altivez do seu coração para salvar-lhe a alma. Deus o humilhou até o pó para arrancá-lo das profundezas do inferno. Deus o castigou com rigor severo para poupá-lo da condenação eterna.

A confissão do pecado é a porta do perdão – *Pela misericórdia e pela verdade, se expia a culpa; e pelo temor do* SENHOR *os homens evitam o mal* (Pv 16.6). São dois os fatores que levam uma pessoa a receber perdão. O primeiro deles é a misericórdia daquele que julga; o segundo é a sinceridade daquele que é julgado. Quando o indivíduo admite seu erro e humildemente o confessa e o abandona, então recebe perdão e remissão da culpa. A Bíblia diz: *O que encobre as suas transgressões jamais prosperará; mas o que as confessa e deixa alcançará misericórdia* (Pv 28.13). Enquanto escondemos nossos pecados, pesa sobre nós a culpa; mas, quando buscamos a verdade no íntimo e confessamos nossas transgressões, então recebemos o perdão. A Palavra de Deus diz: *Se confessarmos os nossos pecados, ele é fiel e justo para nos perdoar os pecados e nos purificar de toda a injustiça* (1Jo 1.9). Da mesma forma que pela misericórdia e pela verdade se expia a culpa, pelo temor ao Senhor evitamos o mal. É o temor ao Senhor que nos livra da queda. É o temor ao Senhor que afasta nossos pés da armadilha e nos coloca numa vereda reta. Sem o temor ao Senhor, andaremos pela estrada larga das liberdades sem limites, dos prazeres sem santidade, das alegrias sem pureza, da culpa sem perdão.

Como reconciliar-se com os inimigos – *Sendo o caminho dos homens agradável ao SENHOR, este reconcilia com eles os seus inimigos* (Pv 16.7). O 16º presidente norte-americano, o estadista Abraham Lincoln, dizia que a maneira mais sensata de lidar com um inimigo é torná-lo um amigo. Mas como essa façanha poderia acontecer? Salomão responde: Se a nossa maneira de viver agrada a Deus, ele transforma os nossos inimigos em amigos. Foi assim com o patriarca Isaque. Quando ele habitou na terra de Gerar, semeou ali e colheu a cento por um. Ficou riquíssimo e prosperou abundantemente. Reabriu poços antigos e cavou novos poços. Os filisteus, por inveja, entulharam seus poços. Mas Isaque, em vez de brigar com os inimigos, continuou cavando novos poços. Os pastores de Gerar contenderam com ele por causa desses poços, mas Isaque não se agarrou a essas contendas. Seguiu em frente e, por onde ia, cavava novos poços. Foi expulso da terra de Gerar, mas não deixou que a amargura dominasse seu coração. Ao contrário, continuou buscando novas fontes. Deus apareceu a Isaque e prometeu abençoá-lo e multiplicar sua descendência. Seus inimigos, sabendo que ele era um abençoado de Deus, o procuraram e se reconciliaram com ele. É assim que Deus age ainda hoje. Quando nossos caminhos agradam ao Senhor, ele reconcilia conosco nossos inimigos.

O lucro desonesto não vale a pena – *Melhor é o pouco, havendo justiça, do que grandes rendimentos com injustiça* (Pv

16.8). A riqueza é uma bênção de Deus quando granjeada com honestidade. É Deus quem fortalece nossas mãos para adquirirmos riquezas. A prosperidade que Deus dá não traz desgosto em sua bagagem. No entanto, é um terrível engano negociar princípios e vender a consciência para acumular bens materiais. O dinheiro adquirido com injustiça não produz conforto nem descanso para a alma. Mentir e corromper para obter vantagens financeiras é uma tolice. Roubar e gananciosamente surrupiar o alheio a fim de acumular riquezas é uma consumada loucura. Torcer as leis e atentar contra a vida do próximo para abastecer sua ganância insaciável é entrar por um caminho de morte. Melhor é ser um pobre íntegro do que um rico desonesto. O bom nome vale mais do que as riquezas. De nada vale morar num apartamento de cobertura, mas viver inquieto. De nada adianta morar numa casa de luxo, mas não ter paz na consciência. É totalmente desprezível ostentar uma riqueza cuja origem está escondida nos porões da corrupção. A felicidade não está nas coisas, mas em Deus. A segurança não está no dinheiro, mas em Cristo. A paz interior não está em quanto dinheiro você tem, mas na habitação do Espírito Santo em seu coração.

A direção de Deus é melhor – *O coração do homem traça o seu caminho, mas o* SENHOR *lhe dirige os passos* (Pv 16.9). Somos pessoas limitadas tanto no conhecimento como no poder. Não sabemos nem podemos todas as coisas. Traçamos planos, mas nem sempre podemos executá--los. Estabelecemos metas, mas nem sempre as atingimos. Almejamos coisas, mas nem sempre as conquistamos. Na verdade, a pessoa faz seus planos, mas quem dirige sua vida é Deus. Em seu coração, o ser humano planeja seu caminho, mas é o Senhor quem determina seus passos. A atitude mais sensata é submetermos nossos planos a Deus; ou melhor, buscar o conhecimento da santa, perfeita e agradável vontade de Deus para nossa vida. A direção de Deus é sempre melhor do que a nossa. Ele conhece as dobras do futuro e tem todo o poder para nos conduzir em triunfo, mesmo em meio às grandes dificuldades da vida. Deus está conosco sempre. Sua bondade e sua misericórdia nos acompanham todos os dias da nossa vida. Ele nos toma pela mão, nos guia com seu conselho eterno e depois nos recebe na glória. Sua direção é sábia e segura. Ele jamais nos desvia da rota da santidade, pois suas veredas são caminhos de justiça. Quando Deus caminha conosco, marchamos resolutos rumo à glória.

Julgando com justiça – *Nos lábios do rei se acham decisões autorizadas; no julgar não transgrida, pois, a sua boca* (Pv 16.10). Um rei íntegro julga com justiça, enquanto um rei iníquo transforma seu trono em território de opressão e violência. Reis piedosos lideravam seu povo pelas veredas da justiça; reis perversos e maus desencaminhavam a nação. Salomão foi constituído rei por escolha divina. Ele falava por autoridade divina e era justo no seu julgar. Um dia, duas mães lhe trouxeram uma demanda. Ambas tiveram filhos e, numa noite, uma das crianças morreu. A mãe que perdeu o filho consolou-se roubando o filho da outra, afirmando que a criança viva era sua. O impasse estava estabelecido. Salomão, sem conseguir pacificá-las, mandou trazer uma espada e deu a seguinte ordem: *Dividi em duas partes o menino vivo e dai metade a uma e metade a outra. Então, a mulher cujo filho era o vivo falou ao rei (Porque o amor materno se aguçou por seu filho) e disse: Ah! Senhor meu,* *dai-lhe o menino vivo e por modo nenhum o mateis. Porém a outra dizia: Nem meu nem teu; seja dividido. Então, respondeu o rei: Dai à primeira o menino vivo; não o mateis, porque esta é sua mãe.*Toda a nação devotou respeito ao rei, porque viram que nele havia a sabedoria de Deus para fazer justiça.

A honestidade procede de Deus – *Peso e balança justos pertencem ao* S<small>ENHOR</small>*; obra sua são todos os pesos da bolsa* (Pv 16.11). Há muita desonestidade nas transações comerciais. O fermento da corrupção está presente em todos os setores dos negócios. Há desonestidade nas transações internacionais. Há desvio de dinheiro nas obras públicas. Há gordas vantagens financeiras destinadas a gestores para se obterem favores nas licitações de obras públicas. Há muitos comerciantes inescrupulosos que vendem um produto inferior, por um peso menor e por um preço maior. Essa prática aviltante de roubalheira instalada nos governos, nas instituições públicas e nos negócios está em flagrante oposição a Deus. O Senhor não tolera o mal. Ele é contra a injustiça. Deus não faz vistas grossas aos esquemas de corrupção. Ele não aprova o peso falso e a balança enganosa. Aqueles que enriquecem usando os expedientes escusos do engano, da mentira e da trapaça podem até escapar das leis humanas, mas jamais escaparão do reto juízo de Deus. Os perversos, não poucas vezes, praticam seus delitos e permanecem blindados. Eles mesmos fazem as leis e as torcem em benefício próprio. Um dia, porém, essas pessoas terão de encarar o reto Juiz e, então, ficarão desamparadas e cobrirão seu rosto de vergonha eterna.

A justiça enaltece o trono – *A prática da impiedade é abominável para os reis, porque com justiça se estabelece o* *trono* (Pv 16.12). Uma nação não pode ser forte se seus cidadãos estiverem rendidos ao pecado. O pecado é o opróbrio e a vergonha das nações. Promover o pecado é a mais consumada loucura, porque o pecado é como um câncer que destrói as entranhas da nação. Jamais um povo se manteve de pé e nunca um rei estabeleceu seu trono lançando mão da impiedade. O que torna forte um governo é a justiça, e não a iniquidade. O que enaltece o trono é a santidade, e não a prática da impiedade. O que fortalece um povo é a integridade, e não a promoção da imoralidade. O rei Belsazar perdeu sua vida e seu reino porque se entregou à devassidão e conduziu seu reino por esse sinuoso caminho. O Império Romano caiu nas mãos dos bárbaros porque já estava podre por dentro. As nações que beberam o leite da piedade e cresceram governadas pelas balizas da honestidade, progrediram econômica, social, política e espiritualmente. Tornaram-se prósperas e ocuparam uma posição de vanguarda e liderança no mundo. No entanto, as nações que se renderam aos vícios e à desconstrução dos valores morais e que conspiraram contra a família amargaram pobreza e opróbrio, pois um governo só se estabelece com justiça.

A recompensa da verdade – *Os lábios justos são o contentamento do rei, e ele ama o que fala coisas retas* (Pv 16.13). A verdade anda solitária em nossos dias, enquanto a mentira desfila garbosa na passarela. A mentira cobriu sua cara enrugada e cavernosa e colocou os cosméticos da conveniência. Há várias máscaras de mentira no mercado. Máscaras para todos os gostos, de todas as formas e tamanhos. Máscaras cheias de brilho e máscaras transparentes. A mentira pode parecer inocente, mas ela procede do maligno. Pode parecer inofensiva, mas os mentirosos não herdarão o reino de Deus. Os lábios justos, porém, são o contentamento do rei, pois este ama o que fala coisas retas. A verdade é luz e por isso prevalece. A verdade é justa e por isso alegra aqueles que julgam com retidão. A verdade abençoa, pois, ainda que fira quem a ouve, tais feridas trazem cura para o corpo e delícias para a alma. Aqueles que falam coisas retas, em vez de espalharem boatos e contendas, promovem a justiça, edificam a família e fortalecem a nação. Aqueles que têm lábios verazes e justos são promotores do bem, terapeutas da alma e arquitetos do progresso. Aqueles que de coração falam a verdade, juram com dano próprio e não se retratam são cidadãos do reino dos céus, os notáveis nos quais Deus tem todo o prazer.

O perigo do destempero emocional – *O furor do rei são uns mensageiros de morte, mas o homem sábio o apazigua* (Pv 16.14). Se o furor de uma pessoa é uma fagulha que se alastra e provoca devastação por onde passa, imagine o furor de um rei! O furor de um rei é mais do que uma fagulha; é um incêndio, um fogaréu que leva morte e destruição em suas asas. É um grande perigo ter domínio sobre os outros sem ter domínio próprio. É ameaçador estar sob a autoridade de alguém que não tem controle emocional, pois esse destempero é como um vulcão que cospe lavas de fogo e espalha a morte por todos os lados. A sensatez nos ensina a não jogar lenha na fogueira, mas colocarmos água na fervura. Em vez de provocar a fúria do rei, devemos apaziguá-lo. Não é a pessoa raivosa e destemperada emocionalmente que prevalece na vida, mas a pacificadora. Esta herdará a terra. A mansidão não é falta nem ausência de poder, mas poder sob controle. O manso é aquele que, embora tenha motivos para reagir com violência, reage com brandura. Em vez provocar a ira, busca a reconciliação. O sábio não é aquele que vive entrando em confusão, travando discussões tolas e comprando brigas desnecessárias, mas aquele que guarda a si mesmo da mágoa e se torna agente da paz.

Aprenda a lidar com seus superiores – *O semblante alegre do rei significa vida, e a sua benevolência é como a nuvem que traz chuva serôdia* (Pv 16.15). A atitude daqueles que nos lideram e estão posicionalmente sobre nós nos atinge diretamente. Se esses líderes estão de bom humor, com o semblante alegre, um clima agradável e ameno se estabelece. Porém, se eles estão furiosos e mal-humorados, o ambiente se transtorna. Quando o rei fica contente, há vida; sua bondade é como a chuva da primavera. A alegria do líder transborda em ações de bondade que descem sobre nós como uma chuva serôdia, preparando o campo do nosso coração para uma grande colheita. É claro que os sentimentos, as ações e as reações daqueles que nos governam dependem e muito da maneira como os tratamos. Nossas ações de obediência e fidelidade provocam reações de benevolência. Nossa presteza em servir com alegria retorna para nós como chuvas de bênçãos. Colhemos o que plantamos. Servos insubmissos produzem patrões carrascos. Servos fiéis produzem líderes generosos. Quando lidamos de forma sábia com os nossos superiores, estamos investindo em nós mesmos, pois colhemos os frutos sazonados de nossa própria semeadura.

Um tesouro mais precioso do que o ouro – *Quanto melhor é adquirir a sabedoria do que o ouro! E mais excelente, adquirir a prudência do que a prata!* (Pv 16.16). Há muitas coisas melhores do que a riqueza, como a paz interior, o bom nome e um casamento feliz. Agora, Salomão diz que a sabedoria e a prudência são bens mais duráveis e mais preciosos do que o ouro e a prata. Investir em sabedoria tem um rendimento mais garantido do que comprar ouro. Alcançar a prudência é mais vantajoso do que acumular prata. Os bens materiais podem ser saqueados e roubados, mas a sabedoria e a prudência não podem. A sabedoria não é um substituto para a riqueza, mas sua principal causa. Salomão não pediu a Deus riqueza, mas sabedoria, e no pacote da sabedoria recebeu a riqueza. É possível que uma pessoa seja rica, mas tola. É possível que um indivíduo esteja com o bolso cheio de dinheiro, mas com a cabeça vazia de prudência. É possível que alguém granjeie muito dinheiro, mas esteja totalmente desprovido de sabedoria. Adquirir ouro sem possuir sabedoria pode ser um completo fracasso. A sabedoria não é uma coisa inata, com a qual nascemos. Precisa ser procurada e adquirida. Esse é um processo que exige empenho, esforço e perseverança. O resultado, porém, é extremamente compensador. É melhor ser sábio do que ser rico, pois a própria sabedoria é melhor do que o ouro.

Preserve sua alma – *O caminho dos retos é desviar-se do mal; o que guarda o seu caminho preserva a sua alma* (Pv 16.17). Há caminhos e caminhos: uns levam à vida, outros à morte. Uns tiram seus pés da cova, e outros o empurram para o abismo. Uns são caminhos de liberdade, e outros de escravidão. O caminho dos íntegros consiste em discernir o mal e desviar-se dele. Esse é o caminho da renúncia. Não é popular nem oferece muitos atrativos e aventuras. O caminho largo das liberdades sem limites é espaçoso, atraente e repleto de aventuras, mas seu destino é a perdição eterna.

Esse caminho é um tobogá que desemboca no lago de fogo, onde há choro e ranger de dentes. Ao longo desse caminho, existem muitos cenários encantadores. Nessa estrada larga, as multidões cantam e celebram como se tudo estivesse na mais perfeita ordem. Os prazeres desta vida são desfrutados com sofreguidão. Todas as taças dos prazeres são sorvidas com voracidade. Porém, o que rege esse mar de gente não é a sabedoria, mas a loucura, pois eles não se desviam do mal nem preservam sua alma. Ao contrário, caminham com mais celeridade para o abismo e bebem com mais sede os licores dos prazeres, julgando poder neles preencher o vazio que lhes assola a alma. Ledo engano! No final dessa linha, uma pergunta gritará aos seus ouvidos: *Que aproveita ao homem ganhar o mundo inteiro e perder asua alma?* (Mc 8.36).

Soberba, a porta de entrada da ruína – *A soberba precede a ruína, e a altivez do espírito, a queda* (Pv 16.18). A soberba se origina de uma avaliação falsa de nós mesmos. Agostinho de Hipona disse que, se entendêssemos que Deus é Deus, compreenderíamos que somos apenas humanos. Nós viemos do pó e voltaremos ao pó, por isso somos pó. Não somos o que somos. Somos o que fomos e o que havemos de ser, pois só Deus é o que é. Deus apresentou-se a Moisés no Sinai: *EU SOU O QUE SOU* (Êx 3.14). Deus é autoexistente e não depende de ninguém. Ele é completo em si mesmo. Tem vida em si mesmo. Porém, o ser humano é criatura, é dependente e não tem motivo de orgulhar-se. A soberba transformou um anjo de luz em demônio. Por causa da soberba, Deus expulsou Lúcifer do céu. Deus resiste aos soberbos. Ele declara guerra aos orgulhosos e humilha os altivos de coração. A soberba é a porta de entrada do fracasso e a sala de espera da ruína. O orgulho leva a pessoa à destruição, e a vaidade a faz cair na desgraça. Na verdade, o orgulho vem antes da destruição, e o espírito altivo precede a queda. Nabucodonosor foi tirado do trono e colocado no meio dos animais por causa da sua soberba. O rei Herodes Antipas I morreu comido de vermes porque seu coração se ensoberbeceu, em vez de dar glória a Deus. O reino de Deus pertence aos humildes de espírito, e não aos orgulhosos de coração.

A recompensa da humildade – *Melhor é ser humilde de espírito com os humildes do que repartir o despojo com os soberbos* (Pv 16.19). A soberba é a sala de espera da ruína, mas a humildade é o portal da honra. Os soberbos despencam das alturas de sua altivez para a vala profunda do fracasso, mas os humildes fazem uma viagem do vale para o topo, da humilhação para a honra. Os soberbos fazem propaganda de sua felicidade, mas a taça de sua alegria está cheia de lamento. A humildade, porém, é a fonte da verdadeira alegria. Os humildes de espírito são bem-aventurados. Não são apenas felizes, mas muito felizes. São os humildes de espírito que saboreiam as finas iguarias no banquete da felicidade. Aos humildes de espírito pertence o reino de Deus. As alegrias dos reinos deste mundo são passageiras, pois os reinos deste mundo não permanecem para sempre; mas os humildes de espírito se assentarão com Jesus no reino celestial. A alegria deles é perene. Participarão de uma festa que nunca vai acabar. São herdeiros de um reino que nunca vai passar. Por isso, é melhor ser humilde de espírito com os humildes do que repartir riquezas com os soberbos. Há uma grande recompensa na humildade. Os humildes são exaltados por Deus. A eles pertence a salvação. A humildade é melhor do que riquezas, pois ser humilde de espírito com os humildes é melhor do que viver entre os soberbos, repartindo seus despojos.

O segredo da felicidade – *O que atenta para o ensino acha o bem, e o que confia no SENHOR, esse é feliz* (Pv 16.20). Há muitas pessoas que passam pela vida com os ouvidos obstruídos para o aprendizado. Não investem tempo para aprender. Repetem os mesmos erros dos ignorantes. São cegos guiados por outros cegos. Não lhes resplandece a luz do conhecimento, pois nunca atentaram para o ensino. Quem não semeia no conhecimento não colhe o bem. É melhor investir em conhecimento do que adquirir ouro. É melhor dar educação aos filhos do que deixar herança para eles. A riqueza sem o ensino pode ser causa de tormento, e não fonte de felicidade. A verdadeira felicidade não está nas coisas materiais, mas na confiança em Deus. Os que buscam o sentido da vida na bebida, na riqueza, nas aventuras sexuais e na fama descobrem que todas essas coisas não passam de uma bolha vazia. O que confia em Deus, porém, é feliz. Nas noites trevosas da vida, é a confiança em Deus que nos dá forças para esperarmos o amanhecer. Nos vales sombrios da caminhada, é a confiança em Deus que nos faz marchar resolutos para o topo das montanhas. A confiança em Deus desvia nossos olhos de nós mesmos, de nossas fraquezas ou da enormidade dos problemas, para fixá-los naquele que é onipotente e está no controle de todas as circunstâncias.

Coração sábio, palavras doces – *O sábio de coração é chamado prudente, e a doçura no falar aumenta o saber* (Pv 16.21). O coração é a fonte, e a língua é o rio que corre dessa fonte. O coração é o laboratório, e a língua é a vitrine que expõe o que se produz nesse laboratório. Há uma profunda e estreita conexão entre o coração e a língua. A língua fala daquilo que o coração está cheio. Uma pessoa sábia de coração é prudente, pois não fala sem refletir. Suas palavras são sempre oportunas e terapêuticas. Ela fala para edificar e abençoar. Sua língua é fonte de conhecimento e terapia para os aflitos. O sábio é conhecido não apenas pelo que fala, mas também pelo modo como fala. Ele não apenas fala a verdade, mas fala a verdade em amor. Há muitas pessoas cuja língua é carregada de veneno. Suas palavras ferem mais do que espada, destroem mais do que fogo. A Bíblia se refere a Nabal, marido de Abigail, que era duro no trato. Ninguém podia falar com ele, pois era um homem intratável. Por outro lado, a Palavra de Deus também nos fala sobre Jesus, cujas palavras são espírito e vida. Ouvi-lo é matricular-se na escola superior do Espírito Santo e aprender as mais importantes lições da vida. Precisamos nos assentar aos pés de Jesus para ter um coração sábio e palavras doces.

Entendimento, fonte de vida – *O entendimento, para aqueles que o possuem, é fonte de vida; mas, para o insensato, a sua estultícia lhe é castigo* (Pv 16.22). O rei Davi, depois de ter sido confrontado pelo profeta Natã, reconheceu a loucura que havia cometido, ao adulterar com Bate-Seba e mandar matar seu marido. Durante muito tempo, Davi tentou esconder seu pecado e abafar a voz da consciência. Depois que se arrependeu e voltou à sensatez, disse que não devemos ser como o cavalo ou a mula sem entendimento. Gente com cabeçadura precisa apanhar para aprender. Indivíduos de dura cerviz que, muitas vezes repreendidos, não se dobram, serão quebrados repentinamente sem oportunidade de cura. A estultícia do insensato é como um chicote para as suas costas. Porém, o entendimento é fonte de vida. Uma pessoa que olha para a vida com os olhos de Deus tira os pés do laço do passarinheiro, foge de terrenos escorregadios e aparta-se do mal. O entendimento abre os olhos da nossa alma para não entrarmos no corredor escuro da morte. O entendimento tira o tampão dos nossos ouvidos para darmos guarida aos conselhos que emanam da Palavra de Deus. O entendimento inclina nosso coração para a verdade e coloca nossos pés nas veredas da justiça.

Uma eloquência persuasiva – *O coração do sábio é mestre de sua boca e aumenta a persuasão nos seus lábios* (Pv 16.23). Há uma estreita conexão entre o coração e a língua, entre o que cogitamos no coração e o que expressamos com os lábios. Uma pessoa que fala uma coisa, mas sente outra no coração, é taxada de hipócrita. Uma pessoa que sente no coração, mas não fala o que sente, é considerada covarde. A Bíblia diz que a boca fala daquilo que está cheio o coração. O coração do insensato é o algoz de sua boca, mas o coração do sábio é o mestre de sua boca. A boca está a serviço do coração sábio. Transborda dos ricos conceitos que sobem do coração. Um coração sábio é conhecido por uma boca que fala com erudição, e quem fala com erudição e graça revela uma eloquência persuasiva. Esse fala não apenas segundo a verdade, mas também com beleza irretocável. Expressa não apenas a justiça, mas o faz com perícia invulgar. Dita não apenas valores absolutos, mas os proclama com persuasão irrefutável. Os lábios somente serão mestres do bem se estiverem a serviço de um coração sábio. Um coração sábio só pode ser forjado na bigorna da experiência, e a experiência só se alcança numa caminhada ao lado do Senhor. A sabedoria não é um entendimento que emana naturalmente de nosso coração, mas um aprendizado que adquirimos aos pés do Senhor. Aqueles que conhecem Deus são sábios, e a boca dos sábios desabotoa em adoração e louvor ao Criador.

A cura pela palavra – *Palavras agradáveis são como favo de mel: doces para a alma e medicina para o corpo* (Pv 16.24). As palavras agradáveis são terapêuticas. Fazem bem para a alma e para o corpo. Curam emocional e fisicamente. Um favo de mel renova as forças e dá brilho aos olhos. Palavras agradáveis levantam os abatidos, curam os aflitos, consolam os tristes e tonificam a alma daqueles que estão angustiados. Uma palavra boa, oportuna, que transmite graça aos que a ouvem, é medicina para o corpo. É um tratamento intensivo para os enfermos que a recebem. Nossa língua precisa estar a serviço da cura, e não do adoecimento. Precisamos ser agentes do bem, e não executores do mal. Nossas palavras precisam transmitir esperança, e não desespero. Precisam ser veículos de vida, e não condutores de morte. Precisam ser medicina para o corpo, e não veneno que destrói a vida. Jesus usou de maneira singular a cura pela palavra. Sempre que alguém se aproximava dele ferido pela vida e buscando socorro, saía com o coração aliviado e com a alma liberta. Suas palavras eram bálsamo para os aflitos, tônico para os fracos, gotas de esperança para os cansados e luz de vida para os que andavam sem rumo. Precisamos aprender com Jesus. Nossas palavras podem dar sabor como o mel e podem curar como o remédio. Podem trazer deleite e restauração, cura e alegria.

Caminhos enganosos – *Há caminho que parece direito ao homem, mas afinal são caminhos de morte* (Pv 16.25).

Nem sempre as coisas são o que aparentam ser. Há muita ilusão ótica. Há muitas miragens. Há muitos brilhos falsos. Há muita propaganda enganosa. As aparências enganam. Nem sempre nossa percepção é confiável. Há caminho que parece direito às pessoas. Seu aspecto externo é bastante semelhante aos caminhos de vida. Mas seu destino final é a morte. Jesus contou sobre o homem imprudente que edificou sua casa sobre a areia. Tudo naquela casa era parecido com a casa edificada sobre a rocha: o telhado, as paredes, as portas e as janelas. Mas o fundamento estava plantado na areia, uma base absolutamente frágil. Quando a chuva caiu sobre o telhado, o vento soprou contra a parede e os rios bateram no alicerce, a casa ruiu, e foi grande a sua ruína. É comum as pessoas afirmarem: "Toda religião é boa; todo caminho leva a Deus. O que importa é ser sincero". Mas essas opiniões estão longe de ser verdadeiras. Nenhuma religião pode nos dar salvação. Só há um caminho que nos conduz a Deus. Jesus Cristo afirmou: *Eu sou o caminho, e a verdade, e a vida; ninguém vem ao Pai senão por mim* (Jo 14.6). Só existe um caminho seguro para o céu: Jesus. Só há uma porta de entrada no céu: Jesus. Fora dele não há salvação. Os outros caminhos podem parecer direitos ao ser humano, mas são caminhos de morte.

A fome nos move ao trabalho – *A fome do trabalhador o faz trabalhar, porque a sua boca a isso o incita* (Pv 16.26). O conforto e a fartura podem gerar indolência e preguiça. Uma pessoa que não sabe o que é necessidade faz corpo mole e não adestra as mãos para o trabalho. Porém, a fome do trabalhador o faz trabalhar. Viktor Frankl, o pai da logoterapia, um judeu que sofreu as agruras de um campo de concentração nazista na Segunda Guerra Mundial, e escapou, diz em seu livro *Em busca de sentido* que aqueles que se empenharam em trabalhar para salvar outros salvaram a si mesmos. Muitas pessoas também prestavam serviços humilhantes e até com extremo sacrifício, apenas para conseguirem no dia seguinte mais uma concha de sopa rala de lentilhas. A fome nos leva a grandes desafios. Em tempos de escassez e miséria, as pessoas perdem a vaidade. Abrem mão de seus títulos e se dispõem a fazer os trabalhos mais simples e humildes para conseguirem pão. Há uma enorme diferença entre vontade de comer e fome. Uma coisa é você sentir fome e ter a geladeira cheia. Outra coisa é sentir fome e não ter nenhum dinheiro ou provisão. Nessas circunstâncias, você aceita o trabalho mais humilde e come o alimento mais simples, porque a fome do trabalhador o faz trabalhar.

O perigo do indivíduo depravado – *O homem depravado cava o mal, e nos seus lábios há como que fogo ardente* (Pv 16.27). Um indivíduo depravado é um perigo. Sua vida é uma cova de morte, sua língua é uma fagulha ardente, sua companhia é um perigo constante. O depravado é um criador de encrencas. Por onde passa, deixa um rastro doloroso de traumas, dores e feridas. Seus pensamentos são maus, suas palavras são veneno, suas ações são malignas e suas reações são avassaladoras. O depravado não apenas pratica o mal, mas também anda atrás do mal. Ele procura o mal até achá-lo. Ele cava o mal como se estivesse procurando ouro. Cavar é um trabalho que exige esforço e perseverança. O depravado, mesmo sofrendo as consequências de sua busca insana e mesmo sabendo que sua descoberta infeliz provoca muito sofrimento nos outros, não desiste dessa atividade inglória. E mais: quando abre a boca, seus lábios proferem palavras que amaldiçoam. Sua língua é mais peçonhenta do que o veneno de um escorpião. Sua língua é um fogo devastador que incendeia e mata. Não podemos nos associar ao depravado. Não devemos andar por suas veredas nem nos assentar à sua mesa. Antes, o nosso prazer deve estar em Deus e na sua lei. Devemos nos deleitar nas coisas que são lá do alto, onde Cristo vive!

O perigo das contendas e inimizades – *O homem perverso espalha contendas, e o difamador separa os maiores amigos* (Pv 16.28). Há pessoas que são um poço de problemas. Quando fazem transbordar suas perversidades, provocam uma inundação lodacenta que leva destruição por onde passam. Há indivíduos que são geradores de conflitos. Arranjam encrenca quando chegam e provocam dissensão quando saem. Se o perverso é um espalhador de contendas, o difamador separa os maiores amigos. Há pessoas que têm um prazer mórbido de espalhar boatos. Vasculham a vida alheia apenas para soltar ao vento suas palavras venenosas. Provocam intrigas, jogam uma pessoa contra a outra e buscam ocasião para destruir a reputação dos demais. O difamador é um assassino. Mata com a língua. Conspira contra a reputação das pessoas. Destrói o bom nome dos outros. Macula a honra de quem quer que seja e, assim, separa os maiores amigos. A Bíblia diz que todos os pecados são graves e horrendos aos olhos de Deus. Mas há um pecado que sua alma abomina. É o pecado da difamação. É o pecado de espalhar contendas entre irmãos. É o pecado de espalhar boatos, torcer os fatos e cavar abismos nos relacionamentos, em vez de construir pontes. Os difamadores colocam uma cunha nos relacionamentos, em vez de cimentá-los com a argamassa da amizade. Estes, longe de serem ministros da reconciliação, são promotores de intrigas e idealizadores de inimizades.

Cuidado com a pessoa violenta – *O homem violento alicia o seu companheiro e guia-o por um caminho que não é bom* (Pv 16.29). A pessoa violenta tem um forte poder de sedução. Possui uma imensa capacidade de aliciar as pessoas. Viver em sua companhia é um risco. Cultivar amizade com gente desse jaez é colocar os pés numa estrada perigosa e navegar por mares revoltos. A atitude mais sensata é desviar-se do caminho do violento. Não se pode andar com uma pessoa com esse perfil sem receber os respingos de suas atitudes perigosas. Ser conduzido por alguém violento é ser guiado por um mau caminho. É envolver-se com encrencas perigosas. É flertar com o perigo e comprometer-se com tragédias mortais. A Palavra de Deus é assaz oportuna, quando alerta: *Filho meu, se os pecadores querem seduzir-te, não o consintas. Se disserem: Vem conosco, embosquemo-nos para derramar sangue, espreitemos, ainda que sem motivo, os inocentes; traguemo-los vivos, como o abismo, e inteiros, com os que descem à cova; acharemos toda sorte de bens preciosos; encheremos de despojos a nossa casa; lança a tua sorte entre nós; teremos todos uma só bolsa. Filho meu, não te ponhas a caminho com eles; guarda das suas veredas os pés; porque os seus pés correm para o mal e se apressam a derramar sangue* (Pv 1.10-16).

Cuidado com a armadilha da sedução – *Quem fecha os olhos imagina o mal, e, quando morde os lábios, o executa* (Pv 16.30). Os olhos são a janela da alma. Por eles entram a luz da bondade ou as sombras espessas da maldade. Aqueles que sorriem sedutoramente e piscam os olhos maliciosamente têm más intenções. Muitas aventuras loucas e paixões crepitantes começaram com esse tipo de riso maroto, com um piscar de olhos sedutor, e terminaram com lágrimas amargas e feridas incuráveis. Muitas jovens inocentes caíram na rede da sedução lançada por conquistadores irresponsáveis e acabaram arruinando sua reputação e destruindo seus sonhos. Muitas mulheres tiveram a vida e a reputação destruídas porque se encantaram com galanteios de espertalhões aproveitadores. Muitas mulheres casadas jogaram sua honra na lama, traíram seu cônjuge e quebraram sua aliança conjugal porque foram apanhadas nessa rede mortal da sedução. Há pessoas que escorregam e caem por falta de vigilância, mas há outras que incubam o mal no coração e buscam uma ocasião para executá-lo. Precisamos ter os olhos bem abertos e a mente bem aguçada para percebermos essas armadilhas e delas fugirmos. O segredo da vitória contra a sedução é fugirmos dela. Dialogar com o tentador já se mostra como o primeiro degrau da queda.

Envelheça com honra – *Coroa de honra são as cãs, quando se acham no caminho da justiça* (Pv 16.31). O ser humano começa a envelhecer quando nasce. O tempo é implacável. Esculpe em nosso rosto rugas indisfarçáveis. Deixa-nos com as pernas bambas, os joelhos trôpegos, os olhos embaçados e as mãos descaídas. Cada fio de cabelo branco que surge em nossa cabeça é a morte nos chamando para um duelo. Quando somos jovens, os anos se arrastam, mas, quando dobramos o cabo da boa esperança e velejamos para o cabo das tormentas, os anos correm. A grande questão da vida não é envelhecer, mas como envelhecer. Há pessoas para quem a velhice é um peso insuportável. Elas se tornam amargas e ranzinzas. Por outro lado, há pessoas que desfrutam de uma ditosa velhice, saboreando o melhor da vida. Uma vida longa é a recompensa de uma vida íntegra. Os cabelos grisalhos são como coroas de honra para aqueles que trilharam as veredas da justiça. A Palavra de Deus diz que os velhos cheios do Espírito têm sonhos. Aqueles que andam com Deus têm verdor e produzem abundantes frutos, mesmo na velhice. Envelhecer com honra é uma bênção. Legar à sociedade uma descendência bem-aventurada é um sublime privilégio.

O poder do domínio próprio – *Melhor é o longânimo do que o herói de guerra, e o que domina o seu espírito, do que o que toma uma cidade* (Pv 16.32). A pessoa mais difícil de lidar na vida é aquela que vemos diante do espelho. É mais fácil dominar os outros do que dominar a nós mesmos. É mais fácil ser valente diante das pessoas do que ser manso de coração. É mais fácil liderar um exército na conquista de uma cidade do que colocar guarda na porta dos nossos lábios e manter sob controle o nosso próprio temperamento. Não é forte aquele que esbraveja e brande a espada para ferir, mas aquele que, tendo o poder de acioná-la, prefere a paz, em vez da guerra. Não é forte aquele que esmaga o próximo e prevalece sobre ele, mas aquele que, tendo a oportunidade de tripudiar sobre o outro, resolve socorrê-lo. Não é forte aquele que paga o mal com o mal, mas quem vence o mal com o bem. Não é forte aquele que derrama sangue e faz justiça com as próprias mãos, mas quem perdoa os inimigos. Não é forte aquele que desanda a boca para falar impropérios contra seus desafetos, mas quem abençoa aqueles que o maldizem. O domínio próprio, porém, não é fruto de uma personalidade dócil. Não é algo natural. É fruto do Espírito Santo. Não somos naturalmente mansos; somos beligerantes. Não somos naturalmente controlados; nosso autocontrole é fruto do domínio de Deus sobre nós.

Sorte não, providência – *A sorte se lança no regaço, mas do Senhor procede toda decisão* (Pv 16.33). As pessoas lançam sortes, acreditam em coincidências e buscam respostas místicas para decifrar os intrincados segredos da vida. Alguns pensam que podem manipular os acontecimentos, enquanto outros entendem que precisam se curvar ao destino estabelecido pela própria natureza. Precisamos entender, porém, que não somos regidos por um destino cego nem por mecanismos mágicos. Não cremos em sorte nem em azar. Não cremos em determinismo nem em misticismo. Nossa vida não é governada por astros nem por forças ocultas. O soberano Deus que criou o mundo e tudo o que nele há está assentado na sala de comando do universo. Ele tem em suas mãos as rédeas da história. Nada foge ao seu conhecimento nem escapa ao seu controle. Nem um pardal pode ser derrubado ao chão sem que ele permita. Nem um fio de cabelo da nossa cabeça pode ser tocado sem que ele autorize. É do Senhor que procede toda a decisão sobre nossa vida. Ele está trabalhando a nosso favor. Ele trabalha para aqueles que nele esperam. Ele está montando um mosaico de nossa vida e escrevendo um lindo poema. Nós somos o poema de Deus. Fomos criados para refletir a beleza do Criador e salvos para anunciar a graça do Salvador.

Capítulo 17

A sabedoria instrui sobre os tolos
(Pv 17.1-28)

PAZ DE ESPÍRITO, A MELHOR FESTA — *Melhor é um bocado seco e tranquilidade do que a casa farta de carnes e contendas* (Pv 17.1). A sociedade valoriza muito a riqueza e o requinte, mas investe bem pouco em relacionamentos. As pessoas conseguem aumentar seus bens, mas não conseguem melhorar sua comunicação no lar. Adquirem bens de consumo, mas não têm prazer em usufruir deles. Fazem banquetes colossais, mas não têm alegria para saboreá-los. É melhor comer um pedaço de pão seco, com paz de espírito, do que ter um banquete numa casa cheia de brigas. A felicidade não é resultado da riqueza, mas da paz de espírito. As pessoas mais felizes não são aquelas que mais têm, nem aquelas que se assentam ao redor dos banquetes mais requintados, mas as que celebram o amor, a amizade e o afeto, apesar da pobreza. Precisamos investir mais em pessoas do que em coisas. Precisamos valorizar mais os relacionamentos do que o conforto. Precisamos dar mais atenção aos sentimentos que nutrimos no coração do que ao alimento que colocamos no estômago. A tranquilidade é um banquete mais saboroso do que a mesa farta de carnes. A paz de espírito não é apenas um componente da festa, mas é a melhor festa. É melhor ter paz no coração do que dinheiro no bolso. É melhor ter tranquilidade na alma do que carnes nobres no prato.

É melhor ser servo sábio do que filho insensato – *O escravo prudente dominará sobre o filho que causa vergonha e, entre os irmãos, terá parte na herança* (Pv 17.2). Há filhos que desvalorizam os pais, desprezam o seu ensino e esbanjam a herança que recebem. São como o filho pródigo, que preferiu os bens do pai ao próprio pai, pegando antecipadamente sua herança para gastá-la de forma dissoluta num país distante. Só depois que estava pobre, faminto, abandonado e humilhado entre os porcos, é que o filho se lembrou de que os empregados de seu pai tinham pão com fartura, enquanto ele estava passando necessidades. O filho que causa vergonha a seus pais ficará envergonhado e será governado pelos próprios servos de sua casa. Porém, o servo prudente, o empregado aplicado que trabalha com honestidade, que é íntegro em sua conduta e fiel em seu proceder, que faz tudo com excelência, ocupará posição de honra e participará da herança como um dos filhos. É melhor ser um servo sábio do que um filho insensato. Numa sociedade na qual escasseiam os exemplos de integridade, que aplaude os que se encastelam no poder para assaltar os cofres públicos, desviando as riquezas da nação para o ralo da corrupção, a Palavra de Deus nos encoraja a vivermos com integridade, pois a verdadeira honra e a verdadeira recompensa procedem do trabalho honesto e da prudência.

O *checkup* divino – *O crisol prova a prata, e o forno, o ouro; mas aos corações prova o SENHOR* (Pv 17.3). O coração humano é um país distante, povoado por muitos, mas compreendido por poucos. Alcançamos as alturas excelsas das conquistas mais esplêndidas. Dominamos o espaço sideral. Chegamos à lua e fazemos pesquisas interplanetárias. Mergulhamos nos segredos da ciência e agilizamos de forma exponencial o processo da comunicação. Viramos o universo pelo avesso investigando suas entranhas, mas não conseguimos entender nosso próprio coração. Não conhecemos a nós mesmos. Não sondamos a nós mesmos. Não administramos as cogitações que brotam do nosso interior. Nosso coração é enganoso e desesperadamente corrupto. Jesus disse que é do coração que procedem os maus desígnios, como a prostituição, os furtos, os homicídios, os adultérios, a avareza, as malícias, o dolo, a lascívia, a inveja, a blasfêmia, a soberba e a loucura. Só Deus pode nos examinar e nos conhecer. Assim como o crisol prova a prata e o forno o ouro, só Deus pode provar quem realmente somos. O salmista, depois de falar sobre a onisciência, a onipresença e a onipotência de Deus, orou: *Sonda-me, ó Deus, e conhece o meu coração, prova-me e conhece os meus pensamentos; vê se há em mim algum caminho mau e guia-me pelo caminho eterno* (Sl 139.23,24).

Proteja seus ouvidos – *O malfazejo atenta para o lábio iníquo; o mentiroso inclina os ouvidos para a língua maligna* (Pv 17.4). A Palavra de Deus diz que as más conversações corrompem os bons costumes. Juntar-se à roda de escarnecedores e oferecer os ouvidos para escutar palavras torpes, piadas imorais, mentiras desairosas e maledicência maligna é entrar por um caminho cheio de espinhos. Os maus ouvem com atenção as coisas más, e os mentirosos gostam de ouvir mentiras. Mas as pessoas de bem não se prestam a essas tolices nem gastam seu tempo com essas loucuras. Devemos proteger nossos ouvidos de tudo aquilo que não engrandece o nome de Deus nem edifica o nosso próximo. Devemos passar tudo o que ouvimos por três peneiras. A primeira é a peneira da verdade. O que estamos ouvindo é verdade? A mentira tem procedência maligna, e os mentirosos têm um destino certo: o lago de fogo. A segunda é a peneira da bondade. O que estamos ouvindo vai edificar e abençoar as pessoas? Dar guarida aos boateiros que espalham contendas e se refestelam em denegrir a imagem do próximo é entrar com eles em um sujo lamaçal. A terceira é a peneira da graça. O que estamos ouvindo é algo oportuno e necessário? Transmitirá graça aos que ouvem? Ajudará a melhorar a situação? A finalidade é santa e o propósito é puro? Se o que estamos ouvindo não passar por essas três peneiras, é melhor colocar um tampão nos ouvidos!

Não se alegre com a desgraça alheia – *O que escarnece do pobre insulta ao que o criou; o que se alegra da calamidade não ficará impune* (Pv 17.5). Não socorrer o pobre em sua necessidade é um pecado de omissão, mas escarnecer do pobre por causa da sua miséria é um insulto a Deus. Encolher a mão e deixar de ajudar o necessitado é falta de

A sabedoria instrui sobre os tolos

amor, mas tripudiar sobre o pobre por causa de sua desdita é crueldade. Quem maltrata o pobre afronta não apenas o pobre, mas insulta também Deus. O Senhor concede riquezas a uns para que sejam generosos com os pobres. Deixar de dar pão a quem tem fome é como sonegar pão ao próprio Jesus, enquanto dar de comer ao faminto é como colocar um banquete diante do próprio Salvador. Há pessoas tão más que, além de escarnecer do pobre, ainda se alegram com a calamidade que se abate sobre o próximo. Esse prazer mórbido de ver os outros sofrendo provoca a ira de Deus. O profeta Obadias fala a respeito desse sentimento mesquinho que dominou os edomitas. Quando Jerusalém foi sitiada e invadida por Nabucodonosor, os edomitas olharam com prazer seu mal e lançaram mão de seus bens, no dia da sua calamidade. E, quando os judeus tentavam escapar, os edomitas paravam nas encruzilhadas para exterminá-los. Isso desagradou a Deus, e os edomitas não ficaram impunes.

O privilégio de ter netos – *Coroa dos velhos são os filhos dos filhos; e a glória dos filhos são os pais* (Pv 17.6). Os netos são filhos duas vezes. Se os filhos são herança de Deus, os netos são uma herança dupla. Aqueles que podem ver os filhos dos filhos são considerados abençoados por Deus e bem-aventurados na vida. Os avós curtem mais os netos do que os pais curtem os filhos. Na verdade, os netos são a coroa dos velhos, a glória dos avós. Por outro lado, a glória dos filhos são os pais, pois, assim como os avós se orgulham dos netos, os filhos se orgulham dos pais. A família, assim, torna-se a fonte das grandes alegrias da vida. A relação de filhos e pais, de avós e netos, constitui uma linda rede de afeto e celebração. O lar torna-se palco das maiores venturas da vida. É nesse território sagrado que se cantam as músicas mais alegres e se derramam as lágrimas mais quentes. É nesse solo bendito que plantamos a semente da amizade mais pura, do afeto mais nobre e do amor mais acendrado. É no lar que cultivamos os relacionamentos mais importantes, alimentamos os sonhos mais belos e colhemos os frutos mais doces. É uma experiência sublime nascer, crescer, casar, ter filhos, educá-los, vê-los encaminhar-se na vida e, mais tarde, segurar nos braços os filhos dos filhos. É glorioso saber que nossa descendência florescerá na terra e será uma bênção para a sociedade.

Há coisas que não combinam — *Ao insensato não convém a palavra excelente; quanto menos ao príncipe, o lábio mentiroso!* (Pv 17.7). A vida exige coerência. Um comportamento contraditório é um escândalo público. Nossas palavras são um reflexo da nossa vida. Nossos lábios, uma radiografia do nosso coração. Nossos valores determinam nosso comportamento e nosso comportamento reflete-se em nossas palavras. O que pensamos, fazemos e o que fazemos, sentimos e falamos. Uma pessoa sensata profere palavras excelentes, mas não combina uma pessoa tola falar com sabedoria. Não combina uma pessoa impura proferir palavras santas. Não combina uma pessoa mentirosa falar palavras verdadeiras, pois a boca fala do que está cheio o coração. Assim como é contraditório o insensato falar coisas excelentes, também o é um príncipe entregar-se à causa da mentira. Aqueles que lideram os outros e são colocados em posição de autoridade sobre os outros precisam ser defensores e agentes da verdade. Um príncipe mentiroso é uma calamidade. A vida do líder é a vida de sua liderança. O maior patrimônio de um líder é seu nome, sua honra e sua reputação. Um líder contraditório, mentiroso e desacreditado é uma maldição para o povo a quem lidera.

Os enganos do suborno – *Pedra mágica é o suborno aos olhos de quem o dá, e para onde quer que se volte terá seu proveito* (Pv 17.8). Há indivíduos que ficam tão enganados e enfeitiçados com sua prática pecaminosa que acreditam que essas ações são uma força mágica que lhes abre todas as portas. É assim, por exemplo, com a prática do suborno. Uma pessoa corrompida pela ganância pensa que todo mundo tem um preço. Acredita que todas as pessoas se vendem e que ninguém ama mais a Deus do que ao dinheiro. A história brasileira está eivada de escândalos financeiros nos altos escalões do governo. Ministros de Estado chegam ao poder e despencam porque venderam seu direito de primogenitura por um prato de lentilhas. Multiplicam-se os políticos inescrupulosos que gastam somas vultosas para se eleger e depois vendem a honra da nação para empresários desonestos. A impunidade estimula muitos ladrões de colarinho branco a se refestelarem com as riquezas iníquas, pois dão suborno, roubam o erário público e escapam da justiça, enquanto aqueles que trabalham com honestidade são cada vez mais arrochados com impostos abusivos. Até parece que o crime compensa. Até parece que os desonestos é que levam vantagem. Porém, um dia a casa cai. Nesse dia, a máscara será arrancada, e aqueles que se lambuzaram no pecado sofrerão vexame público e estarão na mira do justo juízo divino.

Segredo é coisa para se guardar – *O que encobre a transgressão adquire amor, mas o que traz o assunto à baila separa os maiores amigos* (Pv 17.9). Não há uma atitude mais abominável do que vasculhar a vida alheia com o propósito de espalhar os segredos das pessoas. A discrição é uma atitude absolutamente necessária se queremos ter um caráter íntegro e se pretendemos ser pessoas confiáveis. A Bíblia diz que o amor cobre multidão de pecados. Quem perdoa uma ofensa mostra que tem amor, mas quem fica jogando no rosto das pessoas suas falhas separa os melhores amigos. Doegue, o edomita, delatou ao rei Saul o sacerdote Aimeleque, da cidade de Nobe, e, por essa maledicência, morreram 85 sacerdotes e foi promovida uma chacina na cidade. Não podemos exercer o papel de detetives nos relacionamentos, rebuscando os arquivos secretos das pessoas para divulgar essas informações de forma inconsequente. Não podemos exercer o papel de arqueólogos, desenterrando os fósseis do passado e trazendo à baila aquilo que já estava sepultado. A fofoca cava abismos nos relacionamentos. A falta de discrição abre feridas no coração das pessoas. A língua solta é um veneno que mata, uma espada que fere e uma cunha que separa os melhores amigos. Segredo é coisa para se guardar, e não uma notícia para espalhar.

Quem escuta conselho não escuta: "Coitado!" – *Mais fundo entra a repreensão no prudente do que cem açoites no insensato* (Pv 17.10). Uma pessoa sábia nunca despreza a repreensão. Quem tem os ouvidos abertos para ser corrigido poupa a si mesmo de muitos flagelos. Quem tem juízo aprende mais com uma repreensão do que o tolo com cem chicotadas. A repreensão faz marca mais profunda na pessoa de entendimento do que cem açoites no tolo. Quem escuta conselho não escuta: "Coitado!" O insensato não aprende com os conselhos nem com a chibata. Tem a cabeça fechada e os ouvidos surdos. Despreza o conhecimento

A sabedoria instrui sobre os tolos

e rejeita a sabedoria. Mas o prudente, quando ferido pela repreensão, humilha-se, chora e arrepende-se. Foi assim com o rei Davi. Depois de adulterar com Bate-Seba, ele foi repreendido pelo profeta Natã. Davi não tentou se explicar, mas admitiu imediatamente sua culpa e confessou seu pecado. As palavras do profeta entraram com mais profundidade em seu coração do que se fossem chibatadas em suas costas. O sábio não endurece a cerviz quando é repreendido. Sabe que Deus disciplina a quem ama. Sabe que a disciplina pode ser um remédio amargo, mas seus resultados são doces como o mel. Sabe que a repreensão do amigo é melhor do que a bajulação dos aduladores.

Quem semeia ventos colhe tempestades – *O rebelde não busca senão o mal; por isso, mensageiro cruel se enviará contra ele* (Pv 17.11). A lei da semeadura e da colheita é universal. Ninguém escapa de seus efeitos. Colhemos o que plantamos. Colhemos mais do que plantamos. Não podemos semear espinhos e colher figos. Não se esperam bons frutos de uma árvore má. Quem busca a violência colhe violência. Quem semeia contendas colhe intrigas. Quem busca o mal encontra o mal. Quem deseja e arquiteta o mal contra os outros verá esse mesmo mal caindo sobre sua própria cabeça. Quem cava um buraco para o outro cair torna-se a própria vítima de sua armadilha. Quem semeia ventos colhe tempestade. Quem semeia na carne, da carne colhe corrupção. O ser humano é apanhado pelas próprias cordas de seu pecado. E o salário do pecado é a morte. O rebelde só pende para o mal. Por isso, a morte virá repentinamente para ele, como um mensageiro cruel. Ele atrai sobre si mesmo, e com grande celeridade, o que maquinou contra os outros. A pessoa má inocula em si mesma o veneno que destila contra os outros. Um dia será surpreendida por uma avalancha, que, como uma torrente impetuosa, inundará sua alma de pavor; nesse dia, todo o seu amparo será tirado e sua ruína será inevitável.

A pessoa tola é muito perigosa – *Melhor é encontrar-se uma ursa roubada dos filhos do que o insensato na sua estultícia* (Pv 17.12). Quando uma ursa é roubada de seus filhos, fica muito violenta. Aproximar-se dela é colocar a vida em risco. A ursa é brava, forte, rápida e violenta. Não é sensato tentar medir força com ela, nem é seguro enfrentá-la cara a cara. Pois o sábio diz que lidar com uma ursa roubada dos filhos é melhor do que se encontrar com uma pessoa sem juízo, ocupada em sua estultícia. A pessoa tola é um laço de morte. É assaz perigosa. Suas palavras são como uma armadilha. Suas atitudes são néscias e comprometedoras. Sua reação é intempestiva e violenta. Não é prudente lidar com pessoas irresponsáveis. Não é sensato conviver com aqueles que vivem dissolutamente. O primeiro degrau da felicidade é não darmos guarida aos conselhos perversos dos ímpios. Precisamos afastar nossos pés do caminho dos pecadores e não nos envolver nos esquemas dos escarnecedores. O apóstolo Pedro abandonou Jesus no Getsêmani e o seguiu de longe até o pátio do sumo sacerdote, mas, quando se misturou com os escarnecedores, negou-o três vezes, e isso de forma vergonhosa. O filho pródigo, enquanto estava na casa do pai, foi protegido da dissolução, mas, ao rumar para um país distante, envolveu-se com muitas aventuras e gastou todos os seus bens, vivendo dissolutamente. Não ande com os tolos. Não se ponha a caminho com os insensatos.

Não pague o bem com o mal – *Quanto àquele que paga o bem com o mal, não se apartará o mal da sua casa* (Pv 17.13).

A sabedoria instrui sobre os tolos

Alguém já disse que pagar o bem com o mal é demoníaco, pagar o bem com o bem é humano, mas pagar o mal com o bem é divino. Salomão não está se referindo aqui a ação, mas a reação. Não se trata de iniciar uma ação na direção de alguém, mas de reagir a uma ação direcionada a nós. O caso é que alguém pensou em nós, planejou o melhor para nós e fez o máximo bem a nós. Como retribuir a tanta bondade? Como reagir a essa ação tão generosa? A atitude que todos esperam de nós é pagarmos o bem com o bem. Porém, alguns indivíduos, mesmo sendo alvos do bem, retribuem com o mal. Mesmo sendo abraçados, respondem com pontapés. Mesmo sendo abençoados, respondem com injúrias e maldições. Jesus andou por toda parte fazendo o bem. Curou os enfermos, levantou os paralíticos, purificou os leprosos, ressuscitou os mortos e anunciou o reino de Deus aos pobres. Como a multidão retribuiu tanta generosidade? Eles clamaram por seu sangue! Gritaram, com sede de sangue, diante de Pilatos: *Crucifica-o!Crucifica-o!* (Lc 23.21). Aqueles que pagam o bem com o mal receberão o mal sobre si mesmos. Aqueles que promovem a violência serão vítimas da violência. Aqueles que transtornam a casa dos outros verão sua casa transtornada.

Brigar é perder na certa — *Como o abrir-se da represa, assim é o começo da contenda; desiste, pois, antes que haja rixas* (Pv 17.14). A discussão é o portal de entrada para uma briga, e uma briga é o campo aceso de batalha, do qual todos saem feridos, com o sabor amargo da derrota. O simples fato de você entrar numa contenda já é derrota na certa. Entrar numa confusão é arranjar encrencas para sua própria vida. É provocar mesmo muitos desgastes para si próprio. É usar o azorrague em suas próprias costas. O começo de uma contenda é como a primeira rachadura de uma represa. Se essa rachadura não for tratada devidamente, pode provocar o rompimento da represa e causar uma avassaladora inundação. A atitude mais sensata é desistir da contenda antes que ela se torne uma rixa. Há muitas inimizades que desembocaram em tragédias e mortes. Há muitas brigas que resultaram em derramamento de sangue. Há muitas discussões que acabaram em verdadeiras guerras, e o saldo final desse embate é um desgaste enorme, com mágoas profundas e perdas para todos. Não vale a pena entrar em confusão. Brigar não compensa. Uma pessoa de bom senso põe um ponto final na discussão antes que as coisas piorem. Devemos ser pacificadores, em vez de promotores de contendas. Devemos perdoar, em vez de guardar mágoa. Devemos tapar brechas, em vez de cavar abismos nos relacionamentos.

Cuidado com a inversão de valores – *O que justifica o perverso e o que condena o justo abomináveis são para o SENHOR* (Pv 17.15). Immanuel Kant, por meio de seu livro *Crítica da razão pura,* revolucionou a história do pensamento humano, quando declarou que não existe verdade absoluta. Esse conceito filosófico entrou no campo da teologia e da ética. Hoje, muitos não creem em verdades absolutas nem defendem uma conduta que preceitua a clara distinção entre o certo e o errado. Na verdade, a sociedade contemporânea desceu mais um degrau no processo rumo ao relativismo moral. Chegamos ao nível mais baixo da degradação humana. Hoje assistimos a uma inversão de valores no campo da vida moral. Chamamos luz de trevas e trevas de luz. Chamamos o doce de amargo e o amargo de doce. Temos visto nossa sociedade justificando o perverso e condenando o justo. A ética cristã, porém, não pode tolerar esse comportamento que afronta a verdade, escarnece da virtude e conspira contra a lei de Deus. Se não podemos ser neutros diante do mal, quanto mais aplaudi-lo. Se não temos o direito de sonegar o direito do justo, quanto mais condená-lo. Essas práticas vergonhosas podem até passar despercebidas à sociedade, mas são abomináveis para Deus. O ser humano, na sua loucura, pode até colocar de ponta-cabeça os princípios que devem reger a família e a sociedade, mas não pode evitar as consequências inevitáveis de suas escolhas insensatas.

Dinheiro nas mãos de um tolo – *De que serviria o dinheiro na mão do insensato para comprar a sabedoria, visto que não tem entendimento?* (Pv 17.16). Uma pessoa insensata pode até ter dinheiro, mas não fará dele o melhor uso. O tolo não consegue investir seu dinheiro no que é proveitoso. Ao contrário, gasta seu dinheiro no que é fútil. O insensato desperdiça sua riqueza em prazeres desta vida e não faz nenhum investimento para o futuro. Para ele, a vida é apenas o aqui e agora. Ele não semeia em sua vida espiritual. Não adquire a sabedoria. Rende-se apenas aos caprichos de sua vontade hedonista. Jesus contou a parábola do filho pródigo. Esse jovem pediu antecipadamente a parte que lhe cabia como herança. Não respeitou seu pai nem valorizou sua companhia. Queria os bolsos cheios para gastar numa terra distante, longe de qualquer controle. Nesse país distante, o jovem dissipou todos os seus bens vivendo dissolutamente. Em vez de investir em sabedoria, fazendo multiplicar sua herança, gastou-a com prostitutas e em rodas de amigos. Embriagou-se com os prazeres da vida. Entregou-se às paixões da mocidade. Bebeu todas as taças que o banquete do mundo lhe ofereceu. Curtiu a vida rodeado de muitas aventuras. Porque só tinha dinheiro, mas nenhuma sabedoria, desperdiçou todos os seus bens e foi reduzido à extrema pobreza. Porque não aprendeu com a vida, sofreu as dolorosas consequências de sua insensatez. Como você tem usado seu dinheiro? A Bíblia nos ensina a não gastar o nosso dinheiro naquilo que não satisfaz.

O valor de um amigo verdadeiro – *Em todo tempo ama o amigo, e na angústia se faz o irmão* (Pv 17.17). Escasseiam-se os exemplos nobres da verdadeira amizade. Nem todas as pessoas que desfrutam da nossa intimidade são nossos amigos verdadeiros. A Bíblia fala de Jonadabe, um jovem que frequentava a casa dos filhos do rei Davi. Ele deu um conselho desastroso a Amnon, o primogênito de Davi, que culminou em grandes tragédias para a família do rei. Há amigos nocivos que são agentes de morte, e não embaixadores da vida. Há amigos utilitaristas que só se aproximam de você para conseguir algum proveito pessoal. Há amigos de boteco que apenas alugam seus ouvidos para conversas tolas e indecorosas. O verdadeiro amigo é aquele que está ao seu lado na hora mais escura da sua vida. É aquele que chega quando todos já foram embora. O amigo ama sempre e na desventura se torna um irmão. Uma das declarações mais lindas de amor que encontramos na Bíblia é de Rute para Noemi, ou seja, de uma nora para sua sogra viúva, estrangeira, pobre, velha e sem condição de oferecer nenhuma retribuição. Jesus é o nosso exemplo mais excelente de verdadeira amizade. Ele já não nos chama servos, mas nos trata como amigos. Ele não apenas nos falou sobre sua amizade, mas nos demonstrou seu amor, dando sua vida por nós.

Ser fiador é um perigo – *O homem falto de entendimento compromete-se, ficando por fiador do seu próximo* (Pv 17.18). Eu sou testemunha de pessoas que, de boa-fé, perderam todos os seus bens, porque foram avalistas e ficaram por fiador do seu próximo. Em alguns desses casos, não houve dolo por parte do devedor, mas este, sendo vítima de algum revés, não conseguiu cumprir com o compromisso assumido e não pôde pagar a dívida contraída. A responsabilidade legal da dívida recaiu automática, irremediável e intransferivelmente sobre o fiador. Há casos, porém, em que o devedor busca com má-fé um fiador. Ele já tem a intenção de dar calote. Já sabe de antemão que está fazendo uma transação financeira arriscada e que o ônus da dívida cairá irremediavelmente sobre os ombros do fiador. O conselho do sábio é um alerta. É uma medida preventiva. Somente um tolo aceitaria ficar como fiador do seu vizinho. Somente uma pessoa insensata colocaria seu pescoço debaixo desse jugo. Se não é sábio assumir dívidas além de nossas posses, quanto mais nos comprometermos a pagar a dívida dos outros, colocando nossa própria família em situação arriscada e constrangedora. A prudência nos ensina a fugir desse tipo de compromisso. A melhor solução de um problema é evitá-lo!

Contenda e soberba, problemas à vista – *O que ama a contenda ama o pecado; o que faz alta a sua porta facilita a própria queda* (Pv 17.19). A contenda e a soberba pavimentam o caminho da queda. Quem se enfia em todo tipo de discussão acaba participando de contendas perigosas. Há indivíduos que não apenas se envolvem desnecessariamente em conflitos, mas amam a contenda. Buscam-na com sofreguidão. São pessoas que atraem rixas e provocam tempestades onde estão presentes. Quem ama a contenda ama também o pecado, porque uma contenda sempre desemboca em sentimentos amargos e acontecimentos desastrosos. O outro elemento gerador de ruína é a soberba. Quem vive se gabando está correndo para a desgraça. Quem faz alta sua porta facilita a própria queda, pois a arrogância é o prelúdio da queda. A soberba é a sala de espera da ruína. Quem de forma altiva anda de salto alto, olhando os outros de cima para baixo e exaltando a si mesmo, será humilhado, pois a soberba precede a ruína. Os que se exaltam são humilhados, pois Deus resiste aos soberbos. Deus dá graças aos humildes. Ele exalta os que se humilham. Ele não promete o reino dos céus aos arrogantes, mas aos humildes de espírito. No reino de Deus, os que buscam os primeiros lugares serão colocados no final da fila, mas os que servem, esses sim são os maiores.

Coração e língua, tome cuidado com eles! – *O perverso de coração jamais achará o bem; e o que tem a língua dobre vem a cair no mal* (Pv 17.20). Do coração procedem as fontes da vida. O que pensamos, sentimos e desejamos vem do coração. Se essa fonte estiver poluída com a perversidade, tudo o que brotar dela será como uma torrente de maldade que espalhará o pecado, tal qual um rio de morte. Quem vive pensando coisas más não pode achar o bem. Quem vive desejando o mal para os outros não pode colher favores. Quem semeia o pecado colhe a morte. Se o coração é o laboratório da maldade, a língua é o seu veículo. Quem tem uma língua dobre cairá no mal. A língua dobre é enganosa. Fala uma coisa, mas o coração sente outra. Bajula com os lábios, mas a maldade é maquinada no coração. Elogia em público, mas difama em secreto. Uma pessoa de língua dobre não é confiável. Semeia contendas por onde passa. Separa os maiores amigos. Provoca divisões e abre fissuras nos relacionamentos. A língua dobre está a serviço do mal, e não do bem. É promotora de inimizades, e não mensageira da reconciliação. Cairá no mal, em vez de encontrar refúgio seguro. Será causa de tropeço, e não farol que aponta direção. Será motivo de vergonha, e não objeto de louvor.

Filho tolo, um causador de tristeza – *O filho estulto é tristeza para o pai, e o pai do insensato não se alegra* (Pv 17.21). A família é nossa fonte de maior prazer ou a causa de nosso maior desgosto. É no lar que celebramos nossas vitórias mais expressivas ou choramos nossas derrotas mais amargas. Nossos relacionamentos mais importantes são aqueles que cultivamos dentro da família. É na academia do lar que forjamos nosso caráter. É no ginásio da família que aprendemos as lições mais importantes da vida. Um filho tolo é motivo de grande tristeza para o pai. Um filho que escarnece dos ensinos recebidos dentro do lar provoca grandes dores no coração dos pais. Filhos rebeldes, desobedientes e ingratos trazem muito sofrimento à família. A paternidade é uma experiência magnífica. É fonte de grande prazer. É motivo de imensa alegria. Porém, o pai do insensato não tem nenhum motivo de alegria. Que prazer tem um pai em ver seu filho fazendo as piores escolhas, envolvendo-se nas maiores encrencas e cometendo os maiores desatinos? Que alegria tem um pai em ver seu filho envolvendo-se com as piores companhias, praticando os mais horrendos pecados e sofrendo as mais dolorosas consequências de suas insensatas escolhas? Os filhos devem ser motivo de alegria para os pais, bênção para a família e honra para Deus.

Bom humor, um santo remédio – *O coração alegre é bom remédio, mas o espírito abatido faz secar os ossos* (Pv 17.22). Os sentimentos que você abriga no coração refletem diretamente em sua saúde. O bom humor é um santo remédio. Um coração feliz aformoseia o rosto, fortalece o corpo e suaviza a alma com o óleo da alegria. A paz interior é a melhor espécie de medicina preventiva. Nosso corpo é o painel da nossa alma. Quando estamos angustiados, refletimos isso em nosso semblante. O coração triste acaba produzindo um corpo doente, enquanto o coração alegre é um remédio eficaz que cura os grandes males da vida. Se a alegria previne contra muitas doenças, o espírito abatido é a causa de muitos males. O espírito abatido faz secar os ossos. Faz murchar sua vida de dentro para fora. Destrói seu vigor, sua paz e sua vontade de viver. Há muitas pessoas que perderam a motivação para viver. Elas vegetam. Passam pela vida sem viço, sem poesia, sem entusiasmo. Olham para a vida com lentes escuras. Entoam sempre o cântico fúnebre de suas desventuras. Choram o tempo todo, com profundo pesar, suas mágoas. Curtem sempre com total desalento suas dores. Capitulam sempre ao pessimismo incorrigível. Por terem um espírito abatido, veem seus ossos secando, seu vigor estiolando e sua alegria desvanecendo. O caminho da cura não é o abatimento de alma, mas a alegria do coração.

Não aceite suborno – *O perverso aceita suborno secretamente, para perverter as veredas da justiça* (Pv 17.23). A sociedade brasileira vive a cultura do suborno. Vemos, com frequência, políticos inescrupulosos fazendo conchavos com empresas cheias de ganância e vazias de ética, oferecendo a elas vantagens em licitações públicas. Esses ladrões de colarinho branco recebem somas vultosas, a título de suborno, para favorecerem empresários desonestos, dando-lhes informações e oportunidades privilegiadas, a fim de se apropriarem indebitamente dos suados recursos públicos que deveriam promover o progresso da nação e o bem do povo. Aqueles que aceitam suborno e, muitas vezes, se escondem atrás de togas sagradas e títulos honoríficos, não passam de indivíduos perversos e maus, gente de quem deveríamos ter vergonha, pois fazem da vida uma corrida desenfreada para perverter as veredas da justiça. Não poderemos construir uma grande nação sem integridade. Não poderemos erguer as colunas de uma pátria honrada sem trabalho honesto. Precisamos dar um basta nessa política hedonista do "levar vantagem em tudo". Se quisermos ver nossa nação seguir pelos trilhos do progresso, precisaremos andar na verdade, promover a justiça e praticar aquilo que é bom. Isso é o que Deus requer de nós!

Concentre-se naquilo que é excelente – *A sabedoria é o alvo do inteligente, mas os olhos do insensato vagam pelas extremidades da terra* (Pv 17.24). Um indivíduo inteligente não desperdiça suas energias nem seu tempo em busca de muitas coisas. Não é uma pessoa dispersiva, mas focada. Age como o apóstolo Paulo: *uma coisa faço* (Fp 3.13)! Precisamos mirar o alvo e caminhar em sua direção, sem olhar para os lados. Somos como um corredor numa maratona. Se entrarmos na pista olhando para as arquibancadas, perderemos a corrida. Se entrarmos na arena da vida com o coração dividido, arrastados de um lado para o outro, seduzidos pelas muitas vozes que tentam conquistar nosso coração, perderemos a luta. Um exemplo clássico dessa realidade é Sansão. Ele foi um gigante. Foi levantado por Deus para ser o libertador do seu povo. Na força física, era imbatível. Porém, esse gigante tornou-se um pigmeu. Rendeu-se aos caprichos de sua paixão. Dominava um leão, mas não conseguia dominar seus olhos. Subjugava uma multidão, mas não controlava seus desejos. Tinha controle sobre os outros, mas não sobre si mesmo. Há muitas pessoas cujos olhos vagam pelas extremidades da terra em busca de aventuras. Querem beber todas as taças dos prazeres. Querem saborear com os olhos todas as delícias da terra, mas nessa empreitada perdem a sabedoria e acabam colhendo derrotas amargas e sofrimentos atrozes.

Filho insensato, pai triste – *O filho insensato é tristeza para o pai e amargura para quem o deu à luz* (Pv 17.25). Um filho insensato é um causador de problemas. Sua vida é um transtorno para a família. É motivo de tristeza para o pai e amargura para a mãe. Sua conduta é reprovável. Por onde passa, deixa um rastro de vergonha. Um filho tolo despreza o ensino dos pais e não valoriza o que recebe no lar. É um filho ingrato. Nunca reconhece o esforço e o investimento que os pais fazem em sua vida. Um filho insensato é esbanjador. Não sabe o valor das coisas, por isso gasta sem critério e desperdiça o que recebe dos pais, vivendo de forma irresponsável e dissoluta. Um filho tolo é rebelde. Além de ser um peso para a família, ainda reclama, murmura e ergue sua voz para afrontar os pais. Um filho insensato é egoísta. Não valoriza a família, não investe nos pais, nem cuida deles na velhice. Um filho insensato tem um comportamento reprovável. Suas palavras são torpes, suas ações são violentas, suas reações são intempestivas. Em vez de levar alegria para os pais, produz no coração deles amargura e dor. A Bíblia fala sobre Caim, filho de Adão e Eva. Em vez de imitar as virtudes de seu irmão Abel, tramou sua morte e a executou com requintes de crueldade. Em vez de escutar a repreensão divina, endureceu o coração e derramou sangue inocente. Em vez de ser uma bênção para sua casa, trouxe dor indescritível para seu pai e grande amargura para sua mãe.

Justiça seja feita – *Não é bom punir ao justo; é contra todo direito ferir ao príncipe* (Pv 17.26). No tribunal humano, muitas vezes o justo é punido e o culpado é inocentado. No tribunal humano, vemos um José do Egito na cadeia e a mulher de Potifar sair ilesa como molestada. No tribunal humano, vemos um Herodes no trono e um João Batista degolado. No tribunal humano, vemos Jesus sendo sentenciado à morte e Barrabás sendo devolvido à liberdade. A injustiça desfila garbosamente no tribunal humano. Inocentes são condenados e culpados são aplaudidos como beneméritos da sociedade. Não é assim no tribunal de Deus. O juiz de vivos e de mortos não tolera a injustiça. Ele não inocentará o culpado nem culpará o inocente. A Palavra de Deus é meridianamente clara: não é bom punir o justo nem ferir aquele que está investido de autoridade. Insurgir-se contra o justo é conspirar contra a justiça divina, e ferir insubordinadamente aquele que está investido de autoridade é conspirar contra o próprio Deus que instituiu toda autoridade. Nossa conduta precisa ser pautada pela integridade. Nossas ações devem ser regidas pelo amor. A prática da justiça glorifica Deus e exalta a nação. Os tribunais precisam ter compromisso com a verdade e ser a expressão mais eloquente da justiça.

O valor do domínio próprio – *Quem retém as palavras possui o conhecimento, e o sereno de espírito é homem de inteligência* (Pv 17.27). Quem controla sua língua domina todo o seu corpo. Quem domina seus próprios impulsos é mais forte do que quem conquista uma cidade. Dominar a si mesmo é tarefa mais árdua do que dominar os outros. Quem fala sem refletir revela estultícia. Quem fala muito erra muito, mas até o tolo, quando se cala, é tido por sábio. Quem retém suas palavras possui o conhecimento, mas quem tem língua solta tropeça em suas próprias palavras. Se o silêncio é a voz eloquente do conhecimento, o espírito sereno é a bandeira desfraldada da inteligência. Um indivíduo destemperado emocionalmente pode até ser um poço de cultura, mas sempre será tido como estulto. Pode até ter razão, mas sempre perderá sua causa. Uma pessoa que fuzila os outros com palavras venenosas e os agride com ações violentas demonstra sua falta de inteligência. Nessa sociedade tão sobrecarregada, em que as pessoas vivem com os nervos à flor da pele, estressadas com o trânsito congestionado e com as filas imensas nos bancos, o domínio próprio está se tornando uma virtude em extinção. Precisamos vigiar a porta dos nossos lábios e acalmar o ímpeto do nosso espírito para não sermos taxados de ignorantes e insensatos.

A eloquência do silêncio – *Até o estulto, quando se cala, é tido por sábio, e o que cerra os lábios, por sábio* (Pv 17.28). É mais fácil falar do que ficar em silêncio. É mais fácil esbravejar do que cerrar os lábios. Falar muito é sinal de insensatez. Quem fala sem refletir matricula-se na escola dos tolos. Quem fala a respeito do que não conhece como se conhecesse recebe o troféu de campeão da estultícia. As pessoas não podem auscultar nossos sentimentos nem julgar nossos pensamentos, mas podem pesar nossas palavras e julgar nossas ações. Quando nos calamos, somos considerados sábios. Dificilmente nos arrependemos daquilo que não falamos, mas frequentemente ficamos envergonhados de nossas palavras. A Bíblia nos ensina a sermos prontos para ouvir, mas tardios para falar. Devemos colocar guarda na porta dos nossos lábios. Precisamos filtrar o que falamos. Se nossas palavras não forem verdadeiras e oportunas, não merecem ser ditas. Se nossas palavras não transmitirem graça aos que ouvem, não devem ser pronunciadas. Se a nossa voz não for uma expressão da voz de Deus, é melhor cerrarmos os nossos lábios. Se a nossa língua não for um bálsamo para os aflitos, é melhor nos cobrirmos com o manto do silêncio. A eloquência do silêncio é melhor do que o barulho de palavras vazias.

Capítulo 18

A sabedoria instrui sobre as virtudes morais e seus opostos
(Pv 18.1-24)

CUIDADO COM A SOLIDÃO – *O solitário busca o seu próprio interesse e insurge-se contra a verdadeira sabedoria* (Pv 18.1). O isolamento pode ser fatal para sua alma. Quem se esconde e se isola para manter uma identidade secreta, praticar coisas inconvenientes e ainda conservar sua reputação diante das pessoas, dá sinais de grande insensatez. Não somos aquilo que aparentamos em público. Nossa verdadeira identidade é aquela que se expressa diante do espelho. De nada adianta colocar uma máscara bonita em público se, no recesso, quando fechamos as cortinas, mostramos uma feia carranca. De nada vale receber os aplausos humanos por nossas virtudes se, no íntimo, estamos povoados pela impureza. É absolutamente inútil sermos aprovados pelas pessoas e reprovados por Deus. O solitário que se esconde para encobrir seus pecados insurge-se contra a verdadeira sabedoria. Aqueles que trancam a porta do quarto para ver coisas vergonhosas esquecem-se de que, para Deus, luz e trevas são a mesma coisa. Aqueles que se afastam da família e procuram os guetos mais escondidos para se refestelarem no pecado, com a intenção de permanecerem incógnitos, cobrem a si mesmos de opróbrio e a família de vergonha. Devemos viver na luz. Somos a carta de Cristo. Devemos refletir o caráter de Cristo.

Aprender é melhor do que falar bobagem – *O insensato não tem prazer no entendimento, senão em externar o seu interior* (Pv 18.2). Aqueles que são lerdos em aprender são apressados em falar. Quem cessa de aprender são os mais afoitos em abrir a boca. O tolo não se interessa em aprender, mas só em dar suas opiniões. Em vez de abrir sua mente para receber instrução, o insensato abre seus lábios para expor seus pensamentos. O sábio admite que tem muito a aprender. Tem seus ouvidos atentos à instrução. Tem pressa para buscar conhecimento. Porém, o tolo fala muito do vazio de sua cabeça. Despeja torrentes dos seus lábios, porém essas torrentes não são as águas límpidas do conhecimento, mas as enxurradas da ignorância. Não é sensato falar muito, mas é prudente ouvir com atenção. A Bíblia nos ensina a sermos prontos para ouvir, mas tardios para falar. Deus nos fez com duas conchas acústicas externas e apenas uma língua amuralhada de dentes. Devemos escutar mais e falar menos. Devemos aprender mais para não falar tolices. O insensato não tem prazer no entendimento, mas folga em externar o seu interior, em contar suas vantagens e em fazer propaganda de si mesmo. O tolo faz propaganda do que não tem. É um fanfarrão que vê a si mesmo diante do espelho como um gigante, quando não passa de um nanico. Conta suas façanhas com gestos de heroísmo, quando esses pretensos gestos de galhardia não passam de consumada covardia.

A perversidade dá à luz a vergonha – *Vindo a perversidade, vem também o desprezo; e com a ignomínia, a vergonha* (Pv 18.3). A perversidade é filha da impiedade. A impiedade tem que ver com nossa relação com Deus, enquanto a perversidade está ligada à nossa relação com o próximo. Aqueles que se afastam de Deus e contra ele se rebelam degradam-se moralmente e transtornam a vida do próximo. A teologia desemboca na ética. Aquilo que cremos reflete-se naquilo que praticamos. Como alguém pensa no seu coração, assim ele é. Uma pessoa perversa, rendida ao pecado e escrava de suas paixões acaba colhendo o desprezo. Por ser egoísta, avarenta e violenta em suas palavras e ações, termina no ostracismo social, desprezada por todos. Quem mancha seu nome e perde sua reputação pessoal cobre-se de vergonha. O pecado não compensa. Arruína o caráter e destrói o nome. Produz desprezo e traz vergonha. Os maus são desprezados e acabam cobertos pelos trapos da vergonha. Colhem o que plantam. O mal que intentam contra os outros cai sobre sua própria cabeça. Eles sofrem as consequências de suas próprias ações perversas. É impossível semear o mal e colher o bem. É impossível agir com perversidade sem ceifar o desprezo. É impossível deixar o nome se arrastar na lama sem se cobrir de opróbrio.

O poder das palavras – *Águas profundas são as palavras da boca do homem, e a fonte da sabedoria, ribeiros transbordantes*

(Pv 18.4). A linguagem humana é profunda como o mar, e as palavras dos sábios são como os rios que nunca secam. Nossas palavras são profundas porque brotam do coração, e esse é um território desconhecido. Por mais que pesquisemos essa terra distante, jamais chegaremos a conhecê-la plenamente. Nosso coração é um universo ainda insondável. O que sabemos é que ele é como um mar profundo. O que lemos nas Escrituras é que o nosso coração é desesperadamente corrupto e enganoso. Só Deus pode conhecê-lo perfeitamente. Por isso, as palavras que sobem do nosso coração e saltam dos nossos lábios são como águas cuja profundidade não conseguimos medir. As palavras do sábio, porém, são como ribeiros transbordantes, como rios que jamais secam, cujas águas correm dentro do leito, levando vida por onde passam. As palavras do sábio são conhecidas. Os rios de água que fluem de sua boca abastecem os sedentos, irrigam a alma aflita daqueles que vivem na sequidão e produzem prosperidade para aqueles que os ouvem. Nossas palavras nunca são neutras. Abençoam ou maldizem. Curam ou ferem. São veneno ou medicina. Carregam a morte ou transportam a vida.

Não seja injusto em seu julgamento – *Não é bom ser parcial com o perverso, para torcer o direito contra os injustos* (Pv 18.5). Os tribunais humanos estão cheios de decisões parciais e injustas. Condenar o inocente e inocentar o culpado é uma atitude indigna para um tribunal, cujo propósito é defender a verdade e estabelecer a justiça. Não é certo dar razão ao culpado, deixando de fazer justiça ao inocente. É um escândalo torcer a lei, subornar testemunhas e comprar sentenças. É um desatino quando um tribunal de justiça se converte num antro de corrupção, em que os inocentes são rifados pela ganância insaciável daqueles que transformam a toga sagrada em vestes de violência. É um pecado abominável para Deus justificar o perverso e condenar o justo. Esse fato pode ser identificado no julgamento de Jesus. No tribunal de Pilatos, os criminosos acusavam e o inocente era acusado. No tribunal de Pilatos, a verdade foi escamoteada, a justiça foi aviltada e o inocente saiu condenado. No tribunal de Pilatos, o juiz iníquo lava as mãos, os acusadores invejosos são tidos como defensores do Estado, e Jesus de Nazaré é açoitado, cuspido e pregado na cruz. Ser parcial com o perverso para favorecê-lo, bem como torcer o direito contra os justos, não é bom. Deus ama a justiça. Ele é o Deus da verdade. Devemos refletir esses valores em nossas palavras, atitudes e julgamentos.

Língua descontrolada, açoites na certa – *Os lábios do insensato entram em contenda, e por açoites brada a sua boca* (Pv 18.6). Um indivíduo que não tem domínio sobre sua língua também não tem controle sobre suas atitudes. Quem não domina a língua não domina o corpo. O insensato vive entrando em confusão e criando contendas. Aonde chega, promove intrigas. É causador de verdadeiras guerras dentro do lar, no trabalho e até na igreja. Quando o tolo abre a boca, fere não apenas quem está à sua volta, mas também atrai confusão para si mesmo. Quando o insensato abre a boca para brigar com alguém, o que está pedindo é uma surra. As palavras do tolo são como açoites que afligem seus lombos. Uma pessoa descontrolada emocionalmente, que fala sem refletir, acaba por agredir as pessoas, quebrar relacionamentos e promover inimizades. Uma língua sem freios atrai castigo. Uma pessoa desbocada é como um barril de pólvora: provoca explosões e destruição à sua volta. A

Bíblia cita Doegue, o fofoqueiro. Por ter a língua solta, esse homem induziu o rei Saul a cometer uma chacina na cidade de Nobe. Inocentes foram mortos, famílias foram trucidadas e um banho de sangue foi derramado por causa do veneno destilado pela boca desse insensato. Mas Doegue não saiu ileso dessa deplorável história. O rei Saul o forçou a matar os próprios homens que ele acusara. Doegue foi chicoteado pela própria língua, pois, além do fofoqueiro, ele se tornou também assassino.

Língua insensata, uma cova profunda – *A boca do insensato é a sua própria destruição, e os seus lábios, um laço para a sua alma* (Pv 18.7). Uma pessoa sem juízo acaba se tornando vítima de suas próprias palavras. A língua do tolo é uma armadilha para seus próprios pés. Acaba caindo na cova profunda que cavou com a própria língua. A conversa do tolo é a sua desgraça, e seus lábios são um laço mortal para a sua própria alma. Quando um tolo fala, ele causa sua própria ruína, pois acaba caindo na armadilha das suas próprias palavras. Foi isso que aconteceu com Eva no jardim do Éden. Ela entrou num diálogo perigoso com a serpente. Torceu a palavra de Deus, diminuindo suas promessas e aumentando seu rigor. Sua insensatez abriu uma larga avenida para Satanás prosseguir em seu intento de levá-la à transgressão. Eva caiu na armadilha. Comeu do fruto proibido e ainda o deu a seu marido. Ambos perderam a inocência, a comunhão com Deus e a paz. Experimentaram vergonha e dor. Toda a raça humana foi atingida por essa queda. Aquilo que parecia tão inofensivo tornou-se o maior problema da raça humana. Eva tropeçou nas palavras e arruinou a si mesma e as gerações pósteras.

Petiscos deliciosos, mas perigosos – *As palavras do maldizente são doces bocados que descem para o mais interior do ventre* (Pv 18.8). O ser humano tem uma atração quase irresistível por comentários maliciosos. Boas notícias não vendem jornais. Os noticiários que comentam algum escândalo ou trazem à tona alguma notícia comprometedora de uma pessoa pública geram enorme interesse na população. Os mexericos parecem deliciosos ao nosso paladar. Como gostamos de saboreá-los! As palavras do caluniador são como petiscos deliciosos; descem até o íntimo do homem. Há pessoas que se deliciam em ouvir notícias más. Sentem um imenso prazer em saber do fracasso dos outros. Olham a queda do próximo como uma espécie de compensação. Comparam-se com aqueles que tropeçam e sentem-se muito bem por não estarem naquela situação de desgraça. Esses aperitivos podem ser doces ao paladar. Podem descer até o mais interior do ventre, mas não são nutritivos. Fazem muito mal à saúde física, mental e espiritual. Saborear a desgraça alheia é um estado de profunda degradação espiritual. É o degrau mais baixo do aviltamento humano. É um sinal de decadência dos valores morais, um atestado de insensatez e uma prova inegável de entorpecimento espiritual.

Faça um trabalho com excelência – *Quem é negligente na sua obra já é irmão do desperdiçador* (Pv 18.9). Duas verdades depreendem-se do texto em apreço. A primeira é que uma pessoa relaxada no que faz não alcança sucesso em seu trabalho. Será sempre medíocre. Ficará sempre abaixo da média. O trabalhador preguiçoso jamais será perito no que faz. Nunca deslanchará na vida nem será perito em seu trabalho. Por ser acomodado, passará a vida na mesmice, sem sair do lugar. O negligente não se empenha, não trabalha até a exaustão, não se esmera no que faz. Prefere o comodismo, o descanso e o desleixo. Por não ter semeado em sua obra, sua única colheita é a pobreza. Porém, o perito no que faz assenta-se entre príncipes. A segunda verdade é que uma pessoa negligente na sua obra é um desperdiçador incorrigível. Desperdiça seus talentos, seu tempo e suas oportunidades. Desperdiça o investimento que os outros fazem em sua vida e os poucos recursos que chegam às suas mãos. O preguiçoso é um perdulário. Joga fora o bem mais precioso, que é o tempo e as oportunidades. O negligente é um indivíduo ingrato, pois enterra seus talentos e arranja desculpas infundadas para não se esmerar no que faz. A sabedoria nos leva a fazer nosso trabalho com excelência.

Um refúgio verdadeiro – *Torre forte é o nome do* SENHOR, *à qual o justo se acolhe e está seguro* (Pv 18.10). Há muitos refúgios que não podem proteger-nos na hora da tempestade. Muitos pensam que o dinheiro é um abrigo invulnerável no dia da calamidade. Mas isso é um completo engano. O dinheiro pode nos dar um carro blindado e escoltas, uma casa espaçosa e muito conforto, viagens extravagantes e cardápios saborosos, mas não pode nos dar paz. O dinheiro não oferece segurança nem felicidade. Outros pensam que o poder político é um refúgio verdadeiro. Mas prestígio diante das pessoas não nos garante proteção diante dos reveses da vida. Há aqueles que julgam que a força da juventude ou a beleza física representa um escudo suficientemente forte para livrá-los dos esbarros da caminhada. Muitos chegam ainda a pensar que o sucesso e o estrelato são abrigos suficientemente fortes para guardá-los dos vendavais da vida. Mas a verdade é que somente o nome do

Senhor é torre forte. Somente no Senhor podemos estar seguros. Porém, somente os justos, aqueles que reconhecem seus pecados e buscam o perdão divino procuram esse abrigo em nome do Senhor. Aqueles que confiam em si mesmos jamais correrão para essa torre forte. Por isso, quando chegar a tempestade, esses serão atingidos por uma irremediável calamidade. Faça do Senhor o seu alto refúgio, o verdadeiro refúgio!

Um refúgio falso – *Os bens do rico lhe são cidade forte e, segundo imagina, uma alta muralha* (Pv 18.11). Um dos maiores mitos da vida é que o dinheiro pode oferecer segurança ao ser humano. O rico pensa que a sua riqueza o protege como as muralhas altas e fortes em volta de uma cidade. O rico imagina que seus bens são como um muro alto que é impossível escalar. Pensa que o mal ficará sempre do lado de fora desses muros inexpugnáveis. Acredita que, se vestir uma couraça de bronze, os perigos naturais da vida não o alcançarão. Completo engano. O dinheiro não é uma torre forte. O dinheiro não é um muro seguro. O dinheiro não torna seu possuidor inexpugnável diante das tempestades da existência. Jesus fala a respeito de um homem que confiou nos seus bens, dizendo para a própria alma: *Tens em depósito muitos bens para muitos anos; descansa, come, bebe e regala-te. Mas Deus lhe disse: Louco, esta noite te pedirão a tua alma; e o que tens preparado, para quem será?* (Lc 12.19,20). A riqueza de uma pessoa não consegue manter a morte do lado de fora do muro. A morte chega para todos, ricos e pobres, jovens e velhos, doutores e analfabetos. Não trouxemos nada para o mundo e nada dele levaremos. Quando John Rockefeller, o primeiro bilionário do mundo morreu, perguntaram a seu contador no cemitério:

"Quanto John Rockefeller deixou?" Ele respondeu: "Ele deixou tudo, não levou nenhum centavo".

Humildade, o caminho da honra – *Antes da ruína, gaba-se o coração do homem, e diante da honra vai a humildade* (Pv 18.12). A soberba é a sala de espera da queda, mas a humildade é o portão de entrada da honra. Quanto mais alto uma pessoa coloca o seu ninho, mais desastrosa será a sua queda. Quanto mais envaidecer seu coração, mais amarga será sua derrota. Deus não tolera o soberbo. Ele resiste aos orgulhosos. Deus lançou do céu o querubim de luz porque o orgulho entrou em seu coração quando ele quis ser semelhante ao Altíssimo. Deus arrancou Nabucodonosor do trono e o lançou no campo, para pastar com os animais, porque este se ensoberbeceu. O anjo de Deus fulminou o rei Herodes porque, ao ser exaltado pelos homens como um ser divino, ele não deu glória a Deus. O orgulho é um terreno escorregadio, uma estrada cujo destino é o fracasso irremediável. A humildade, porém, vai adiante da honra. A pessoa humilde é respeitada. Deus dá graça aos humildes. Deus levanta o pobre do monturo e o faz assentar-se entre príncipes. Deus exalta aqueles que se humilham. João Batista disse acerca de Jesus: *Convém que ele cresça e que eu diminua* (Jo 3.30). Esse precursor do Messias considerou-se indigno de desatar as correias das sandálias de Jesus, mas Jesus o exaltou dizendo que, entre os nascidos de mulher, ninguém era maior do que ele. Permanece a verdade imperturbável de que a humildade é o caminho da honra.

Escute para depois responder – *Responder antes de ouvir é estultícia e vergonha* (Pv 18.13). A Palavra de Deus nos ensina a sermos prontos para ouvir e tardios para falar.

Falar muito e ouvir pouco é um sinal de tolice. Responder antes de ouvir então é passar vexame na certa. Não podemos falar sobre aquilo que não entendemos. Não podemos responder sem nem mesmo ouvir a pergunta. Uma pessoa sábia pensa antes de abrir a boca e avalia as palavras antes de proferi-las. Uma pessoa sensata rumina a questão antes de dar uma resposta. Ela avalia e pesa cada palavra antes de enunciá-la. O apóstolo Pedro, antes de sua restauração, não seguiu esse padrão. Era um homem de sangue quente. Falava sem pensar e, muitas vezes, sem entender o que estava falando. Por ter uma necessidade quase irresistível de falar sempre, tropeçava nas próprias palavras e envolvia-se em grandes encrencas. Na casa do sumo sacerdote, afirmou três vezes que não conhecia Jesus, e isso depois de declarar que estava pronto a ser preso com ele e até mesmo a morrer por ele. Pedro fazia afirmações intempestivas e dava respostas sem nenhum sentido. Era um homem contraditório que num momento fazia declarações audaciosas para em seguida recuar e demonstrar vergonhosa covardia. Falar tendo por base o vazio da cabeça e na plenitude da emoção pode ser um enorme perigo. O caminho da sabedoria é ouvir mais para falar menos, é pensar mais para discutir menos, é abrir mais os ouvidos para abrir menos a boca.

Na doença, tenha esperança – *O espírito firme sustém o homem na sua doença, mas o espírito abatido, quem o pode suportar?* (Pv 18.14). Nossa atitude diante dos dramas da vida tem uma conexão muito estreita com nossa saúde física. A vontade de viver mantém a vida de um doente, mas, se ele desanima, não existe mais esperança. Quem entrega os pontos e joga a toalha, quem perde a esperança e não luta mais para sobreviver, é vencido pela enfermidade.

Nossas emoções têm um peso decisivo quando se trata de enfrentar a doença. Não basta usar os recursos medicamentosos. Precisamos alimentar nossa alma com o tônico da esperança. Precisamos tirar os nossos olhos das circunstâncias e colocá-los naquele que está no controle das circunstâncias. Nossos pés podem estar no vale, mas nosso coração deve estar no plano. Mesmo passando por vales áridos, Deus pode transformá-los em mananciais. O choro pode durar uma noite, mas a alegria vem pela manhã. Aqueles que se entregam ao desânimo, porém, fazem do lamento a sinfonia da vida. Perdem as forças, atrofiam-se emocionalmente e são dominados por sentimento irremediável de fracasso. Na doença, precisamos colocar nossos olhos em Deus, pois a última palavra não é da ciência, mas daquele que nos criou, nos sustenta e pode intervir em nossa vida, redimindo-nos da cova da morte.

A busca da sabedoria – *O coração do sábio adquire o conhecimento, e o ouvido dos sábios procura o saber* (Pv 18.15). O conhecimento é a busca incansável do sábio. Os tolos buscam prazeres, sucesso e conforto, mas, ainda que alcancem o objeto de seu desejo, não se satisfazem. Quando o rei Salomão pediu a Deus sabedoria, recebeu no pacote riquezas e glórias. Quando, entretanto, buscou a felicidade na bebida, na riqueza, no sexo e na fama, colheu apenas vaidade. As coisas mais atrativas do mundo não passam de bolhas de sabão. Têm beleza, mas não conteúdo. São multicoloridas, mas vazias. Atraem os olhos, mas não satisfazem a alma. A pessoa tola abre seu coração para o que é frívolo, mas a pessoa sábia não desperdiça seu tempo buscando coisas fúteis. O indivíduo sábio está sempre disposto e pronto a aprender. Seu coração busca o conhecimento mais do que o ouro depurado. Seus ouvidos aspiram à sabedoria mais do que à música mais encantadora. O conhecimento é a base da sabedoria. Sem conhecimento, seremos massa de manobra nas mãos dos aproveitadores. Mas a sabedoria é mais do que o conhecimento. A sabedoria é a aplicação correta do conhecimento. Não basta ao ser humano a informação; ele necessita de transformação. Não basta saber; é preciso saber o que convém e viver de acordo com esse conhecimento. A sabedoria é olhar para a vida com os olhos de Deus. É imitar Deus. É andar nas pegadas de Jesus. É viver como Jesus viveu.

A generosidade abre portas – *O presente que o homem faz alarga-lhe o caminho e leva-o perante os grandes* (Pv 18.16). Um coração generoso é o nosso melhor cartão de visitas. O amor traduzido em atitudes abre portas para novos relacionamentos. Você quer falar com alguém importante? Leve-lhe um presente, e será fácil! Um simples gesto de bondade pavimenta o caminho para novas amizades. Ninguém perde por ser gentil. O coração aberto é revelado por mãos abertas, e as mãos abertas são generosas para presentear. Às vezes, ficamos constrangidos de presentear uma pessoa que já tem tudo do bom e do melhor. Porém, não se trata do que estamos oferecendo, mas de como estamos oferecendo. Não é o valor monetário do presente, mas seu significado que importa. É o gesto de amor que conta. É a demonstração de carinho que enternece. Ninguém é tão rico que não possa receber um presente, e ninguém é tão pobre que não possa dá-lo. A generosidade consegue entrar em palácios. A generosidade nos coloca em companhia dos príncipes. Quando temos amor no coração e um presente nas mãos, alargamos o caminho para novos contatos, e esse gesto nos leva à presença dos grandes. A generosidade é uma chave que abre o cofre dos mais difíceis relacionamentos e pavimenta o caminho para as mais profundas amizades.

Cuidado com suas motivações – *O que começa o pleito parece justo, até que vem o outro e o examina* (Pv 18.17). As coisas nem sempre são o que aparentam ser; elas são o que são em sua essência. Não somos o que somos no palco; somos o que somos na intimidade. Muitas vezes, as pessoas admiram não quem somos, mas quem aparentamos ser. Não gostam de nós, mas da máscara que usamos. Não respeitam nosso caráter, mas nosso desempenho. Amam nossas palavras, mas não nossos sentimentos. Salomão está nos dizendo que as pessoas podem nos julgar justos quando iniciamos um pleito. Nossas palavras são eloquentes, nossa defesa é irretocável, nossos direitos são soberanos. Porém, quando alguém se aproxima, levanta a ponta do véu e revela o que escondemos sob as camadas de nossas motivações mais secretas, descobre que há um descompasso entre nosso pleito e nossos interesses pessoais. Há um abismo entre o que falamos e o que somos. Há um hiato entre o que professamos e o que praticamos. Há inconsistência em nossas palavras. Há uma deformação em nosso caráter. Uma cunha separa nossas intenções mais secretas do nosso pleito. Não basta parecer justo em público; é preciso ser justo em secreto. Não basta parecer justo no tribunal humano; é preciso ser justo no tribunal de Deus. Não basta parecer justo aos olhos das pessoas; é preciso ser justo aos olhos de Deus.

A decisão sábia vem de Deus – *Pelo lançar da sorte cessam os pleitos, e se decide a causa entre os poderosos* (Pv 18.18).

Há muitas batalhas jurídicas entre os poderosos em andamento nos tribunais. Os pleitos são defendidos com vigor e fortes arrazoados. Advogados ilustres, com argumentos arrasadores, defendem o pleito de seus clientes com eloquência irreparável. Esses pleitos, porém, se arrastam por longos anos, em virtude da complexidade da causa e da burocracia da justiça. A queda de braço entre os poderosos parece não ter fim. A pugna parece interminável. Os pleitos não chegam a um fim desejável. Sempre que uma sentença é dada, recorre-se a um tribunal imediatamente superior e, assim, essa pendenga jurídica cruza anos e anos sem um veredito final. Nos tempos antigos, especialmente entre o povo de Deus, essas questões eram resolvidas pelo lançar da sorte. O Deus que sonda os corações era consultado quando uma decisão difícil estava prestes a ser tomada. Então, Deus respondia e trazia uma solução clara, justa, e só assim cessavam os pleitos. Quando Judas Iscariotes, traindo o seu Senhor, enforcou-se, um substituto era necessário para ocupar o seu lugar. A igreja reunida no Cenáculo, em Jerusalém, buscou Deus em oração, lançaram-se sortes, e Matias foi escolhido para ocupar o lugar vago. Hoje, não usamos mais esse expediente, porém o princípio de buscar Deus e agir segundo a sua vontade ainda deve reger nossas decisões.

Não ofenda a seu irmão – *O irmão ofendido resiste mais do que uma fortaleza; suas contendas são ferrolhos dum castelo* (Pv 18.19). Não é uma atitude sensata ferir uma pessoa, pois alguém ofendido em sua honra torna-se uma fortaleza inexpugnável. Suas contendas são mais fortes do que os ferrolhos dum castelo. Quando Tito Vespasiano invadiu Jerusalém no ano 70 d.C. e a devastou, cerca de 3 mil judeus fugiram e se refugiaram na fortaleza de Massada, nas proximidades do mar Morto. Depois de verem seu povo ser massacrado e seu templo ser incendiado, esses judeus tornaram-se verdadeiros gigantes para se defender no alto da fortaleza construída por Herodes, o Grande. Quando os romanos tentavam se aproximar, eles jogavam pedras lá de cima. Estavam feridos em seu orgulho e em sua honra e, como se fossem um só homem, lutaram bravamente até o dia em que, sem esperança de salvamento, resolveram que um suicídio coletivo seria melhor do que cair nas mãos dos romanos para ser desonrados e mortos à espada. Não podemos ferir as pessoas. Não podemos agredi-las com palavras e atitudes. Não temos o direito de humilhá-las. Todo ser humano deve ser respeitado. Devemos tratar todos com dignidade e amor. Pois uma pessoa ferida resiste como uma fortaleza, e suas contendas são tão robustas como os ferrolhos de um palácio.

O coração se alimenta da boca – *Do fruto da boca o coração se farta, do que produzem os lábios se satisfaz* (Pv 18.20). Há uma estreita relação entre o coração e a boca. A boca fala o que procede do coração, e o coração se alimenta do que a boca fala. O coração é a fonte, e a boca são os ribeiros que fluem dessa fonte. Sendo o veículo do coração, a boca também é o celeiro que o alimenta com o melhor das iguarias. Quando a boca fala palavras sábias, bondosas e edificantes, o coração se satisfaz com o que produzem os lábios. Palavras verdadeiras, oportunas e cheias de graça sempre alegrarão o coração. Essas palavras abençoam não apenas quem as ouve, mas também quem as profere. Essas palavras alimentam o coração não apenas dos ouvintes, mas também o coração daqueles que as proclamam. Como é bom ser portador de boas-novas! Como é bom ser instrumento de Deus para consolar os tristes! Como é bom abrir a boca para falar a verdade em amor e encorajar as pessoas diante dos dramas da vida! Quando semeamos na vida dos outros, nós mesmos colhemos os frutos dessa semeadura. Quando plantamos boas sementes na lavoura do nosso próximo, vemos essas mesmas sementes florescendo e frutificando em nosso próprio campo. As bênçãos que distribuímos para os outros caem sobre a nossa própria cabeça.

O poder da comunicação – *A morte e a vida estão no poder da língua; o que bem a utiliza come do seu fruto* (Pv 18.21). Nós podemos dar vida ou matar um relacionamento, dependendo da maneira como nos comunicamos. A vida do relacionamento conjugal, bem como de todos os outros relacionamentos interpessoais, depende de como lidamos com a comunicação. A comunicação é o oxigênio dos relacionamentos. Certa feita, um jovem espertalhão quis colocar numa enrascada um sábio ancião que vivia em sua vila. O velho sempre tinha respostas sábias para todos os dilemas que lhe eram apresentados. O jovem, então, disse para si mesmo: "Vou levar um pássaro bem pequeno nas minhas mãos e perguntar ao velho se o pássaro está vivo ou morto. Se ele disser que o pássaro está morto, eu abro a mão e deixo o pássaro voar. Se falar que está vivo, eu aperto as mãos, esmago o pássaro e o apresento morto. De qualquer forma, esse velho estará encrencado comigo". Ao se aproximar do ancião, o jovem o desafiou nestes termos: "O senhor é muito sábio e sempre tem respostas certas para todos os dilemas. Então, responda: O pássaro que está dentro das minhas mãos, está vivo ou morto?" O velho olhou para ele e disse: "Jovem, o pássaro está vivo ou morto; só depende de você". A comunicação dentro da sua casa, no seu casamento, no seu trabalho, na sua escola, na sua igreja só depende de você, pois a morte e a vida estão no poder da língua.

Esposa, um maravilhoso presente – *O que acha uma esposa acha o bem e alcançou a benevolência do SENHOR* (Pv 18.22). O casamento é uma fonte de felicidade ou a razão dos maiores infortúnios. Pavimenta o caminho do bem ou promove grandes males. O casamento foi instituído por Deus para a felicidade do homem e da mulher, mas podemos transformar esse projeto de felicidade num terrível pesadelo. Muitas pessoas não buscam a direção divina para seu casamento. Casam-se sem reflexão, movidas apenas por uma paixão crepitante ou por interesses egoístas. Precisamos pedir a Deus por nosso cônjuge. Essa procura deve estar regada de oração. Devemos observar os princípios estabelecidos pelo próprio Deus nessa busca. Como Isaque, devemos também buscar a direção de Deus para encontrarmos a pessoa que ele reservou para nós. A Bíblia diz que a casa e os bens vêm como herança dos pais, mas do Senhor vem a esposa prudente. Encontrar essa pessoa é uma grande felicidade. É tomar posse da própria bênção do Senhor. Uma esposa prudente vale mais do que muitas riquezas. Seu valor excede o de finas joias. Um casamento feliz é melhor do que granjear fortunas. O que adianta ter muito dinheiro e morar com uma mulher rixosa? O que adianta ter a casa cheia de bens, mas viver em permanente conflito e tensão dentro de casa? O casamento feito na presença de Deus e o lar edificado por Deus são expressões eloquentes da benevolência de Deus.

A delicadeza no trato – *O pobre fala com súplicas, porém o rico responde com durezas* (Pv 18.23). A comunicação é a radiografia da alma. Quem não fala com doçura expõe suas entranhas amargas. Quem é duro no trato demonstra ter um coração maligno. A Bíblia fala sobre Nabal, marido de Abigail e filho de Belial. Dominado por espíritos malignos, Nabal era um homem rico, mas intratável. Ninguém podia falar com ele. Suas palavras feriam mais do que ponta de espada. Suas atitudes revelavam um coração ingrato, e suas palavras duras demonstravam um espírito perturbado. Esse homem cavou a própria sepultura. Semeou ventos e colheu tempestade. Por ter tratado com desdém Davi e seus valentes, foi sentenciado à morte. Sua morte só não aconteceu porque Abigail, sua mulher, defendeu sua causa com senso de urgência. A Bíblia diz que o pobre pede licença para falar, mas o rico responde com grosseria. O pobre fala com súplicas, mas o rico responde com dureza. O rico, por causa de seus bens, fala com dureza e age com prepotência. Julga-se melhor do que os outros; tripudia sobre os demais e usa o poder do seu dinheiro para humilhar aqueles que vêm à sua presença. Essa é uma atitude insensata. A delicadeza no trato é um dever de todas as pessoas. Pobres e ricos podem ser benignos no trato e usar a língua para abençoar os outros, em vez de feri-los.

O valor do amigo verdadeiro – *O homem que tem muitos amigos sai perdendo; mas há amigo mais chegado do que um irmão* (Pv 18.24). O renomado cantor brasileiro Milton Nascimento diz que amigo é coisa para se guardar no coração. Há muitas pessoas que nos cercam na hora da alegria, mas poucas estão do nosso lado na hora da crise. O amigo verdadeiro é aquele que chega quando todos já foram embora. O amigo ama em todo o tempo, e na desventura se conhece o irmão. A Bíblia fala sobre o filho pródigo, que saiu para esbanjar sua herança num país distante. Lá, ele dissipou todos os seus bens vivendo dissolutamente, cercado de amigos. Mas, quando a crise chegou, esses amigos de farra se dispersaram. Os amigos da mesa de jogo, os amigos de boteco e os amigos das baladas apenas se servem de você, mas nunca estarão prontos para servi-lo. Os amigos utilitários só se aproximam de você buscando alguma vantagem. Eles não amam você, mas o que você tem e o que lhes pode dar. Algumas amizades não duram nada, são meramente interesseiras; mas o amigo verdadeiro é mais chegado do que um irmão. Está sempre ao seu lado, especialmente nos tempos de desventura. Jesus é o nosso verdadeiro amigo. Sendo rico, ele se fez pobre para nos tornar ricos. Sendo Deus, ele se fez homem para nos salvar. Sendo bendito, ele se fez maldição para nos tornar benditos aos olhos do Pai.

Capítulo 19

A sabedoria instrui sobre o caráter
(Pv 19.1-29)

A INTEGRIDADE VALE MAIS DO QUE O DINHEIRO – *Melhor é o pobre que anda na sua integridade do que o perverso de lábios e tolo* (Pv 19.1). Estamos vivendo uma colossal crise de integridade em nossa nação. Essa crise desfila na passarela diante dos olhos estupefatos de toda a nação. Está presente no palácio e nas choupanas mais pobres. Está presente nas cortes e também no poder executivo e legislativo. A ausência de integridade enfiou sua cunha maldita no comércio, na indústria e até mesmo na igreja. As famílias estão sendo assoladas por essa crise de integridade. Vivemos numa espécie de torpor ideológico e numa vergonhosa inversão de valores. As pessoas valorizam mais o ter do que o ser. Coisas valem mais do que pessoas. Nessa sociedade hedonista, as pessoas aplaudem a indecência e escarnecem da virtude, enaltecem o vício e fazem chacota dos valores morais absolutos. Precisamos levantar a voz para dizer que é melhor ser pobre e honesto do que mentiroso e tolo. É melhor ter uma consciência tranquila do que dinheiro desonesto no bolso. É melhor comer um prato de hortaliça com paz na alma do que viver se refestelando em banquetes requintados, mas com o coração perturbado pela culpa. É melhor ser pobre e honesto do que ser rico e desonesto. A integridade vale mais do que o dinheiro. O caráter é mais importante do que o desempenho. O que somos vale mais do que o que temos.

A pressa é inimiga da perfeição – *Não é bom proceder sem refletir, e peca quem é precipitado* (Pv 19.2). Há um ditado popular que diz: "O apressado come cru". Quem investe tempo em planejamento trabalha menos e com mais e melhores resultados. Li certa feita que os japoneses gastam onze meses no planejamento de um projeto e um mês na execução. Fazer antes de planejar ou realizar um projeto sem o cuidadoso planejamento é laborar em erro e semear para o fracasso. Quem não planeja direito planeja fracassar. O tempo gasto em amolar o machado não é, de modo algum, perdido. Quem começa a construir uma casa sem antes ter uma planta? Quem vai à guerra sem antes calcular seu custo? Quem começa um projeto sem antes avaliar suas vantagens e perigos? Agir sem pensar não é bom. Um empreendedor, em geral, faz duas perguntas antes de começar qualquer negócio: Quanto vou ganhar se fechar esse negócio? Quanto vou perder se deixar de fechar esse negócio? Tomar decisões sem reflexão é uma insensatez. Falar antes de pensar é tolice. Entrar num negócio sem avaliar as oportunidades e os riscos é pavimentar o caminho do fracasso. Mas investir o melhor do seu tempo no planejamento é sinal de prudência, pois a pressa é inimiga da perfeição.

Não culpe Deus por seus fracassos – *A estultícia do homem perverte seu caminho, mas é contra o Senhor que o seu coração se ira* (Pv 19.3). Deus não é parceiro de nossas loucuras. O que alguém semear, isso ceifará. Cada um bebe de sua própria fonte. Come os frutos de sua própria semeadura. O tolo faz suas loucuras e depois se ira contra Deus. Desanda a boca para falar impropérios e depois quer ouvir palavras doces. Apressa seus pés para o mal e depois quer receber o bem. Suas mãos são ágeis para cometer injustiça e depois ele espera boas recompensas de suas ações malignas. E o pior: os tolos, ao receber a justa recompensa de suas obras más, colocam a culpa em Deus. A falta de juízo é que faz a pessoa cair na desgraça; no entanto, ela põe a culpa em Deus. Quando concebe o mal no coração e se apressa para executá-lo, não consulta Deus. Quando se entrega à prática do mal, tapa os ouvidos aos conselhos de Deus; mas, na hora de receber o justo castigo de seus atos insensatos, sente-se injustiçado e coloca a culpa no Senhor. Essa atitude é a mais consumada tolice. É querer inverter uma ordem imutável: colhemos o que plantamos. Não podemos semear o mal e colher o bem. Não podemos plantar joio e colher trigo. Não podemos semear discórdia e colher harmonia. Não podemos plantar ódio e colher amor.

Amigos interesseiros – *As riquezas multiplicam os amigos; mas, ao pobre, o seu próprio amigo o deixa* (Pv 19.4). Há amigos e amigos. Há amigos de verdade e amigos de fachada. Amigos do peito e amigos que nos apunhalam pelas costas. Há amigos que nos amam e amigos que amam o que temos. Há amigos que estão ao nosso lado no dia da fartura e amigos que nos abandonam na hora da escassez. Esses amigos de plantão não são amigos verdadeiros, mas apenas aproveitadores. Esses amigos utilitaristas que rasgam os lábios em palavras sedosas, tecendo elogios bajuladores, afastar-se-ão de nós ao sinal da primeira crise. Os ricos conseguem muitos amigos dessa categoria. Esses lobos com pele de ovelhas, mascarados de amigos, estão sempre buscando alguma vantagem pessoal. Estão sempre tecendo ao rico os mais distintos elogios, mas ao mesmo tempo maquinam no coração uma oportunidade para tirar algum proveito. O pobre não consegue granjear esse tipo de amizade. Ainda bem! Diz o ditado popular que é melhor viver só do que mal acompanhado. O amigo verdadeiro ama em todo o tempo. Ele é mais achegado que um irmão. Jesus é o maior exemplo de amigo. Ele deixou a glória e desceu até nós. Amou-nos não por causa de nossa riqueza, mas apesar da nossa pobreza. Deu sua vida por nós não por causa dos nossos méritos, mas apesar dos nossos deméritos. Você é um amigo verdadeiro? Você tem amigos verdadeiros?

A mentira tem pernas curtas – *A falsa testemunha não fica impune, e o que profere mentiras não escapa* (Pv 19.5). Os tribunais da terra estão repletos de falsas testemunhas. Pessoas que juram falar a verdade, com a mão sobre a Bíblia, e depois abrem a boca para falar mentiras. O resultado desse teatro vergonhoso é que os inocentes saem desses tribunais condenados, e os culpados ficam livres. Mas, ainda que a verdade seja escamoteada nos tribunais da terra, ainda que a mentira vista a toga sagrada do direito e desfile na passarela da justiça, sua máscara um dia cairá, e suas vergonhas serão vistas por todos. A mentira tem pernas curtas. O mentiroso não é consistente. Ele entrará em contradição mais cedo ou mais tarde. Tropeçará em sua própria língua. Cairá em sua própria armadilha. Seus pés descerão à cova que ele abriu para seu próximo. O mal que ele intentou para o outro cairá sobre sua própria cabeça. Isso porque as trevas não prevalecerão sobre a luz. A mentira não triunfará sobre a verdade. A falsa testemunha não ficará impune nem poderá escapar do castigo. A mulher de Potifar, ao acusar o jovem José do Egito de assédio moral, teve sua reputação resguardada por algum tempo. Mas a verdade veio à luz, então sua trama foi descoberta, e seu nome caiu na vala do desprezo, por gerações sem fim.

Amigos sanguessugas – *Ao generoso, muitos o adulam, e todos são amigos do que dá presentes* (Pv 19.6). A lei da sanguessuga é: Dá, dá. A sanguessuga gruda no nosso corpo apenas para sugar o sangue. Alimenta-se da nossa seiva e se abastece da nossa vida. Há pessoas que se acercam de nós e nos cobrem de elogios, adulando-nos com palavras doces, apenas para receberem algum proveito pessoal, para tirar alguma vantagem, ganhar algum presente. São pessoas egoístas e mesquinhas. Não estão interessadas em você, mas nas coisas que você tem. Não amam quem você é, mas o que você pode lhes oferecer. Tentam comprar você com bajulação. São sedosas nas palavras, estratégicas nos elogios, mas falsas nas motivações. Querem se aninhar debaixo de suas asas. Querem viver seguras sob a proteção de sua sombra. Querem seus presentes, mais do que sua presença. Querem seus bens, mais do que o seu bem. Querem o que você tem, e não quem você é. São sanguessugas, e não amigos. São aproveitadores, e não camaradas de jornada. São indignos de sua companhia, e não parceiros de seus sonhos. O rei Salomão nos alerta sobre o fato de que todos procuram agradar as pessoas importantes; todos querem ser amigos de quem dá presentes. A prudência nos ensina a não engrossarmos as fileiras desse grupo. Não devemos dar guarida a esse bando de aproveitadores nem nutrir em nosso coração esse sentimento vil.

O falso amigo – *Se os irmãos do pobre o aborrecem, quanto mais se afastarão dele os seus amigos! Corre após eles com súplicas, mas não os alcança* (Pv 19.7). A Bíblia diz que em todo o tempo ama o amigo e na angústia se faz o irmão. Mas, assim como há irmãos que nos abandonam na hora da crise, também há amigos que nos deixam na hora do aperto. O pobre nessas horas procura um amigo para o socorrer, mas seus amigos têm os pés velozes para fugir. Esses "irmãos" e "amigos" são fajutos. Não são verdadeiros. São irmãos e amigos apenas de palavras, mas não de fato e de verdade. Aproximam-se de você apenas na fartura, mas desaparecem na escassez. Frequentam sua casa apenas nos dias de festa, mas correm no dia da doença. Assentam-se à sua mesa apenas nas celebrações de alegria, mas jamais lhe oferecem ajuda no dia da calamidade. Cobrem você de elogios quando esperam receber algum favor, mas se afastam apressadamente da sua casa quando você carece de socorro. O verdadeiro amigo é aquele que chega à sua casa quando todos já foram embora. O amigo verdadeiro não o desampara quando cai sobre sua alma a noite escura da crise. Ele se assenta com você no pó e na cinza. Ele chora com você e abre-lhe o coração, as mãos e o bolso. Ele não vem para receber, mas para dar.

Dê descanso à sua alma – *O que adquire entendimento ama a sua alma; o que conserva a inteligência acha o bem* (Pv 19.8). O entendimento das realidades à nossa volta não é algo que possuímos naturalmente. Precisamos investir tempo para adquiri-lo. O conhecimento é um tesouro mais precioso do que o ouro e a prata. Melhor é aquele que ajunta conhecimento do que aquele que acumula dinheiro. O dinheiro pode ser roubado. Os bens podem ser consumidos pela traça e pela ferrugem. Mas o conhecimento é um bem inalienável. É um tesouro que não pode ser subtraído. Nenhum ladrão pode roubar seu cérebro ou saquear a cidadela da sua alma. Esse cofre jamais pode ser aberto pelos ladrões. Por isso, quem adquire conhecimento faz o melhor de todos os investimentos. Ama a própria vida e dá descanso à alma. Quem conserva a inteligência acha o bem e desfruta verdadeira felicidade. O entendimento e a inteligência são a expressão da sabedoria, e a sabedoria é olhar para a vida com os olhos de Deus. É estar sintonizado com o coração de Deus. É viver de acordo com a vontade de Deus. É andar segundo o projeto de Deus. É viver na luz. É andar na verdade. É ter o caráter de Cristo. É espargir a luz do Salvador e trescalar o perfume de Cristo, aquele que é a expressão máxima da sabedoria de Deus entre os seres humanos.

A ruína da falsa testemunha – *A falsa testemunha não fica impune, e o que profere mentiras perece* (Pv 19.9). Há uma estreita semelhança entre Provérbios 19.5 e Provérbios 19.9. A única diferença é que, no versículo 5, o mentiroso não escapa e, no versículo 9, o mentiroso perece. Não se trata de repetição por engano, mas de ênfase. Enquanto o versículo 5 diz que a falsa testemunha não escaparia, o versículo 9 define qual é o seu castigo: perecer. Qual a diferença entre "não escapar" e "perecer"? A falsa testemunha é sempre um mentiroso. Sempre falta com a verdade, sempre sonega a verdade e apresenta a mentira como se fosse verdade. Como a mentira tem pernas curtas, o mentiroso será flagrado em contradição. Pode até ser honrado por um tempo; pode até receber aplausos em certas circunstâncias, mas seu dia chegará e nesse dia sua máscara cairá e seu rosto se cobrirá de vergonha. E a falsa testemunha não apenas será apanhada, mas também perecerá. Sua ruína será total. Sua reputação será arruinada. Sua luz se apagará. Seu nome cairá no opróbrio. A falsa testemunha é castigada e certamente será condenada a uma ruína irremediável. Mesmo que escape nos tribunais da terra, não escapará no tribunal de Deus. Mesmo que saia ilesa no juízo humano, não será inocentada no juízo divino.

A promoção do tolo é um perigo – *Ao insensato não convém a vida regalada, quanto menos ao escravo dominar os príncipes!* (Pv 19.10). Promover um indivíduo insensato é um grande perigo, pois, ao receber poder em suas mãos, ele usará sua força para promover o mal, e não o bem; para ferir as pessoas, em vez de abençoá-las. Quando o rei Roboão assumiu o trono de Israel, tomou uma decisão imprudente. Em vez de ouvir os reclamos do povo para aliviar-lhe a carga tributária, pesou ainda mais a mão, cobrando impostos mais abusivos. O resultado foi um racha no seu reino e um enfraquecimento do seu governo. Quando o rei persa Assuero promoveu Hamã, este usou sua influência para tramar contra Mardoqueu, preparando uma forca para matá-lo. Seu plano não terminou aí. Conspirou também contra todos os judeus do Império Medo-Persa para exterminá-los. Sua maldade, porém, foi descoberta, e esse homem mau foi executado na própria forca que mandou fazer para matar Mardoqueu. Ao tolo não convém a vida regalada. Alguém já disse, e com razão, que, se quisermos conhecer o caráter de uma pessoa, devemos dar-lhe poder. As pessoas sensatas usarão o poder para o bem coletivo, mas os tolos o empregarão para proveito próprio. Aqueles que não têm juízo, quando assumem qualquer posição de liderança, usarão sua força para perverter a ordem, para torcer a lei e para agir com violência. Por serem tolos, cairão na armadilha que armaram para os outros e verão que o mal que intentaram contra o próximo se voltará contra eles mesmos.

Controle sua língua e suas reações – *A discrição do homem o torna longânimo, e sua glória é perdoar as injúrias* (Pv 19.11). A discrição é uma virtude rara em nossos dias, mas absolutamente necessária para a construção de relacionamentos sólidos. Ninguém confia em alguém que tem a língua solta. Ninguém constrói pontes de amizade com aqueles que vivem com a picareta na mão desenterrando o passado dos outros e tentando trazer à tona aquilo que foi sepultado em tempos remotos. A Palavra de Deus diz que o amor cobre multidão de pecados. Não devemos exercer o papel de detetives na vida do nosso próximo, vasculhando sua vida em busca de algum deslize. Não somos chamados a ser arqueólogos, à cata de alguma coisa do passado para decifrar os enigmas do presente. Em vez de ficar tentando tirar o cisco no olho do nosso irmão, devemos observar a trave que está em nosso olho. A glória humana não é denunciar os erros dos outros nem os expor ao ridículo por causa de suas falhas, mas perdoar suas injúrias. Uma pessoa não é grande quando usa sua força para vingar, mas quando paga o mal com o bem, quando transforma o inimigo em amigo, quando abençoa aqueles que a maldizem e quando ora por aqueles que a perseguem. Não somos chamados a exercer a lei do olho por olho, mas para amar os nossos inimigos; não somos chamados a retribuir o mal com o mal, mas a exercer misericórdia e a ser canais da graça de Deus até mesmo na vida daqueles que nos cobrem de injúrias.

O rugido do leão – *Como o bramido do leão, assim é a indignação do rei; mas seu favor é como o orvalho sobre a erva* (Pv 19.12). A monarquia é um regime de governo que atravessou os séculos e ainda hoje é sustentado em algumas nações. No passado, tivemos impérios nos quais o rei tinha poder absoluto de vida ou morte sobre seus súditos. Na Babilônia, por exemplo, o rei estava acima da lei. Era um regime absolutista. Provocar o rei era colocar o pescoço a prêmio. Certo dia, os três amigos de Daniel desafiaram uma ordem do rei Nabucodonosor. Recusaram a prostrar-se diante da imagem de ouro que o rei havia mandado construir para sua própria adoração. A ira desse rei megalomaníaco acendeu-se a tal ponto que ele mandou aquecer a fornalha sete vezes mais e lançar os três jovens no fogo ardente. Sua voz ecoou em todo o império como o rugido de um leão, e todo o povo se curvou à ordem soberana para adorar a imagem, exceto esses três jovens hebreus. Deus os livrou na fornalha, e não da fornalha. O bramido do rei tornou-se como orvalho sobre a relva; os três jovens tementes a Deus foram promovidos, e o nome de Deus foi exaltado na Babilônia. Deus transformou a ira em favor, a punição em promoção, a sentença de morte em plataforma de vida.

Filho insensato e esposa rixosa – *O filho insensato é a desgraça do pai, e um gotejar contínuo, as contenções da esposa* (Pv 19.13). Um filho sem juízo traz enorme dor de cabeça a seu pai. Torna-se motivo de vergonha, sofrimento e ruína para toda a sua casa. Um filho que despreza o ensino do pai e age na contramão do legado que recebeu só traz desgraça para sua família. Os noticiários estampam diariamente notícias dolorosas de filhos que se rendem às drogas e roubam os pais para alimentar seu vício, e de filhos que por ganância matam os pais para se locupletarem com a herança. Um filho insensato é uma tragédia, uma fonte de desgosto, a desgraça do pai. Quadro semelhante é o da mulher rixosa. Se o filho insensato é uma avalanche que provoca uma inundação desastrosa, a mulher rixosa é uma goteira que pinga sem parar e transforma a vida do marido num pesadelo. A Bíblia diz que é melhor viver sozinho do que ao lado da mulher rixosa. É melhor fazer sua tenda no deserto do que morar numa mansão junto com uma mulher amarga, que vive reclamando da vida e espalhando seu azedume. É melhor ficar sozinho no sótão da casa do que dormindo ao lado de uma mulher amarga. Filho insensato e mulher contenciosa são um tormento sem fim para a vida de um homem. Acautele-se!

Esposa prudente, presente de Deus – *A casa e os bens vêm como herança dos pais; mas do SENHOR, a esposa prudente* (Pv 19.14). Os pais entesouram para os filhos. Eles não fazem nenhum favor aos filhos quando deixam para eles seus bens. Isso é uma questão legal. É o que exige a lei. A casa e os bens vêm como herança dos pais. Mas, se o homem pode herdar de seus pais casa e dinheiro, só Deus pode dar a ele uma esposa prudente. Uma esposa sensata é um presente de Deus. Essa mulher vale mais do que finas joias. Ela faz bem ao seu marido todos os dias da sua vida e edifica a sua casa com inteligência. A palavra da sabedoria e da bondade está em sua língua. É amiga, conselheira e aliviadora de tensões. É como uma oliveira ao redor da mesa. Tem beleza e belos frutos. Agora, se a esposa prudente vem do Senhor, os jovens deveriam depender mais de Deus para o casamento. Deveriam orar mais e buscar mais a vontade de Deus. Muitos casamentos são feitos apressadamente, sem reflexão e sem oração. Decisões são tomadas e alianças são firmadas sem que a vontade de Deus seja consultada. Muitos casamentos naufragam porque os jovens fecham os olhos durante o namoro e só os abrem depois, para descobrir que fizeram uma escolha insensata. Alguém já disse que, se o homem não pedir a Deus uma esposa, o diabo lhe dará uma.

O preguiçoso ficará pobre – *A preguiça faz cair em profundo sono, e o ocioso vem a padecer fome* (Pv 19.15). A preguiça é a mãe da pobreza e o reino da miséria. Onde ela domina, há muito sono e pouco trabalho, muito descanso e pouca fadiga, muitos devaneios e quase nenhuma atividade, muita pobreza e nenhuma prosperidade. Os preguiçosos gostam do sono e têm alergia ao trabalho. Veem sempre as dificuldades, mas nunca as oportunidades. Têm medo dos riscos fictícios, mas caminham celeremente para a pobreza irremediável. Um indivíduo ocioso, com a mente cheia de nada e as mãos vazias de trabalho, enfrentará um futuro sombrio. A fome será sua amiga inseparável. A miséria habitará em sua casa. Há um grito que deve ecoar nos ouvidos do preguiçoso: *Vai ter com a formiga, ó preguiçoso, considera os seus caminhos e sê sábio* (Pv 6.6). A formiga trabalha no verão para ter provisão no inverno. Ela não descansa nem se entrega à indolência; por isso, quando chega a estação em que ela não pode sair para o trabalho, tem comida com fartura e não passa necessidade. Àqueles que dormem enquanto deveriam trabalhar, que cruzam os braços enquanto deveriam estendê-los à lida, sobrevirá a pobreza como um ladrão e a necessidade como um homem armado.

Obediência, o caminho da longevidade – *O que guarda o mandamento guarda a sua alma; mas o que despreza os seus caminhos, esse morre* (Pv 19.16). Os mandamentos de Deus nos foram dados para serem fontes de vida. A obediência ao mandamento é elixir de vida. Aqueles que obedecem a Deus prolongam seus dias sobre a terra e ainda recebem a promessa da vida por vir. Não somos salvos pela obediência aos mandamentos, mas pela fé em Jesus; quando cremos em Jesus, contudo, recebemos poder para obedecer aos mandamentos. Guardar os mandamentos é guardar a alma de tribulações. Observar os mandamentos traz deleite para o coração e refrigério para a alma. É no banquete da obediência que saboreamos as ricas iguarias da graça. É quando estamos na presença de Deus que desfrutamos alegria perene e delícias perpetuamente. Por outro lado, desprezar os caminhos de Deus é entrar numa rota de colisão e trilhar o caminho largo que conduz à perdição. É colocar o pé na estrada da morte. Deus é o autor e o doador da vida, o único que oferece vida eterna. Desprezar seus caminhos é fazer uma opção pela morte. É colocar-se debaixo do juízo condenatório. É lavrar sua própria sentença de morte. A obediência, porém, é o banquete das delícias de Deus. É a estrada da vida, o caminho da longevidade, a vereda da bem-aventurança.

Um empréstimo a Deus – *Quem se compadece do pobre ao* SENHOR *empresta, e este lhe paga o seu benefício* (Pv 19.17). Deus sempre demonstra um cuidado especial aos pobres. Deus faz tanto o rico quanto o pobre. Se o pobre é um mistério divino, o rico tem um ministério divino. O rico não deve acumular sua riqueza com avareza, mas distribuí-la com generosidade. Deve ser rico de boas obras e socorrer os aflitos em suas necessidades. Isso é como emprestar a Deus, pois Deus é o fiador do pobre. Deus nunca fica em dívida com ninguém. Ele não dá calote. Sua justiça é perfeita, e sua misericórdia não tem fim. Ele é a fonte de todo o bem. Tudo o que temos e somos vem de Deus. Riquezas e glórias vêm das suas mãos. É ele quem nos fortalece para adquirirmos riquezas. É ele quem multiplica a nossa sementeira para continuarmos semeando na vida do nosso próximo. A alma generosa prosperará, pois a bênção do Senhor enriquece e com ela não traz desgosto. A Palavra de Deus tem promessas especiais aos generosos: *Bem-aventurado o que acode ao necessitado; o* SENHOR *o livra no dia do mal. O* SENHOR *o protege, preserva-lhe a vida e o faz feliz na terra; não o entrega à discrição dos seus inimigos. O* SENHOR *o assiste no leito da enfermidade; na doença, tu lhe afofas a cama* (Sl 41.1-3).

A disciplina tem limites – *Castiga a teu filho, enquanto há esperança, mas não te excedas a ponto de matá-lo* (Pv 19.18). Quanto à disciplina dos filhos, dois extremos perigosos devem ser evitados. O primeiro deles é a ausência de disciplina. Filhos mimados tornam-se adultos irresponsáveis e inconsequentes. O segundo extremo é o excesso de disciplina. Filhos oprimidos tornam-se adultos inseguros e revoltados. A Bíblia diz que os pais não devem provocar os filhos à ira para que não fiquem desanimados. A correção dos filhos é uma necessidade, pois a estultícia está ligada ao coração da criança. A disciplina é um ato responsável de amor. Os pais que fazem vistas grossas à rebeldia dos filhos e deixam de discipliná-los estão contribuindo diretamente para a ruína dos próprios filhos. A Palavra de Deus cita o sacerdote Eli, que amava mais seus filhos do que a Deus e por isso deixou de corrigi-los. O resultado dessa atitude insensata foi a perda dos filhos e a destruição da família. Por outro lado, pais que espancam os filhos, agredindo-os com desmesurado rigor, estão em total desacordo com o ensino da Palavra de Deus. O propósito da disciplina é a formação do caráter, e não o esmagamento da autoestima. Precisamos temperar disciplina com encorajamento, firmeza com doçura, repreensão com consolo. A falta de disciplina gera filhos rebeldes; o excesso de disciplina gera filhos desanimados.

Cuidado com gente de estopim curto – *Homem de grande ira tem de sofrer o dano; porque, se tu o livrares, virás ainda a fazê-lo de novo* (Pv 19.19). O destempero emocional é como o rompimento de uma represa: provoca inundações e grande devastação. Um indivíduo que não tem domínio próprio, que está sempre demonstrando explosões de ira, jogando estilhaços nas pessoas à sua volta, não pode ficar livre dos danos de sua atitude insensata. Proteger tais pessoas apenas lhes dá mais combustível para repetirem suas loucuras. Apenas as encoraja a seguir pelo mesmo caminho de morte. A Palavra de Deus fala sobre Caim, irmão de Abel. Seu coração estava cheio de ira. Deus o repreendeu e o alertou acerca dos perigos desse sentimento. Cabia a ele dominar esse ímpeto furioso. Caim tapou os ouvidos à repreensão, e o resultado foi que ele planejou e executou a morte de seu irmão, para depois tentar evadir-se da responsabilidade. Caim, porém, foi apanhado pelas próprias cordas de seu pecado. Toda a história foi carimbada pelas loucas consequências de seu temperamento desgovernado. Não tente blindar pessoas de mau gênio. Não tente proteger aqueles que, como um vulcão em erupção, lançam de si lavas inflamadas que espalham sofrimento à sua volta. Tais pessoas precisam sofrer as consequências de seus atos para não serem encorajadas a prosseguir nesse caminho de loucura.

O caminho da sabedoria – *Ouve o conselho e recebe a instrução, para que sejas sábio nos teus dias por vir* (Pv 19.20). Quem tem os ouvidos atentos ao conselho e o coração aberto à instrução coloca os pés na estrada da sabedoria. Embora o conhecimento não seja sinônimo de sabedoria, por outro lado não existe sabedoria sem conhecimento. Os sábios são ávidos para aprender. Têm os ouvidos atentos à instrução. A sabedoria é o uso correto do conhecimento. É a aplicação adequada da instrução. O positivismo de Augusto Comte equivocou-se ao dizer que a maior necessidade do mundo era de conhecimento. No século 20, o ser humano, cheio de orgulho, pensou que iria construir um paraíso na terra com suas próprias mãos. Estávamos chegando ao ponto culminante do saber. Vivíamos no território do extraordinário. Porém, o conhecimento sem a sabedoria levou-nos a duas sangrentas guerras mundiais. O ser humano, mesmo bafejado de conhecimento, tornou-se um monstro celerado. Havia muita luz em sua cabeça, mas nenhuma sabedoria em seu coração. Por outro lado, aqueles que fecham os ouvidos ao conhecimento não alcançam a sabedoria. Quem não semeia hoje instrução não colherá amanhã os frutos da sabedoria. A instrução e a sabedoria caminham juntas. A sabedoria procede da instrução, e a instrução é a base da sabedoria.

O triunfo do propósito de Deus – *Muitos propósitos há no coração do homem, mas o desígnio do* SENHOR *permanecerá* (Pv 19.21). O ser humano faz muitos planos. Sua mente se agita com muitas cogitações. Seus pensamentos correm a terra e se multiplicam em inúmeros propósitos. Porém, não é a vontade humana que permanecerá, mas o propósito de Deus. O plano de Deus é perfeito e vitorioso. Deus conhece o futuro no seu eterno agora. Ele enxerga os detalhes da nossa vida nas dobras do futuro. Ele está presente em nosso amanhã. Não sabemos o que é melhor para nós. Temos limitações imensas. Não sabemos nem orar como convém. Muitas vezes, chegamos a pedir uma pedra pensando que estamos pedindo um pão. Muitas vezes, desejamos ardentemente aquilo que acabará por nos destruir. Não poucas vezes, Deus frustra os nossos desígnios para nos dar o seu melhor. O patriarca Jó, depois de passar por vários reveses na vida e conhecer a majestade de Deus, disse: *Bem sei que tudo podes, e nenhum dos teus planos pode ser frustrado* (Jó 42.2). O apóstolo Paulo afirma, com efusivo entusiasmo: *Sabemos que todas as coisas cooperam para o bem daqueles que amam a Deus, daqueles que são chamados segundo o seu propósito* (Rm 8.28). É bom saber que os desígnios de Deus, e não nossos propósitos, é que permanecem, pois o nosso Deus é o Pai das luzes, a fonte de todo o bem, verdadeiro em todas as suas palavras e misericordioso em todas as suas obras.

O valor de um coração generoso – *O que torna agradável o homem é a sua misericórdia; o pobre é preferível ao mentiroso*

(Pv 19.22). A palavra "misericórdia" significa "lançar o coração na miséria do outro". É ser sensível à dor alheia. É mais do que sentir; é agir. É mais do que falar; é fazer. Não adianta nada você se derreter em lágrimas ao ver o drama do próximo; é preciso estender a mão para o socorrer. A Bíblia fala sobre o sacerdote e o levita, homens religiosos que viram um homem ferido à beira do caminho. Eles viram e passaram de largo. Talvez tivessem chegado até a lamentar sua deplorável situação, mas nada fizeram. Foram indiferentes. O samaritano, porém, ao cruzar o mesmo caminho, passou por perto, viu o homem ferido, aproximou-se, pensou suas feridas e o socorreu. Isso é misericórdia. É amor em ação. Não somos o que sentimos nem o que falamos; somos o que fazemos. Por isso, é melhor o pobre do que o mentiroso. O mentiroso é rico em palavras vazias. Tem a língua cheia de virtudes, mas as mãos vazias de obras. Fala muito e faz pouco. Há um abismo entre o que fala e o que pratica. O mentiroso esconde o que tem para não socorrer o próximo; o pobre reparte o pouco que tem para socorrer o aflito. O mentiroso só tem palavras; o pobre tem ação. O mentiroso fala muito e faz pouco; o pobre não ousa falar, porém faz não apenas o que está ao seu alcance, mas também o que está acima de suas forças.

O temor ao Senhor, fonte de vida – *O temor do SENHOR conduz à vida; aquele que o tem ficará satisfeito, e mal nenhum o visitará* (Pv 19.23). O temor ao Senhor tem duas vertentes. A primeira delas se refere ao medo que devemos ter daquele que é o Juiz de vivos e de mortos, daquele que tem poder para lançar no fogo do inferno tanto o corpo como a alma. A segunda vertente se refere à reverência diante daquele que tem em suas onipotentes mãos o nosso destino.

O temor ao Senhor é não apenas o princípio da sabedoria, mas também a fonte da vida. O temor ao Senhor é um freio moral em nossa vida. Quem teme a Deus não teme desagradar aos maus. Quem teme a Deus não se imiscui no pecado. Quem teme a Deus foge dos esquemas perniciosos do mundo. Quem teme a Deus deleita-se nele e protege sua própria alma de muitos flagelos. Quem teme a Deus tem uma vida longa, feliz e vitoriosa. Quem teme a Deus pode descansar em paz, livre de problemas. Estão absolutamente equivocados aqueles que imaginam que viver com Deus é entrar num beco estreito, sem liberdade, sem alegria, privado da verdadeira felicidade. Deus não é um xerife cósmico que nos mantém no cabresto para fazer amargar nossa vida. Deus é a fonte de todo o bem. É na presença dele que existe plenitude de alegria e somente em sua destra há delícias perpetuamente. É quando tememos a Deus que saboreamos as deliciosas iguarias da sua mesa e bebemos as taças da verdadeira felicidade.

Preguiça até de comer – *O preguiçoso mete a mão no prato e não quer ter o trabalho de a levar à boca* (Pv 19.24). A preguiça é a mãe da pobreza. A preguiça é mais forte do que a fome. A preguiça mata. Ouvi certa vez uma história acerca de um homem preguiçoso que estava morrendo de fome porque não tinha coragem de trabalhar. Então, seus vizinhos resolveram sepultá-lo vivo, já que ele tinha preguiça até de pegar a comida que alguém lhe dava. Quando o enterro passava por uma fazenda, o fazendeiro perguntou: "Quem morreu?" Aqueles que conduziam o cortejo responderam: "Ninguém morreu. Nós estamos levando esse homem preguiçoso para sepultá-lo vivo. Ele tem preguiça de trabalhar e por isso não merece viver". O fazendeiro, então, disse: "Não façam isso. Eu tenho arroz suficiente para esse homem comer o resto da sua vida". O preguiçoso, ao ouvir essas palavras, levantou a tampa do caixão e perguntou: "O arroz está com casca ou sem casca?" O fazendeiro respondeu: "É claro que está com casca". O preguiçoso, então, respondeu: "Podem tocar o enterro". Tem gente tão indolente a ponto de ter preguiça até de levar comida à boca. Mesmo que você dê tudo em suas mãos, ainda quer que você coloque a comida em sua boca. Um indivíduo preguiçoso nunca está satisfeito com o que você faz. Sempre quer alguma coisa a mais. Prefere morrer de fome a trabalhar. Prefere deixar a comida no prato a ter de levá-la à boca.

Quem é sábio aprende com os erros – *Quando ferires ao escarnecedor, o simples aprenderá a prudência; repreende ao sábio, e crescerá em conhecimento* (Pv 19.25). O fracasso só é fracasso quando não aprendemos com ele. Quando aprendemos com nossos erros, ou mesmo com os erros dos outros, tornamos-nos sábios e crescemos em conhecimento. É claro que todos nós erramos. Não é uma questão de "se", mas de "quando". Tiago diz em sua epístola que todos tropeçamos em muitas coisas. Uma pessoa prudente, ao ver o escarnecedor ser ferido por seus erros, bota a barba de molho e percebe que seguir pelo mesmo caminho é loucura. O escarnecedor não se quebranta ao ser repreendido, por isso é ferido e mesmo assim não aprende a lição. Mas o sábio age de forma diferente. Tem humildade para aprender. Tem coração quebrantado para ser disciplinado. Tem disposição de fazer uma revisão de rota e mudar de atitude. A Bíblia diz que não devemos ser como o cavalo e a mula que precisam de freio para ser governados. Deus nos deu a inteligência para aprendermos com as circunstâncias da vida. Deus nos deu percepção para não repetirmos os mesmos erros do passado. Nossos fracassos precisam ser nossos pedagogos, e não nossos coveiros.

Filhos ingratos, a vergonha dos pais – *O que maltrata a seu pai ou manda embora a sua mãe filho é que envergonha e desonra* (Pv 19.26). A lei de Deus pode ser sintetizada em dois mandamentos: amar a Deus e ao próximo. O amor não é apenas o maior dos mandamentos, mas também o cumprimento da lei e dos profetas. O amor não é apenas a maior das virtudes, mas também o sinal distintivo de um verdadeiro cristão. O amor é a prova cabal de que somos convertidos, porque aquele que não ama não é nascido de Deus, pois Deus é amor. Também não podemos amar a Deus sem amar o próximo. E não há ninguém mais próximo de nós do que nossos pais. A ordem divina aos filhos é honrar e obedecer pai e mãe no Senhor. Esse é o primeiro mandamento com promessa. Os filhos que honram os pais têm vida longa e também prosperidade. Um filho ingrato, porém, traz vergonha para os pais e desonra para a família. Maltratar o pai e mandar embora a mãe é uma atitude abominável aos olhos de Deus. É uma crueldade sem tamanho. Há muitos filhos ingratos que cospem no prato que comeram. Agridem os pais com palavras e atitudes e os abandonam à própria sorte quando estes chegam à velhice. Os filhos que maltratam seu pai ou tocam sua mãe de casa não têm vergonha e não prestam. Os filhos que cometem tal desatino são causadores de desonra para a família.

O aprendizado é um exercício contínuo – *Filho meu, se deixas de ouvir a instrução, desviar-te-ás das palavras do* *conhecimento* (Pv 19.27). Na escola da vida, ninguém se diploma. Somos eternos aprendizes. A cada estágio que avançamos e quanto mais aprendemos, mais temos coisas a aprender. O sábio é aquele que sabe que quase nada sabe. O que sabemos é infinitamente menor do que o que não sabemos. Quanto mais aprendemos, mais temos consciência de que estamos apenas arranhando a superfície do conhecimento. Só um tolo faz propaganda de seu conhecimento. Só um insensato proclama a própria sabedoria. Só lata vazia faz barulho. Só restolho chocho fica empinado orgulhosamente. Só os ignorantes pensam que não têm mais nada a aprender. Nossos ouvidos precisam continuar atentos à instrução. Todo o tempo é tempo de aprendizado. Aqueles que deixam de ouvir a instrução se desviarão das palavras do conhecimento. Se você parar de aprender, esquecerá até o que sabe. Quem cessa de aprender cessa de ensinar. Quem se ausenta da escola do aprendizado entra na fila da ignorância. O aprendizado é um exercício contínuo, um privilégio constante, uma aventura diária, uma semeadura diuturna e uma colheita ao longo da vida. Se fizermos uma semeadura abundante no aprendizado, faremos uma colheita bendita cujos frutos nos deleitarão e nos fortalecerão para a jornada da vida.

Testemunha corrupta – *A testemunha de Belial escarnece da justiça, e a boca dos perversos devora a iniquidade* (Pv 19.28). A testemunha corrupta interfere diretamente nas decisões de um tribunal. Inverte os fatos para inocentar os culpados e culpar os inocentes. A testemunha corrupta zomba da justiça, escarnece da verdade, tripudia sobre o direito e massacra os inocentes. É um agente do mal e um instrumento a serviço da violência. No julgamento de Jesus, o Sinédrio judaico contratou testemunhas falsas com o propósito de condená-lo. Fato semelhante aconteceu quando Estêvão, o primeiro mártir do cristianismo, foi apedrejado. Na história da humanidade, esses fatos se repetiram inúmeras vezes, trazendo muito sofrimento aos fracos e derramando muito sangue inocente. Se a testemunha corrupta perverte a justiça, a boca dos perversos tem fome de fazer o mal. A língua dos ímpios é carregada de veneno, é peçonha mortífera. As pessoas sem caráter sentem um prazer mórbido em destruir a reputação do próximo. Banqueteiam-se com a desgraça alheia. Como abutres, abastecem-se da miséria dos outros. Tanto a testemunha falsa que abre sua boca para escarnecer da justiça como o perverso que abre sua boca para arruinar o próximo são abomináveis aos olhos do Senhor. Tanto um quanto o outro receberão o desprezo humano e a justa retribuição divina.

A punição aos maus é **inevitável** – *Preparados estão os juízos para os escarnecedores e os açoites, para as costas dos insensatos* (Pv 19.29). Nem sempre a pessoa recebe a justa retribuição das suas obras no exato momento em que comete o delito. O ladrão que rouba, algumas vezes consegue escapar. O corrupto que lança mão do alheio às vezes consegue enriquecer. O juiz iníquo que vende sua consciência para dar uma sentença injusta quase sempre sai ileso dessa farsa. Porém, mais cedo ou mais tarde, a verdade virá à tona, e esses escarnecedores não ficarão impunes. Aquilo que eles fizeram na calada da noite será proclamado à plena luz do sol. Aquilo que eles fizeram nos bastidores, longe dos holofotes, será estampado nas manchetes dos jornais. A punição dos maus é inevitável, pois, ainda que escapem do juízo humano, jamais escaparão do juízo divino. Os insensatos constroem o chicote para açoitar a si mesmos. Eles tropeçam no próprio laço que armaram para os outros e caem na própria cova que abriram para derrubar seu semelhante.

Capítulo 20

A sabedoria instrui para evitar a bebida, a preguiça e o espírito litigioso
(Pv 20.1-30)

CUIDADO COM O ALCOOLISMO – *O vinho é escarnecedor, e a bebida forte, alvoroçadora; todo aquele que por eles é vencido não é sábio* (Pv 20.1). A bebida alcoólica tem sido um carrasco para milhões de pessoas no mundo. Na verdade, o álcool aprisiona as pessoas, humilhando-as e mantendo-as sob algemas. O álcool é um ladrão de cérebros. Tira a lucidez e gera transtornos mentais e emocionais. O álcool é responsável por mais da metade dos acidentes de carro e o causador de mais de 50% dos assassinatos. As cadeias estão lotadas de seus escravos, e os cemitérios estão repletos de suas vítimas. O álcool vicia e degrada. Aqueles que são dominados pela bebida alcoólica vivem perturbados e perturbam a ordem social. São um pesadelo para a família e uma desgraça para a sociedade. Discussões tolas, brigas desnecessárias e crimes hediondos são cometidos por pessoas dominadas pela bebida. O escravo da bebida nunca é sábio. Aqueles que se entregam aos encantos do vinho e bebem espalhafatosamente acabam vencidos pelo vício. Alguém já disse que o vinho é formado pela mistura do sangue de quatro animais: pavão, leão, macaco e porco. Quando alguém começa a beber, sente-se como um pavão, a mais bela das criaturas. Depois, ruge como um leão, demonstrando sua força. O passo seguinte é fazer peraltices como um macaco. Finalmente, o tal chafurda na lama como um porco. Fuja da bebida alcoólica. Sua dependência pode custar-lhe a vida.

Não desafie quem tem o poder nas mãos – *Como o bramido do leão, é o terror do rei; o que lhe provoca a ira peca contra a sua própria vida* (Pv 20.2). Nos regimes monárquicos antigos, o rei detinha pleno poder. Havia reis absolutistas que estavam acima da própria lei. Era o caso de Nabucodonosor, rei da Babilônia, cujas ordens não podiam ser desafiadas. Ele era a lei. Não é sensato insurgir-se contra aqueles que detêm o poder. A menos que seja uma causa absolutamente justa, não é sábio correr riscos, provocando o rei à ira. João Batista denunciou o pecado de adultério do rei Herodes e foi decapitado na prisão. Ele preferiu perder a vida a perder a honra. A raiva do rei é como o rugido de um leão; quem provoca o rei arrisca a vida. Aqueles que têm o poder nas mãos não gostam de ser desafiados. Quando ficam irados, rugem com forte estrondo como um leão. Entrar numa contenda com aqueles que detêm o poder não é prudente. Uma quebra de braço com aqueles que estão investidos de poder e blindados pelo sistema é lavrar a própria sentença de derrota. A sensatez nos ensina a não cutucar essa fera com vara curta. Não compensa entrar nessa briga inglória.

Briga, um sinal de tolice – *Honroso é para o homem o desviar-se de contendas, mas todo insensato se mete em rixas* (Pv 20.3). Na estrada da vida, há muitas armadilhas de contendas, de boca aberta, para nos apanhar. Uma pessoa sábia desvia-se delas. Não vale a pena entrar em discussões bobas, em disputas de ideias, em contendas sem proveito. Só os tolos se metem em rixas. Qualquer tolo pode começar uma briga, mas só quem fica fora dela é que merece elogios. É uma honra dar fim a contendas, mas todos os insensatos se envolvem em rixas. O rei Saul tomou parte de muitas batalhas inglórias. Por causa de seu ciúme doentio contra Davi, perturbou sua alma, transtornou sua família e trouxe desgosto à sua nação. Muita gente perdeu a vida por causa das contendas desse rei louco. Quantas batalhas verbais dentro do lar têm resultados desastrosos! Quantas acusações ferinas ocorrem entre marido e mulher! Quantos filhos são feridos por guerras intérminas dentro da família! Quantas lutas são travadas até mesmo nos bastidores do poder eclesiástico, numa disputa insensata por prestígio! Devemos declarar guerra contra o mal. Devemos empunhar armas espirituais, poderosas em Deus, para destruir fortalezas e anular sofismas. Mas entrar em pelejas movidos pela vaidade e alimentados pelo orgulho, para ferir pessoas e atormentar nossa própria alma, é sinal de tremenda insensatez.

A colheita do preguiçoso – *O preguiçoso não lavra por causa do inverno, pelo que, na sega, procura e nada encontra*

(Pv 20.4). Um indivíduo preguiçoso sempre encontra bons motivos para ficar de braços cruzados. Quando todos os agricultores estão arando a terra para o plantio, ele imagina: "Agora não posso arar a terra, pois o inverno está chegando". Por não arar a terra na estação própria, na época da colheita, ele não tem nada para ceifar. O preguiçoso coloca a culpa de sua pobreza no clima, na estação, na semente, na terra, nos outros. Ele sempre se esconde atrás de muitos escudos e intérminas desculpas. Sempre se blinda com essas couraças. Por um tempo, até consegue convencer a si mesmo de que está sendo prudente. É melhor não arriscar arando a terra no inverno. É melhor não desperdiçar a semente. É melhor não correr riscos. É melhor descansar um pouco mais até chegar uma estação mais favorável para o trabalho. Mas essas máscaras não são tão seguras. No tempo da colheita, seus campos estarão cobertos de mato, seus celeiros estarão vazios, e sua necessidade estará à mostra.

Os propósitos do coração – *Como águas profundas, são os propósitos do coração do homem, mas o homem de inteligência sabe descobri-los* (Pv 20.5). Alex Carrel escreveu um famoso livro com o título *O homem, esse desconhecido*. O ser humano penetra nos segredos mais intrincados da ciência. Decifra os grandes mistérios do universo. Conquista o espaço sideral e faz viagens interplanetárias. Mergulha na vastidão do universo e desce aos detalhes do microcosmo. Porém, não consegue penetrar nas profundezas de seu próprio coração. Os propósitos do seu coração são como águas profundas. O apóstolo Paulo pergunta: *Porque qual dos homens sabe as coisas do homem, senão o seu próprio espírito, que nele está? Assim, também as coisas de Deus, ninguém as* *conhece, senão o Espírito de Deus* (1Co 2.11). O lema dos gregos era "Conhece-te a ti mesmo", mas, na verdade, o ser humano não consegue conhecer a si mesmo sem antes conhecer Deus. Somos seres incógnitos e misteriosos até termos nossos olhos iluminados pela graça. Somente então, poderemos conhecer a nós mesmos e trazer à tona os propósitos do nosso coração. É no conhecimento de Deus que conhecemos a nós mesmos. É quando o Espírito Santo nos sonda que sondamos a nós mesmos. É quando desabrochamos para Deus que mergulhamos em nós mesmos para trazer à superfície os desígnios do coração.

Não exalte a si mesmo – *Muitos proclamam a sua própria benignidade; mas o homem fidedigno, quem o achará?* (Pv 20.6). O autoelogio não soa bem. Não é aprovado aquele que a si mesmo se louva. A Bíblia nos ensina a não fazermos propaganda das nossas próprias obras. Jesus exortou: *Quando, pois, deres esmola, não toques trombeta diante de ti, como fazem os hipócritas, nas sinagogas e nas ruas, para serem glorificados pelos homens.* [...] *ao dares a esmola, ignore a tua mão esquerda o que faz a tua mão direita; para que a tua esmola fique em secreto; e teu Pai, que vê em secreto, te recompensará* (Mt 6.2-4). O fariseu que entrou no templo para orar e fez da sua oração um discurso de autoexaltação, considerando-se superior ao publicano, foi rejeitado por Deus. Não sejam os nossos lábios que nos promovam. Muitos proclamam a própria benignidade, mas é raro encontrar uma pessoa realmente fiel. Todos dizem que são bons e fiéis, mas tente achar alguém que o seja de fato! As pessoas verdadeiramente fiéis reconhecem seus pecados e choram por eles. As pessoas dignas têm consciência de sua indignidade. Quanto mais perto da luz estamos, mais vemos as manchas do nosso caráter. Quanto mais perto de Deus chegamos, mais reconhecemos que somos pecadores. Quanto mais obras praticamos, mais sabemos que somos servos inúteis.

O maior legado de um pai – *O justo anda na sua integridade; felizes lhe são os filhos depois dele* (Pv 20.7). Um homem justo prova sua integridade não com palavras, mas com a vida. O exemplo vale mais do que o discurso. O mundo está cheio de palavras vãs, mas vazio de exemplos dignos de serem imitados. Há muitos pais que deixam polpudas riquezas materiais para os filhos, mas também legam a eles um caráter disforme, uma personalidade doentia, um nome sujo e uma reputação duvidosa. A maior herança que um pai pode deixar para os filhos é sua integridade. Os filhos devem ter orgulho dos pais não tanto pelo patrimônio material que estes granjearam, mas pelo caráter impoluto que exibiram. Não tanto pelos bens que acumularam, mas pelo nome honrado que ostentaram. A honra não se compra no mercado. O caráter não se adquire com ouro. Ninguém edifica uma família feliz com riquezas materiais se essas riquezas foram mal adquiridas. O dinheiro acumulado sem honestidade é maldição, e não bênção. Traz tormento, e não felicidade. É causa de vergonha para os filhos, e não de contentamento. É motivo de opróbrio na terra, e não de alegria no céu. Nenhum sucesso financeiro compensa o fracasso da honra. Nenhuma herança é mais importante para os filhos do que a dignidade dos pais. É melhor ser um pai pobre e íntegro do que ser um pai rico e desonesto.

Uma percepção profunda – *Assentando-se o rei no trono do juízo, com os seus olhos dissipa todo mal* (Pv 20.8).

A sabedoria instrui para evitar a bebida, a preguiça...

Salomão está descrevendo sua própria experiência. Ele foi rei de Israel durante quarenta anos. No começo do seu reinado, pediu a Deus sabedoria para governar. Deus lhe deu sabedoria e riquezas. Muitas vezes, Salomão teve de julgar as causas do seu povo. Demandas difíceis chegavam ao rei, que precisava de discernimento para julgar com equidade. Certa feita, vieram-lhe duas mães trazendo um difícil pleito. Ambas deram à luz um filho. Uma, porém, acordou e viu o filho morto. Então, furtivamente, pegou o filho morto e o colocou no lugar do filho da sua companheira, tomando o filho desta em seus braços. O alvoroço foi enorme. A mãe verdadeira tinha absoluta consciência de que o menino morto não era o seu filho. Como não conseguiram resolver o impasse, foram ao rei Salomão buscar ajuda para resolver a questão. Como ambas as mães pleiteavam ser a mãe do menino vivo, Salomão propôs serrar o menino ao meio e dar metade para cada uma delas. Aquela que não era a mãe concordou com a decisão. Salomão imediatamente concluiu que esta estava mentindo e mandou entregar o menino à mãe verdadeira. Quando o rei senta para julgar, ele logo vê o que está errado, e seus olhos esmiúçam todo o mal.

A purificação do pecado – *Quem pode dizer: Purifiquei o meu coração, limpo estou do meu pecado?* (Pv 20.9). O pecado é uma mácula que contamina o corpo e a alma. É uma barreira que separa o ser humano de Deus, do próximo e de si mesmo. O pecado é o pior de todos os males. É pior do que a pobreza. Ninguém jamais pereceu no inferno por ser pobre, mas o pecado afasta o ser humano da presença de Deus eternamente. O pecado é pior do que a doença. Ninguém foi para o inferno por estar doente. O pecado, porém, leva o ser humano à condenação eterna. O pecado é pior do que a própria morte, pois a morte não pode separar o ser humano de Deus, mas o pecado o separa de Deus agora e para sempre. A Palavra de Deus diz que todos pecaram e não há justo nenhum sequer, mas também diz que ninguém pode purificar-se do seu pecado. Assim como uma pessoa não pode levantar-se pelos cordões dos seus sapatos, também um pecador não pode purificar a si mesmo de suas iniquidades. Assim como um etíope não pode mudar a cor da sua pele nem um leopardo alterar o desenho das suas manchas, também um pecador não pode purificar-se dos seus pecados. Somente o sangue de Jesus pode nos purificar de todo o pecado. Só Deus pode nos purificar de toda a injustiça. Só Deus pode nos dar um novo coração e limpar o nosso interior.

Honestidade nos negócios – *Dois pesos e duas medidas, uns e outras são abomináveis ao* SENHOR (Pv 20.10). Deus se importa com as transações comerciais. Está atento ao que acontece no comércio e na indústria. Seus olhos investigam as espertezas de comerciantes desonestos que tentam levar vantagem usando dois pesos e duas medidas. Na verdade, o Senhor detesta quem usa medidas e pesos desonestos. Pesos adulterados e medidas falsificadas são coisas que o Senhor abomina. Diminuir o peso e encurtar as medidas para enganar o consumidor são atitudes indignas e desonestas. Tanto a exploração no comércio como o lucro exagerado merecem nosso repúdio. Entrar pelo caminho do lucro fácil, do roubo disfarçado e do enriquecimento ilícito é colocar os pés numa rota de desastre. É bater de frente com a justiça divina. Deus abomina a desonestidade. Ele é Deus de justiça e verdade. A mentira e a trapaça procedem do maligno. São abomináveis ao Senhor. Num país em que a exploração e a lei do levar vantagem fazem parte da cultura, precisamos insistir no princípio da integridade. Vender produtos falsificados como se fossem genuínos é uma fraude. Vender produtos inferiores como se fossem de boa qualidade é um engano. Não entregar ao consumidor o que ele pagou é roubo. É a quebra do oitavo mandamento: *Não furtarás*.

As ações revelam o caráter — *Até a criança se dá a conhecer pelas suas ações, se o que faz é puro e reto* (Pv 20.11). Nossas ações são a radiografia do nosso caráter. Uma árvore má não pode dar bons frutos. Um indivíduo desonesto não age com integridade. Uma pessoa promíscua não tem coração puro nem atitudes respeitosas. Até a criança se dá a conhecer por suas ações; por seus atos, podemos saber se ela é honesta e boa. Seu procedimento revelará se alguém é puro e justo. É desastroso perceber como alguns indivíduos são pródigos nas palavras, elaborando discursos rebuscados, tecendo os maiores elogios a si mesmos, quando suas ações reprovam frontalmente o que eles falam. Caem no descrédito aqueles que falam uma coisa e fazem outra. Cobrem-se de vexame aqueles que têm discurso, mas não vida; aqueles que falam muito e fazem pouco; aqueles que passam como benfeitores diante das pessoas, mas são ladrões aos olhos de Deus. Palavras bonitas e ações perversas são coisas abomináveis. Discurso sem vida não passa de barulho. É o que fazemos que reflete o que pensamos. O que praticamos com as mãos diagnosticam os propósitos do nosso coração. Nossas ações falam mais alto do que nossas palavras.

Olhos abertos e ouvidos atentos — *O ouvido que ouve e o olho que vê, o* Senhor *os fez, tanto um como o outro* (Pv

20.12). Nosso corpo é uma obra extraordinária e exponencial do Criador. Somos a obra-prima de Deus. Temos cerca de 60 trilhões de células vivas em nosso corpo, e cada uma delas cerca de 1,70 metro de fita DNA. Em cada célula, estão gravados e computados todos os nossos dados genéticos. Cada órgão do nosso corpo tem uma função. Deus nos deu olhos para ver e ouvidos para ouvir. John Wilson, um dos maiores oftalmologistas do mundo, disse que temos dentro de cada olho mais de 60 milhões de fios duplos encapados. Somos uma máquina viva absolutamente sofisticada, um milagre de Deus no palco do mundo, um troféu do poder do Criador. Se Deus colocou em nós olhos e ouvidos, devemos desenvolver a habilidade de olhar direito e de ouvir com atenção. Muitos olham e não veem. Outros escutam, mas não entendem. Há aqueles que olham apenas com impureza, e outros que escutam apenas o que lhes polui a alma. Devemos olhar com olhos de santidade e ouvir apenas aquilo que nos edifica. Na verdade, somos mordomos de Deus. Nosso corpo foi comprado por Deus e devemos glorificar Deus em nosso corpo. Um dia prestaremos contas ao Senhor do que vimos e ouvimos.

Dormir demais leva à pobreza – *Não ames o sono, para que não empobreças; abre os olhos e te fartarás do teu próprio pão* (Pv 20.13). O sono é uma dádiva de Deus. É reparador e absolutamente necessário para a saúde do corpo. Amar o sono, porém, é sinal de indolência e preguiça. Aqueles que amam o sono e fogem do trabalho ficarão pobres. Não terão provisão na hora da fome. Seus celeiros ficarão vazios. Sua casa, desamparada. Mas aqueles que são despertos e se lançam ao trabalho com afinco e dedicação prosperarão e se fartarão. Quem gasta seu tempo dormindo acabará

A sabedoria instrui para evitar a bebida, a preguiça...

pobre, mas quem trabalha com esforço verá seus campos florescendo, e sua casa terá pão com fartura. O trabalho engrandece o indivíduo e enriquece a nação. O trabalho gera dividendos para a pátria e fartura para a família. O trabalho é uma bênção. Deus mesmo o estabeleceu. O trabalho é uma ordenança divina antes da queda. É uma obrigação depois da queda e permanecerá mesmo depois que estivermos na glória. O trabalho não é vergonhoso; vergonhoso é dormir em excesso. O trabalho não mata ninguém, mas amar o sono deixa os músculos flácidos e o corpo fraco e doente. O trabalho produz desenvolvimento e riqueza, mas se render ao sono é cair nas malhas da miséria e da pobreza. Não ame o sono; ame o trabalho!

Conversa de comprador – *Nada vale, nada vale, diz o comprador, mas, indo-se, então, se gaba* (Pv 20.14). Pechincha é uma prática antiga no comércio. Quando um preço é dado pelo vendedor, logo o comprador diz: Está muito caro! Não vale isso! Não vale isso! Mas depois sai e se gaba de ter feito um ótimo negócio. Essa cultura da pechincha está tão arraigada que os comerciantes já majoram os preços levando em conta que os compradores pedirão descontos. Então, ao concederem generosos descontos, estão apenas vendendo seu produto pelo preço justo. Assim, tanto o vendedor como o comprador saem da transação satisfeitos. Não há nada de errado em pedir descontos. Precisamos buscar preços justos e evitar lucros excessivos, especialmente num mercado em que os atravessadores é que levam a maior fatia do lucro. O segredo do progresso não é ganhar muito com pouco volume de produtos, mas ganhar menos com mais produtos. Assim, a economia é aquecida, o mercado é ampliado, as empresas crescem, mais pessoas são empregadas, os bens de consumo se tornam mais acessíveis e todos saem ganhando. Quando as leis do mercado são regidas por uma ética justa, tanto vendedores quanto compradores, tanto produtores quanto consumidores saem ganhando, e todos ficam satisfeitos.

Uma joia de raro valor – *Há ouro e abundância de pérolas, mas os lábios instruídos são joia preciosa* (Pv 20.15). O mundo criado por Deus está cheio de riqueza. Há ouro em abundância e muitas pedras preciosas. Há pedras de todas as tonalidades e matizes. Há gemas de altíssimo valor que enfeitam os palácios e pedras nobilíssimas que adornam coroas de reis e rainhas. Mas, nesta vastidão de beleza requintada, nenhuma joia é mais valiosa e nenhuma pérola é mais bela do que os lábios instruídos, que falam com erudição e graça. As palavras da instrução são tesouros preciosos. Os lábios que carregam palavras de conhecimento e bondade valem mais do que riquezas. As palavras que levam consolo têm mais valor do que muito ouro depurado. As palavras que proclamam as boas-novas da salvação são mais belas do que as pérolas mais selecionadas. Devemos procurar o conhecimento mais do que a riqueza, investir mais em instrução do que na busca das riquezas da terra. Os lábios instruídos não são apenas joias preciosas, mas também o veículo para alcançarmos os mais valiosos tesouros da vida. Que proveito teriam muito ouro e belas pérolas nas mãos de um tolo cujos lábios espargem estultícia? O tolo usaria essas riquezas apenas para expressar sua vaidade e aprofundar sua ruína.

É um risco ser fiador – *Tome-se a roupa àquele que fica fiador por outrem; e, por penhor, àquele que se obriga por* *estrangeiros* (Pv 20.16). Conheço pessoas que perderam tudo o que possuíam por assumirem o compromisso de serem fiadoras de alguém. Anos de trabalho foram embora de uma hora para outra. Toda a economia feita escoou como num passe de mágica. Aquilo que foi economizado com tanto sacrifício pela família perdeu-se para pagar a conta de estranhos. Ser avalista de alguém, assumindo o compromisso de pagar suas dívidas caso surja algum acidente de percurso, é uma prática arriscada. Quem faz isso acaba atraindo sobre si muitos tormentos. A Palavra de Deus nos ensina a prudência. Devemos fugir desse tipo de compromisso. Não é sensato colocar o pescoço debaixo desse jugo. Não é sábio assumir responsabilidade de dívidas alheias. Não devemos colocar o chapéu onde nossa mão não alcança. Não é prudente prometer pagar a dívida dos outros quando temos nossos próprios compromissos a saldar. Salomão está dizendo que aquele que aceita ser fiador de um estranho deve dar a sua roupa como garantia do pagamento. No final das contas, o avalista perderá tudo, inclusive a roupa do corpo. Alguém já disse, e com razão, que é melhor ficar vermelho meia hora do que amarelo a vida toda. É melhor dizer não a quem lhe pede para ser fiador agora do que chorar a vida inteira pagando dívidas alheias.

Ganhe o pão com o suor de seu rosto – *Suave é ao homem o pão ganho por fraude, mas depois a sua boca se encherá de pedrinhas de areia* (Pv 20.17). A esperteza funciona por um tempo. Muitas pessoas entram em esquemas de corrupção para acumular fortunas. Fraudam licitações. Buscam informações privilegiadas. Patrocinam companhas de políticos desonestos a fim de receber depois benefícios especiais para seus negócios sujos. Compram sentenças a peso de ouro para fugirem dos rigores da lei. Subornam, oferecem propinas, tornam-se especialistas na arte da enganação e conseguem aumentar de forma exponencial seu patrimônio. Mas o fim dessa linha não é luminoso. Esse pão suave ganho por fraude faz mal ao estômago. O apartamento comprado com dinheiro desonesto torna-se uma prisão. O ouro acumulado com roubo torna-se combustível para sua própria destruição. O trigo macio do conforto transforma-se em pedrinhas de areia na boca. Aquilo que parecia dar vida transforma-se em instrumento de morte. A riqueza só é bênção quando vem como resultado do trabalho honesto e como fruto da bênção de Deus. Vender a alma ao diabo para ficar rico é uma consumada loucura. Isso não tem sabor de pão; é como estar com a boca cheia de pedrinhas de areia. Produz desconforto, tormento e morte.

Escute bons conselhos antes de agir — *Os planos mediante os conselhos têm bom êxito; faze a guerra com prudência* (Pv 20.18). Um ditado popular diz que, se conselhos fossem bons, não seriam dados, mas vendidos. Há conselhos desastrosos que podem levar uma pessoa à morte. Porém, há conselhos que podem nos colocar nas veredas da vida. Jonadabe, sobrinho do rei Davi, deu um conselho perverso a seu filho Amnon. Como resultado desse conselho maligno, houve estupro, assassinato e conspiração na casa do rei. O rei Roboão deixou de ouvir os conselhos sábios dos anciãos e seguiu o conselho tolo dos jovens de sua nação. Como resultado, seu reino foi dividido, e o povo amargou as dolorosas consequências dessa decisão insensata. A Bíblia diz que na multidão de conselhos está a sabedoria e que os planos mediante conselhos têm bom êxito. Procure bons conselhos, e você terá sucesso em suas decisões. Não é sábio entrar na batalha sem antes fazer planos e buscar orientação. Não é prudente tomar importantes decisões na vida sem escutar os mais experientes. Jovens sábios escutam os pais. Pastores sábios escutam os pastores mais experientes na lida ministerial. Homens e mulheres de negócios escutam os empresários mais vividos. Quem age sem refletir e quem tapa os ouvidos aos bons conselhos coleciona fracassos e colhe derrotas.

Fuja do mexeriqueiro – *O mexeriqueiro revela o segredo; portanto, não te metas com quem muito abre os lábios* (Pv 20.19). O mexeriqueiro não é um amigo verdadeiro. Quem não sabe guardar segredos não é alguém confiável. Um indivíduo que se deleita em espalhar informações que maculam a honra do próximo torna-se uma companhia perigosa. Devemos nos manter longe de quem fala demais. A língua do mexeriqueiro é carregada de veneno. É pior do que a peçonha de uma víbora, pois o veneno da víbora foi colocado nela pelo Criador, mas o veneno da língua do mexeriqueiro foi colocado pelo diabo. O veneno da víbora pode tornar-se remédio, mas o veneno da língua do mexeriqueiro mata. A boca do mexeriqueiro é uma cova de morte, uma fagulha que provoca incêndios devastadores, uma fonte poluída que lança de si lodo e lama. O amigo não expõe seu companheiro, mas o protege. O amor cobre multidão de pecados, em vez de trazê-los à luz. Não há forma mais degradante de autoexaltação do que diminuir os outros. Não há forma mais vil de autopromoção do que espalhar segredos com o propósito de expor os outros à execração pública. A atitude mais segura é nos desviarmos do mexeriqueiro. Sua companhia é uma ameaça; sua língua, uma destruição.

Trate bem seus pais – *A quem amaldiçoa a seu pai ou a sua mãe, apagar-se-lhe-á a lâmpada nas mais densas trevas* (Pv 20.20). Honrar pai e mãe é uma lei universal e também um importante mandamento da lei de Deus. Se o amor a Deus e ao próximo é o maior de todos os mandamentos, se esse amor é a essência da lei divina, e se o amor ao próximo é a prova do amor a Deus, então honrar pai e mãe é o primeiro dever de uma pessoa, pois não há ninguém mais próximo de nós do que aqueles que nos geraram. Honrar pai e mãe não é apenas um mandamento da lei de Deus, mas também é o primeiro mandamento com promessa. Filhos obedientes alegram os pais e recebem a promessa de uma vida longa e feliz. Longevidade e bem-aventurança são bênçãos destinadas aos filhos obedientes. Porém, filhos ingratos, rebeldes e desafeiçoados transtornam a vida dos pais e a própria vida. Filhos que gritam com os pais, que desrespeitam e agridem os pais com palavras e atitudes, vivem em densas trevas. Filhos que abandonam os pais à própria sorte, que não cuidam deles na velhice e que ainda desandam a boca para assacar contra eles suas maldições são filhos governados pelo príncipe das trevas. O sábio Salomão é enfático ao dizer que a vida do filho que amaldiçoa pai e mãe terminará como uma lâmpada que se apaga na escuridão. A luz de sua vida se extinguirá inexoravelmente.

Espere o tempo certo – *A posse antecipada de uma herança no fim não será abençoada* (Pv 20.21). A pressa é inimiga da perfeição. Antecipar as coisas nem sempre é sinal de prudência. Querer, por exemplo, tomar posse antecipada de uma herança é colocar o carro na frente dos bois. É inverter a ordem e a prioridade. É dar mais valor a coisas do que a pessoas. Um exemplo clássico disso é o que Jesus retrata na parábola do filho pródigo. O filho mais moço pediu ao pai a parte que lhe cabia da herança. Essa não era uma prática comum. Essa atitude, na verdade, era uma agressão, pois a posse da herança só acontecia depois da morte do pai. Esse filho estava demonstrando que seu interesse não estava na vida do pai, mas nos seus bens. Ao exigir a parte que lhe cabia da herança, ele estava matando o pai em seu coração. Essa atitude insensata custou muito caro para o jovem. Por não ter maturidade para administrar seus bens, dissipou-os numa gastança irresponsável. Esbanjou tudo o que havia recebido, vivendo de forma dissoluta. A posse antecipada da herança não foi abençoada. O jovem ficou reduzido à pobreza e foi parar numa pocilga. Esse mesmo princípio se aplica a outras áreas da vida. Jovens que buscam usufruir os privilégios do sexo antes do casamento percebem, mais tarde, que essa posse antecipada da herança constitui pura perda.

A vingança pertence ao Senhor – *Não digas: Vingar-me-ei do mal; espera pelo* SENHOR, *e ele te livrará* (Pv 20.22). Todos nós, mais cedo ou mais tarde, temos de lidar com o problema da mágoa. Não vivemos num mundo perfeito, nem somos perfeitos nós mesmos. Nosso coração algumas vezes é fulminado por setas venenosas. Palavras encharcadas de ironia e maldade são lançadas sobre nós como torpedos mortíferos. Pessoas más, com maus desígnios, se levantam contra nós para nos ferir. O que vamos fazer? Como vamos reagir? Retribuir o mal com o mal não aliviará a nossa dor. A vingança não curará as feridas abertas em nossa alma. A retaliação não constituirá terapêutica para nosso espírito atribulado. O único que tem competência para julgar retamente e vingar na medida certa é o Senhor. Não temos o direito de tomar em nossas mãos aquilo que é atribuição exclusiva do Senhor. A Palavra de Deus é categórica: *Não vos vingueis a vós mesmos, amados, mas dai lugar à ira; porque está escrito: A mim me pertence a vingança; eu é que retribuirei, diz o Senhor* (Rm 12.19). Devemos entregar nossas causas a Deus. Ele é o nosso defensor. Não precisamos levantar nossas mãos contra aqueles que nos fazem o mal. Precisamos apenas confiar em Deus, sabendo que ele tem cuidado de nós. Nosso papel não é exercer vingança contra nossos inimigos, mas orar por eles e perdoá-los.

Deus não tolera a desonestidade – *Dois pesos são coisa abominável ao Senhor, e balança enganosa não é boa* (Pv 20.23). A desonestidade está presente em todos os setores da sociedade. Desde o palácio até o mais simples casebre e desde as altas cortes do governo até os templos religiosos mais sagrados, a desonestidade mostra sua carranca. A desonestidade é o prato do dia no comércio. Dois símbolos do comércio revelam essa falta de honestidade: pesos e medidas. O Senhor detesta pesos adulterados e abomina medidas falsificadas. Deus não tolera a desonestidade nas transações comerciais. Mesmo que essas tramoias sejam feitas atrás das cortinas; mesmo que licitações sejam ganhas por causa de gordas propinas e jamais cheguem a vazar na imprensa; mesmo que empresas inescrupulosas, por informações privilegiadas, se abasteçam de riquezas da nação e jamais sejam apanhadas pelo braço da lei, Deus não deixará impunes aqueles que usam o expediente da desonestidade para auferir vantagens financeiras. O dinheiro conquistado mediante roubo é maldito. A riqueza adquirida de forma desonesta é combustível para destruição daquele que a acumula. A falta de integridade nos negócios pode compensar por um tempo, mas, no fim, será um pesadelo. Afligirá a alma, perturbará o coração e levará à morte. É melhor ser um pobre íntegro do que um rico desonesto!

Deus dirige nossos passos – *Os passos do homem são dirigidos pelo SENHOR; como, pois, poderá o homem entender o seu caminho?* (Pv 20.24). O indivíduo faz planos, mas Deus dirige seus passos. O indivíduo planeja, mas Deus conduz sua ação. Não administramos o amanhã, não conhecemos o que está pela frente nem enxergamos o que se esconde nas dobras do futuro. Não sabemos o que é melhor para nós nem sabemos orar como convém. Muitas vezes, pedimos a Deus uma pedra, pensando que estamos pedindo um pão; pedimos uma cobra, pensando que estamos pedindo um peixe; pedimos um escorpião, pensando que estamos pedindo um ovo. Somos míopes, fracos e limitados. Não ficamos de pé escorados em nosso próprio bordão. Não podemos dar um passo sequer sem a ajuda divina. Deus conhece nossa estrutura e sabe que somos pó. Até fazemos planos e alimentamos sonhos, mas só Deus poderá dirigir nossos passos. Não discernimos nosso próprio caminho nem mesmo auscultamos nosso próprio coração. Muitas vezes, nos alegramos quando deveríamos chorar e choramos quando deveríamos celebrar. Jacó lamentou quando soube que o governador do Egito exigia a presença de Benjamim, seu filho caçula, na terra dos faraós, mas não sabia que aquele governador era José, seu próprio filho amado. Jacó pensou que aquele era o fim da linha, quando, na verdade, era o começo de uma linda história!

Pense antes de fazer um voto – *Laço é para o homem o dizer precipitadamente: É santo! E só refletir depois de fazer o voto* (Pv 20.25). É um sinal de grande insensatez fazer promessas sem avaliar o que se está prometendo. A Palavra de Deus diz que é melhor não votar do que votar e não cumprir, pois Deus não gosta de votos de tolos. Pense bem antes de prometer alguma coisa a Deus, pois você poderá se arrepender depois. É uma armadilha consagrar algo precipitadamente, e só pensar nas consequências depois que o voto foi feito. Quantas pessoas prometem mundos e fundos para Deus num momento de arroubo emocional, mas depois se esquecem do que prometeram! Quantas pessoas prometem ao Senhor o que não podem e o que não querem cumprir e, assim, tratam Deus com desdém! Quantas pessoas, no altar do casamento, fazem votos de fidelidade ao cônjuge e, depois, correm atrás do adultério e arruínam sua reputação e a vida do seu consorte! Quantos pais prometem ensinar seus filhos no caminho do evangelho e depois se tornam pedras de tropeço para eles, envergonhando assim o evangelho de Cristo! Quantas pessoas prometem lealdade aos sócios de sua empresa e depois tramam contra eles para alcançar vantagens ilícitas! Se não levamos a sério nossa palavra empenhada, Deus leva. Ele é a testemunha das alianças que firmamos e dos votos que fazemos.

O culpado precisa ser punido – *O rei sábio joeira os perversos e faz passar sobre eles a roda* (Pv 20.26). A impunidade é a maior propaganda do crime. Não punir exemplarmente os culpados é fazer apologia do crime e estimular a violência. Onde a lei é frouxa, a violência desfila nas ruas. Por isso, um governante sábio descobre quem está fazendo o mal e o castiga. Inocentar o culpado ou culpar o inocente são atitudes indignas de quem está investido de autoridade. O que justifica o perverso e o que condena o justo são abomináveis para o Senhor, tanto um como o outro. A Bíblia diz que o papel do governante é coibir o mal e promover o bem. Quando a justiça se torna inoperante, os criminosos agem com liberdade, porque sabem que escaparão dos rigores da lei. No Brasil, a vasta maioria dos crimes não chega sequer a ser investigada pela justiça. Os bandidos que roubam e matam escapam ilesos e continuam em liberdade, espalhando medo e terror na sociedade. Os criminosos de colarinho branco, em geral, nem sequer vão para a cadeia. Conseguem as benesses da lei para fugir da merecida punição de seus delitos. Se todos são iguais perante a lei, a lei precisaria ser igual para todos. Dois pesos e duas medidas nos julgamentos só estimulam a prática da injustiça e promovem a prática de mais crimes.

Você não pode esconder-se de si mesmo – *O espírito do homem é a lâmpada do* Senhor, *a qual esquadrinha todo o mais íntimo do corpo* (Pv 20.27). Ninguém consegue sondar o que está no íntimo do ser humano, a não ser o seu espírito que nele está. O espírito humano é como a lâmpada do Senhor que alumia todos os corredores da alma e investiga todos os setores sombrios da vida. Isso significa que uma pessoa pode esconder-se dos outros, mas não consegue se esconder de si mesmo. Ela pode enganar os outros, mas não consegue mentir para sua própria consciência. O Senhor deu aos seres humanos inteligência e consciência; ninguém pode se esconder de si mesmo, pois o espírito humano, que é a lâmpada do Senhor, vasculha cada parte do seu ser. Quando Caim matou Abel, seu irmão, pensou que pudesse escapar das consequências de seu crime, mas Deus o encurralou no beco de sua consciência e mostrou que ele não podia evadir-se de si mesmo. O marido pode até trair a esposa, sem que ela jamais saiba de sua infidelidade, mas nenhum marido se livra de si mesmo. A esposa pode até ser infiel ao marido, mas jamais se livrará das acusações de sua própria consciência. A consciência é como uma lâmpada que revela toda a escuridão do pecado. Uma pessoa pode despojar-se de tudo, e até afastar-se de todos, mas não pode apartar-se de si mesmo nem driblar a própria consciência.

O trono se estabelece com benignidade – *Amor e fidelidade preservam o rei, e com benignidade sustém ele o seu trono* (Pv 20.28). Deus é quem levanta reinos e abate reinos; levanta reis e destrona reis. Aqueles que governam com punhos de aço e esmagam seus súditos com truculência não permanecem no poder por muito tempo. Um governo continuará no poder enquanto for humano, justo e honesto. É por sua bondade que um governo dá firmeza ao trono. Os grandes impérios do mundo caíram porque agiram com crueldade. Reis e príncipes foram derrubados de seus tronos porque se vestiram de violência. Onde estão os faraós do Egito? Onde estão os sanguinários reis da Assíria? Onde estão os megalomaníacos reis da Babilônia? Onde está a glória de Alexandre, o Grande? Onde estão os césares de Roma? Onde foram parar as glórias de Napoleão Bonaparte e a fúria de Adolf Hitler? Todos aqueles que usaram a força para governar caíram pela força. Os conquistadores foram conquistados. Os dominadores foram dominados. Não se constrói um governo duradouro com violência e derramamento de sangue. Não se conquistam o respeito e a obediência de um povo com despotismo. Não se estabiliza um trono com tirania. Não se governa contra o povo, mas sim a favor do povo. É o amor e a fidelidade que preservam o rei. É com benignidade que o rei sustém seu trono.

Músculos fortes e cabelos brancos – *O ornato dos jovens é a sua força, e a beleza dos velhos, as suas cãs* (Pv 20.29). A vida é feita de várias estações. Cada uma delas tem sua beleza peculiar. A infância, a juventude, a maturidade e a velhice são estações da vida e, nessa viagem rumo à eternidade, podemos celebrar em cada parada. Duas dessas estações são destacadas pelo sábio: a juventude e a velhice. A beleza dos jovens está na sua força, e o enfeite dos velhos são os seus cabelos brancos. Os jovens estão cheios de vigor e força; os velhos, repletos de sabedoria e experiência. Os jovens prevalecem pela força dos músculos; os velhos, pelo discernimento da vida. Os jovens têm explosão em seus músculos; os velhos, tenacidade em sua experiência. Os jovens precisam aprender sabedoria com os velhos, e os velhos precisam da proteção dos jovens. Os jovens podem ter visões do futuro, e os velhos podem sonhar com novas oportunidades. Jovens e velhos não devem bater cabeça. Eles não estão competindo no jogo da vida. Não devem entrar numa queda de braço para ver quem prevalece. Devem ser parceiros. Devem caminhar de mãos dadas. Os velhos precisam andar com a força dos jovens, e os jovens precisam olhar para a vida com a sabedoria dos velhos. Músculos fortes e cabelos brancos formam uma dupla forte, vigorosa e imbatível.

As feridas doem, mas ensinam – *Os vergões das feridas purificam do mal, e os açoites, o mais íntimo do corpo* (Pv 20.30). Quem não aprende com a dor não aprende de forma nenhuma. As feridas rasgam não apenas nossa carne, mas também abrem sulcos em nossa alma. As mesmas feridas que doem também curam. Ao mesmo tempo que sangram em nosso corpo, também fazem uma assepsia em nosso íntimo. Os castigos curam nossa maldade e melhoram nosso caráter. Os açoites limpam as profundezas do nosso ser. A disciplina, no momento em que é aplicada, não é motivo de alegria, mas de pesar; porém, depois, produz fruto pacífico e promove a justiça. Ao mesmo tempo que essas feridas arrancam lágrimas dos nossos olhos, lavam o nosso interior. Os vergões das feridas purificam do mal, e os açoites purificam o mais íntimo do corpo. Aprendemos mais no sofrimento do que nos dias de festa. É no vale da dor que somos matriculados na escola do quebrantamento. É na bigorna do sofrimento que somos moldados à imagem de Cristo. É na prensa de azeite, no Getsêmani da vida, onde suamos sangue e choramos copiosamente, que experimentamos o consolo que excede todo o entendimento e nos levantamos para triunfar nas maiores batalhas da vida. Deus não nos fere sem causa. Deus não desperdiça sofrimento na vida de seus filhos. Nossa leve e momentânea tribulação produzirá para nós eterno peso de glória, acima de qualquer comparação!

Capítulo 21

A sabedoria instrui sobre a integridade, a paciência e a soberania de Deus
(Pv 21.1-31)

DEUS ESTÁ NO CONTROLE – *Como ribeiros de águas assim é o coração do rei na mão do SENHOR; este, segundo o seu querer, o inclina* (Pv 21.1). Aqueles que estão assentados no trono e governam as nações são governados por Deus. Aqueles que estão investidos de autoridade e dominam sobre seus súditos estão nas mãos do Onipotente. O coração do rei é como um rio controlado pelo Senhor; ele o dirige para onde quer. Para o Senhor Deus, controlar a mente de um rei é tão fácil como dirigir a correnteza de um rio. Aquele que está assentado na sala de comando do universo governa o coração dos reis que governam o mundo. Deus inclina o coração dos líderes segundo o seu querer. Eles podem até se sentir inabaláveis, mas Deus os move conforme o seu propósito. Isso significa que, antes de ir aos reis, devemos ir ao Rei dos reis. Quando, por intermédio da oração, falamos com aquele que está assentado no alto e sublime trono e reina sobranceiro sobre todo o universo, vemos mudanças profundas no curso da história. Deus é poderoso para intervir no rumo dos acontecimentos. É ele quem opera em nós, inclusive no coração dos reis, tanto o querer como o realizar. A vontade de Deus é soberana, e ninguém pode frustrar os seus desígnios. O mesmo Deus que dá um leito a cada rio também inclina o coração do rei segundo o seu querer.

Deus conhece as motivações – *Todo caminho do homem é reto aos seus próprios olhos, mas o Senhor sonda os corações* (Pv 21.2). A sinceridade não é uma prova infalível para conhecer a verdade. Há muitas pessoas sinceramente enganadas. Há caminhos que parecem ser certos ao entendimento humano, mas são absolutamente tortuosos. Há comportamentos humanos que recebem aplausos nas praças e incentivo da mídia, mas essas práticas não passam no crivo da ética divina. Há palavras que são belas aos ouvidos dos observadores, mas soam como um barulho estranho aos ouvidos de Deus. Há ações que arrancam elogios da terra, mas são reprovadas no céu. Todo caminho do indivíduo é reto aos seus próprios olhos, mas o Senhor sonda os corações. Se você pensa que tudo o que faz é certo, lembre-se de que o Senhor julga as suas intenções. O tribunal humano só consegue julgar suas palavras e ações, mas o tribunal divino julga seu foro íntimo. As pessoas veem as obras, mas Deus vê a motivação. As pessoas se impressionam com o exterior, mas Deus vê o interior. Uma pessoa se olha no espelho e dá nota máxima a si mesma por seu desempenho, mas Deus sonda seu coração e exige verdade no íntimo. O ser humano se contenta apenas com aparência, mas Deus o pesa na balança e o encontra em falta. Não basta ser aplaudido pelas pessoas nem dar nota máxima a si mesmo. É necessário ser aprovado por Deus.

O culto que agrada a Deus – *Exercitar justiça e juízo é mais aceitável ao* SENHOR *do que sacrifício* (Pv 21.3). O ser humano sempre pensou que poderia agradar a Deus com a abundância de seus sacrifícios. Sempre levou suas ofertas ao altar imaginando que aquilo que impressiona as pessoas impressiona também Deus. Porém, o Senhor não se deixa enganar. Ele se agrada mais de obediência do que de sacrifícios. Exercitar justiça e juízo é mais aceitável aos seus olhos do que lhe apresentar milhares de ofertas. Fazer o que é direito e justo é mais agradável a Deus do que lhe oferecer sacrifícios. Antes de Deus receber a oferta, ele precisa aceitar o ofertante. Não pode existir um abismo entre a vida do ofertante e a sua oferta. A Palavra de Deus diz que Deus rejeitou Caim e sua oferta. Uma vez que a vida de Caim estava errada, sua oferta não foi aceita. Quando o ofertante está com a vida errada, seu sacrifício se torna abominável para Deus. Muitas vezes, o povo de Israel tentou comprar Deus com suas ofertas. A vida deles estava toda errada, mas queriam impressionar Deus com a abundância de seus sacrifícios. Por boca do profeta Miqueias, Deus falou ao povo: *Ele te declarou, ó homem, o que é bom e que é o que o* SENHOR *pede de ti: que pratiques a justiça, e ames a misericórdia, e andes humildemente com o teu Deus* (Mq 6.8).

Olhar orgulhoso e coração soberbo – *Olhar altivo e coração orgulhoso, a lâmpada dos perversos, são pecado* (Pv 21.4). O orgulho foi o pecado que levou Deus a expulsar do céu o querubim da guarda. Quando esse anjo de luz, sinete de perfeição, intentou no seu coração ser igual a Deus e colocar seu trono acima dos outros anjos, Deus o arrojou para fora do céu. O orgulho foi o primeiro pecado que abriu a porta para todos os outros. Deus não tolera a soberba. Ele declara guerra contra os altivos de coração. Deus humilha aqueles que se exaltam. Tanto o olhar arrogante como o coração orgulhoso são pecados abomináveis aos olhos de Deus, embora esses pecados sejam invisíveis à percepção humana. Esses pecados não podem ser apanhados pelas lentes da terra. Não temos conhecimento suficiente para detectá-los. Não conseguimos penetrar nas profundezas da alma para investigar as reais motivações. Nossos tribunais não são competentes para julgar questões de foro íntimo. Deus, porém, vê não apenas nossas obras e ouve nossas palavras, mas também sonda nossas motivações. Nada escapa de sua peneira fina. Nada pode ser ocultado de seus olhos. Ele tudo vê e tudo sonda. O reto e justo Juiz, diante de quem teremos que comparecer para prestar contas da nossa vida, nos conhece por dentro e por fora, conhece nossas palavras antes que elas cheguem à nossa boca e conhece nossos pensamentos antes mesmo que eles povoem nossa mente.

Cuidado com a pressa – *Os planos do diligente tendem à abundância, mas a pressa excessiva, à pobreza* (Pv 21.5). A pressa é inimiga da perfeição. Quem não planeja com diligência, planeja fracassar. Ninguém começa a construir uma casa sem antes ter uma planta. Ninguém vai à guerra sem antes calcular os custos. Ninguém semeia seus campos sem antes preparar a terra. Antes de iniciar um projeto, precisamos ter um planejamento detalhado dos passos a seguir. Quem planeja com diligência realiza com eficácia. Quem investe tempo pensando em como fazer a obra gastará menos tempo executando a obra. Estão cobertos de razão aqueles que dizem que o tempo gasto em amolar o machado não é perdido. Por isso, quem planeja com cuidado tem fartura, mas o apressado acaba passando necessidade. Há, porém, uma pressa positiva e necessária. Não podemos ser lerdos em nossas ações. Não podemos cruzar os braços e nos acomodar em uma mórbida letargia. Existe a hora certa de agir. Protelar uma ação pode ser tão danoso quanto a falta de planejamento. O que a Palavra de Deus reprova é a pressa excessiva, o descuido e a falta de reflexão e planejamento. Essa atitude leva à pobreza, mas os planos do diligente tendem à abundância.

O perigo da riqueza ilícita – *Trabalhar por adquirir tesouro com língua falsa é vaidade e laço mortal* (Pv 21.6). A riqueza é uma bênção quando vem de Deus como resultado do trabalho honesto. Porém, a riqueza acumulada com desonestidade é pura ilusão e armadilha mortal. Aqueles que mentem, corrompem, roubam, oprimem e até matam o próximo para ajuntar tesouros e mais tesouros em sua casa, esses descobrem que essa riqueza maldita não traz paz ao coração, não dá descanso à alma nem promove a verdadeira felicidade. Aqueles que seguem pelo caminho da ganância, da avareza idolátrica e da língua falsa para se enriquecerem não usufruirão as benesses dessa riqueza. Vestirão, mas não se aquecerão. Beberão, mas não se saciarão. Comerão, mas não se fartarão. Não vale a pena adquirir tesouro com língua falsa. A fortuna obtida com língua mentirosa é ilusão fugidia e um laço mortal. O que adianta ser rico e não ter paz? O que adianta viver com o corpo cercado de luxo e a alma mergulhada no lixo? O que adianta ser honrado diante das pessoas e ser reprovado por Deus? O que adianta adquirir muitos bens e para isso ter de vender a alma ao diabo? O que adianta ter todo conforto na terra e perecer eternamente no inferno? Melhor do que a riqueza ilícita é a pobreza com integridade, é a paz de consciência, é a certeza do sorriso aprovador de Deus.

O violento destrói a si mesmo – *A violência dos perversos os arrebata, porque recusam praticar a justiça* (Pv 21.7). A violência é uma flecha venenosa que se volta contra a própria pessoa que a lança. Aquele que fere o próximo destrói a si mesmo. O mal praticado contra os outros retorna contra o próprio malfeitor. Os maus são destruídos por sua própria violência porque se negam a fazer o que é direito. A violência dos ímpios os arrastará, pois eles se recusam a agir corretamente. Quem à espada fere à espada será ferido. Quem planta violência colhe violência. Quem semeia guerra ceifa contendas. O perverso é aquele que maquina o mal em seu leito e se levanta para praticá-lo. Sua vida é uma torrente de maldades, uma espécie de avalancha que desce com fúria, arrastando tudo à sua volta e causando grande destruição. Porém, o perverso não fica impune nem sai ileso desse caudal de violência. Todo o mal concebido pelo perverso e praticado contra o próximo cai sobre sua própria cabeça. O perverso não escuta conselhos nem emenda sua vida. Ele é contumaz no seu erro, e sua cerviz jamais se dobra. O perverso se recusa a praticar a justiça, pois está acostumado a fazer o mal. Toda a inclinação do seu coração é para desviar-se de Deus e atentar contra a vida do próximo. A violência que mora no coração do perverso, porém, recai sobre sua própria cabeça.

O caminho do culpado – *Tortuoso é o caminho do homem carregado de culpa, mas reto, o proceder do honesto* (Pv 21.8). Há dois tipos de culpa: a real e a irreal; a verdadeira e a fictícia. Há pessoas que não têm culpa, mas são assoladas por ela; há outras que têm culpa, mas não a sentem. Há pessoas cuja consciência é fraca e por isso se sentem culpadas mesmo sendo inocentes; há pessoas cuja consciência é cauterizada e, mesmo transgredindo, não sentem nenhuma culpa. Não nos referimos aqui à culpa irreal, mas à culpa verdadeira. Uma pessoa que vive em pecado não tem paz. Seu coração é um mar revolto que lança de si lodo e lama. A solução não é amordaçar a voz da consciência e eliminar a culpa. É arrepender-se, confessar o pecado e mudar de conduta. O culpado segue caminhos errados. Para justificar um erro, comete outros erros. Para livrar-se de uma mentira, precisa articular outras tantas. O culpado enrola-se num cipoal e não consegue livrar-se de suas próprias armadilhas. Um abismo vai chamando outro abismo, e a pessoa se perde nesse caminho tortuoso e cheio de bifurcações. Diferente é a vida do honesto. Ele anda na luz. Sua conduta é irrepreensível, seu proceder é digno, e seu caminho é reto. O honesto tem a consciência limpa, o coração puro e as mãos incontaminadas. Seu passado é limpo, sua vida é um legado, e seu futuro é um exemplo a ser imitado.

A mulher rixosa – *Melhor é morar no canto do eirado do que junto com a mulher rixosa na mesma casa* (Pv 21.9). A mulher rixosa é aquela que fala sem parar e briga por qualquer motivo. Trata-se daquela mulher que está de mal com a vida e deixa todos irritados à sua volta. Essa mulher, em vez de ser uma aliviadora de tensões, é um tormento para o marido. Ela faz mal, e não bem, a seu marido todos os dias da sua vida. Por ser insensata, destrói sua própria casa, em vez de edificá-la. Longe de ser auxiliadora idônea, é uma rival que compete com o marido. Longe de ajudá-lo, revela-se um peso na vida dele. Longe de ser uma confidente confiável, tem a língua solta e gosta de espalhar contendas. Longe de ser uma amiga compreensiva, é como vinagre na ferida, que gera mais sofrimento do que alívio. A solidão é melhor do que a companhia da mulher rixosa. É melhor morar no fundo do quintal do que dentro de casa com uma mulher briguenta. É melhor viver sozinho num canto ou no sótão da casa do que dormindo na mesma cama com uma mulher amarga, cuja língua só prefere palavras de animosidade. O casamento, que foi criado por Deus para ser uma fonte de prazer, torna-se um tormento. O casamento, que foi planejado para ser um jardim engrinaldado de flores, converte-se num deserto árido e inóspito.

Uma pessoa sem compaixão — *A alma do perverso deseja o mal; nem o seu vizinho recebe dele compaixão* (Pv 21.10). O mal não está apenas fora das pessoas, mas em seu interior. Não vem de fora, mas de dentro. Não está apenas nas estruturas ao redor, mas no seu íntimo. É do coração que procedem os maus desígnios. O perverso, contudo, dá um passo além. O mal não só está presente em seu coração, como é também ali cultivado. O perverso não é apenas potencialmente maldoso; ele desenvolve essa maldade até sua consumação. O perverso não apenas lança um olhar de cobiça sobre o próximo, mas procura desenfreadamente consumar essa cobiça. Ou seja, a alma do perverso deseja o mal, e esse desejo transforma-se em ação. Seus olhos são lascivos, seu coração é ganancioso, suas mãos são violentas. Um exemplo clássico dessa dramática realidade foi o que o rei Davi fez quando adulterou com Bate-Seba. Davi a viu, a desejou, a atraiu e se deitou com ela. Depois, tentou evadir-se de sua responsabilidade e acabou matando Urias, o marido. Davi agiu como um homem perverso, pois não teve piedade de Urias, um soldado de confiança. O perverso não tem compaixão nem mesmo de seu vizinho. Para satisfazer seus caprichos e alimentar sua cobiça, passa por cima das pessoas, mentindo, roubando, ferindo e matando. Os maus têm fome do mal; eles não têm pena de ninguém. Os maus se abastecem da maldade e não têm dó nem mesmo de seus vizinhos.

O caminho do aprendizado — *Quando o escarnecedor é castigado, o simples se torna sábio; e, quando o sábio é instruído, recebe o conhecimento* (Pv 21.11). O processo de ensino-aprendizado não é assimilado por todos da mesma maneira. O escarnecedor é castigado e nada aprende. O simples só aprende com a experiência amarga dos outros. Já o sábio, por intermédio da instrução, encontra o conhecimento e alcança a sabedoria. É triste quando um indivíduo chega a um ponto tal de embrutecimento que, mesmo sendo castigado, não aprende nada. A vara da disciplina já não molda mais seu caráter. Essas pessoas serão quebradas repentinamente sem chance de cura. Quem age assim torna-se pior do que o cavalo e a mula, que, embora sendo irracionais, obedecem ao freio. As pessoas sem experiência aprendem uma lição quando o zombador é afligido e castigado. Esse é o aprendizado de segunda mão. Não bastam palavras; é preciso uma ação radical e um revés na vida para alguém acordar e aprender uma lição de sabedoria. Atitude completamente diferente tem o sábio. Este, ao ser instruído, tem a mente aberta para aprender, o coração disposto para obedecer e a vontade ágil para ensinar o que aprendeu. O néscio nada aprende. O simples depende dos outros para aprender. O sábio tem pressa para ouvir a instrução e receber o conhecimento.

A casa do ímpio é destinada à ruína – *O justo considera a casa dos perversos e os arrasta para o mal* (Pv 21.12). A casa do perverso será destruída, e o justo verá isso acontecer. Vem a tempestade e acaba com os maus, porém os honestos continuam firmes no exato momento em que os maus são desamparados. Os perversos são como a palha que o vento dispersa. Eles não têm raízes profundas nem sólido fundamento. Não permanecerão na congregação dos justos nem prevalecerão no juízo. Quando a tempestade chegar, os perversos serão arrastados para a ruína. Serão levados pela enxurrada das circunstâncias e não permanecerão de pé. O justo, porém, observa a casa dos perversos e vê os ímpios caminhando rumo à ruína. O justo não apenas vê a ruína do perverso, mas é levantado por Deus como agente do juízo sobre ele. A própria justiça do justo condena a iniquidade do perverso. A própria luz do justo cega os olhos doentes do perverso. A própria santidade do justo denuncia a iniquidade do perverso. As virtudes do justo são a própria expressão do juízo divino sobre a vida do perverso. O justo, na verdade, é levantado por Deus para ser o instrumento de condenação do perverso. É por intermédio do justo que os perversos são arrastados para o mal. A ruína do perverso será grande, pois sua casa desabará sobre sua cabeça, e, nesse dia, ele ficará completamente desamparado.

Ouça o clamor do pobre, e Deus ouvirá seu clamor – *O que tapa o ouvido ao clamor do pobre também clamará e não será ouvido* (Pv 21.13). O amor não é um sentimento, mas uma ação. Amar apenas de palavras não passa de palavrório vazio. O amor é conhecido não pelo que diz, mas pelo que faz. Não podemos amar apenas de palavras. Nosso amor deve ser traduzido em gestos de bondade. A necessidade dos pobres é um grito contínuo aos nossos ouvidos. Quem socorre ao pobre é feliz. A alma generosa prospera. Quem dá ao pobre a Deus empresta. A Bíblia diz que o que dá ao pobre não terá falta, mas o que dele esconde os olhos será cumulado de maldições. Jesus falou sobre o homem rico que se vestia de púrpura e todos os dias se regalava em banquetes finos. À sua porta, jazia Lázaro, um mendigo cujo corpo estava coberto de feridas. Esse mendigo faminto desejava fartar-se das migalhas que caíam da mesa do rico, mas nem isso ele recebia. O rico estava tão ocupado com seus convidados e seu conforto que não tinha tempo nem disposição para ouvir o clamor do pobre. Quando acordou para a realidade, já era tarde demais. No inferno, estando em tormentos, clamou por socorro, mas não foi atendido. Fez súplicas, mas elas não foram respondidas. O tempo de fazer o bem é agora. Amanhã pode ser tarde demais. O tempo de ajudar os necessitados é agora. Amanhã a oportunidade poderá ter passado. Aquele, porém, que abre o coração, as mãos e o bolso para ajudar o pobre clamará ao Senhor, e sua voz será ouvida!

Um presente abre portas – *O presente que se dá em segredo abate a ira, e a dádiva em sigilo, uma forte indignação* (Pv

21.14). O presente é um símbolo de generosidade e cortesia. É um gesto simpático que toca e sensibiliza o coração das pessoas. Demonstra afeto e pavimenta o caminho da amizade. Mesmo quando o relacionamento fica estremecido, o presente abate a ira e aplaca a indignação. O presente prepara o ambiente para o abraço da reconciliação e para o beijo do perdão. Abraham Lincoln disse que a melhor maneira de vencer um inimigo é torná-lo um amigo. O amor é uma força irresistível. O amor quebra as maiores barreiras. O amor constrói pontes onde o ódio cavou abismos. O presente não é o amor, mas uma demonstração do amor. Gary Chapman, autor do livro *As cinco linguagens do amor*, diz que "dar presentes" é uma das linguagens do amor. Muitas pessoas veem nesse gesto uma demonstração eloquente de afeto. O sábio está nos ensinando que o presente discreto esvazia o balão da ira e que a dádiva em sigilo apazigua a maior fúria. Dê um presente em segredo a quem estiver zangado com você, e a raiva dessa pessoa acabará. Há uma estreita conexão entre o bolso e o coração, entre a mão aberta e a alma livre de mágoa. Não se resolvem conflitos com mais conflitos. Não se ganha uma briga com mais desaforos. Se quisermos triunfar na batalha, precisaremos entrar nessa peleja com amor no coração e presentes nas mãos.

Justiça, a alegria de uns e o pavor de outros — *Praticar a justiça é alegria para o justo, mas espanto, para os que praticam a iniquidade* (Pv 21.15). O que é bálsamo para uns é tormento para outros. A justiça não interessa aos que vivem à margem da lei. A verdade é uma luz que incomoda os olhos doentes dos iníquos. A justiça é como uma ferida na carne daqueles que obram o mal. Quando se faz justiça, os malfeitores se apavoram e se enchem de espanto; enquanto isso, os justos se alegram, pois para eles a prática da justiça é motivo de prazer e deleite. O apóstolo Paulo, escrevendo aos romanos, diz: *Porque os magistrados não são para temor, quando se faz o bem, e sim quando se faz o mal. Queres tu não temer a autoridade? Faze o bem e terás louvor dela* (Rm 13.3). O transgressor, ao ver um agente da justiça, logo se aflige. Um ladrão, ao ouvir a sirene de um carro policial, imediatamente se apavora. Um motorista, ao ser flagrado na transgressão de uma lei de trânsito, não se sente confortável diante do agente de trânsito. Os que violam a lei e praticam a iniquidade querem viver na escuridão. A luz da verdade atormenta-lhes a alma, e o fulgor da justiça perturba-lhes o coração. Não é assim a vida do justo. A prática da justiça é seu refúgio, e o fruto da justiça é seu prazer.

Uma caminhada rumo à morte – *O homem que se desvia do caminho do entendimento na congregação dos mortos repousará* (Pv 21.16). Há um caminho de entendimento e um caminho de loucura. O caminho do entendimento é estreito e íngreme, e poucos se acertam com ele. Já o caminho da loucura é largo e espaçoso, e uma multidão trafega por ele. O caminho estreito exige renúncia. O caminho largo não faz nenhuma exigência. O caminho largo é o caminho das liberdades sem limites. É o caminho dos prazeres e das aventuras. Nesse caminho, é proibido proibir. Nesse caminho, cada um anda como quer e faz o quer. Mas esse caminho com tantas luzes e variadas vozes vai desembocar na morte. Ele afasta as pessoas de Deus e as leva para uma noite eterna, na qual há choro e ranger de dentes. Desviar-se do caminho do entendimento é matricular-se na escola da morte. É caminhar celeremente para a morte e fazer sua morada na companhia dos mortos. Esse é, por exemplo, o caminho da mulher adúltera. Sua casa se inclina para a morte, e suas veredas, para o reino das sombras da morte; todos os que se dirigem a essa mulher não voltarão e não atinarão com as veredas da vida. A Bíblia diz que o perverso morrerá pela falta de disciplina. O homem que corre para os braços de uma prostituta é como um boi que vai para o matadouro, como uma ave que voa para uma rede mortal, sem saber que isso lhe custará a vida.

A boemia leva à pobreza – *Quem ama os prazeres empobrecerá, quem ama o vinho e o azeite jamais enriquecerá* (Pv 21.17). Aqueles que são perdulários e gostam da vida boêmia, bebendo todas as taças dos prazeres, curtindo a vida com vinhos caros e banquetes requintados, terminarão pobres. A riqueza é fruto do trabalho, e não da boemia. A riqueza vem como resultado da modéstia, e não da ostentação. Aqueles que se rendem à bebedeira e à comilança jamais enriquecerão. A exortação da Palavra de Deus é categórica: *Não estejas entre os bebedores de vinho nem entre os comilões de carne. Porque o beberrão e o comilão caem em pobreza; e a sonolência vestirá de trapos o homem* (Pv 23.20,21). O profeta Amós deu seu brado de alerta contra as pessoas que se entregavam aos deleites da vida, dormindo em camas de marfim e se espreguiçando sobre o leito; cantando ao som da lira e bebendo vinho; ungindo-se com o melhor dos perfumes, mas se esquecendo da miséria do povo à sua volta. Mesmo que tenhamos provisão com fartura em nossa casa, não é sensato amar os prazeres e entregar-nos a esses deleites. Precisamos viver uma vida mais simples para ajudar as pessoas em suas necessidades. Precisamos deleitar-nos em Deus mais do que nos dons de Deus. Precisamos amar a Deus, servir às pessoas e usar as coisas, em vez de esquecer Deus, usar as pessoas e amar as coisas.

O perverso sofre em lugar do justo – *O perverso serve de resgate para o justo; e, para os retos, o pérfido* (Pv 21.18). Há sofrimentos que o justo enfrenta como fruto do seu compromisso com Deus. Esses sofrimentos não devem ser vistos como castigo, mas como privilégio. Jesus diz que os perseguidos por causa da justiça são muito felizes, pois também os profetas foram perseguidos. O apóstolo Pedro diz que, se a causa do nosso sofrimento é a prática do bem, então somos bem-aventurados. Esse tipo de sofrimento o perverso não tem. Porém, há um sofrimento que Deus desvia da cabeça dos retos e despeja sobre a cabeça dos perversos. O perverso aflige o justo, mas esse sofrimento é desviado do justo para cair sobre a cabeça do próprio perverso. O ímpio maquina o mal contra os retos em seu leito e, logo pela manhã, apressa seus pés para consumar esse intento; Deus, porém, protege os retos e os cobre com seu escudo, mas desampara o ímpio, deixando que ele colha os frutos de sua insensata semeadura. O açoite que deveria vir sobre as costas do justo é desviado para o perverso. A dor que o justo estava destinado a sofrer cai sobre a vida do perverso. O perverso serve de resgate para o justo. Não precisamos retribuir o mal com o mal nem vingar a nós mesmos. O que precisamos fazer é confiar nossa causa a Deus, pois ele retribuirá a cada um segundo as suas obras.

É melhor estar só do que mal acompanhado – *Melhor é morar numa terra deserta do que com a mulher rixosa e iracunda* (Pv 21.19). O casamento foi instituído por Deus para ser uma fonte de felicidade, mas pode converter-se num cenário cinzento de muitas angústias. O casamento pode ser um jardim engrinaldado de flores ou um deserto causticante, um campo de liberdade ou uma masmorra de opressão, uma antessala do céu ou o porão do inferno. Viver sozinho é melhor do que viver mal acompanhado. Melhor é viver sozinho como um beduíno do deserto do que com uma mulher briguenta e amarga. A solidão é melhor do que viver na companhia de uma mulher que passa o tempo todo resmungando e se queixando. Uma mulher impaciente e destemperada emocionalmente transtorna a vida de um homem. Essa mulher derruba sua casa com as próprias mãos. Ela faz mal a seu marido todos os dias de sua vida e transforma o casamento num pesadelo. Os jovens precisam estar com os olhos bem abertos, pois casar com uma mulher descontrolada emocionalmente é viver encurralado numa arena de perturbação e estresse. É melhor ficar solteiro do que fazer um casamento errado. A solidão é preferível a um casamento turbulento.

Não esbanje, e você terá fartura — *Tesouro desejável e azeite há na casa do sábio, mas o homem insensato os desperdiça* (Pv 21.20). Aquele que desperdiça tudo o que vem às suas mãos é um tolo. A falta de previdência leva à pobreza. O esbanjador terá falta de pão em sua casa. Viverá na miséria e não conhecerá a fartura. O sábio, porém, não gasta tudo o que ganha. Ele é prevenido. Faz reservas, e por isso há riqueza em sua casa e comida com fartura em sua mesa. Assim como os grandes rios são formados pelo somatório de muitos afluentes, também a riqueza é a junção dos poucos recursos que chegam dia a dia. Quem gasta perdulariamente tudo o que entra no orçamento, e não faz uma poupança para o futuro, encontrará nas dobras desse futuro a pobreza e a escassez. Não podemos comer todas as nossas sementes. Precisamos aprender com a formiga, que trabalha infatigavelmente no verão para ter seus celeiros cheios no inverno. Precisamos trabalhar com empenho, economizar com inteligência, aplicar os recursos com sabedoria e contribuir com generosidade. Riqueza e conforto há na casa do sábio e alimento delicioso há na mesa do prudente, mas o insensato desperdiça tanto os tesouros desejáveis como os alimentos mais deliciosos. O esbanjador terá os bolsos vazios e o estômago roncando de fome, mas o sensato tem sempre o suficiente para viver na riqueza e na fartura.

Semeando bondade, colhendo honra – *O que segue a justiça e a bondade achará a vida, a justiça e a honra* (Pv 21.21). A vida é feita de escolhas. Enquanto uns colocam os pés na estrada da justiça, outros descem pelos abismos da iniquidade; enquanto uns semeiam a bondade, outros plantam as sementes malditas do ódio. O que ninguém pode escolher são os resultados de suas escolhas. Quem semeia ventos colhe tempestades; aqueles que semeiam na carne, da carne colhem corrupção. Quem semeia violência recebe violência. Quem semeia discórdia colhe desprezo. Mas aqueles que semeiam amor colhem reconhecimento. Quem semeia paz colhe amizade. O que segue a justiça e a bondade achará a vida, a justiça e a honra. A justiça e a bondade precisam andar de mãos dadas. A justiça sem a bondade esmaga as pessoas; a bondade sem a justiça as deixa acomodadas. A bondade vai além da justiça. Caminha a segunda milha com quem já não tem mais direito. Aqueles que seguem a justiça e ainda praticam a bondade acharão a vida, a justiça e a honra. Quem anda na verdade e pratica o amor, semeando na vida do próximo justiça e bondade, colherá os frutos benditos de uma vida abundante, será coberto com as vestes alvas da justiça de Cristo e receberá honra tanto na terra como no céu, tanto diante das pessoas como diante de Deus.

A sabedoria conquistadora – *O sábio escala a cidade dos valentes e derriba a fortaleza em que ela confia* (Pv 21.22). Os fortes pensam que podem viver seguros e inexpugnáveis atrás de suas fortalezas. Criam sistemas de segurança sofisticados, encastelam-se em suas torres altas, vestem-se com couraças de ferro e blindam-se atrás de muralhas grossas e cadeados potentes. Porém, por colocarem sua confiança nesses expedientes, tornam-se vulneráveis. A Bíblia mostra que a cidade de Edom colocou o seu ninho entre as estrelas e pensou que ninguém poderia saqueá-la, uma vez que havia sido construída no alto dos penhascos. Mas o Senhor disse que, ainda assim, a cidade seria derrubada. O profeta Jeremias, falando em nome de Deus, alerta: *Não se glorie o sábio na sua sabedoria, nem o forte, na sua força, nem o rico, nas suas riquezas; mas o que se gloriar, glorie-se nisto: em me conhecer e saber que eu sou o SENHOR* (Jr 9.23,24). O sábio conquista a cidade dos valentes e derruba a fortaleza em que ela confia. O sábio é mais forte do que o valente. A força da inteligência é mais robusta do que a força dos músculos. A sabedoria é mais conquistadora do que um exército com armas em punho e mais segura do que uma cidade amuralhada no topo de uma montanha. A sabedoria do sábio é preferível à força dos poderosos deste mundo.

Boca fechada, alma em paz – *O que guarda a boca e a língua guarda a sua alma das angústias* (Pv 21.23). Dizem que o peixe morre pela boca; o ser humano também. A língua desgovernada põe a vida toda a perder. Quem não domina sua língua envolve-se em muitas encrencas e entrega sua alma a muitas angústias. Precisamos colocar guardas à porta dos nossos lábios. Precisamos ser tardios para falar, pois até o tolo quando se cala é tido por sábio. Dificilmente nos arrependemos do que não falamos. O silêncio é preferível às palavras tolas. Falar na hora errada, com as pessoas erradas, com a motivação errada e com a tonalidade de voz errada é açoitar-nos com muitos flagelos. Uma língua destemperada é como uma fagulha que incendeia toda uma floresta. Uma língua maledicente é como um veneno mortal. Uma língua que espalha boatos e promove intrigas é um poço contaminado cujas águas produzem morte, e não vida. Quantos casamentos já foram desfeitos por causa de palavras irrefletidas! Quantos relacionamentos já foram estremecidos e quebrados por causa de palavras insensatas! Quantas brigas e até mortes já aconteceram por causa de palavras prenhes de malícia e ensopadas de maldade! Se quisermos preservar nossa alma de angústias, precisaremos primeiro dominar nossa língua.

Cuidado com a soberba – *Quanto ao soberbo e presumido, zombador é seu nome; procede com indignação e arrogância* (Pv 21.24). O indivíduo vaidoso e arrogante que trata os outros com orgulho e desprezo é um zombador. O soberbo é aquele que se julga melhor do que os outros. Coloca-se acima de todos e, por isso, sente-se no direito de zombar dos outros. O presumido se julga mais importante do que é, exalta a si mesmo acima dos demais e enche-se de indignação quando não é honrado e tratado de forma diferenciada. A Bíblia menciona o fariseu que foi ao templo e, em vez de orar, fez um discurso de autoelogio, proclamando suas pretensas virtudes e comparando-se ao publicano, com o intuito de humilhá-lo. Esse fariseu soberbo não orou. Não falou com Deus. Falou apenas diante do espelho. Apenas acariciou sua vaidade e engrandeceu seu nome. O resultado dessa arrogância, porém, foi sua reprovação. Deus resiste ao soberbo. Declara guerra àqueles que levantam monumentos a si mesmos. O soberbo e presumido zomba do próximo porque se sente possuidor de todas as virtudes e vê o próximo como o portador de todos os defeitos. Ele procede com indignação e arrogância porque pensa que todos devem se arrastar a seus pés e dar a ele a glória que julga merecer. O soberbo, porém, será humilhado, e sua zombaria voltará contra si mesmo.

O preguiçoso prefere a morte ao trabalho – *O preguiçoso morre desejando, porque as suas mãos recusam trabalhar* (Pv 21.25). O preguiçoso tem alergia ao trabalho. Sente urticária só em ouvir a palavra. Isso não significa que ele seja uma pessoa conformada com a pobreza. O preguiçoso tem muitos desejos, muitos sonhos, muitos projetos. Consegue até mesmo discorrer sobre seus altos ideais. Compartilha com os outros seus sonhos audaciosos. Em geral, o preguiçoso é um indivíduo que tem um belo discurso, é articulado nas palavras e chega até mesmo a convencer as pessoas a respeito de seus empreendimentos arrojados. O problema é que os planos e desejos do preguiçoso estão apenas em sua cabeça. Ele não tira esses planos do papel. Ele não põe o pé na estrada para perseguir seus ideais, nem coloca a mão na massa para atingir seus alvos. O preguiçoso busca o resultado sem se comprometer com a causa. A riqueza, porém, é fruto do trabalho, e não da indolência. Os desejos se cumprem mediante o trabalho e o esforço. Porque suas mãos se recusam a trabalhar, os desejos do preguiçoso não passam de devaneios. O preguiçoso morre desejando sem jamais alcançar o que deseja. Não tem coragem para estudar. Não tem ânimo para trabalhar. Não tem disposição para semear. O resultado é uma vida inteira de desejos e uma morte inevitável na pobreza.

A cobiça e a generosidade – *O cobiçoso cobiça todo o dia, mas o justo dá e nada retém* (Pv 21.26). Há aqui um profundo contraste entre dois estilos de vida, duas posturas, duas cosmovisões. O primeiro é o estilo de vida do cobiçoso. Este é regido pela ganância. Olha para o próximo como alguém a ser explorado. Dentro dele, há uma ânsia insaciável de ter mais e mais. Ele nunca se satisfaz com o que tem, pois deseja até o que os outros têm. Nunca está contente com sua vida nem satisfeito com os seus bens. Avidamente alimenta, todo o dia, seu desejo de ter mais e mais. Em oposição ao cobiçoso, está o justo. Este é generoso. Tem o coração aberto e as mãos estendidas para socorrer os necessitados. Olha para o próximo como alguém a ser ajudado, e não como um alvo a ser explorado. Altruísmo, e não egoísmo, é sua filosofia de vida. Dar, e não reter, é sua plataforma de ação. A generosidade, além de produzir grande contentamento, ainda abre o caminho para a prosperidade. O ensinamento de Jesus é claro: *Mais bem-aventurado é dar que receber* (At 20.35). A alma generosa prosperará; no entanto, quem retém mais do que é justo, isto lhe será pura perda. O cobiçoso ajunta o que não pode guardar; o generoso distribui o que não pode reter. O cobiçoso é tolo porque, no dia em que partir deste mundo, tudo o que ajuntou aqui ficará; o generoso é sábio porque, mesmo partindo deste mundo, suas obras o acompanham.

O culto que Deus não aceita – *O sacrifício dos perversos já é abominação; quanto mais oferecendo-o com intenção maligna!*

(Pv 21.27). O culto que agrada a Deus tem duas marcas distintas: é verdadeiro e sincero. Deve ser oferecido a Deus em espírito e em verdade. Não basta apresentar a Deus um culto verdadeiro; é necessário fazer isso de todo o coração. Não basta ser sincero; é preciso ser bíblico. O culto é bíblico ou é anátema. Não podemos adorar a Deus do nosso jeito, segundo as inclinações do nosso coração. Deus estabeleceu a forma correta pela qual ele deve ser adorado. O culto divino é prescrito pelo próprio Deus. Não temos liberdade de acrescentar nenhum elemento ao culto, nem dele retirar algo. A adoração não pode ser separada do adorador. O culto não pode ser divorciado da vida. Antes de Deus aceitar nossa oferta, ele precisa aceitar nossa vida. É por isso que o sacrifício dos perversos é abominação para Deus. O Senhor se compraz mais na obediência do que em sacrifícios. Requer mais misericórdia do que holocaustos. Levar oferendas a Deus com a vida errada e com as motivações erradas é tentar subornar aquele que é santo e justo. Isso é consumada loucura, pois ninguém pode enganar aquele que sonda os corações. Deus não se impressiona com a quantidade das nossas ofertas nem com a eloquência das nossas palavras. Ele requer verdade no íntimo.

A testemunha falsa paga com a própria vida – *A testemunha falsa perecerá, mas a auricular falará sem ser contestada* (Pv 21.28). A testemunha é uma pessoa que viu, ouviu e presenciou algum fato e, em juízo, narra os acontecimentos com fidelidade. Uma testemunha fidedigna está disposta a morrer, mas não a mentir sobre o que viu e ouviu. O termo grego para "testemunha" é *martiria,* do qual vem a nossa palavra "mártir". Pedro respondeu ao Sinédrio judaico diante das suas ameaças: *Julgai se é justo diante de*

Deus ouvir-vos antes a vós outros do que a Deus; pois nós não podemos deixar de falar das coisas que vimos e ouvimos (At 4.19,20). Se a testemunha verdadeira prefere morrer a mentir, a testemunha falsa não ficará impune ao ocultar ou torcer a verdade. Ela morrerá. Primeiro vem a morte da credibilidade e do respeito. A verdade virá à tona e a testemunha falsa cairá no opróbrio e no desprezo público. Depois vem a morte da honra. Uma pessoa mentirosa, que vende sua consciência por favores imediatos, será considerada maldita pelas pessoas e reprovada por Deus. Finalmente virá a morte eterna, pois os mentirosos não herdarão o reino de Deus. A menos que a testemunha falsa se arrependa, seu fim será receber em si mesma a merecida punição do seu erro.

Um rosto de pedra – *O homem perverso mostra dureza no rosto, mas o reto considera o seu caminho* (Pv 21.29). Há pessoas que são mansas e humildes de coração como Jesus, o doce Rabi da Galileia; há outras que são perversas e más como o rei Herodes, que impiedosamente mandou matar as crianças de Belém. Há pessoas que são amáveis no trato, e outras que parecem feitas de pedra, cujo coração é duro como o aço. Há aquelas cujo rosto anuncia benignidade, e outras que carregam a dureza no trato estampada na própria face. A Bíblia cita Nabal, um homem incomunicável e duro no trato, com quem ninguém podia falar. Esse homem era rico, mas insensato. Fazia festas de rei sem ser rei. Gostava de receber benefícios, mas era incorrigivelmente egoísta. Só pensava em si mesmo, e tudo o que tinha estava a serviço do seu próprio deleite. Esse homem foi ferido por Deus e morreu como um louco, pois seu coração era cheio de trevas. Não é assim que age o justo. Este considera o seu caminho. Reconhece seus pecados e chora por eles. Tem o coração quebrantado e o rosto banhado pelas lágrimas do arrependimento. Não é duro no trato, mas amável com as pessoas. O reto humilha-se diante de Deus e trata o próximo com honra. O justo é estimado na terra e muito amado no céu!

Desafiar a Deus é tolice – *Não há sabedoria, nem inteligência, nem mesmo conselho contra o SENHOR* (Pv 21.30). Não há atitude mais insensata do que a criatura desafiar o criador. Não há tolice maior do que o ser humano se insurgir contra Deus. É consumada loucura empregar sua suposta sabedoria ou sua pouca inteligência para entrar em conselho contra o Senhor, pois quem pode lutar contra Deus e prevalecer? Quem pode se chocar nessa pedra sem virar pó? Quem pode desafiar seu poder e escapar? Há muitos séculos, as pessoas entraram em conselho contra o Senhor e tomaram a decisão de construir uma torre, a torre de Babel, cujo topo chegaria ao céu. Era um zigurate, uma torre astrológica, para a leitura dos astros. Essa geração apóstata pensou que assumiria o comando do universo. Eles planejaram destronar Deus de sua glória e lançar fora o jugo do Altíssimo. O resultado foi a confusão das línguas e a dispersão das raças entre as nações. Deus não se deixa escarnecer. De Deus não se zomba. Aquilo que uma pessoa semeia, isso ela colhe. Nenhuma sabedoria, inteligência ou conselho pode ter sucesso contra o Senhor. Nenhum plano pode opor-se ao Senhor e sair vitorioso. Diante de Deus, qualquer recurso humano é nada. O Eterno Deus, o Criador e Sustentador da vida, o Senhor absoluto do universo, o Juiz de vivos e de mortos, aquele que está assentado no trono e tem as rédeas da história em suas mãos, é o vencedor invicto em todas as batalhas!

A vitória vem de Deus – *O cavalo prepara-se para o dia da batalha, mas a vitória vem do Senhor* (Pv 21.31). Nós travamos muitas batalhas na vida. Há guerras reais e fictícias. Guerras visíveis e invisíveis. Guerras inevitáveis e guerras que nós mesmos criamos. O ser humano, com sua destreza, faz planos e traça estratégias. Forma exércitos e equipa-os com as mais sofisticadas tecnologias de guerra. Sai a campo e trava as pelejas mais encarniçadas. Porém, a vitória não é resultado do braço humano nem da força dos cavalos. A vitória não vem da terra, mas do céu; não procede do ser humano, mas de Deus. O ser humano pode fazer planos, mas é de Deus que vem a resposta. Pode treinar exércitos, mas é Deus quem dá a vitória. Pode reunir poderoso arsenal, mas é Deus quem abre o caminho do triunfo. Davi entendeu isso quando lutou contra o gigante Golias. Aquele ser insolente afrontou o exército de Israel e desafiou os soldados de Saul durante quarenta dias. Humilhou o povo de Israel e escarneceu do seu Deus. Davi, porém, correu ao encontro do gigante filisteu, dizendo: *Tu vens contra mim com espada, e com lança, e com escudo; eu, porém, vou contra ti em nome do Senhor dos Exércitos, o Deus dos exércitos de Israel, a quem tens afrontado. Hoje mesmo, o Senhor te entregará nas minhas mãos [...] e toda a terra saberá que há Deus em Israel. Saberá toda esta multidão que o Senhor salva, não com espada, nem com lança; porque do Senhor é a guerra* (1Sm 17.45-47).

Capítulo 22

A sabedoria ensina sobre o bom nome, as palavras sábias e a justiça para com todos
(Pv 22.1-29)

O VALOR DO BOM NOME – *Mais vale o bom nome do que as muitas riquezas; e o ser estimado é melhor do que a prata e o ouro* (Pv 22.1). Numa sociedade que supervaloriza o poder econômico e dá mais valor ao *ter* do que ao *ser*, Salomão, que era o homem mais rico do seu tempo, é categórico em dizer que há coisas mais preciosas do que riquezas materiais. O bom nome vale mais do que muitas riquezas, e o ser estimado é melhor do que ouro e prata. Note que Salomão não apenas afirma que o bom nome é melhor do que as riquezas, mas é melhor do que muitas riquezas. É melhor ter uma boa reputação do que ser um ricaço. É melhor ter o nome limpo na praça do que ter o bolso cheio de dinheiro sujo. É melhor andar de cabeça erguida, com dignidade, do que viver em berço de ouro, mas maculado pela desonra. A honestidade é um tesouro mais precioso do que os bens materiais. Transigir com a consciência e vender a alma ao diabo para ficar rico é uma consumada loucura, pois aquele que usa de expedientes escusos para enriquecer, subtraindo o que pertence ao próximo, em vez de ser estimado, passa a ser odiado na terra. A riqueza é uma bênção quando ela vem como fruto do trabalho e da expressão da generosidade divina. Mas perder o nome e a estima para ganhar dinheiro é tolice, pois o bom o nome e a estima valem mais do que as muitas riquezas.

O mistério do pobre e o ministério do rico – *O rico e o pobre se encontram; a um e a outro faz o* SENHOR (Pv 22.2). Deus não faz acepção de pessoas. Ele é Criador tanto do rico quanto do pobre. Ele ama tanto o rico quanto o pobre. Ele faz tanto um quanto o outro. A grande questão é: Por que Deus, na sua soberania, faz o rico e, de igual forma, o pobre? O propósito de Deus é que, diante do mistério do pobre, o rico exerça um ministério de misericórdia. O rico é bem-aventurado quando socorre o aflito, pois mais bem-aventurado é dar do que receber. O pobre, ao receber a ajuda do rico, glorifica Deus por sua vida e pelo socorro recebido. Assim, ambos, tanto o rico quanto o pobre, exaltam Deus por sua generosa providência. O apóstolo Paulo ensinou a igreja de Corinto nestes termos: *Completai, agora, a obra começada, para que, assim como revelastes prontidão no querer, assim a leveis a termo, segundo as vossas posses. Porque, se há boa vontade, será aceita conforme o que o homem tem e não segundo o que ele não tem. Porque não é para que os* *outros tenham alívio, e vós, sobrecarga; mas para que haja igualdade, suprindo a vossa abundância, no presente, a falta daqueles, de modo que a abundância daqueles venha a suprir a vossa falta, e, assim, haja igualdade, como está escrito: O que muito colheu não teve demais; e o que pouco, não teve falta* (2Co 8.11-15).

Siga as placas de sinalização – *O prudente vê o mal e esconde-se; mas os simples passam adiante e sofrem a pena* (Pv 22.3). Deus coloca placas de sinalização ao longo da estrada da vida. O segredo de uma viagem segura é obedecer a esses sinais. Ignorá-los é fazer uma jornada rumo ao desastre. As luzes vermelhas do mal acendem-se em nosso caminho. Alertam-nos sobre o perigo de continuar viagem por essa pista. O prudente não avança ignorando esses alertas. Só os tolos fecham os olhos a esses sinais e tapam os ouvidos a essas advertências. Seguir em frente quando a prudência nos ordena parar é sofrer inevitavelmente a consequência da escolha insensata. Quando Paulo embarcou para Roma, avisou ao comandante do navio que a viagem seria perigosa e, portanto, não seria prudente partirem. Mas o comandante não deu ouvidos ao servo de Deus, e a viagem foi tormentosa. Eles enfrentaram ventos contrários e tufões. A carga do navio se perdeu, e o próprio navio ficou todo despedaçado. Isso porque o comandante não obedeceu às placas de sinalização. A Palavra de Deus diz que o prudente percebe o perigo e busca refúgio; o inexperiente segue adiante e sofre as consequências. A pessoa sensata vê o mal e se esconde, mas a insensata vai em frente e acaba mal. Faça uma viagem segura; obedeça às placas de sinalização!

O galardão da humildade – *O galardão da humildade e o temor do Senhor são riquezas, e honra, e vida* (Pv 22.4). A humildade é a rainha das virtudes. É o pórtico de entrada das bem-aventuranças. É a marca distintiva dos súditos do reino de Deus. Jesus, o Filho do Altíssimo, foi manso e humilde de coração. A humildade e o temor ao Senhor são duas faces da mesma moeda. É impossível ser humilde sem temer a Deus, como também é impossível temer a Deus sem ser humilde. Tanto a humildade quanto o temor ao Senhor têm recompensa garantida. O galardoador é o próprio Deus. Três galardões são concedidos: riquezas, honra e vida. Riquezas sem honra têm pouco valor. Sem vida, riquezas e honra não têm proveito. As três bênçãos vêm num crescendo. As riquezas que vêm como galardão de Deus produzem honra. A honra é sinal de que as riquezas foram granjeadas de forma honesta e concedidas por bondade divina. A vida para desfrutar tanto da riqueza quanto da honra é a coroação dessas dádivas. A humildade vai adiante da honra. A humildade é a porta de entrada da riqueza. A humildade pavimenta o caminho da vida. O temor ao Senhor nos livra do mal, afasta nossos pés da queda, nos direciona pelo caminho da prosperidade. O temor ao Senhor veste-nos com a honra e concede-nos a vida. Riquezas, honra e vida são todas dádivas de Deus. Procedem todas do céu. São todas destinadas sobre a cabeça daqueles que se dobram sob a poderosa mão do Altíssimo.

Armadilhas no caminho – *Espinhos e laços há no caminho do perverso; o que guarda a sua alma retira-se para longe deles* (Pv 22.5). O caminho do homem mau está crivado de espinhos e salpicado por muitas armadilhas. É como um terreno minado, cheio de bombas mortais. Andar por esse caminho é caminhar para a morte. Um caminho cheio de espinhos é uma estrada de dor e desconforto. Os espinhos ferem os pés e embaraçam os passos. Os espinhos nos impedem de caminhar vitoriosamente. Os laços são tramas invisíveis, porém reais. São laços que prendem, arapucas que atraem e armadilhas que matam. Os prazeres da vida, as aventuras sexuais e a tentação do lucro fácil são banquetes convidativos. As taças cheias de prazeres resplandecem diante dos olhos dos transeuntes que atravessam esse caminho. Porém, essas taças contêm veneno, e não o vinho da alegria; geram escravidão, em vez de liberdade; promovem a morte, e não a vida. O pecado é um grande embuste. Usa uma máscara muito bonita e atraente, mas por baixo dessa aparência encantadora esconde uma carranca horrível, o espectro da própria morte. Quem guarda sua alma retira-se para longe do perverso. Não anda em seus conselhos, não se detém em seus caminhos, nem se assenta à sua mesa. A pessoa sensata foge das luzes falsas do caminho do perverso para andar na luz verdadeira de Cristo.

Exemplo, a forma eficaz do ensino – *Ensina a criança no caminho em que deve andar, e, ainda quando for velho, não se desviará dele* (Pv 22.6). Os pais são os pedagogos dos filhos. Competem a eles o ensino e a formação do caráter dos filhos. Mas como esse processo se desenvolve? Primeiro, os pais não devem ensinar o caminho em que os filhos querem andar, uma vez que a estultícia está ligada ao coração da criança. Segundo, os pais não devem ensinar o caminho em que os filhos devem andar. Isso é inadequado porque significa apenas apontar uma direção para os filhos, sem um envolvimento verdadeiro nessa caminhada. É o mesmo que impor um padrão de comportamento para os filhos, mas viver de forma contrária ao que se ensina. Terceiro, os pais devem ensinar *no* caminho em que os filhos devem andar. Ensinar *no* caminho significa caminhar junto dos filhos, ser exemplo para eles, servir-lhes de modelo e paradigma. Albert Schweitzer disse que o exemplo não é apenas uma forma de ensinar, mas a única forma eficaz de fazê-lo. A atitude dos pais fala mais alto do que suas palavras. A vida dos pais é a vida do seu ensino. Os filhos não podem escutar a voz dos pais se a vida deles reprova aquilo que eles ensinam. O ensino estribado no exemplo tem efeitos permanentes. Até o fim da vida, o filho não se desviará desse caminho aprendido com pais.

Cuidado com os empréstimos – *O rico domina sobre o pobre, e o que toma emprestado é servo do que empresta* (Pv 22.7). A dependência financeira gera escravidão. A dívida é uma espécie de coleira que mantém prisioneiro o endividado. É por isso que os ricos mandam nos pobres, pois são os ricos que detêm o poder econômico, e quem toma emprestado fica refém de quem empresta. A agiotagem é uma prática criminosa. É uma forma injusta e iníqua de aproveitar da miséria do pobre, emprestando-lhe dinheiro na hora do aperto, com altas taxas de juros, para depois mantê-lo como refém. Muitos ricos inescrupulosos e avarentos, movidos por uma ganância insaciável, aproveitam o sufoco do pobre para emprestar-lhe dinheiro em condições desfavoráveis, apenas com o intuito de tomar, com violência, seus poucos bens. No tempo de Neemias, governador de Jerusalém, os ricos que emprestavam dinheiro aos pobres já haviam tomado suas terras, vinhas, casas e até mesmo escravizado seus filhos para quitar uma dívida impagável. O profeta Miqueias denuncia essa mesma forma de opressão, dizendo que, em seu tempo, muitos ricos estavam comendo a carne dos pobres. Uma pessoa sábia é controlada em seus negócios e não cede à pressão nem à sedução do consumismo. Não se aventura em dívidas que crescem como cogumelo, pois sabe que o que toma emprestado é servo do que empresta.

A lei da semeadura e da colheita – *O que semeia a injustiça segará males; e a vara da sua indignação falhará* (Pv 22.8). A lei da semeadura e da colheita é um princípio universal. Não podemos semear o mal e colher o bem. Não podemos semear ventos e colher bonança. Não podemos plantar espinhos e colher figos. Não é possível semear na carne e colher vida eterna. Deus não se deixa escarnecer. Ele retribuirá a cada um segundo suas obras e dará a colheita a cada um conforme sua semeadura. O que uma pessoa semear, isso também ela ceifará. Quem semeia a injustiça colherá males. Quem semeia a maldade colherá a desgraça e será castigado por seu próprio ódio. O castigo da sua indignação será completo. Há muitas pessoas que agem como se essa lei fosse uma farsa. Passam a vida semeando a maldade e esperam no final colher benesses. Fazem da sua história uma semeadura maldita de ódio e esperam colher compreensão e amor. Lançam na terra as sementes da impureza e esperam colher os frutos da santidade. Isso é absolutamente impossível. Assim como não podemos negar nem alterar a lei da gravidade, não podemos também alterar as leis morais e espirituais.

A recompensa da generosidade – *O generoso será abençoado, porque dá do seu pão ao pobre* (Pv 22.9). A generosidade é o caminho da prosperidade. No reino de

Deus, você tem o que dá e perde o que retém. Quem fecha as mãos com usura deixa vazar entre os dedos aquilo que tenta segurar, mas quem abre as mãos para abençoar será cumulado de fartura. A alma generosa prospera, mas quem retém mais do que é justo sofre grandes perdas. Quem dá ao pobre empresta a Deus. Aquilo que fazemos ao próximo, isso fazemos a Jesus. Até um copo de água fria que damos a alguém em nome de Cristo não ficará sem recompensa. Moisés orientou, da parte de Deus, o povo de Israel nos seguintes termos: *Quando entre ti houver algum pobre de teus irmãos, em alguma das tuas cidades, na tua terra que o* SENHOR, *teu Deus, te dá, não endurecerás o teu coração, nem fecharás as mãos a teu irmão pobre; antes, lhe abrirás de todo a mão e lhe emprestarás o que lhe falta, quanto baste para a sua necessidade. Guarda-te para que não haja pensamento vil no teu coração, nem digas: Está próximo o sétimo ano, o ano da remissão, de sorte que os teus olhos sejam malignos para com teu irmão pobre, e não lhe dês nada, e ele clame contra ti ao* SENHOR, *e haja em ti pecado. Livremente, lhe darás, e não seja maligno o teu coração; quando lho deres; pois, por isso, te abençoará o* SENHOR, *teu Deus, em toda a tua obra e em tudo o que empreenderes* (Dt 15.7-10).

Não faça aliança com o escarnecedor – *Lança fora o escarnecedor, e com ele se irá a contenda; cessarão as demandas e a ignomínia* (Pv 22.10). Há pessoas encrenqueiras, que por onde passam criam contendas e promovem intrigas. Esses indivíduos têm o coração cheio de ódio, a língua cheia de veneno e as mãos cheias de violência. Estar ao lado de pessoas dessa estirpe é receber os respingos de sua má influência. Fazer aliança com aqueles que promovem confusões é entrar por um caminho escorregadio e assaz perigoso. A

Bíblia nos orienta a mandar embora o escarnecedor com toda a sua bagagem de contenda. Quando o zombador arruma as malas e vai embora, cessam as querelas, as brigas, as demandas e os xingamentos. O convívio com uma pessoa contenciosa é profundamente desgastante. Aproximar-se de alguém que vive jogando estilhaços em todo mundo é uma insensatez. É melhor viver sozinho do que ao lado de gente cujas palavras e atitudes transtornam o ambiente e machucam as pessoas. Devemos nos aproximar de pessoas que são pacificadoras. Gente generosa que fala com respeito e doçura palavras que edificam, abençoam e restauram a alma. Gente que é aliviadora de tensões, e não geradora de traumas. Quem conserva perto de si o zombador aparta-se da paz, mas quem o manda embora encontra deleite para sua alma.

Coração puro e elegância nas palavras – *O que ama a pureza do coração e é grácil no falar terá por amigo o rei* (Pv 22.11). Coração e língua estão intimamente ligados. Não é possível ter um coração impuro e uma língua elegante. A língua esparrama as águas que brotam da fonte do coração. Cultivar um coração puro é a única maneira de desenvolver uma comunicação saudável e elegante. Num mundo encharcado de palavras torpes, piadas imorais e aviltamento da comunicação nos meios de comunicação, nos relacionamentos familiares e também nas relações interpessoais, precisamos resgatar o valor da pureza e da eloquência. Aqueles que amam a pureza e falam com graça alcançam não apenas o favor do rei, mas também sua amizade. Uma vida irrepreensível e uma palavra amável pavimentam o caminho para os melhores relacionamentos. A impureza de coração e a palavra chula fecham portas, bloqueiam caminhos e afastam as boas companhias. Mas quem ama a pureza do coração e se expressa com elegância terá a amizade do rei. Somente Deus, porém, pode purificar nosso coração. Somente o sangue de Cristo pode tornar-nos alvos como a neve. Coração puro e língua santa são obras da graça de Deus em nós.

Deus está olhando para você – *Os olhos do Senhor conservam aquele que tem conhecimento, mas as palavras do iníquo ele transtornará* (Pv 22.12). Deus não é um ser distante, indiferente e apático. Ele está assentado num alto e sublime trono, mas também se inclina para ver o que se passa entre os filhos dos homens. Os olhos do Senhor passam por toda a terra. Ele conhece tudo e sonda todas as pessoas. Os olhos do Senhor não se deleitam no mal. Deus é tão puro de olhos que não pode contemplar o mal. Seus olhos conservam aquele que tem conhecimento. O Senhor Deus está alerta para defender a verdade. Porém, está de prontidão para desbaratar as palavras dos mentirosos. Deus transtorna as palavras do iníquo. A mentira não prevalece sobre a verdade, assim como as trevas não prevalecem contra a luz. Aqueles que se vestem de engano ficarão nus. Aqueles que se fortaleceram pela mentira serão envergonhados publicamente. Aqueles que oprimem o próximo usando as armas da mentira serão transtornados pelo próprio Deus e ficarão completamente desamparados. A Bíblia diz que nada podemos contra a verdade, mas tudo podemos a favor da verdade. A verdade é luz. A verdade informa e transforma, mas a mentira deforma e transtorna. Deus está olhando para você, seja para conservá-lo na verdade, seja para reprová-lo na mentira.

As desculpas do preguiçoso – *Diz o preguiçoso: Um leão está lá fora; serei morto no meio das ruas* (Pv 22.13). Um indivíduo preguiçoso gasta todo o tempo articulando desculpas para justificar sua indolência. Em vez de sair para o trabalho, fica em casa dormindo de papo para o ar e ainda diz: "Se eu sair, o leão me pega". O preguiçoso é pródigo em criar desculpas fantasiosas. Também é muito criativo. É até mesmo dramático. Os leões não perambulam pelas ruas, mas o preguiçoso não só os enxerga, como tem certeza de que, se sair de casa, cairá nas suas garras. Uma pessoa preguiçosa sente-se ameaçada sempre que o dever a chama. Sua única segurança é viver blindada pela indolência, é ficar trancada dentro de casa, empanturrando-se de ócio ou criando mais desculpas para se justificar. Os preguiçosos são parceiros da miséria, pois nada produzem; apenas consomem. São parasitas que sugam a seiva dos outros, mas nada fazem para suprir suas necessidades. Os preguiçosos são bons de papo, mas suas mãos são vazias de obras. Falam muito, mas nada fazem. Acabam seus dias na pobreza, porque, com medo dos leões fictícios que estão lá fora, acabam perecendo nas garras da miséria dentro de casa.

O perigo da mulher estranha – *Cova profunda é a boca da mulher estranha; aquele contra quem o* Senhor *se irar cairá nela* (Pv 22.14). A mulher estranha é a sedução em pessoa. Atrai por sua aparência sensual e também por suas palavras aveludadas. Essa mulher espreita com o olhar, seduz com o corpo e atrai com a voz. Aqueles que caem em sua lábia rumam para a morte. Aqueles que se rendem a seus afetos ficam presos numa rede mortal. Aqueles que deitam em sua cama descem às profundezas do inferno. As palavras suaves como azeite e doces como o mel que destilam de sua boca arrastam suas vítimas para uma cova profunda. O adultério é uma queda radical. Ninguém sai ileso desse tombo. Ele traz desgaste para o nome, vergonha para a família e desonra para Deus. O adultério é um pecado contra Deus, contra o corpo, contra o cônjuge, contra a família, contra a sociedade. Aqueles que são atraídos para essa armadilha caem num buraco negro, numa cova profunda, e descem às profundezas da angústia. A exultação do prazer evapora-se diante do fogo da inquietação. Mas o texto em apreço abre-nos um novo alerta. A cova profunda do adultério pode ser também um juízo de Deus àqueles que teimam em desobedecer-lhe. Quando uma pessoa endurece sua cerviz e deliberadamente se volta contra Deus, o Senhor a entrega a si mesma, para colher os desejos infames de seu próprio coração impuro. Não há juízo mais pesado do que Deus dar ao ser humano o que ele deseja!

A disciplina é necessária – *A estultícia está ligada ao coração da criança, mas a vara da disciplina a afastará dela* (Pv 22.15). Há duas verdades solenes contidas no versículo em questão. A primeira delas é que não somos produto do meio. O mal que assola a sociedade não vem de fora, mas de dentro do nosso coração. Toda criança nasce com o potencial da maldade presente em seu coração. A estultícia, ou seja, a inclinação para o mal, está ligada ao coração da criança. Há um pendor para o errado no coração dos pequenos. Jean-Jacques Rousseau se equivocou quando disse que o ser humano é essencialmente bom. Errou quando afirmou que o ser humano é uma tábula rasa, uma folha em branco, produto do meio. A verdade dos fatos é que o meio é produto do ser humano. O meio está corrompido porque o ser humano é corrompido. A segunda verdade que esse texto ensina é que os pais devem disciplinar os filhos na infância para dobrar esse impulso do mal. A vara da disciplina não equivale a nenhum tipo de espancamento. Não tem que ver com humilhar a criança, achatando sua autoestima, muito menos significa agredi-la em sua integridade física e emocional. A vara da disciplina é o exercício responsável do amor. Quem ama, disciplina. A falta de disciplina produz uma geração rebelde; a disciplina treina uma geração reverente e íntegra. Sem disciplina, as crianças passam a chantagear os pais; com a disciplina, os pais passam a esculpir valores eternos no caráter dos filhos.

As causas da pobreza – *O que oprime ao pobre para enriquecer a si ou o que dá ao rico certamente empobrecerá* (Pv 22.16). Deus é justo e não tolera a opressão. Deus é santo e não pode contemplar o mal. Agir com violência contra o fraco para oprimi-lo é um acinte à justiça divina. Oprimir o pobre para saquear os seus poucos bens, a fim de ajuntar os tesouros da iniquidade, é provocar a ira de Deus. Os bens adquiridos com injustiça e opressão tornar-se-ão a causa da pobreza dos opressores. Deus mesmo trabalhará nesse sentido, para que esses ricos avarentos e injustos percam seus haveres e colham amarga pobreza. Mas também é causa de pobreza sonegar ajuda ao necessitado e entregar nas mãos dos ricos aquilo que poderia aliviar o sofrimento dos pobres. A riqueza desonesta, acumulada ao arrepio da lei e manchada pela corrupção, é maldita. Torna-se o combustível da destruição dos avarentos. Porém, a riqueza granjeada com a bênção de Deus e com o trabalho honrado deve ser repartida com os necessitados, a fim de que aqueles que nada têm sejam supridos e aqueles que muito têm sejam o braço da misericórdia divina estendido aos aflitos.

Escute e obedeça! – *Inclina o ouvido, e ouve as palavras dos sábios, e aplica o coração ao meu conhecimento. Porque é coisa agradável os guardares no teu coração e os aplicares todo aos teus lábios* (Pv 22.17,18). A obediência é o caminho mais curto e mais seguro para a felicidade. Três conselhos são dados e uma promessa é feita à luz desses versículos: Incline os ouvidos, ouça as palavras e aplique o coração ao conhecimento; a promessa é que a observância desses princípios é agradável. Para ouvirmos claramente o que Deus nos diz, precisamos inclinar os ouvidos. Há outras vozes disputando nossa atenção. Se não inclinarmos os ouvidos, ouviremos outros ruídos, atentaremos para outras vozes e não entenderemos com clareza a mensagem divina. Precisamos ouvir atentamente o que Deus nos fala por meio de sua Palavra. Ouvir significa acolher e entender o que está sendo dito. Mas esse conhecimento não pode ficar apenas no campo intelectual. Não basta ter apenas luz na mente. Precisamos, também, aplicar o nosso coração ao conhecimento. A verdade de Deus precisa ser internalizada, saboreada, experimentada e vivida. Não basta ser mero ouvinte; precisamos ser praticantes da Palavra. O resultado desse esforço para ouvir, entender, praticar e ensinar a Palavra é que isso produzirá dentro de nós imensa alegria. Haverá, então, um banquete para a nossa alma, uma festa para o nosso coração e uma alegria indizível e cheia de glória para nossa vida.

É preciso aprender para ensinar – *Para que a tua confiança esteja no* SENHOR, *quero dar-te hoje a instrução, a* *ti mesmo. Porventura, não te escrevi excelentes coisas acerca de conselhos e conhecimentos, para mostrar-te a certeza das palavras da verdade, a fim de que possas responder claramente aos que te enviarem?* (Pv 22.19-21). A instrução é o fundamento da fé, pois a fé vem pelo ouvir e ouvir a palavra de Cristo. Não podemos confiar em Deus se não o conhecemos. E não podemos conhecê-lo à parte das Escrituras. Não podemos pôr nele nossa confiança se não somos instruídos na verdade. O povo perece por falta de conhecimento. A Palavra de Deus está cheia de conselhos e conhecimentos. Conselhos de vida e paz. Conselhos de justiça e retidão. Conselhos de santidade e pureza. Quando colocamos em prática esses conselhos, temos a comprovação de que eles são fiéis e verdadeiros. A Palavra de Deus é o mapa do mais refinado saber e da mais augusta felicidade. O caminho da obediência é rota do contentamento e da segurança. Quando aprendemos os preceitos de Deus e os praticamos, estaremos habilitados para responder àqueles que nos inquirirem acerca da razão da nossa fé. Aquele que cessa de aprender está inapto para ensinar. Só damos aquilo que recebemos. Apenas quando nos assentamos aos pés do Senhor, na escola do aprendizado, é que podemos subir à tribuna e ensinar com autoridade. Apenas quando nos abastecemos com a verdade que procede da boca de Deus é que podemos gotejar a sã doutrina para os famintos do pão do céu. O fluxo do aprendizado deságua no refluxo do ensino!

Roubar o pobre e oprimir o aflito é uma péssima ideia!
— *Não roubes ao pobre, porque é pobre, nem oprimas em juízo ao aflito, porque o* Senhor *defenderá a causa deles e tirará a vida aos que os despojam* (Pv 22.22,23). Deus repudia a

opressão e a injustiça. Ele defende a causa do pobre e favorece com providência os aflitos. Aqueles que se aproveitam da pobreza para saquear o pobre e oprimem o aflito em juízo porque este não consegue resistir-lhes encontram em Deus um inabalável opositor. O roubo é uma transgressão da lei de Deus. É a quebra do oitavo mandamento. É um crime contra o próximo e seu direito de propriedade. Roubar o pobre é um agravante. É roubar a quem pouco tem. É roubar não a sobra, mas aquilo de que o pobre depende para sobreviver. É tirar o pão da mesa do pobre e subtrair com violência tudo o que ele possui. Oprimir em juízo o aflito é usar a força, a influência e o poder para prevalecer sobre aquele que não tem como resistir. Oprimir o aflito é subornar testemunhas para inverter os fatos nos autos do processo. É comprar sentenças e mascarar a justiça. Mesmo que, no plano humano, os larápios e opressores escapem dos rigores da lei, eles jamais escaparão do juízo divino. Deus se levantará para defender a causa dos pobres e aflitos e tirará a vida dos ladrões e opressores. Os truculentos levarão vantagem imediata nos tribunais humanos, mas perderão a própria vida ao enfrentarem a justiça do Todo-poderoso Deus.

O briguento, uma ameaça para a alma – *Não te associes com o iracundo, nem andes com o homem colérico, para que não aprendas as suas veredas e, assim, enlaces a tua alma* (Pv 22.24,25). A Palavra de Deus nos alerta à exaustão acerca do perigo das más companhias. As cadeias estão lotadas e os cemitérios estão povoados daqueles que se envolveram com gente errada e acabaram encurtando seus dias. A pessoa iracunda e colérica é aquela que transtorna o ambiente no qual vive. Possui um temperamento explosivo e desgovernado.

Suas palavras são destemperadas e venenosas. Suas ações e reações produzem tempestade. Ela compra brigas e espalha contendas por onde passa. Está sempre metida em encrencas e desavenças. Associar-se com gente desse naipe é colocar os pés num laço de morte. Andar com gente dessa estirpe é enlaçar a própria alma. Quem se associa e anda com pessoas iracundas e coléricas acabam assimilando essa postura reprovável e trazendo transtorno para a própria vida. A pessoa que não tem domínio próprio é uma ameaça à sua família e à sociedade. Não ande com gente assim. Não se associe a esse tipo de pessoas, nem faça aliança com elas. Livre seus pés do laço. Preserve sua alma da morte. Dê descanso ao seu coração. Poupe sua família!

Ser fiador pode levar você à falência – *Não estejas entre os que se comprometem e ficam por fiadores de dívidas, pois, se não tens com que pagar, por que arriscas perder a cama de debaixo de ti?* (Pv 22.26,27). Pagar as contas em dia é uma responsabilidade moral. Pagar as contas que outros fizeram é uma dor de cabeça sem igual. Ser fiador é assumir o compromisso de que, se o outro não pagar suas dívidas no tempo certo, nós pagaremos. Não raro, pessoas bem-intencionadas se tornam avalistas de pessoas desonestas que contraem dívidas com a clara intenção de não pagar. O fiador torna-se, então, o responsável legal por saldar essa dívida caso o titular do débito se furte a fazê-lo. Assumir esse compromisso é, portanto, correr um risco enorme, que pode trazer transtornos emocionais, interpessoais e financeiros irremediáveis. O texto alerta sobre o fato de o fiador perder tudo que tem, inclusive a própria cama, deixando sua família desamparada. Algumas pessoas ficam constrangidas de dizer não a um amigo que lhes pede esse encarecido favor. Outras querem demonstrar uma bondade robusta e se oferecem para ser fiadoras. O resultado dessas posturas irrefletidas pode ser fatal. A bancarrota financeira e o colapso dos relacionamentos podem ser os frutos amargos dessa decisão insensata. Não assuma compromisso pelos outros. Cuide de seus próprios negócios!

Os marcos não podem ser mudados – *Não removas os marcos antigos que puseram teus pais* (Pv 22.28). Nossa geração está sendo governada pelo relativismo moral. Assistimos não apenas a uma tolerância lânguida ao erro, mas também a uma afrontosa inversão de valores. Chamam luz de escuridão e escuridão de luz. Chamam o doce de amargo e o amargo de doce. Aplaudem o vício e zombam da sobriedade. Aprovam a promiscuidade e escarnecem da castidade. Fazem apologia do pecado e aviltam a santidade. Nossa geração está empenhada em desconstruir os valores morais que regeram a família ao longo dos séculos. Querem acabar com a ideia de gênero. Querem legitimar o casamento entre pessoas do mesmo sexo. Querem legalizar a prostituição como uma profissão honrada. Querem dar legalidade ao assassinato no ventre materno. Querem colocar de ponta-cabeça os valores morais que podem nos guiar pelas veredas da decência. Essa atitude insensata corresponde a destruir os fundamentos e remover os marcos antigos que puseram nossos pais. É jogar no lixo o legado que recebemos. É sacudir o jugo suave e leve de Cristo para colocar no pescoço uma pesada canga de escravidão. A verdade de Deus jamais caduca. Nunca fica obsoleta. Os marcos não podem ser mudados. Os princípios de Deus que nos foram entregues por nossos pais são eternos.

Seja um especialista – *Vês um homem perito na sua obra? Perante reis será posto; não entre a plebe* (Pv 22.29). O mundo hoje exige que você seja especialista no que faz. Seja no campo ou na cidade, seja no comércio ou na indústria, seja na academia ou na ciência. Acabou, por exemplo, o tempo em que um médico cuidava de toda a família e caminhava com desenvoltura da pediatria à geriatria. Hoje, se o paciente sente uma dor do lado direito, procura um médico; se a dor é do lado esquerdo, procura outro. Não há mais espaço para os generalistas. Aqueles que são peritos em sua obra se destacam, ganham notoriedade e reconhecimento. Henry Ford foi o primeiro homem e fabricar carros em série. Quando instalou a fábrica Ford nos Estados Unidos, buscou o engenheiro elétrico mais brilhante da época, Charles Steinmetz. Certa feita, houve uma grande pane na fábrica que causou uma interrupção de mais de uma semana, gerando grande prejuízo a Henry Ford. Os técnicos em vão tentaram resolver o problema. Então, Ford mandou chamar Charles Steinmetz. Ele veio, mexeu nas máquinas aqui, ali e acolá e tudo voltou a funcionar em menos de uma hora. Então mandou a conta: dez mil dólares! Mesmo sendo um homem muito rico, Ford mandou um memorando para Steinmetz reclamando da exorbitância do valor. Este descreveu a conta: Pelo tempo gasto em mexer nos seus motores, cobrarei 100 dólares. Pelo conhecimento técnico para resolver o problema, cobrarei nove 9.900 dólares. Total: 10 mil dólares. Ford pagou a conta sem reclamar. Estava diante de um especialista!

Capítulo 23

A sabedoria ensina sobre a cobiça, a intemperança e a impureza
(Pv 23.1–35)

UMA FACA NA GARGANTA — *Quando te assentares a comer com um governador, atenta bem para aquele que está diante de ti; mete uma faca à tua garganta, se és homem glutão. Não cobices os seus delicados manjares, porque serão comidas enganadoras* (Pv 23.1-3). Uma pessoa sábia sabe como se portar na casa mais humilde e também no palácio mais majestoso. Sabe assentar-se à mesa mais modesta e participar do banquete mais glamoroso. Ninguém se assenta a comer com um governador sem que esse evento tenha sido agendado. A mesa do governador não lida com improvisos nem com surpresas. Portanto, aquele que é chamado à sua mesa deve ter uma postura e uma compostura adequada. O glutão é dado aos excessos. Ele não come para viver, mas vive para comer. Seu deus é o estômago. O glutão come mais do que precisa. Come não em seu favor, mas contra si mesmo. Come em excesso. Essa falta de domínio próprio à mesa do governador é uma descompostura É um escândalo para os demais convidados. É uma quebra de decoro. O glutão não deve olhar para os manjares, mas para o governador. Não está à mesa para se empanturrar, mas para se relacionar. Meter uma faca à garganta significa controlar-se, sacrificar-se, suplantar a própria vontade e demonstrar domínio próprio à mesa. O glutão precisa dominar seu impulso de comer, em vez de ser dominado por ele. Cobiçar as finas iguarias da mesa do governador é comer para sua própria ruína. É abrir a porta do estômago guloso para saciar-se e fechar a porta das oportunidades no palácio.

O desejo de ser rico — *Não te fatigues para seres rico; não apliques nisso a tua inteligência. Porventura, fitarás os olhos naquilo que não é nada? Pois, certamente, a riqueza fará para si asas, como a águia que voa pelos céus* (Pv 23.4,5). Ser rico não é pecado. É possível ser rico e piedoso ao mesmo tempo. É possível até mesmo ser o mais rico e o mais piedoso concomitantemente. Jó era o homem mais rico de sua geração (Jó 1.3) e também o mais piedoso (Jó 1.8). O problema não é termos dinheiro, mas o dinheiro nos possuir. O problema não é carregarmos dinheiro no bolso, mas o entronizarmos no nosso coração. A pessoa que se afadiga para ficar rica e faz desse desiderato seu propósito de vida cai em muitas tribulações e tormentos. Essa pessoa flagela sua alma com muitas dores. As riquezas têm pés ligeiros e asas ágeis, e se dissipa tão rapidamente quanto a neblina. Salomão diz que as riquezas, mesmo cercadas de grande encanto e aspergidas por tanta beleza, nada são. São pura vaidade. São como bolhas de sabão: multicoloridas, mas vazias; belas aos olhos, mas cheias de vento. Colocar a confiança nas riquezas é como mirar uma águia que agita suas asas rumo às alturas do céu e desaparece no horizonte. As riquezas não são permanentes. O ser humano não trouxe nada para o mundo e nada poderá levar dele. Não há caminhão de mudança em enterro, nem gaveta em caixão. Não ponha seu coração no dinheiro; coloque-o em Deus, pois ele nos proporciona segurança eterna e felicidade perene!

Cuidado com o invejoso – *Não comas o pão do invejoso, nem cobices os seus delicados manjares. Porque, como imagina em sua alma, assim ele é; ele te diz: Come e bebe; mas o seu coração não está contigo. Vomitarás o bocado que comeste e perderás as tuas suaves palavras* (Pv 23.6-8). A inveja é um sentimento reprovável. É um gravíssimo defeito de caráter. Mais do que desejar o que é do outro ou ser como o outro, ter inveja é sentir tristeza pelo sucesso do outro. O invejoso é um mal-agradecido. Em vez de alegrar-se com o que tem, entristece-se pelo que o outro tem. Seu sucesso é ver o fracasso do outro. Aproximar-se do invejoso e assentar-se à sua mesa para comer seus delicados manjares não é, portanto, recomendável. Sua aparente hospitalidade não passa de falsidade. Seus lábios expressam fraterna acolhida, mas seu coração maquina o mal contra seu hóspede. A recepção calorosa que o invejoso oferece a seus convivas não passa de uma armadilha, pois secretamente ele deseja o mal àqueles que desfrutam de sua intimidade. Sua mesa não é a expressão de sua amizade, mas um sinal de sua inveja.

Seus manjares não são para alimentar os convidados, mas para extravasar o fel de sua alma. O invejoso fala uma coisa e sente outra; há um descompasso entre sua boca e seu coração, entre suas palavras e seus sentimentos. Acautele-se! Fuja dos banquetes do invejoso. Suas finas iguarias lhe provocarão náuseas, e seus ouvidos tinirão ao ouvir suas doces, mas falsas palavras.

A incapacidade de ouvir conselhos – *Não fales aos ouvidos do insensato, porque desprezará a sabedoria das tuas palavras* (Pv 23.9). O insensato é aquele que escuta a voz da sabedoria, mas faz opção pelas coisas loucas. Escuta palavras de vida, mas segue no caminho da morte. Apesar de ser instruído pelo sábio, despreza suas palavras. O insensato tem um tampão nos ouvidos e uma venda nos olhos. Seu coração é inclinado a desviar-se. Seus pés se apressam para andar nas veredas sinuosas do pecado. As coisas de Deus não lhe despertam nenhum apetite. Ele não sente paladar pelos manjares celestiais. Prefere as alfarrobas dos porcos. Mesmo que se lhe ofereça o pão do céu, ele prefere os bocados deste mundo. O insensato não é apenas indiferente às coisas de Deus. Ele as despreza. Há uma aversão em seu coração por tudo aquilo que é santo. Seu coração escarnece da santidade. Sua alma repudia toda instrução que procede da boca de Deus. Falar ao insensato é jogar palavras ao vento. É lançar pérolas aos porcos. É colocar uma joia no focinho de um porco que chafurda na lama. Falar aos ouvidos do insensato é expor a sabedoria ao desprezo. A insensatez é um estágio de endurecimento, a incapacidade de ouvir, a indisposição de obedecer. Cabe ao insensato colher os frutos amargos de sua dureza de coração.

A sabedoria ensina sobre a cobiça, a intemperança e a impureza

Respeite a propriedade privada – *Não removas os marcos antigos, nem entres nos campos dos órfãos, porque o seu Vingador é forte e lhes pleiteará a causa contra ti. Aplica o coração ao ensino e os ouvidos às palavras do conhecimento* (Pv 23.10-12). O oitavo mandamento da lei de Deus aborda a questão da propriedade privada. O furto é uma quebra dessa lei. Nenhum indivíduo, nem mesmo o Estado, tem o direito de remover os marcos e invadir a propriedade alheia. O abuso de poder, a invasão ilegal, a apropriação indébita de bens que pertencem ao próximo são crimes praticados não apenas contra um indivíduo, mas contra o próprio Deus. As Escrituras, outrossim, advertem que ninguém deve ousar entrar no campo dos órfãos, para invadir suas terras, porque eles não podem oferecer resistência. Quem oprime o fraco e abocanha o que é dos órfãos enfrentará o Deus Todo-poderoso como vingador. Esmagar o órfão com truculência, invadindo suas propriedades para roubar-lhe os bens, é um grave delito aos olhos de Deus. Essa injustiça clamorosa provoca a ira divina. Aqueles que burlam as leis, subornam testemunhas, compram sentenças, corrompem os tribunais para oprimir os fracos e enriquecerem mediante as armas da injustiça, mesmo que escapem da justiça humana, jamais serão inocentados no juízo divino. Deus não se deixa escarnecer. O que uma pessoa semear, isso ela ceifará. Em vez de agir com violência contra o próximo, o ser humano deve aplicar seu coração ao ensino e seus ouvidos ao conhecimento, para que ame a justiça, pratique a misericórdia e ande humildemente com Deus.

A vara da disciplina – *Não retires da criança a disciplina, pois, se a fustigares com a vara, não morrerá. Tu a fustigarás com a vara e livrarás a sua alma do inferno* (Pv 23.13,14).

Esse é um tema controverso na sociedade contemporânea. Muitos educadores são contrários a qualquer forma de disciplina. Em virtude dos excessos praticados por pais truculentos, defendem a completa ausência de disciplina. Será que esse preceito das Escrituras está obsoleto? Seria esse ensino da Palavra de Deus inadequado para os nossos dias? Primeiro, precisamos deixar claro que disciplina não é a mesma coisa que espancamento. Não significa achatar a autoestima dos filhos nem os humilhar publicamente. A disciplina é um ato responsável de amor. A criança entregue a si mesma, sem regras, sem freios e sem limites, se tornará um adulto problemático. A vara da disciplina tem como propósito livrar a vida dessa criança da morte. Um indivíduo desregrado, indisciplinado, sem domínio próprio, morre precocemente e perde não apenas sua vida, mas também sua alma. A disciplina tem como propósito refrear essa tendência inata do coração humano para o que é errado. A disciplina estabelece limites, mostrando à criança, com clareza, a diferença entre o certo e o errado, entre o precioso e o vil. A disciplina é um remédio amargo, mas seu resultado é doce como o mel. No momento é motivo de choro, mas depois produz alegria e paz. Pode parecer, à primeira vista, um rigor excessivo, mas seu resultado é vida e salvação.

Quando o filho é a alegria do pai – *Filho meu, se o teu coração for sábio, alegrar-se-á também o meu; exultará o meu íntimo quando os teus lábios falarem coisas retas* (Pv 23.15,16). Não existe maior alegria para os pais do que saber que seus filhos andam na verdade. Não há maior recompensa para os pais do que ver seus filhos colocando em prática o que aprenderam dentro do lar. Um filho sábio é a alegria dos pais. Um filho cujos lábios proferem coisas retas é motivo de exultação na família. A missão da paternidade é uma das mais árduas. Muitos alcançam o apogeu da glória, subindo aos pincaros dos montes e conquistando todas as medalhas de honra ao mérito, mas fracassam na educação de seus filhos. Dão aos filhos ricos presentes e deixam-lhes gordas heranças. Criam os filhos com todas as regalias, em berço de ouro, mas depois veem esses filhos se enveredando por caminhos tortuosos, dissipando seus bens dissolutamente e precipitando sua alma no inferno. Oh, que tristeza é ganhar o mundo e perder os filhos! Oh, que frustração é criar os filhos no luxo e vê-los depois no lixo do pecado! Feliz é o pai que cria os filhos na admoestação e disciplina do Senhor. Feliz é o pai que ensina a criança no caminho em que deve andar. Feliz é o pai que inculca nos filhos a Palavra de Deus. Feliz é o pai que vê o resultado dessa semeadura bendita e contempla seus filhos seguindo pelas veredas da sabedoria!

Não inveje o pecador — *Não tenha o teu coração inveja dos pecadores; antes, no temor do Senhor perseverarás todo dia. Porque deveras haverá bom futuro; não será frustrada a tua esperança* (Pv 23.17,18). Asafe, no Salmo 73, registra a crise que viveu quando invejou a prosperidade do ímpio. Mesmo lavando as mãos na inocência e purificando o seu coração, ele era castigado a cada manhã. O ímpio, porém, via seus bens prosperando, apesar de desandar a boca para falar contra Deus. O ímpio era bajulado e vivia regalado em banquetes, sem jamais sentir sua saúde abalada. Por um momento, Asafe pensou que a vida do ímpio era melhor que a sua. Até que, certa feita, entrou no santuário de Deus e atinou com o fim do ímpio. O ímpio só tinha dinheiro e nada mais. Seu refúgio era vulnerável. Seu destino era a infelicidade eterna. Invejar os pecadores, portanto, é ter uma visão míope da realidade. Os pecadores podem parecer felizes, mas caminham para a morte. Os pecadores podem rir agora, mas chorarão amargamente sem nenhuma gota de consolo. Os pecadores podem estufar o peito para narrar suas vantagens, suas aventuras e seus prazeres, mas serão quebrados repentinamente sem que haja cura e enfrentarão sofrimento eterno. Em vez de invejar os pecadores, devemos perseverar em temer a Deus, pois esse é um investimento seguro para o futuro. O resultado desse investimento é graça no presente e glória no futuro!

Não ande com os farristas – *Ouve, filho meu, e sê sábio; guia retamente no caminho o teu coração. Não estejas entre os bebedores de vinho nem entre os comilões de carne. Porque o beberrão e o comilão caem em pobreza; e a sonolência vestirá de trapos o homem* (Pv 23.19-21). O sábio se revela tanto pelo que evita como pelo que realiza. A sabedoria nos faz ouvir os bons conselhos e nos faz afastar de más companhias. A sabedoria coloca os nossos pés no caminho reto. Andar com beberrões e comilões, caminhar com os farristas, adotar seu estilo de vida e abraçar seus valores é cair na pobreza. O farrista quer curtir a vida, em vez de trabalhar. Ele semeia na boemia, mas encolhe suas mãos do trabalho. Entrega-se à sonolência, em vez de entregar-se ao labor. O preguiçoso sonolento, o farrista boêmio, o beberrão e o comilão se vestirão de trapo. A pobreza é seu patrimônio. A desdita é sua herança. A escassez é sua porção. O sábio foge desse caminho e se afasta dessas más companhias. Não engrossa as fileiras daqueles que vivem para beber as taças dos prazeres, sem refletir no amanhã.

O sábio é alguém comprometido com o trabalho. Investe no conhecimento. Semeia no futuro. Colhe os abundantes frutos de seu investimento. No presente, aqueles que pulam de festa em festa, de banquete em banquete, parecem aproveitar melhor a vida; no futuro, porém, estarão rendidos à pobreza e cobertos de trapos, enquanto os sábios desfrutarão dos resultados benditos de sua prudente semeadura

Filhos, escutem seus pais – *Ouve a teu pai, que te gerou, e não desprezes a tua mãe, quando vier a envelhecer* (Pv 23.22). É natural que os filhos obedeçam aos pais. Em todas as culturas, em todas as épocas, em todos os lugares, espera-se que os filhos obedeçam e honrem seus pais. É um claro sinal de decadência da sociedade quando os filhos desobedecem aos pais. A obediência começa com a disposição de ouvir os conselhos e as orientações dos progenitores. Há filhos que ouvem, mas não se submetem. Há outros que tapam os ouvidos à voz dos pais. Sacodem o jugo da submissão, rebelam-se e tornam-se insolentes. O sinal de sabedoria e a garantia da bem-aventurança estão em ouvir e obedecer aos pais. Mas o texto em apreço acrescenta um segundo ponto. Os filhos não podem desprezar sua mãe quando ela envelhece. O que significa desprezar? É não ouvir mais seus conselhos. É desampará-la em suas necessidades. É deixar de honrá-la, retendo o que ela precisa para ter uma velhice digna. É demonstrar ingratidão, abandonando-a à sua própria sorte e deixando-a nos braços da solidão. Os pais cuidam dos filhos quando estes são pequenos, e os filhos devem cuidar dos pais quando estes vierem a envelhecer. É dentro do lar que devemos demonstrar o nosso mais acendrado amor. Aqueles que não cuidam de sua própria família tornam-se piores do que os incrédulos. A família precisa ser lugar de honra, afeto e cuidado!

Um investimento seguro – *Compra a verdade e não a vendas; compra a sabedoria, a instrução e o entendimento* (Pv 23.23). O ser humano é um investidor por natureza. Ele compra e vende. Semeia e colhe. Investe e reinveste. O comércio é uma importante alavanca da economia. Muitos se tornam ricos por desempenharem com inteligência e eficácia esse expediente. O sábio, porém, nos orienta a fazermos um investimento mais elevado. Devemos comprar não ouro e prata, artigos de luxo ou produtos básicos. Devemos comprar a verdade. Esse é um artigo nobre. Sem ele, nenhum indivíduo, família ou nação pode prosperar. A verdade é o alicerce das relações, a coluna mestra que sustenta a sociedade. Sem ela, a família se corrompe, a sociedade se degrada e os tribunais se tornam redutos de opressão. A verdade precisa ser comprada e retida. Não é um produto de troca. Não está à venda. Não pode ser arrematada num leilão, em que leva o produto quem paga mais. O prudente investe mais na sabedoria, na instrução e no entendimento do que em ouro. Coisas podem ser roubadas, queimadas e perdidas. Mas a sabedoria, a instrução e o entendimento são bens inalienáveis. Jamais podem ser perdidos. Nenhum ladrão pode roubá-los. Sábio é aquele que investe no que é vital e permanente. Feliz é a pessoa cujas riquezas são a verdade, a sabedoria, a instrução e o entendimento!

Filhos, sejam a alegria de seus pais – *Grandemente se regozijará o pai do justo, e quem gerar a um sábio nele se alegrará. Alegrem-se teu pai e tua mãe, e regozije-se a que te deu à luz* (Pv 23.24,25). Os filhos podem ser a alegria dos pais ou sua tristeza, sua felicidade mais expressiva ou seu pesadelo mais amargo, sua herança mais bendita ou seu fracasso mais doloroso. O pai de um filho justo regozija-se grandemente. O pai de um filho sábio terá nele muitas alegrias. Pai e mãe devem criar os filhos com responsabilidade, sendo um exemplo para eles, inculcando neles valores absolutos e ensinando-os no caminho em que devem andar. Pai e mãe não devem provocar seus filhos à ira nem os tratar com amargura. Ao contrário, devem criá-los na disciplina e na admoestação do Senhor. Pai e mãe devem ensinar com exemplos, admoestar com palavras e disciplinar sempre que for preciso, a fim de que a estultícia ligada ao coração da criança não prevaleça. O resultado do amor responsável e do ensino fundamentado no exemplo é que os filhos se tornarão homens e mulheres de bem, gente que será uma bênção para a sociedade. Esses filhos serão justos, ou seja, jamais transigirão com o erro, e também serão sábios, ou seja, jamais serão dominados pela estultícia. O resultado é que esses filhos serão bem-sucedidos na vida e terão vida longeva, e os pais muito se alegrarão neles. Porque os filhos foram alvo do investimento dos pais, agora se tornam sua recompensa.

Um pedido solene – *Dá-me, filho meu, o teu coração, e os teus olhos se agradem dos meus caminhos* (Pv 23.26). A forma mais profunda de envolvimento no processo de ensino-aprendizagem dentro do lar é quando os filhos obedecem não apenas por obrigação, mas fazem isso com todas as forças de sua alma, em sinal de profundo apego aos pais. O pedido ao filho é eloquente. O pai não pede coisas. Não pede observância a seus ensinos. Não pede o cuidado do filho quando chegar à velhice. O pai pede o coração do filho.

Quando entregamos nosso coração a alguém, tudo mais vem em seguida. As demais coisas vêm a reboque. Quando um filho dá seu coração ao pai, automaticamente seus olhos se agradarão dos seus caminhos. Esse mesmo princípio deve ser usado em relação a Deus. O que Deus requer de nós, mais do que qualquer outra coisa, é o nosso coração. Precisamos nos voltar para Deus para que ele se volte para nós. Precisamos amar a Deus de todo o nosso coração, com toda a nossa força e de todo o nosso entendimento. Então, nossos olhos se deleitarão em contemplar as maravilhas de seu caminho. Se o nosso coração não for de Deus, nossa obediência a ele será um fardo pesado, e não um deleite da alma. Será uma relação legalista, e não uma comunhão de amor. Você já entregou seu coração a Deus? Já se deleita nele e em sua Palavra?

Os perigos da mulher alheia – *Pois cova profunda é a prostituta, poço estreito, a alheia. Ela, como salteador, se põe a espreitar e multiplica entre os homens os infiéis* (Pv 23.27,28). Há dois tipos de mulheres extremamente perigosas. A primeira é a prostituta. Essa mulher perdeu o amor-próprio e o pudor, e publicamente se apresenta como alguém que aluga o corpo para sobreviver. Ela não vai para a cama porque se sente atraída por um homem; ela faz isso para mercadejar seu corpo. O sexo é para ela uma questão de sobrevivência. Essa mulher é considerada uma cova profunda. Quem cai nessa cova dificilmente se liberta desse poço de escravidão e morte. A segunda mulher perigosa é a mulher alheia. Essa é casada, mas trai o marido. Essa escolhe a dedo seus casos de infidelidade. Sua ação é planejada como um salteador que põe os olhos em sua vítima e a ataca repentina e implacavelmente.

Ela espreita suas vítimas, seduzindo-as com suas vestes provocantes, suas palavras doces e suas promessas de prazer. Essa mulher tem no currículo um punhado de homens que foram derrubados por suas investidas. Ela multiplica infiéis, destrói casamentos e arruína famílias por onde passa. Um homem sábio não dá ouvidos às suas palavras sedutoras. Um homem prudente não põe os seus olhos em seus encantos. Um homem fiel não abraça o peito da mulher estranha nem vai para a cama com a prostituta.

Quando o vinho é uma ameaça – *Para quem são os ais? Para quem, os pesares? Para quem, as rixas? Para quem, as queixas? Para quem, as feridas sem causa? E para quem, os olhos vermelhos? Para os que se demoram em beber vinho, para os que andam buscando bebida misturada* (Pv 23.29,30). A bebida alcoólica tem sido o maior ladrão de cérebros do mundo. Está por trás de 60% dos crimes passionais e dos acidentes automotivos. Os cemitérios estão cheios de suas vítimas, e as cadeias estão lotadas com seus protagonistas. Aqueles que se entregam à bebedeira se renderão aos lamentos. Serão provocadores de rixas e intrigas. Passarão a vida bebendo e se queixando dos males que eles mesmos provocaram. Serão feridos por sua própria loucura, pois os alcoólatras ferem a si mesmos. Eles atraem confusão. Compram brigas. Envolvem-se em desavenças desnecessárias. O resultado? Seus olhos ficam vermelhos, seus pés se apressam para o mal, seus braços se afrouxam para o trabalho, sua mente se embota e não consegue pensar lucidamente. Aquele que se demora em beber vinho e busca bebida misturada labora contra si mesmo, cava sua própria cova e pavimenta o caminho de sua própria destruição. O alcoólatra não apenas atenta contra a própria vida, mas também transtorna a própria família. Torna-se motivo de opróbrio para o cônjuge e vergonha para os filhos. Cuidado com a bebida alcoólica! Cuidado com a embriaguez!

A sedução do vinho – *Não olhes para o vinho, quando se mostra vermelho, quando resplandece no copo e se escoa suavemente. Pois ao cabo morderá como a cobra e picará como o basilisco* (Pv 23.31,32). O vinho é uma bebida apreciada no mundo inteiro desde os tempos mais remotos. Jesus transformou água em vinho numa festa de casamento, inaugurando seus milagres. O vinho era o símbolo da alegria e um importante alimento. Era usado como remédio e não faltava à mesa das pessoas ricas ou pobres. O vinho, porém, tem seus perigos e ameaças. Tem um forte poder de sedução. Tem cheiro e sabor. Resplandece no copo e escoa suavemente. Aqueles que desprezam seu poder e perdem a sobriedade são picados por uma víbora venenosa. A cobra é um animal sutil. Não rosna como um cão bravo nem urra como um leão esfaimado. A cobra espreita. Arma o bote e ataca repentina e implacavelmente. Seu bote é certeiro. Sua mordida é venenosa. Sua picada é mortal. Ninguém se inicia na bebida como um ébrio. Alguns, porém, flertam com a bebida e ficam presos em seus laços. Em vez de terem domínio próprio, são dominados pelo vinho. Tornam-se dependentes e adictos. Não conseguem beber com equilíbrio. Não sabem beber com moderação. São escravos da bebida. São dominados pela sedução do álcool. O resultado dessa escravidão é a dor, o sofrimento e a morte. A mordida dessa cobra e a picada desse basilisco pode ser fatal. Fuja do álcool enquanto é tempo!

Os efeitos desastrosos do vinho – *Os teus olhos verão coisas esquisitas, e o teu coração falará perversidades* (Pv 23.33). O vinho em excesso provoca alucinação. O álcool tem o poder de tirar a sobriedade. A embriaguez rouba o cérebro de uma pessoa, embaralha sua visão, entorpece seu entendimento e diminui seus reflexos. Um bêbado vê coisas esquisitas e fala coisas perversas. Seus olhos e sua boca são arrebatados pela loucura. Seus sentidos são alterados. Entre os muitos efeitos do álcool, os versículos em apreço destacam particularmente dois. O primeiro deles é que uma pessoa bêbada não consegue ver as coisas como elas são. Sua avaliação da realidade é completamente alterada. Sua percepção das coisas é embotada. Seu discernimento fica manco. Seus reflexos ficam lentos. Sua análise dos fatos se torna completamente deficiente. Um ébrio tem olhos, mas não vê com clareza. Ele vê, mas não enxerga com lucidez. As imagens ficam distorcidas diante dos seus olhos. Em vez de ver as coisas como elas são, ele vê coisas esquisitas. O segundo efeito do álcool é que o coração do ébrio fala coisas perversas. Uma pessoa bêbada desanda a falar impropérios e blasfêmias. Sua boca é uma enxurrada de sujidades. Seus lábios proferem indignidades que afrontam Deus, desonram o próximo e envergonham a família. O álcool não é prejudicial apenas à saúde; é também letal ao bom nome, nocivo à honra e desastroso à família e à sociedade.

O fundo do poço do ébrio – *Serás como o que se deita no meio do mar e como o que se deita no alto do mastro e dirás: Espancaram-me, e não me doeu; bateram-me, e não o senti; quando despertarei? Então, tornarei a beber* (Pv 23.34,35). O beberrão começa sua triste jornada olhando para o copo, é atraído pelo brilho do vinho e pela sedução de seu cheiro, e termina sua inglória caminhada sendo jogado de um lado para o outro, ao sabor das ondas revoltas do mar da vida. Deitar-se no meio do mar é viver como um náufrago, sem chão, sem terra para pisar, sem casa para voltar. Deitar-se no alto do mastro aponta para uma solidão avassaladora, um isolamento cruel, um autobanimento amargo. Quando esse indivíduo se levanta da tormenta e da solidão, seu corpo está cheio de hematomas e feridas. Foi espancado, mas nem sabe quem o agrediu. Tornou-se um saco de pancada. Perdeu sua capacidade de autodefesa. Atrofiou seu poder de reação à vergonha e à dor. Cair de porta em porta, perambular de boteco em boteco, chegar em casa com cheiro de álcool, ferido no corpo e na alma, isso tudo nem mais lhe provoca dor. Ele foi surrado e voltará a sê-lo, porque já perdeu a vergonha, o pudor e a sensibilidade. Quando ele despertar do torpor do álcool, sabe o que fará? Voltará a beber! É um adicto. É um dependente! É um escravo do vício! Foi picado pela cobra venenosa do álcool. A menos que seja liberto pela força divina, não conseguirá livrar-se por si mesmo dessa masmorra cruel.

Capítulo 24

A sabedoria ensina como se relacionar com o ímpio, o tolo, com o próximo e adverte quanto à preguiça
(Pv 24.1-34)

NÃO INVEJE OS MAUS – *Não tenhas inveja dos homens malignos, nem queiras estar com eles, porque o seu coração maquina violência, e os seus lábios falam para o mal* (Pv 24.1,2). Invejar os malignos e andar com eles é uma séria ameaça à vida. A inveja é o desejo de ser o que o outro é, de possuir o que o outro tem. A inveja é o descontentamento com o que se tem e o desejo ardente pelo que se não tem. Invejar as pessoas erradas e andar com elas, portanto, é um duplo pecado, pois, se a inveja em si já é nociva, invejar o maligno é ainda mais grave. A inveja é um sentimento subjetivo, mas andar com os maus é uma atitude objetiva. É dar mais um passo rumo ao desastre. É caminhar deliberadamente na direção do fracasso. Os malignos maquinam a violência, e seus lábios falam o mal. Os maus têm as mãos e os lábios a serviço da maldade. Vivem para espalhar aquilo que ofende Deus e destrói o próximo. Invejar essas pessoas é matricular-se na escola da violência, é enveredar-se pelo caminho sinuoso da perversidade, é doutorar-se no mais perverso estilo de vida. Em vez de desejar imitar os malignos, devemos imitar aqueles que praticam o bem; em vez de andar com os maus, devemos andar com pessoas que nos inspiram à prática do bem; em vez de dar às mãos àqueles que fazem e falam coisas perversas, devemos ser parceiros de caminhada daqueles cujas mãos praticam o bem e cujos lábios proferem palavras edificadoras.

Edifique sua casa com sabedoria – *Com sabedoria edifica-se a casa, e com a inteligência ela se firma; pelo conhecimento se encherão as câmaras de toda sorte de bens, preciosos e deleitáveis* (Pv 24.3,4). Só há duas maneiras de edificar uma casa ou estabelecer uma família. Uns constroem sua casa sobre a areia e outros sobre a rocha. A casa construída sobre a areia não suporta as tempestades da vida, mas a edificada sobre a rocha enfrenta os vendavais e permanece de pé. Nossa família precisa ser edificada com sabedoria e firmada com inteligência. Os tolos edificam sobre um fundamento roto; os sábios constroem sobre sólido fundamento. A rocha sobre a qual nossa casa precisa ser edificada é Cristo. Se o Senhor não edificar a casa, em vão trabalham os que a edificam. A maior necessidade da nossa família não é de coisas; é de Deus. Não é de luxo; é da graça de Deus. Não é de presentes; é da presença de Deus. Quando edificamos nossa casa com sabedoria, temos rica provisão. Nossos celeiros se tornam cheios e nossas câmaras, repletas de bens deleitáveis. Que bens são esses? Não apenas bens materiais, mas, sobretudo, bens que o dinheiro não pode comprar, como o amor, a alegria, a paz, a benignidade, a bondade, a longanimidade, a mansidão e o domínio próprio, o fruto do Espírito. Como você está edificando sua casa? Como um prudente construtor? Jesus é o fundamento e o edificador de sua família? Hoje é tempo de você edificar sua casa com sabedoria!

A sabedoria é poderosa – *Mais poder tem o sábio do que o forte, e o homem de conhecimento, mais do que o robusto* (Pv 24.5). A sabedoria é mais forte do que a força mais robusta. Força sem sabedoria é poder que destrói, é arma que mata, é máquina de devastação. O que são as guerras insanas e sangrentas, a não ser uma demonstração de poder e de força sem a assistência da sabedoria? Como explicar as invasões injustas, os massacres desumanos e a ganância insaciável dos impérios truculentos que invadiram cidades e subjugaram pessoas, arrastando-as como se animais fossem, numa esmagadora demonstração de poder e numa completa ausência de sabedoria? Na escala de valores do reino de Deus, o sábio é mais forte do que o poderoso, e aquele que detém o conhecimento é mais destacado do que aquele que demonstra força física. A maior força do mundo não é a bomba atômica nem a bomba de hidrogênio, mas a bomba das ideias. As ideias governam o mundo. O sábio, mesmo sem força física e sem poder bélico, tem mais influência do que a força dos exércitos e o poder das armas. Quando o forte assume o trono descalço da sabedoria, faz do seu governo um reino de opressão. Mas, quando a sabedoria governa, estabelece em seu reino a justiça e a paz.

Mais poder tem o sábio do que o forte. O conhecimento vale mais do que a robustez dos músculos e o poder das armas.

A importância dos bons conselhos – *Com medidas de prudência farás a guerra; na multidão de conselheiros está a vitória* (Pv 24.6). Há um adágio popular que diz: "Quem não trabalha mediante planejamento planeja fracassar". Ninguém começa a construir uma torre sem antes calcular o custo, e ninguém vai à guerra sem antes calcular suas estratégias, seus alvos e seus riscos. Salomão, como rei e como filho de um guerreiro estrategista e vitorioso, sabia que entrar numa guerra sem planejamento e sem medidas de prudência é como entrar numa missão suicida para expor seus recursos ao colapso e seus soldados à morte. Precisamos de conselheiros sábios e de conselhos prudentes para alcançar vitória em todos os empreendimentos da vida. A sabedoria está na multidão de conselhos, e a vitória se encontra na multidão de conselheiros. O que fazemos é determinado por aquilo que pensamos. Nossos pensamentos dirigem nossas ações. Nossos valores regem nossas atitudes. Somos aquilo que pensamos. Assim como uma pessoa pensa no seu coração, assim ela é. Não podemos caminhar vitoriosamente se nossos mentores são insensatos. Não podemos alcançar a vitória se nos matriculamos na escola da imprudência. Precisamos ser ensinados por sábios. Precisamos ser regidos por princípios elevados. Precisamos ser conduzidos pelos preceitos da Palavra de Deus. Precisamos ter luz na mente e devoção no coração!

O desamparo do insensato no juízo – *A sabedoria é alta demais para o insensato; no juízo, a sua boca não terá palavra*

(Pv 24.7). O insensato é, não raro, um indivíduo loquaz, falante e irreverente. Sua boca está cheia de impropérios. Suas palavras transbordam de arrogância. O insensato exalta a si mesmo. Arrota uma soberba autoglorificante. Diminui os outros para promover-se. Julga-se melhor do que os outros. Acha-se superior a todos. Proclama ter um conhecimento mais profundo que os demais. O insensato faz propaganda de si próprio, mesmo escorado no bordão frágil de sua estultícia. Seu compromisso não é com a verdade. Seus valores não estão adornados pela honra. Sua vida não é regida pela sabedoria. Esta é alta demais para ele. Ele prefere uma ética subterrânea. Faz opção por um comportamento iníquo e pautado pela desonestidade. Julga-se mais esperto que os outros. Corre atrás do lucro fácil. É governado pela filosofia de que os fins justificam os meios. Capitula às propostas indecorosas da corrupção. Acumula bens oriundos da ilicitude. Prefere o lucro desonesto ao trabalho e aprecia mais a loucura das vantagens imediatas do que a sabedoria. As vantagens do insensato, porém, serão pura perda quando este for chamado a juízo. Nesse dia suas máscaras cairão, e que o ele fez à sorrelfa, nos bastidores, será proclamado dos eirados. O que ele roubou às escondidas será denunciado em público. Suas palavras arrogantes se converterão em silêncio sepulcral.

Mestre de intrigas – *Ao que cuida em fazer o mal, mestre de intrigas lhe chamarão* (Pv 24.8). O pecado que Deus mais abomina é o pecado da intriga, ou seja, jogar uma pessoa contra a outra. Se os pacificadores são chamados de filhos de Deus, os mestres de intrigas podem ser chamados de filhos do diabo, pois este é o acusador-chefe e o patrono dos encrenqueiros. Um mestre de intrigas tem um coração maligno e faz de sua vida uma luta sem trégua para praticar o mal. Toda a intenção do seu coração é má. Ele investe toda a sua energia em conceber o mal e espalhá-lo. Como um mestre de intrigas, alimenta-se de confusão. Tem prazer na desavença. É um promotor de contendas. Seus pensamentos são perversos. Suas palavras são venenosas. Suas ações são o combustível para jogar uma pessoa contra a outra. O mestre de intrigas é um ser em conflito. É uma guerra civil ambulante. É um detonador de explosivos. Aonde ele chega, a paz se despede. Onde ele está, a harmonia arruma as malas e vai embora. Sua presença atrai desgraça. Suas palavras semeiam contendas. Suas obras são motivadas pela maldade.

Os desígnios do insensato – *Os desígnios do insensato são pecado, e o escarnecedor é abominável aos homens* (Pv 24.9). Uma árvore má não pode dar bons frutos. O insensato não pode ter bons desígnios no coração. Os desejos e propósitos daqueles que vivem ao arrepio da lei de Deus e andam na contramão de sua vontade são pecado. Como uma fonte de água salobra não pode jorrar água doce, como um espinheiro não pode produzir figos e como de uma boca suja não podem sair palavras santas, da mesma forma o insensato não pode ser puro em seus desígnios nem santo em suas obras. Como uma pessoa pensa, assim ela é. É de seu coração corrupto que procedem todos os maus desígnios. É de seu interior que jorram enxurradas de sujidades. Não é o meio que corrompe o ser humano; o meio é corrompido por ele. O mal não vem de fora, mas de dentro. Não procede das estruturas, mas do coração. Os desígnios do insensato são pecado. Aqueles que dão curso ao pecado, que concebem a iniquidade e que zombam da virtude tornam-se abomináveis não apenas aos olhos de

Deus, mas também aos olhos de seu semelhante. O pecado não enaltece o ser humano, mas depõe contra ele. E o pecado também não exalta o ser humano, mas o degrada.

Quando sua força é pequena – *Se te mostras fraco no dia da angústia, a tua força é pequena* (Pv 24.10). A vida não é indolor. Ninguém consegue passar incólume por ela. Nossa estrada rumo à glória não é um caminho reto e atapetado, mas uma vereda estreita e cheia de perigos. Não vivemos em uma estufa espiritual. Não estamos blindados. Caminhamos por desertos tórridos, cruzamos vales escuros e enfrentamos terríveis borrascas. Não poucas vezes somos fuzilados por ventos contrários, e torrentes de dor desabam sobre a nossa cabeça. É uma enfermidade implacável. É uma perseguição amarga. É um luto doloroso. A angústia atinge todos, pobres e ricos, doutores e analfabetos, jovens e velhos. O dia da angústia é inevitável. Ele chega trazendo em suas asas o látego da dor. O que fazer nesse dia? Ser derrotado pela angústia? Naufragar nesse mar encapelado? Cerrar os punhos e insurgir-se contra Deus? Perder a esperança e lançar-se no abismo sem fundo do suicídio? Não, mil vezes não! Aqueles que, no dia da angústia, perdem as forças, a fé e a esperança revelam uma grande fraqueza. Mesmo que nossa estrutura seja pó e não consigamos ficar de pé escorados no bordão da autoconfiança, podemos olhar para cima, para Deus, e saber que dele vem o nosso socorro. Ele faz forte ao cansado. Ele enxuga nossas lágrimas. Ele alivia nossa dor e nos consola no dia da angústia.

Missão resgate – *Livra os que estão sendo levados para a morte e salva os que cambaleiam indo para serem mortos* (Pv 24.11). Há um ditado popular que diz: "Política, religião e futebol não se discutem". O pensamento é este: Cada um tem sua preferência religiosa. Toda religião é boa. Todos os caminhos levam a Deus. Esse ditado, porém, está muito longe da verdade. A verdade dos fatos é que todos pecaram e destituídos estão da glória de Deus. Não há nenhum justo. O ser humano sem Deus está perdido. Está perdido e caminha para a destruição. Seu conhecimento, sua cultura familiar, sua tradição religiosa, suas obras de caridade, seus esforços pessoais não podem livrar sua alma da morte. O evangelho de Cristo é a única mensagem que pode levar esperança ao pecador. Jesus Cristo, o Filho de Deus, é o único nome dado entre os homens pelo qual importa que sejamos salvos. Ele é o único mediador entre Deus e os seres humanos, a única porta do céu e o único caminho para Deus. Portanto, não há nenhuma atitude mais caridosa do que livrar os que estão sendo levados para a morte e salvar os que cambaleiam para serem mortos. Como fazemos isso? Proclamando o evangelho! O evangelho é o poder de Deus para a salvação de todo aquele que crê e só daquele que crê. A fé vem pelo ouvir a palavra de Cristo. Portanto, anunciar o evangelho é a maior missão resgate do mundo!

Cuidado com a mentira – *Se disseres: Não o soubemos, não o perceberá aquele que pesa os corações? Não o saberá aquele que atenta para a tua alma? E não pagará ele ao homem segundo as suas obras?* (Pv 24.12). A mentira tem uma procedência. Procede do maligno. O diabo é o pai da mentira. Mentir é tanto falsear a verdade como ocultá-la. A mentira pode ser tanto ativa como passiva. A mentira ativa é aquela em que a pessoa faz uma afirmação contrária à verdade. A mentira passiva é aquela em que a pessoa interrogada nega ou omite os fatos que conhece. Sonegar a verdade é uma mentira.

Encobrir o erro é uma mentira. Ser parceiro do criminoso e protegê-lo é uma mentira. A conivência com a mentira é uma mentira. Aqueles que agem assim podem até escapar do juízo humano, mas não escaparão do escrutínio daquele que a todos sonda e tudo vê. Nada pode ficar escondido aos olhos de Deus. Nada fica oculto diante daquele que é onisciente. A mentira tem pernas curtas. Ela não pode ir muito longe sem ser descoberta. A mentira contada às ocultas hoje será um escândalo público amanhã. Deus não deixa impune o mentiroso. Ele sofrerá o dano da quebra do novo mandamento: *Não dirás falso testemunho* (Êx 20.16).

A sabedoria é doce para a alma — *Filho meu, saboreia o mel, porque é saudável, e o favo, porque é doce ao paladar. Então, sabe que assim é a sabedoria para a tua alma; se a achares, haverá bom futuro, e não será frustrada a tua esperança* (Pv 24.13,14). Há quatro verdades sobre a sabedoria que quero destacar no texto em apreço. Primeiro, a sabedoria tem sabor: ela é doce ao paladar como o mel. Segundo, a sabedoria tem ricos nutrientes para a alma: ela é saudável. Terceiro, a sabedoria produz bons frutos: para aquele que a encontra, haverá bom futuro. Quarto, a sabedoria jamais decepciona: a esperança do sábio jamais será frustrada. A sabedoria cai bem em qualquer lugar, em qualquer circunstância. É agradável ao paladar. É doce como o mel. O sábio é aquele que se deleita na sabedoria como um faminto desfruta gostosamente um favo de mel. A sabedoria não só é agradável ao paladar, mas também faz bem à alma. Ela é saudável. Tonifica os músculos da alma. Fortalece as fibras das emoções. Enche o coração de doçura e santo prazer. Os frutos da sabedoria são todos bons. Quem encontra a sabedoria marcha rumo a um futuro de bem-aventurança. Os sábios andam na luz e não tropeçam. Os sábios não seguem o caminho largo da perdição nem descem aos espaços lôbregos e escuros do pecado e da sedução. A esperança dos sábios não é uma quimera e uma utopia insana, mas uma realidade inabalável. O sábio caminha com segurança neste mundo e depois é recebido na glória!

O justo pode até cair, mas ele certamente se levantará
– *Não te ponha de emboscada, ó perverso, contra a habitação do justo, nem assoles o lugar do seu repouso, porque sete vezes cairá o justo e se levantará; mas os perversos são derribados pela calamidade* (Pv 24.15,16). Mexer com o justo é uma má ideia. Armar emboscada contra a habitação do justo é entrar numa empreitada inglória. O justo pode até sofrer reveses na vida e vir ao chão, mas ele não ficará prostrado. Ele pode até cair, mas Deus o levantará. Deus o arranca do pó, o tira do monturo e o faz assentar-se entre príncipes. Deus defende a causa do justo, cobre-o com seu manto de justiça e protege-o com o seu escudo. O justo está agasalhado nos braços de Deus e assentado com Cristo nas regiões celestes. O justo pode até ser fustigado pela fúria do perverso. O perverso pode até fazer mal ao justo. O perverso pode até ganhar um *round* na luta contra o justo, mas perderá a batalha final. Isso porque o justo tem o Deus Todo-poderoso como o seu auxílio e defensor. O socorro do justo não vem do braço da carne, mas do braço onipotente de Deus. O auxílio do justo não vem da terra, mas do céu. Enquanto o justo cai e se levanta até sete vezes, os perversos serão derrubados irremediavelmente pela calamidade. Aquele que arma cilada contra o justo cai na sua própria armadilha. A tempestade que ele arma contra o justo cai sobre sua própria cabeça. Mas o justo, mesmo

caindo, se levanta e prossegue sua jornada sobranceira e vitoriosa até entrar na glória.

Não se alegre com a queda de seu inimigo – *Quando cair o teu inimigo, não te alegres, e não se regozije o teu coração quando ele tropeçar; para que o* SENHOR *não veja isso, e lhe desagrade, e desvie dele a sua ira* (Pv 24.17,18). A Palavra de Deus ensina a nos alegrarmos com os que se alegram e a chorar com os que choram. Alegrar-se com a desgraça do próximo e entristecer-se por sua vitória é um sentimento reprovável e indigno de uma pessoa de bem, sobretudo de uma pessoa que conhece Deus. Mesmo que a pessoa caída seja um inimigo declarado, não devemos nos alegrar com sua queda. Tal atitude desagrada frontalmente a Deus. Um exemplo clássico dessa vergonhosa atitude é visto no povo de Edom, conforme registrado no livro de Obadias, um dos profetas de Deus no período do cativeiro babilônico. Quando Nabucodonosor estava atacando impiedosamente Jerusalém, arrasando-a até os fundamentos, eles se alegraram e gritaram: Bem feito, bem feito! Ainda invocaram toda sorte de desgraça sobre a cidade de Jerusalém, encorajando os caldeus a arrasarem a cidade até os fundamentos. Ficaram nas encruzilhadas para espreitarem e matarem aqueles que tentavam escapar do cerco babilônico. Essa crueldade dos edomitas acendeu a ira de Deus contra eles, e em breve a cidade foi irremediavelmente destruída. Alegrar-se com a ruína dos inimigos provoca não apenas a hostilidade humana, mas também, e sobretudo, a ira divina.

Não tenha inveja do malfeitor – *Não te aflijas por causa dos malfeitores, nem tenhas inveja dos perversos, porque o maligno não terá bom futuro, e a lâmpada dos perversos* *se apagará* (Pv 24.19,20). Ter inveja de alguém é desejar ser como essa pessoa, estar no seu lugar e cobiçar o que ela tem. A inveja é um subproduto do complexo de inferioridade. O invejoso é um indivíduo mal resolvido. Tem uma autoestima achatada. É mal-agradecido. Em vez de alegrar-se com o que tem, entristece-se pelo que não tem. O invejoso desvaloriza-se por valorizar excessivamente a pessoa a quem inveja. As Escrituras exortam a não nos afligirmos por causa dos malfeitores e a não termos inveja dos malfeitores. Eles, não raro, vivem desregradamente e prosperam. Eles desandam a boca para proferir blasfêmias e escapam. Porém, o futuro do maligno é ruim. Ele caminha para o desastre. Será quebrado repentinamente sem que haja cura. Quando ele tiver de acertar as contas com Deus, ficará completamente desamparado. Sua lâmpada se apagará, e ele acabará imerso em profunda escuridão. Asafe, no Salmo 73, registra o momento em que sentiu inveja do ímpio. Quase resvalou os pés. Por um momento, pensou que o ímpio estava em vantagem. Até que entrou no santuário de Deus e atinou com o fim dele. O ímpio só tem dinheiro, mas não tem Deus. Asafe compreendeu, então, que, apesar de ser provado agora, ele tem Deus como seu refúgio presente e sua recompensa eterna!

Não se associe com os revoltosos – *Teme ao SENHOR, filho meu, e ao rei e não te associes com os revoltosos. Porque de repente se levantará a sua perdição, e a ruína que virá daqueles dois, quem a conhecerá?* (Pv 24.21,22). Somos cidadãos de dois reinos. Em Cristo, somos cidadãos dos céus e assentamo-nos com ele nas regiões celestiais. Mas também somos cidadãos deste mundo e aqui temos deveres e responsabilidades. Devemos fidelidade a Deus e aos governantes. Devemos dar a Deus o que é de Deus e a César o que é de César. Nossa submissão às autoridades constituídas deve ser uma evidência da nossa submissão a Deus. Isso não significa ser conivente com o erro dos governantes. Elogiar governantes corruptos e associar-se aos revoltosos são atitudes reprováveis. Opor-se ao governo de forma gratuita, ostensiva e hostil é resistir à autoridade do próprio Deus. Toda autoridade é constituída por Deus e configura-se, portanto, como diácono de Deus, tanto para promover o bem quanto para coibir o mal. Tentar desestabilizar os governantes legitimamente constituídos, que agem para o bem do povo e punem exemplarmente os maus, é o mesmo que se colocar debaixo tanto do juízo divino como do julgamento humano. O cristão não é um revoltoso, mas um pacificador. Longe de agir contra os poderes constituídos, intercede a Deus por eles. Longe de associar-se aos revoltosos, cumpre com seus deveres, pagando seus tributos ao rei e honrando aqueles a quem Deus honra.

A parcialidade no julgar é erro grave – *São também estes provérbios dos sábios. Parcialidade no julgar não é bom. O que disser ao perverso: Tu és justo; pelo povo será maldito e detestado entre as nações. Mas os que o repreenderem se acharão bem, e sobre eles virão grandes bênçãos* (Pv 24.23-25). A parcialidade no julgamento deve estar fora dos tribunais e também ausente do nosso coração. A parcialidade no julgamento significa ter dois pesos e duas medidas. É favorecer a um e prejudicar o outro. É torcer os fatos e manipular as leis. É interferir no processo para que a verdade seja amordaçada e a justiça não prevaleça. A parcialidade no julgar é uma ação perversa, pois inocenta o culpado e culpa o inocente.

O fato de sermos cidadãos fiéis aos governantes não nos obriga a referendar suas ações quando estas são injustas ou carregadas de opressão. Os bajuladores hipócritas, que tentam agradar os poderosos perversos chamando-os de justos, cairão no desprezo do povo e serão detestados pelas nações. A injustiça precisa ser denunciada no palácio e na choupana, na indústria e no comércio, na família e na igreja. Em vez de enaltecer os injustos, devemos repreendê-los. Em vez de aplaudi-los, devemos corrigi-los. Em vez de cobri-los de encômios e elogios, devemos confrontá-los. Aqueles que assim procedem acham o bem, e sobre eles virão grandes bênçãos. Nós precisamos ter fome e sede de justiça. A justiça precisa subir aos tronos e aos tribunais. Somente assim, teremos uma sociedade ordeira, justa e próspera!

A resposta certa, que delícia! – *Como beijo nos lábios, é a reposta com palavras retas* (Pv 24.26). O beijo é um gesto de afeto. É uma demonstração de amor sincero. É a expressão mais eloquente de carinho que podemos demonstrar a uma pessoa. Os cristãos primitivos saudavam uns aos outros com ósculo santo. Ainda hoje, em nossa cultura, cumprimentamos as pessoas mais achegadas com um beijo na face. Porém, Salomão se refere aqui a outro tipo de beijo. O beijo entre um homem e uma mulher que, comprometidos fielmente um ao outro, demonstram seu cálido afeto com um beijo nos lábios. Esse beijo só deve ser dado à pessoa com quem se firmou uma aliança. É o beijo do amor que se entrega. É o sinal do compromisso indisputável. Esse beijo é terno, doce e restaurador. Assim como esse beijo demonstra amor e compromisso, revelando que, entre essas duas pessoas que se amam, está tudo certo no relacionamento, a resposta com palavras retas tem a mesma profundidade, lealdade e amor. O que são essas palavras retas? São a verdade em amor! Falar a verdade sem amor machuca. Amar sem falar a verdade engana. A verdade sem amor esmaga; o amor sem a verdade adula. A verdade sem amor humilha; o amor sem a verdade escamoteia. Que nossas palavras sejam verdadeiras, boas, oportunas e agradáveis como um beijo nos lábios! Que nossas respostas sejam tão retas que promovam um êxtase de prazer como um beijo nos lábios!

As primeiras coisas primeiro – *Cuida dos teus negócios lá fora, apronta a lavoura no campo e depois edifica a tua casa* (Pv 24.27). O versículo em apreço nos ensina uma das mais importantes lições da vida. Não podemos colocar o nosso chapéu num lugar onde nossa mão não o alcança. Não é sensato fazer uma propaganda demasiado otimista do nosso sucesso, sem termos lastro para isso. Não adianta construir uma mansão para ostentarmos nossa riqueza se estamos endividados na praça. De nada vale andar de carrão importado se nem sequer estamos pagando nossas contas em dia. Não faz sentido estufar o peito como um pavão se não estamos cumprindo com os nossos deveres mais elementares. Nossa reputação é do tamanho da nossa vida. Se não cuidarmos dos nossos negócios fora de casa, perderemos a credibilidade dentro de casa. Se não conseguirmos andar de cabeça erguida na rua, não conseguiremos olhar nos olhos do nosso cônjuge e dos nossos filhos dentro de casa. Precisamos buscar as primeiras coisas primeiro. Antes de usufruir e ostentar alguma fortuna em casa, precisamos primeiro saldar nossos compromissos fora de casa. É melhor ser um pobre honrado do que um rico desonesto. É melhor comer um prato de hortaliças com a consciência em paz do que dar festa de rei sem ser rei. O princípio é claro: busque as primeiras coisas primeiro.

A testemunha sem causa – *Não sejas testemunha sem causa contra o teu próximo, nem o enganes com os teus lábios* (Pv 24.28). O falso testemunho é a quebra do novo mandamento da lei de Deus. Aqueles que praticam essa transgressão são infratores da lei, e aqueles que desobedecem à lei estão na autopista da morte. O engano dos lábios é a mentira deslavada com toda a sua sordidez. Esses dois pecados traduzem a falsidade nos relacionamentos e apontam para uma quebra de confiança. Por que alguém testemunharia sem causa contra seu próximo? Para ganhar alguma vantagem por parte do acusador? Para oprimir o próximo, a fim de prevalecer sobre ele em outra circunstância? Para falsear a verdade e torcer a justiça? Sejam quais forem as motivações do falso testemunho, são todas perversas e malignas. Por que alguém enganaria o próximo com seus lábios? Para dar vazão à deformidade de seu caráter? Para ludibriar o próximo e conseguir com isso alguma vantagem imediata? Para prevalecer sobre ele em algum negócio ou transação e, com isso, auferir algum lucro? Sejam quais forem as motivações, igualmente, são todas reprováveis e indignas. Nossos relacionamentos devem ser pautados pela verdade e regidos pela justiça. Nossas palavras e ações devem visar a glória de Deus, o amor ao próximo e a promoção do bem.

Cuidado com a vingança – *Não digas: Como ele me fez a mim, assim lhe farei a ele; pagarei a cada um segundo a sua obra* (Pv 24.29). Há quatro atitudes que as pessoas adotam em seus relacionamentos interpessoais. Há aqueles que retribuem o bem com o mal; isso é crueldade. Há aqueles que retribuem o bem com o bem; isso é troca de favores. Uns retribuem o mal com o mal; isso é vingança. No entanto, há aqueles que retribuem o mal com o bem; isso é graça. O texto em tela adverte sobre a inconveniência de retribuir o mal com o mal. Alerta sobre o perigo da vingança. A retaliação é uma postura mesquinha e desastrosa, pois, longe de estancar a dor que açoita a alma de quem foi injustiçado, abre ainda mais a ferida. Esta também é uma atitude inapropriada, pois é usurpar uma competência exclusiva de Deus. A vingança pertence a Deus. Só ele sabe como e quando retribuir a cada um segundo suas obras. Tomar a vingança em nossas mãos é uma espécie de apropriação indébita. É afrontar Deus e querer ocupar seu lugar. A vingança não apenas nos coloca contra o próximo, a quem devemos amar, mas também nos coloca contra Deus, a quem devemos honrar e obedecer. Por isso, o sábio é peremptório em sua ordem: *Não digas: Como ele me fez a mim, assim lhe farei a ele; pagarei a cada um segundo a sua obra.*

A ruína do preguiçoso — *Passei pelo campo do preguiçoso e junto à vinha do homem falto de entendimento; eis que tudo estava cheio de espinhos, a sua superfície, coberta de urtigas, e o seu muro de pedra, em ruínas* (Pv 24.30,31). O preguiçoso, em geral, se tem alguma coisa, é porque recebeu por herança. Não trabalhou para adquirir o que tem. Mas, mesmo aquilo que lhe caiu no colo, sem nenhum esforço, é destruído por sua preguiça. O preguiçoso e o falto de entendimento são parceiros. Ambos vivem só para desfrutar as coisas do aqui e agora. Não fazem investimento para o futuro. Não adestram suas mãos para o trabalho. Tanto o campo do preguiçoso quanto a vinha da pessoa tola estão tomados de espinho. Toda a extensão de sua terra está coberta de urtigas e ervas daninhas. Seu muro de pedra que devia proteger a lavoura da invasão de animais está em ruínas. O preguiçoso e o tolo, em vez de investirem para ter mais no futuro, perdem até o que têm. O trabalho é para eles uma ameaça, e não um compromisso. Fogem de qualquer responsabilidade, porque só pensam em usufruir, e nunca em trabalhar. Seu lema é descansar, e jamais trabalhar. Seu campo é tomado de cardos, espinhos e abrolhos, e sua lavoura não consegue produzir, porque, enquanto seus vizinhos estão suando a camisa no esforço laboral, eles estão dormindo à luz do dia, dedicando todo o tempo a um descanso absolutamente ocioso. O fim da linha do preguiçoso e do tolo, porém, são a pobreza irremediável e o vexame público!

As desculpas do preguiçoso – *Tendo-o visto, considerei; vi e recebi a instrução. Um pouco para dormir, um pouco para toscanejar, um pouco para encruzar os braços em repouso, assim sobrevirá a tua pobreza como um ladrão, e a tua necessidade, como um homem armado* (Pv 24.32-34). O preguiçoso é incorrigível em sua preguiça, mas ele deve nos ensinar a evitar com toda a pressa seu estilo de vida errático e sua conduta vergonhosa. O preguiçoso planeja cuidadosamente seu descanso. Divide bem seu tempo, e nessa agenda não sobra nenhum espaço para o trabalho. Todo o tempo é usado para dormir, toscanejar e encruzar os braços em repouso. O preguiçoso vive cansado. Ele vê no esforço laboral uma ameaça à sua integridade física. Consegue enxergar até mesmo animais predadores em seu caminho, caso resolva romper seu sagrado descanso. Com a mesma rapidez com que o preguiçoso planeja seu descanso, a pobreza o visitará. A pobreza virá sobre ele repentina e inesperadamente, tal qual a chegada de um ladrão. Ele será emparedado pela necessidade, como alguém que é encurralado por um homem armado e não consegue fugir da mira de suas armas. Oh, que triste destino tem o preguiçoso! Enquanto ele tiver um mísero centavo no bolso, desfrutará sem remorso desse recurso. Quando tudo, porém, acabar, seu desamparo será radical e sua necessidade será irremediável. Fugir do trabalho e tornar-se especialista em desculpas é um atalho perigoso. Feliz é aquele que come do fruto do seu trabalho. Esse é bem-aventurado com toda a sua casa.

Capítulo 25

A sabedoria ensina rei e súditos a temer a Deus e à justiça
(Pv 25.1-28)

A GLÓRIA DE DEUS E A GLÓRIA DOS REIS – *São também estes provérbios de Salomão, os quais transcreveram os homens de Ezequias, rei de Judá. A glória de Deus é encobrir as coisas, mas a glória dos reis é esquadrinhá-las* (Pv 25.1,2). Nossa reflexão ainda expõe os provérbios de Salomão. Aqui, esse sábio rei destaca duas verdades profundas e estonteantes. A primeira delas é que a glória de Deus é encobrir as coisas. Deus não pode ser plenamente perscrutado em seu ser nem em suas obras. Ele é sempre maior do que podemos compreender. Suas obras são sempre maiores do que nossa mente pode alcançar. Quem pode compreender aquele que é autoexistente, imenso, infinito, eterno, imutável, onisciente, onipotente, onipresente e transcendente? Quem pode discernir todos os segredos de sua vasta criação? Quem pode penetrar e compreender todos os seus conselhos eternos? Quem pode explicar todos os mistérios da Trindade, da encarnação do Verbo, bem como de sua morte e ressurreição? Deus jamais seria quem é se pudéssemos compreender plenamente tudo a seu respeito. A criatura não pode ser maior nem igual ao criador. A segunda verdade é que a glória dos reis é esquadrinhar essas coisas insondáveis. Sempre que uma lei da natureza é descoberta, um mistério da ciência é decifrado e o universo colossal é compreendido, ficamos extasiados, ainda que em parte, com essas coisas. Essa é a glória dos reis e dos cientistas, a glória de ajudar as pessoas a entenderem um pouco melhor o Criador, mediante a compreensão de suas obras portentosas.

O coração insondável humano – *Como a altura dos céus e a profundeza da terra, assim o coração dos reis é insondável* (Pv 25.3). Salomão escreve do alto de sua sabedoria, na perspectiva de um rei, pois é rei de Israel e o mais sábio deles. Adquiriu grande sabedoria e amealhou riquezas impressionantes. Seu nome tornou-se notório, e sua fama era proverbial. Escreveu provérbios e dominou vastas áreas da ciência. Enquanto temeu a Deus, foi sábio em suas palavras, poderoso em suas obras e justo em suas decisões. Falando a respeito de si mesmo, Salomão disse que o coração dos reis é tão insondável quanto a altura dos céus e tão profundo quanto as camadas abissais da terra. Mas não é assim, também, o coração de todos os seres humanos? Quem pode discernir o seu próprio coração? Quem domina esta terra tantas vezes explorada e ainda tão desconhecida?

Quem pode dizer, em são juízo, que conhece plenamente a si mesmo? Quem pode penetrar nos labirintos do coração e descobrir todos os seus desígnios? Certamente, essa é uma tarefa grande demais, até para o maior dos reis e para o mais perito dos sábios. Somente Deus sonda os corações e conhece o insondável. Somente Deus conhece o que jamais foi trazido à luz do conhecimento humano. O ser humano tem, com desenvoltura invulgar, penetrado em muitas áreas do saber. Vivemos no apogeu do avanço científico. Pesquisamos o espaço sideral e dominamos sofisticada tecnologia. No entanto, ainda não conseguimos esquadrinhar o nosso próprio coração!

A escória precisa ser removida – *Tira da prata a escória, e sairá vaso para o ourives; tira o perverso da presença do rei, e o seu trono se firmará na justiça* (Pv 25.4,5). A contaminação sempre enfraquece e empobrece um produto nobre. A escória misturada com a prata torna esta última um produto sem valor para o ourives. Quanto mais pura for a prata, mais bela, mais nobre, mais útil e mais valorosa ela se tornará para um ourives. Então, será convertida em joia preciosa, em adorno admirado, em tesouro esplêndido. Assim também ocorre na vida política. Quando um governante mantém nos escalões de governo pessoas corruptas, abrigando perversos debaixo de suas asas e deixando-os soltos para assaltarem os cofres públicos, seu trono torna-se uma fortaleza de opressão e um covil de ladrões. O governante não pode roubar nem deixar roubar. Não pode ser complacente com seus subordinados, caso esses sejam corruptores ou se deixem corromper. O governante é um diácono de Deus para servir ao povo, e não para se servir do povo. Seu ministério é promover o bem e coibir o mal; seu propósito é promover a justiça e punir exemplarmente aqueles que, no anonimato dos bastidores, manipulam as leis para se locupletarem. Quando o governante tira o perverso de sua presença e passa a trabalhar com gente capaz e honrada, seu trono se firma na justiça, e seu reino terá prosperidade e paz.

A humildade tem seu lugar – *Não te glories na presença do rei, nem te ponhas no meio dos grandes; porque melhor é que te digam: Sobe para aqui!, do que seres humilhado diante do príncipe* (Pv 25.6,7). A soberba é uma tragédia. A mania de grandeza é uma sedução perigosa; pode colocar o altivo em situação de grande constrangimento. O autoelogio é nocivo. A autopromoção é um escândalo. Fazer propaganda de sua própria importância não combina com um caráter nobre. Gloriar-se na presença do rei pode ser uma atitude ridícula. Colocar-se no meio dos grandes, sem ser grande, pode ser não uma plataforma de honra, mas uma porta aberta para a humilhação. Melhor é ser convidado para estar entre os nobres do que ser retirado de lá. Melhor é assentar-se nos últimos lugares e ser convidado a ir para o lugar de destaque do que estar num lugar de destaque e ser convidado a assentar-se nos últimos lugares. A humildade sempre conhece o seu verdadeiro lugar. Um indivíduo humilde não busca grandes coisas para si mesmo. Não é amante dos holofotes. Não corre atrás de seu próprio reconhecimento. É melhor humilhar-se e ser exaltado do que exaltar-se e ser humilhado. Deus resiste aos soberbos, mas dá graça aos humildes. A soberba é a sala de espera da queda, mas a humildade é o caminho mais seguro para a honra. A soberba traz vergonha e opróbrio, mas a humildade é coroada de prestígio e glória.

Brigar não compensa – *A respeito do que os teus olhos viram, não te apresses a litigar, pois, ao fim, que farás, quando o teu próximo te puser em apuros?* (Pv 25.8). Brigar não compensa. Não importa o resultado final do litígio, todos saem perdendo. É melhor perder uma briga e ganhar um amigo. A Palavra de Deus nos ensina a vencer o mal com o bem, ou seja, se o nosso inimigo estiver faminto e ao nosso alcance, devemos dar a ele de comer; se estiver com sede, devemos dar a ele de beber. Pagar o mal com o bem é melhor do que revidar e pagar o mal com o mal. A recompensa de amar os inimigos vem de Deus, e a alegria de pagar o mal com o bem é maior do que a alegria de vencer os adversários. As pessoas que se apressam em comprar uma briga, que são ágeis para acusar o próximo, que se levantam para fazer pesadas acusações nos tribunais contra seu próximo, poderão, no futuro, tomar seu próprio remédio amargo. As coisas podem se inverter, e o acusador de hoje acabar se tornando o réu de amanhã. Foi isso o que aconteceu com Hamã, o homem que acusou injustamente Mardoqueu (Et 7.10). Hamã tramou a morte de Mardoqueu e mandou construir uma enorme forca para executá-lo publicamente. Suas motivações perversas e sua trama, entretanto, foram descobertas, e ele mesmo acabou sendo executado na forca que havia preparado para o outro.

Não espalhe contendas – *Pleiteia a tua causa diretamente com o teu próximo e não descubras o segredo de outrem; para que não te vitupere aquele que te ouvir, e não se te apegue a tua infâmia* (Pv 25.9,10). Na caminhada da vida, acidentes de percurso acontecem. Os relacionamentos mais próximos podem azedar. Os amigos mais íntimos podem ter alguma desavença. Há momentos em que temos motivos de queixa uns contra os outros e que a reconciliação se torna uma necessidade imperativa. Guardar mágoa não é a saída. Explodir com a pessoa desafeta e jogar estilhaço por todos os lados não é a solução. Como tratar essas questões? A Palavra de Deus nos ensina a procurarmos diretamente a pessoa envolvida para sanarmos o problema. Precisamos pleitear nossa causa diretamente com nosso próximo. Em vez de espalhar boatos e disseminar nossas queixas, devemos resolver nossas pendências sem envolver terceiros. Descobrir o segredo de outrem com o propósito de minar sua honra, desgastar seu nome e nos promover é ao mesmo tempo uma atitude indigna de um indivíduo de honra. Aqueles que assim procedem podem ser envergonhados por aqueles que os escutam. Quem se conduz dessa forma ficará com o rótulo de mexeriqueiro e jamais perderá essa deplorável insígnia. Falar mal dos outros e, sobretudo, espalhar contenda entre irmãos são defeitos graves e pecados abomináveis aos olhos de Deus.

Como é boa uma palavra boa! – *Como maçãs de ouro em salvas de prata, assim é a palavra dita a seu tempo* (Pv 25.11). Maçã é uma fruta bela aos olhos e deliciosa ao paladar. É nutritiva e saudável. E é acessível ao rico e ao pobre. A maçã é uma das frutas mais usadas no cardápio das pessoas no mundo inteiro. Há um ditado inglês que diz: *An apple a day, keeps a doctor away*, ou seja, "Uma maçã por dia mantém o médico longe de você". Salomão compara a palavra dita a seu tempo à maçã de ouro em salvas de prata. O ouro é o mais nobre dos metais, servido na bandeja mais elegante, a bandeja de prata. Isso é o máximo do requinte. É o extremo do bom gosto. É o ponto mais alto da fidalguia de um anfitrião. Assim é a palavra certa, com a motivação certa, dita na hora certa, às pessoas certas. Uma palavra boa deve ser verdadeira, oportuna e edificante. Essa palavra abre portas, em vez de fechá-las. Encoraja, em vez de produzir desânimo. É medicina, e não veneno; é bálsamo, e não vinagre na ferida. Precisamos ser cautelosos com nossas palavras. Elas jamais são neutras. Levam em suas asas a bênção ou a maldição. Carregam em sua bagagem a vida ou a morte. A palavra proveitosa não é, porém, aquela que sempre procura agradar a ouvidos sensíveis. É melhor a palavra que confronta com amor do que aquela que bajula com hipocrisia.

O sábio escuta conselhos – *Como pendentes e joias de ouro puro, assim é o sábio repreensor para o ouvido atento* (Pv 25.12). As joias feitas de ouro puro são belas e caras. Expressam riqueza e beleza. A pessoa que usa pingentes e adornos de ouro puro se destaca como alguém de requinte e bom gosto. Salomão emprega essa figura de riqueza e beleza para descrever o sábio conselheiro diante de um ouvido atento. O néscio é aquele que, ao receber uma repreensão, torce o nariz e recusa corrigir-se. Ele prefere conservar sua estultícia a mudar sua conduta. Prefere tapar os ouvidos à voz do sábio e incliná-los aos enganos de seu coração perverso. Repreender o tolo é jogar pérolas aos porcos. O tolo não dá valor à sabedoria. Porém, o sábio repreensor, quando encontra um ouvido atento, percebe que suas palavras são sorvidas com avidez. Seus conselhos são acolhidos com humildade. A repreensão do sábio não visa humilhar a pessoa que a escuta, mas tem por objetivo ajudá-la na caminhada da vida. Um ouvido atento dá mais valor à repreensão do sábio do que à bajulação do hipócrita. O sábio entende que é melhor o desconforto do confronto do que o conforto da omissão, e o ouvido atento sabe que é melhor a repreensão do sábio do que o elogio do néscio. A repreensão do sábio produz vida; o elogio do néscio gera a morte. A repreensão do sábio é uma bela joia de ouro puro; o elogio do néscio é uma escória imprestável.

Seja um mensageiro fiel – *Como o frescor da neve no tempo da ceifa, assim é o mensageiro fiel para com os que o enviam, porque refrigera a alma dos seus senhores* (Pv 25.13). Todo mensageiro é um arauto. Seu papel é entregar com fidelidade a mensagem que recebeu. O mensageiro não cria a mensagem nem pode mudá-la. O mensageiro não tem competência para acrescentar ou diminuir a mensagem que recebeu. Precisa entregá-la integralmente, tempestivamente, fielmente. Um mensageiro infiel, que altera a mensagem que recebeu, é uma tragédia. Ele trai o senhor que a envia e os ouvintes que a recebem. Um mensageiro fiel é como o frescor da neve no tempo da ceifa, mas um mensageiro infiel é como uma tempestade que destrói todos os frutos da ceifa. Um mensageiro fiel alegra tanto quem o envia como as pessoas a quem é enviado. Seus pés são formosos. Seus lábios são fontes de vida. Oh, como deveríamos meditar sobre a importância de sermos fiéis com a maior de todas as mensagens, a mensagem do evangelho! Há muitos pregadores que acrescentam o que não está registrado nas Escrituras, e há outros que subtraem a mensagem nela contida. Há pregadores que proíbem em nome de Deus o que Deus não está proibindo, e há outros que prometem em nome de Deus o que ele não está prometendo. Esses são falsos profetas. Trazem desgosto para Deus e perigo para as pessoas. Deus requer que seus mensageiros sejam encontrados fiéis!

Não seja um gabola – *Como nuvens e ventos que não trazem chuva, assim é o homem que se gaba de dádivas que não fez* (Pv 25.14). A gabolice é uma atitude mesquinha e reprovável. O gabola é aquele indivíduo que tem necessidade de contar vantagem sobre si mesmo e de se colocar num lugar de honra que jamais mereceu. Está sempre enaltecendo suas próprias virtudes, contando suas façanhas com o propósito de receber aplausos, estadeando suas dádivas generosas e exagerando em suas palavras. Aquele que se gaba de dádivas que não fez é uma farsa, um embuste, uma nuvem falaz. Ele troveja e relampeja suas obras caridosas. Suas palavras parecem nuvens carregadas de chuvas benfazejas. Mas todos esses relatórios de benemerência não passam de mentiras deslavadas. Sua verborragia benevolente se assemelha a nuvens passageiras que vêm e vão sem deixar cair nem sequer uma gota de misericórdia sobre os necessitados. O gabola é um mentiroso. Suas palavras não merecem confiança. Ele é pródigo de bondade apenas nos lábios, porém suas mãos nunca se estendem para socorrer o aflito. Sua bondade é uma miragem. Seus feitos de misericórdia são uma ficção. Suas promessas são uma frustração. O gabola é como nuvem passageira e vento uivante que não produz chuva por onde passa.

A longanimidade é poderosa – *A longanimidade persuade o príncipe, e a língua branda esmaga ossos* (Pv 25.15). A paciência triunfadora diante de circunstâncias difíceis e pessoas complicadas é fruto do Espírito. O ser humano é, por natureza, belicoso. Tende a pagar o mal com o mal. O longânimo, na contramão de todo o pendor humano, reage transcendentalmente, pagando o mal com o bem. O longânimo não apenas suporta situações adversas e pessoas difíceis com paciência ilimitada, mas faz isso com ânimo espichado ao máximo. Na verdade, o longânimo exulta nas próprias tribulações, sabendo que, debaixo de esmagadora pressão, Deus esculpe nele o próprio caráter de Cristo, o Mestre que aprendeu pelas coisas que sofreu. O longânimo não é um indivíduo fraco. Por dominar a si mesmo, é mais forte do que aquele que domina uma cidade. A longanimidade produz impacto na vida do rei. Até o homem mais revestido de poder entre os homens se curva diante da eloquência imbatível da longanimidade. A língua branda quebra a dureza granítica do coração mais insensível. As Escrituras dizem que a palavra dura suscita a ira, mas a resposta branda desvia o furor. A palavra dura produz contenda, mas a palavra mansa acalma os corações e quebra a resistência das pessoas mais inflexíveis. Oh, que Deus nos dê a capacidade de termos um coração longânimo e uma língua branda!

A moderação é uma virtude – *Achaste mel? Come apenas o que te basta, para que não te fartes dele e venhas a vomitá-lo* (Pv 25.16). A moderação é uma virtude. Cabe bem em todo o lugar. A falta de moderação no comer é glutonaria, e esta traz sérios problemas à saúde. A falta de moderação no beber é bebedice, e esta traz graves resultados para a honra. A falta de moderação no falar é tagarelice, e esta desemboca em muitas desavenças nos relacionamentos. A falta de moderação no sexo é promiscuidade, e esta acarreta desordem e destruição. A falta de moderação no trabalho produz ativismo, e este é nocivo ao indivíduo e à sua família. A falta de moderação no sono é preguiça, e esta é a mãe da pobreza. Moderação é uma virtude necessária em todas as áreas da vida. O equilíbrio é vital para o bem-estar nos relacionamentos dentro e fora de casa. No texto em apreço, Salomão ilustra a questão da moderação ao descrever o homem que encontra mel e se lambuza com ele, comendo mais do que necessita, para depois se sentir enfastiado e vomitar o que ingeriu. Aquilo que era doce e nutritivo torna-se um transtorno e um enorme desconforto. Aquilo que deveria dar prazer e saciar a fome transforma-se em náusea. Aquilo que era para o bem transforma-se em mal, porque faltou ao usuário o equilíbrio. Como você tem lidado com essa questão em sua vida? Você é uma pessoa moderada?

Seja um bom vizinho – *Não sejas frequente na casa do teu próximo, para que não se enfade de ti e te aborreça* (Pv 25.17). Cultivar boas amizades é uma das grandes bênçãos da vida. A melhor maneira de fazer um amigo é ser amigo. A melhor maneira de atrair as pessoas é investir nelas e valorizá-las. A melhor maneira de conquistar simpatia é semear afeto e respeito. A melhor maneira de colher bons frutos nos relacionamentos é honrar os amigos e ser leais a eles. O amigo é aquele que está a seu lado não apenas nas horas felizes, mas, também e sobretudo, nas horas difíceis. O amigo é aquele que chega quando todos já se foram. Contudo, até nessa relação mais próxima de comunhão com o próximo, precisamos ter discernimento. Há momentos de visitar um amigo e momentos de respeitar sua privacidade. Há momentos de estar na casa do próximo e momentos de se ausentar de sua casa. Uma pessoa sem limites, que está constantemente na casa de seu próximo, torna-se inconveniente. Em vez de cativar simpatia, torna-se motivo de enfado. Em vez de ser bem-vindo quando chega, é um alívio quando sai. É melhor ser convidado pelo próximo à sua casa do que agir como um intruso. O bom vizinho sabe respeitar o espaço e a privacidade do outro. Há pessoas que, embora distantes fisicamente, estão perto do coração; há outras que, embora apegadas fisicamente, são indesejáveis ao coração.

O falso testemunho é um perigo – *Maça, espada e flecha aguda é o homem que levanta falso testemunho contra o seu próximo* (Pv 25.18). O falso testemunho é a quebra do novo mandamento da lei de Deus. É o pecado de atacar o nome do próximo, falseando a verdade e torcendo a justiça. Levantar falso testemunho contra o próximo é um ato perverso, pois as palavras ditas se espalham como um saco de penas jogadas do alto de uma montanha. É impossível recolhê-las todas. Essas palavras, carregadas de veneno, matam mais do que a espada e ferem mais do que flechas agudas. Matar a honra de uma pessoa é como tirar sua própria vida. A língua, portanto, é arma venenosa. É como fogo que destrói, como espada que fere, como veneno que mata. O falso testemunho é, também, uma negação do amor, pois o amor cobre multidão de pecados, em vez de transformar as virtudes do próximo em pecados para lançá-los ao vento. O mandamento divino estabelece que devemos amar ao próximo como a nós mesmos. Devemos tratar o nosso próximo como gostaríamos de ser tratados. Levantar falso testemunho é negar o amor, disseminar o ódio e abrir abismos onde deveríamos construir pontes. A pessoa que levanta falso testemunho do próximo é um perigo, uma ameaça, uma arma mortal. Sua presença é nociva, e sua boca é um poço de perdição.

A pessoa desleal não merece confiança – *Como dente quebrado e pé sem firmeza, assim é a confiança no desleal, no tempo da angústia* (Pv 25.19). Desleal é a pessoa que fala e não sustenta sua palavra. Promete uma coisa e faz outra.

Sua vida é uma farsa, seu coração é um poço de engano, e seus lábios são traiçoeiros. A pessoa desleal cria expectativas e decepciona aqueles que nela confiam. Faz promessas de lealdade, mas não cumpre sua palavra. Dá garantias de fidelidade com seus lábios, mas trai a confiança dos outros com suas atitudes. A pessoa desleal é como um dente quebrado, com o qual é impossível mastigar os alimentos. Sua aparência é feia, sua ação é ineficaz e sua presença provoca dor. A pessoa desleal é parecida também com um pé manco. Este não pode sustentar seu corpo numa hora de emergência. Você não pode ficar de pé amparado num pé manco. Assim também é a pessoa desleal. Ela deixará você na mão na hora do aperto. Falhará com você no tempo da angústia. Ou seja, ela não merece confiança. Seu caráter é torto, suas palavras são mentirosas e suas ações são enganadoras. Confiar na pessoa desleal é candidatar-se à frustração, semear para o desastre e ficar desamparado nas horas mais decisivas da vida.

Não extravase alegria perto de quem sofre – *Como quem se despe num dia de frio e como vinagre sobre feridas, assim é o que entoa canções junto ao coração aflito* (Pv 25.20). A solidariedade é a marca de uma pessoa de bem. Ser solidário é cumprir o preceito bíblico de alegrar-se com os que se alegram e chorar com os que choram. A crueldade é o oposto. É chorar com a alegria do próximo e alegrar-se por causa de sua tristeza. Há indivíduos que têm um prazer mórbido em ver a desdita do próximo. Sentem-se recompensados quando os outros estão sofrendo. Torcem para os outros fracassarem. Sentem-se melhores quando contemplam a queda do próximo. Essas pessoas chegam a entoar canções junto ao coração aflito. Quem assim procede torna-se absolutamente inconveniente. Sua canção à beira do aflito produz o desconforto do frio para quem se despe e a dor provocada pelo vinagre aplicado em uma ferida. Em vez de ser um bálsamo, esse indivíduo é um tormento. Ele é um consolador molesto. Sua presença junto àquele que sofre não é para solidarizar-se, mas para espicaçar o aflito. Suas palavras não são fontes de refrigério, mas enxurradas de tormento. Sua visita não faz bem à alma de quem a recebe. Suas canções são ruídos estridentes que agridem os ouvidos. Suas motivações são malignas. Sua vida é uma negação do amor. Suas atitudes são uma caricatura horrenda da bondade.

Reação transcendental – *Se o que te aborrece tiver fome, dá-lhe pão para comer; se tiver sede, dá-lhe água para beber, porque assim amontoarás brasas vivas sobre a sua cabeça, e o* SENHOR *te retribuirá* (Pv 25.21,22). O texto em apreço apresenta a reação transcendental das pessoas que foram transformadas por Deus. Pagar o bem com o mal é uma injustiça clamorosa. Pagar o mal com o mal é a aplicação do rigor da lei. Mas pagar o mal com o bem é uma atitude que transcende a capacidade humana e revela misericórdia. O apóstolo Paulo cita esses versículos em sua epístola aos Romanos para coroar as virtudes de uma pessoa convertida e para cimentar os relacionamentos cristãos (Rm 12.20). Pagar o mal com o mal só alimenta mais ódio e abre mais feridas. Cava abismos, em vez de construir pontes. Longe de guardar mágoa no coração, devemos estender as mãos para abençoar as pessoas que nos perseguem, buscando ocasião oportuna para servi-las. Quando socorremos as pessoas que nos aborrecem e fazemos bem a elas na hora de sua necessidade, toda a resistência que elas possam ter contra nós cai por terra, e o caminho da reconciliação é pavimentado. Então, o próprio Deus, a fonte do amor e o inspirador do perdão, nos recompensa. Esse perdão incondicional não é fruto de uma personalidade dócil nem resultado de uma bondade inerente, mas a expressão da graça de Deus que flui através de nós.

A língua fingida – *O vento norte traz chuva, e a língua fingida, o rosto irado* (Pv 25.23). Salomão ilustra uma verdade moral com um fenômeno natural, ou seja, que o vento norte traz chuva. O rei era um estudioso das ciências meteorológicas e, portanto, sabia discernir os sinais que apontavam para a chuva. A verdade moral é que a língua fingida produz um rosto irado. A língua fingida é aquela que fala uma coisa na frente e diz outra coisa por trás. Bajula e fere com a mão. Enaltece a pessoa em sua frente e, pelas costas, puxa o tapete. Tece elogios rasgados à pessoa defronte e depois a açoita impiedosamente nos bastidores. A língua fingida é o retrato mais repugnante da hipocrisia. O hipócrita é o ator que desempenha no palco um papel diferente de sua própria vida. Representa o outro sem ser o outro. O papel que ele desempenha no palco não tem conexão com a vida que se desenrola longe da ribalta. A língua fingida é a maquete mais explícita da traição. É cheia de engano e veneno. Quando exalta alguém, é apenas para esconder seus intentos malignos. Quando elogia o próximo, é apenas para minar sua honra. A língua fingida abre feridas, machuca pessoas e provoca ira. Essa língua é veneno que mata e fogo que destrói. Que Deus nos livre da língua fingida!

A mulher rixosa – *Melhor é morar no canto do eirado do que junto com a mulher rixosa na mesma casa* (Pv 25.24). A paz de espírito é uma das coisas mais importantes para a nossa saúde emocional. Por isso, é arriscado morar debaixo do mesmo teto com uma pessoa que gosta de criar confusão por qualquer motivo. A mulher rixosa é um emblema das pessoas encrenqueiras, que tornam insuportável qualquer ambiente. Uma pessoa que fala o tempo todo e transforma pequenas dificuldades em grandes problemas é um risco à paz. A convivência com a mulher rixosa perturba a mente, agita o coração e adoece a alma. Suas palavras, como uma goteira, jamais cessam. Sua voz, carregada de intriga, jamais se cala. O marido da mulher rixosa é um homem perturbado. Não há descanso para sua mente nem paz para sua alma. Melhor seria para ele isolar-se no telhado da casa. Melhor seria esconder-se num lugar inacessível. Melhor seria jamais ouvir palavra alguma do que ter os ouvidos alugados e entulhados por palavras carregadas de intriga. Morar com uma mulher rixosa ou com um marido rixoso é um desastre. Aqui, torna-se verdadeiro o ditado: "É melhor estar só do que mal acompanhado". A solidão é melhor do que a má companhia. O eirado solitário e inacessível é melhor do que a companhia de alguém cuja língua está a serviço da intriga, e não da paz.

Os benefícios das boas notícias – *Como água fria para o sedento, tais são as boas-novas vindas de um país remoto* (Pv 25.25). Vivemos no século da comunicação virtual. As novas tecnologias encurtam distâncias e diminuem espaços. Falamos com o mundo inteiro vendo imagens reais, em tempo real. Não obstante esses prodígios da comunicação, quando estamos longe de casa, sentimos profunda necessidade de ter notícias da família, dos amigos e da nação. Como é bom e agradável receber boas novas de nossos familiares e amigos! Como isso alivia a dor da saudade e refrigera nossa alma! Às vezes, ficamos impacientes esperando notícias de algum lugar ou de alguém. Mas devemos controlar essa ansiedade, pois, se forem más notícias, chegarão rapidamente, mas, se forem boas, trarão em suas asas brisas restauradoras. Essas boas-novas são tão revigorantes como água fria para alguém que tem sede. O próprio Salomão vivenciou essa experiência. Ele sabia quão agradável era ouvir sobre o sucesso de suas organizações e de seus empreendimentos fora de seu país. A melhor notícia que podemos ouvir, porém, vem do alto. O céu é nossa pátria. Somos cidadãos dos céus. Como é revigorante ouvir boas-novas dali! Quando o evangelho é pregado com fidelidade, ouvimos acerca de como Deus nos amou, de como Cristo se entregou por nós, de como o Espírito Santo trabalha em nós e de quão linda e gloriosa será nossa morada eterna!

Não faça concessões – *Como fonte que foi turvada e manancial corrupto, assim é o justo que cede ao perverso* (Pv 25.26). O justo deixa de ser justo quando cede ao perverso. O manancial deixa de ser limpo quando jorra água misturada a impurezas. A fonte deixa de ser límpida quando suas águas brotam barrentas e turvas. Esses três exemplos são um símbolo da corrupção. A corrupção é uma prática vergonhosa que avilta a justiça, diminui a honra e traz imensos prejuízos ao indivíduo e à nação. Muitas nações têm sido assoladas por esse grave desvio de conduta de políticos, empresários e pessoas públicas. Os cofres públicos têm sido assaltados sem piedade. Somas vultosas e colossais têm sido roubadas e desviadas para paraísos fiscais por gente inescrupulosa. Muitos, governados por uma ganância insaciável, tiram o pão do pobre e ajuntam os tesouros da iniquidade. Isso porque, em dado momento da caminhada, o justo cedeu ao perverso. Aquele que não praticava crimes começa a sucumbir às seduções e pressões dos corruptores. O que é a corrupção senão a concessão de favores ilícitos? O que é a corrupção senão o favorecimento ilegal para enriquecer uns e empobrecer outros? Quando o justo cede ao perverso, sua vida torna-se repreensível, sua honra fica maculada, e sua luz transforma-se em trevas espessas. Não faça concessões! Não seja corrupto nem corruptor! É melhor o pouco com honra do que grandes riquezas adquiridas desonestamente.

Não bata palmas para si mesmo – *Comer muito mel não é bom; assim, procurar a própria honra não é honra* (Pv 25.27). Os fariseus, nos dias de Jesus, faziam propaganda de suas virtudes e tocavam trombetas para anunciar seus feitos caridosos. Essa atitude foi reprovada por Jesus. A hipocrisia dos fariseus levou-os a fazer propaganda de suas virtudes e de suas obras. Essa propaganda, porém, era falsa. Aqui, Salomão usa outra metáfora. Diz que uma coisa boa e saudável pode tornar-se enjoativa e nociva à saúde quando feita em excesso. Diz o sábio que comer muito mel não é bom; assim, procurar a própria honra não é honra. Quem bate palmas para si mesmo, destacando as próprias virtudes, proclamando os próprios feitos e acendendo os holofotes sobre sua pessoa, está na contramão da virtude. A soberba não é honra, mas vexame. Não devem ser nossos lábios os que nos honram. A autopromoção é uma atitude indigna e reprovável. Gabar-se de seus próprios feitos e contar vantagem para se sobressair dos demais são posturas indignas de um cristão maduro. Desfraldar as bandeiras da autoexaltação é uma vergonha. Procurar a própria honra é um grave defeito. A humildade é a grande marca de um indivíduo sábio. Uma pessoa nunca é tão grande como quando ela é humilde. Aqueles que se humilham são exaltados, e exaltados pelo próprio Deus.

A importância do domínio próprio – *Como cidade derribada, que não tem muros, assim é o homem que não tem domínio próprio* (Pv 25.28). O domínio próprio é fruto do Espírito. Não é produto de uma personalidade dócil nem de um temperamento brando. Quem não tem domínio próprio não tem muro de proteção. Está sempre sujeito a muitas invasões. Sua vida fica exposta a perigos constantes. Quem não se controla é controlado pelos outros e está à mercê das circunstâncias. As outras pessoas determinam seus sentimentos e suas ações. Quem não tem domínio próprio é um indivíduo vulnerável, que pode ser atacado e devastado a qualquer momento, como uma cidade derribada que não tem muros. Uma cidade sem proteção está sujeita a invasões e saques. Assim é a vida daquele que não tem domínio próprio. Um indivíduo destemperado emocionalmente pode até parecer valentão, mas, ao cabo, revela-se muito fraco. O indivíduo que não tem domínio próprio é seu próprio inimigo. Antes de ser derrubado por forças externas, é vencido por si mesmo. Ele cria e atrai a maioria de seus problemas. É vencido por seu próprio descontrole. É dominado por suas próprias paixões. É esmagado pela sua própria intemperança. Por outro lado, aquele que domina a si mesmo é mais forte do que aquele que conquista uma cidade. O domínio próprio é mais forte do que a mais robusta valentia. Quem domina a si mesmo é mais forte do aquele que domina os outros.

Capítulo 26

A sabedoria instrui acerca da conduta desonrada
(Pv 26.1-28)

A HONRA NÃO CONVÉM AO INSENSATO — *Como a neve no verão e como a chuva na ceifa, assim, a honra não convém ao insensato* (Pv 26.1). A neve no verão é um fenômeno inesperado na natureza. Verão é tempo de calor, e no calor a neve não aparece. A chuva na ceifa é desastrosa, pois coloca em risco toda a safra. Para que os grãos sejam colhidos em segurança e com boa qualidade, o tempo precisa estar seco. Salomão usa esses dois casos para ilustrar a inconveniência de honrar o insensato. O insensato, quando colocado num lugar de honra, usará esse posto para engrandecer-se, e não para exaltar Deus. Ele empregará esse privilégio para se servir do próximo, e não para servir ao próximo. Longe de ser um diácono de Deus, a serviço do povo, será um avarento ganancioso a locupletar-se. Longe de seu prestígio o levar pelo caminho da humildade, este o introduzirá na sala de espera da soberba, o caminho mais curto para o desastre. Não honre aqueles que não merecem honra. Não exalte aqueles cuja conduta é reprovável. Não coloque no pedestal aqueles que não têm estrutura moral para serem honrados. Não ponha as luzes da ribalta sobre aqueles que são amantes dos holofotes. Não contribua para que o insensato se torne ainda mais insensato. Exaltar o soberbo é tornar ainda mais ruidosa sua queda; honrar o insensato é agravar ainda mais seu pendor para a insensatez.

A maldição sem causa não se cumpre – *Como o pássaro que foge, como a andorinha no seu voo, assim, a maldição sem causa não se cumpre* (Pv 26.2). Quando um pássaro foge da gaiola ou escapa do cativeiro, torna-se livre. Uma andorinha no seu voo não tem os pés atados nem está presa debaixo de uma arapuca. Assim como esses pássaros são livres para voar e contemplar lindos cenários, também está livre de maldição aquele que vive piedosamente. A maldição é consequência da desobediência. Quem abre uma cova para seu próximo nela cairá. Quem invoca maldição sobre os outros verá essa maldição cair sobre sua própria cabeça. Quem fala impropérios contra Deus e desanda a boca para amaldiçoar o próximo será vítima de suas próprias palavras injuriosas. Todavia, a maldição sem causa não se cumpre. A propalada maldição hereditária não tem amparo nas Escrituras. Os filhos não levarão os pecados dos pais. Cada um dará conta de si mesmo a Deus. Quando temos um encontro com Cristo, tornamo-nos novas criaturas. As coisas antigas ficam para trás, e tudo se faz novo. Em Cristo temos uma nova mente, um novo coração, uma nova vida, uma nova família, uma nova pátria. Não precisamos ter medo de maldições, pois em Cristo somos benditos de Deus, guardados eternamente por ele.

O castigo do insensato – *O açoite é para o cavalo, o freio, para o jumento, e a vara, para as costas dos insensatos* (Pv 26.3). O cavalo, além de ser montado, ainda apanha do montador. O jumento, além de levar pesada carga, ainda tem um desconfortável freio na boca. Como o açoite está para o cavalo e o freio para o jumento, assim a vara está para as costas do insensato. O insensato é turrão. Ele se recusa a aprender. Tem dura cerviz e não se dobra, por isso apanha. Os açoites que recebe são provocados por ele mesmo. Por não escutar conselhos, escuta: "Coitado!" Por não obedecer, sofre os amargos resultados de sua rebeldia. O insensato apanha da própria vida. Pensa errado e faz escolhas erradas. Suas intenções são impuras, suas palavras são tolas, suas ações são erradas e suas reações são explosivas. Tudo em que o insensato põe a mão dá errado. Aonde ele chega, arranja encrenca. É um provocador de tempestades. E as tempestades que ele provoca caem sobre sua própria cabeça. O insensato vive debaixo do chicote. Suas costas são o endereço mais certo dos açoites. A vara é seu quinhão. Como o cavalo recebe açoites e não se emenda, como o jumento tem freio na boca e não obedece, assim o insensato vive apanhando e não aprende. Suas costas não se cansam de receber açoites e mais açoites. O insensato geme, esperneia e chora, mas se recusa a emendar seus caminhos. A dureza de seu coração só produz mais açoites em seus lombos!

Evite discutir com o insensato – *Não respondas ao insensato segundo a sua estultícia, para que não te faças semelhante a ele* (Pv 26.4). A boca do insensato é loquaz, mas suas palavras são carregadas de tolice. Ele fala muito, mas pouco se aproveita do que é dito. Saem de seus lábios torrentes de palavras, mas todas impregnadas de estultícia. Sua língua suja é o arauto de seu coração contaminado. Sua boca é o laço de seus próprios pés, e o chicote para as suas costas é o triste pagamento de suas próprias loucuras. Discutir com o insensato é empreitada inglória. Responder ao insensato segundo sua estultícia é fazer-se semelhante a ele. Entrar numa pugna de palavras com o insensato é perder o tempo, a paz e o testemunho. Entrar em seu jogo é nivelar-se por baixo. Empanturrar os ouvidos com suas palavras é intoxicar a alma. Mergulhar nos seus argumentos é dar marcha a ré na estrada do saber. Discutir razões com o insensato é correr o risco de perder o equilíbrio e a própria razão. Responder ao insensato segundo a sua cosmovisão desfigurada pela cegueira moral e espiritual é perda de tempo e de testemunho. Você quer poupar sua alma de sofrimento? Não discuta com o insensato! Você quer andar pelos caminhos da sabedoria? Não responda ao insensato segundo sua estultícia! Você quer viver em paz? Afaste seus pés do caminho do insensato!

Como responder ao insensato – *Ao insensato responde segundo a sua estultícia, para que não seja ele sábio aos seus próprios olhos* (Pv 26.5). À primeira vista, esse versículo parece estar em total contradição com o anterior. Você não deve responder ao insensato segundo sua estultícia para que não se torne semelhante a ele; você deve responder ao insensato segundo sua estultícia para que ele não seja sábio aos próprios olhos. O ponto é este: entrar no jogo do insensato e responder conforme sua tolice é imitá-lo. Porém, contradizer o insensato é dar a sensação de que ele é sábio a seus próprios olhos. Os dois textos ensinam a mesma verdade pelos dois lados da moeda. Com o insensato não se argumenta, pois ele gosta de discutir ideias, mas não de aprender. Gosta de expor sua visão tola e míope, mas não de aprender a sabedoria. Gosta de ficar no campo da discussão, mas jamais se dispõe a entrar na arena da ação. O insensato se olha no espelho e não vê seus defeitos; enxerga apenas suas supostas virtudes. Ele discute suas ideias e não vê suas contradições, apenas suas supostas coerências. Ele encara as palavras lúcidas do sábio apenas como um punhado de ameaças à sua fortaleza de palha. O insensato vê, mas não enxerga; escuta, mas não ouve; estuda, mas não aprende. Seus olhos estão vendados, sua mente está embotada e seu coração está endurecido.

O insensato não é um bom mensageiro – *Os pés corta e o dano sofre quem manda mensagens por intermédio do insensato* (Pv 26.6). O mensageiro é o portador de uma mensagem. Ele não cria a mensagem nem é o seu emissor. Seu papel é transmitir com fidelidade a mensagem que recebeu, no lugar certo, no tempo certo, às pessoas certas. O mensageiro é um arauto. O arauto não pode mudar a mensagem. Não pode diminuir nada da mensagem nem acrescentar nada a ela. Não pode torná-la mais amena nem mais grave. Fazer isso é tornar-se culpado de severa traição. Quem envia um insensato para transmitir uma mensagem ficará tão frustrado quanto um corredor cujos pés são cortados e quanto um emissor que vê o portador perder pelo caminho o produto que enviou. O insensato não é um indivíduo confiável. Ele não tem fibra moral para entregar fielmente o que recebeu. Ele não é fiel em seu caráter nem em suas ações. Sua conduta frouxa o incapacita a cumprir uma missão sublime. Deus nos constituiu seus arautos. Somos portadores da mensagem do evangelho, a melhor e a mais importante mensagem que o mundo pode ouvir. Somos embaixadores com o propósito de rogar às pessoas, em nome de Cristo, que se reconciliem com Deus. Pregar outra mensagem é tornar-se um falso profeta. Ensinar outra doutrina é tornar-se um falso mestre. Mudar a mensagem ou torná-la mais palatável é agir com reprovável insensatez.

A boca do insensato não é confiável – *As pernas do coxo pendem bambas; assim é o provérbio na boca dos insensatos* (Pv 26.7). O insensato é o tolo metido a sábio. É o bronco tocando trombeta para anunciar sua inteligência. É o fanfarrão que faz propaganda do conhecimento que não tem, do dinheiro que não possui, das façanhas que não realizou. A única coisa boa do insensato é a opinião que ele tem sobre si mesmo. Ele se acha mais bonito, mais forte e mais esperto do que os outros. Sente-se bem diante do espelho não porque tem um bom desempenho, mas porque lhe falta clara visão para enxergar. O insensato gosta de contar lorotas. Está sempre contando histórias e criando provérbios. Porém, suas histórias estão eivadas de mentiras, e seus provérbios são mancos. Assim como as pernas do coxo pendem bambas, assim são os provérbios do insensato, não ficam de pé, não têm sustentação, carecem de veracidade. Os provérbios do insensato são fruto de sua ignorância e resultado de sua pretensa sabedoria. São a essência de uma filosofia chula, o estrato de uma cosmovisão capenga, a súmula de um conhecimento raso. A boca do insensato não é confiável. Fala muito e não diz nada. Arrota muita arrogância, mas não destila conhecimento. Faz propaganda de atingir as alturas, mas nem sequer decola do chão. A boca do insensato e as pernas do coxo não se sustentam.

Não dê honra ao insensato – *Como o que atira pedra preciosa num montão de ruínas, assim é o que dá honra ao insensato* (Pv 26.8). Pedra preciosa é coisa rara e custa caro. São procuradas com cuidado, lapidadas com perícia e encrustadas em joias nobres. Pedra preciosa é um símbolo de bom gosto e uma evidência de riqueza. Estão presentes nas vitrines mais cobiçadas, nos museus mais seletos e nas mãos dos colecionadores mais abastados. Pedra preciosa se compra, se guarda e se usa. Só um louco ousaria jogar uma pedra preciosa num montão de lixo. Só um indivíduo desprovido de senso de valor atiraria uma gema num montão de ruínas. Assim como essa atitude seria sinal de suprema insensatez, também dar honra a um insensato é jogar pedra preciosa no lixo. É o mesmo que colocar uma joia no focinho de um porco. É fazer um péssimo investimento. É desperdiçar um grande tesouro. Honrar um insensato é agravar ainda mais sua insensatez. Elogiar um insensato é transformá--lo numa ameaça. Aplaudir um insensato é fazer dele um ser intragável e ao mesmo tempo perigoso. O insensato honrado usará essa honra a ele conferida não para servir melhor ao próximo, mas para o explorar ao máximo. Ele usará o poder recebido para oprimir, e não para socorrer os necessitados. Honra e insensatez não podem morar debaixo do mesmo teto. Esse casamento nunca dá certo.

As palavras do insensato machucam – *Como galho de espinhos na mão do bêbado, assim é o provérbio na boca dos insensatos* (Pv 26.9). Ah, a língua do insensato! É pior do que o chicote nas mãos de um carrasco. É pior do que a espada nas mãos de um louco. É como um galho de espinhos na mão do bêbado. O bêbado cambaleia aqui e cai acolá. O bêbado com um galho de espinhos na mão ferirá os outros e a si mesmo. Castigará o próximo e a própria vida. É uma ameaça a si mesmo e a quem convive com ele. Assim é o provérbio na boca dos insensatos. As palavras do insensato machucam como espinho, ferem como espada, queimam como fogo, matam como veneno. A boca do insensato é uma fonte poluída da qual jorra toda sorte de sujidades. Seus lábios proferem mentiras, sua língua está carregada de veneno e sua garganta é uma cova de morte. Os provérbios do insensato são filosofia subterrânea que penetra pelas galerias lôbregas da imoralidade. Os provérbios do insensato são recheados de palavrões torpes, de blasfêmias abomináveis e de promiscuidades detestáveis. Sempre que o insensato abre a boca, o ambiente se torna carregado, as pessoas são constrangidas e a sabedoria é sonegada. Os provérbios do insensato são como o galho de espinhos nas mãos do bêbado: ferem e machucam; causam dor e desconforto.

Valorizar os insensatos é perigoso – *Como um flecheiro que a todos fere, assim é o que assalaria os insensatos e os transgressores* (Pv 26.10). O dinheiro é bom; com ele, podemos fazer muitas coisas preciosas. Podemos prover nossas necessidades, assistir nossa família e ainda socorrer os necessitados. O salário é o pagamento legítimo a quem trabalha de forma honrada. Aqueles que atuam com perícia e excelência recebem a recompensa do seu trabalho. Quanto mais o trabalhador justo é honrado, melhor a sociedade se torna. Quanto mais o justo cresce com o fruto do seu labor, mais humanas se tornam as relações. Isso porque o justo não granjeia seus bens apenas para proveito próprio. Ele não é governado pela avareza. O justo é aquele que tem o coração aberto, a casa aberta e o bolso aberto para socorrer os necessitados à sua porta. Assalariar os insensatos e transgressores, porém, é colocar em suas mãos uma flecha que fere e mata. O transgressor, quanto mais tem, mais deseja ter. O insensato está disposto a construir riqueza sobre os escombros de sua própria família. Quanto mais dinheiro o insensato acumula e quanto mais poder reúne em suas mãos, mais ele oprime os fracos.

O cão que volta ao vômito – *Como o cão que torna ao seu vômito, assim é o insensato que reitera a sua estultícia* (Pv 26.11). O cão, embora seja um animal de estimação, é irracional. Não tem noção de quão nojento é o seu vômito, por isso volta a ele depois de expeli-lo. Porque o cão não é regido por discernimento e sabedoria, torna ao seu vômito e come aquilo que lançou fora. Alimenta-se daquilo que lhe fez mal. Ingere aquilo que, naturalmente, seu corpo rejeitou. Não poderia existir figura mais repugnante do que essa. Pois é exatamente isso o que acontece quando o insensato reitera a sua estultícia. Ao proferir palavras tolas, reafirmando-as, ele volta a seu vômito. Ao abrir sua boca para despejar blasfêmias, ao repeti-las, ele volta a seu vômito. Ao contar piadas imorais e repeti-las à exaustão rasgando a cara em ruidosas gargalhadas, ele volta a seu vômito. Ao narrar, com orgulho, as peripécias feitas sob o manto das trevas, contando isso repetidamente, como se estivesse destilando o estrato mais puro da sabedoria, ele volta a seu vômito. Ao estadear, reiteradamente, sua pretensa sabedoria e ao rejeitar o conhecimento dos sábios, preferindo fechar os olhos e tapar os ouvidos para não acolher a verdade, ele volta a seu vômito. Oh, como é tolo o insensato! É comparado a um animal irracional na prática de seu mais repugnante instinto.

A soberba é uma tragédia – *Tens visto a um homem que é sábio a seus próprios olhos? Maior esperança há no insensato do que nele* (Pv 26.12). A sabedoria é adornada pela humildade. O sábio jamais toca trombetas para anunciar suas virtudes ou para destacar seu refinado conhecimento. O sábio jamais enaltece a si mesmo. Jamais se coloca no pedestal para dizer que é melhor do que os outros. Aquele que se julga sábio aos próprios olhos matricula-se na escola da insensatez. Aquele que drapeja as bandeiras da autoexaltação não desfilará garbosamente na passarela da aprovação popular. Ao contrário, ele se tornará pior do que o insensato. O autoelogio é uma consumada tolice. Salomão é categórico em dizer que maior esperança haverá para o insensato do que para esse sábio de araque. A falsa sabedoria é pior do que a tolice, pois o falso sábio, além de ser tolo, ainda pensa que não o é. O autoengano é o pior dos enganos. É a cegueira autoimposta. Para o tolo não há esperança, pois ele se fecha por completo ao aprendizado. Associa à sua ignorância a arrogância. Atrela à sua estultícia uma confortável, mas perigosa, sensação de sabedoria. Que quadro patético é esse! Que engano fatal! O ignorante, por ser humilde, pode aprender e tornar-se sábio; mas o ignorante, que se julga sábio, do alto de sua falsa sapiência, blinda-se a toda sorte de aprendizado e perece no alto do mastro, isolado em sua desdita.

As desculpas infundadas do preguiçoso – *Diz o preguiçoso: Um leão está no caminho; um leão está nas ruas* (Pv 26.13). O preguiçoso é um especialista em arranjar desculpas. Emprega toda a sua energia e todo o seu esforço mental criando mecanismos de defesa e inventando razões para não trabalhar. O preguiçoso vê o que não existe, aumenta o que existe e foge daquilo que deveria procurar. O provérbio em apreço mostra a que ponto o preguiçoso é capaz de chegar. O leão é um animal que vive em algumas savanas, longe de lugares habitados. O leão não perambula pelas ruas. Não transita entre as pessoas. Não vive às soltas na cidade. Mas, como o preguiçoso precisa encontrar uma justificativa para sua inércia, inventa essa descabida desculpa. Se o preguiçoso usasse para trabalhar a ginástica mental que emprega para criar desculpas, seria um indivíduo próspero. Mas ele prefere descansar confortavelmente em seu leito, virando de um lado para o outro. Ele se cansa de descansar; então, descansa até se cansar novamente. Nessa ciranda sem fim, passa sua vida mergulhado numa inércia vergonhosa até que a necessidade o assalta e a pobreza o encurrala. Suas desculpas não podem livrá-lo da miséria. Suas miragens não podem afastar a crise. O preguiçoso viu ameaça onde não havia ameaça, mas o verdadeiro leão que ele viu nas ruas é a pobreza que chegará certeira, e desse leão ele não escapará.

A cama do preguiçoso – *Como a porta que se revolve nos seus gonzos, assim, o preguiçoso, no seu leito* (Pv 26.14). A cama do preguiçoso é seu quartel-general. É dessa trincheira que ele inventa todas as estratégias para não trabalhar. O preguiçoso se revolve no leito como uma porta se revolve nos gonzos. Uma porta se revolve nos gonzos, mas não sai do lugar. Ela abre e fecha e fecha e abre o tempo todo, mas fica estacionada no mesmo local. Assim é o preguiçoso. Ele se mexe na cama e vira de um lado para o outro, mas não se levanta para agir. Ele não pula do leito para trabalhar. Seu descanso parece não ter fim. Seu sono parece nunca acabar. Ele está sempre cansado, sempre precisando de mais descanso. O trabalho é para ele um perigo e uma ameaça. Enquanto as pessoas à sua volta se entregam ao labor, ele se rende à preguiça. Enquanto os trabalhadores estão expostos ao calor do sol e à brisa da noite, ele se revolve no leito, imaginando que lá fora, onde o trabalho acontece, leões estão à espreita. O leito do preguiçoso é sua câmara de segurança. O quarto é seu castelo seguro. O sono para ele é mais doce do que o mel. O conforto do quarto é para ele maior do que as maiores conquistas do trabalho. Sua recompensa é descansar um pouco mais até que a pobreza bata à sua porta como um leão esfaimado. Então seu leito ficará cheio de espinhos, e seu quarto será o território de sua destruição.

A preguiça não tem limites – *O preguiçoso mete a mão no prato e não quer ter o trabalho de a levar à boca* (Pv 26.15). O preguiçoso, algumas vezes ao dia, levanta-se do seu leito não para trabalhar, mas para comer. Sua preguiça, porém, é tão radical que ele acha um duro esforço levar a comida à boca. O preguiçoso julga penoso levar a comida à boca. Ele não trabalhou para prover a comida. Não se dedicou à tarefa de preparar a comida. O prato está pronto, mas ele se sente desconfortável com o grande trabalho de levar a comida à boca. O preguiçoso tenta se desincompatibilizar até mesmo do esforço mais elementar e necessário à sobrevivência. Não consegue terminar nada que começa. Ele se levantou para comer, mas acha penoso levar a comida à boca.

Interrompe sua própria alimentação. Sua preguiça é crônica. Sua indolência não tem limites. Sua falta de diligência é consumada ruína. Há pessoas tão preguiçosas que preferem morrer a trabalhar. Há outras que, mesmo recebendo tudo de mão beijada, ainda acham duro ter de levar a comida à boca. Querem tudo mastigado. Estão dispostas a qualquer coisa, menos a fazer algum esforço, ainda que isso represente a própria sobrevivência. Isso prova, de forma peremptória, que a preguiça não tem limites!

O preguiçoso se julga muito sábio – *Mais sábio é o preguiçoso a seus próprios olhos do que sete homens que sabem responder bem* (Pv 26.16). O preguiçoso tem não apenas as mãos frouxas para o trabalho, mas também a mente ágil para a soberba. Ele se julga mais inteligente que o maior dos gênios. Acredita que sua filosofia de vida, rendida à preguiça crônica, está acima de todas as outras. Arrogantemente estadeia sua sabedoria e aplaude a si mesmo, julgando-se melhor do que os outros. Com o peito estufado, entoa diante do espelho o cântico "Quão grande és tu". Acredita que é mais sábio a seus próprios olhos do que sete homens que sabem responder bem. O preguiçoso tem uma visão distorcida não só do trabalho, mas também de si mesmo. Vê o trabalho como ameaça e a si mesmo como sábio. Tem uma visão exagerada de si mesmo, a ponto de achar-se maior do que os maiores sábios. A preguiça tirou-lhe o bom senso, embaçou-lhe os olhos, entorpeceu-lhe a mente e afrouxou-lhe os braços. O preguiçoso é um indivíduo não apenas tolo, mas também autoenganado. Pensa ser quem não é. Literalmente, ele dorme o sono da morte. Sua máscara só cairá no dia da calamidade. Então, ele perceberá, tarde demais, que suas desculpas foram esfarrapadas, sua sabedoria não passava de consumada tolice e seu sono confortável o empurrará para a calamidade irremediável.

Não ponha seu nariz onde você não foi chamado – *Quem se mete em questão alheia é como aquele que toma pelas orelhas um cão que passa* (Pv 26.17). Intrometer-se em questão alheia é uma atitude insensata. Enfiar o bico onde você não foi chamado é arranjar encrenca. Envolver-se em brigas e contendas de outrem sem ser convidado para ajudar como pacificador é colocar os pés num laço. É a mesma coisa que tomar pelas orelhas um cão que passa. Você será mordido inevitavelmente! Nessa questão, um indivíduo sensato deve ter duas posturas. A primeira delas é ser um pacificador. Devemos construir pontes onde a desavença cavou abismos. Devemos aproximar as pessoas, e não as afastar. Devemos lutar pelo perdão, e não incentivar o ódio. A segunda postura é não pôr o nariz onde você não foi chamado. Esse é o ensino claro do provérbio em apreço. Há pessoas que sentem compulsão por interferir em problemas alheios. Sentem-se arrastadas para o epicentro das desavenças alheias. Não cessam de dar palpites e conselhos onde não foram chamadas. Em vez de pacificar as pessoas, acirram ainda mais os ânimos. Em vez de se sentirem recompensadas por terem sido um canal de bênção, ficam pesarosas por terem agravado a crise. Em vez de sentirem alívio pelo dever cumprido, sentem a dor da mordida do cão que foi tomado pelas orelhas!

Não brinque com coisa séria – *Como o louco que lança fogo, flechas e morte, assim é o homem que engana a seu próximo e diz: Fiz isso por brincadeira* (Pv 26.18,19). Brincadeiras tem limites. Não se brinca com coisa séria. Ninguém faz coisa errada com boa intenção ou engana o próximo apenas como um passatempo. Nossas palavras têm consequências. Nossas atitudes provocam efeitos bons ou ruins. Nossas ações nunca são neutras. Pavimentam o caminho da edificação ou cavam as valas profundas da decepção. Um enganador é como um louco que lança fogo, flechas e morte. Por onde ele passa, transtorna o ambiente e machuca as pessoas. Sua língua urde enganos, seu coração maquina o mal e suas mãos são ágeis para ferir o próximo. O louco é aquele que, além de praticar o mal contra o próximo, ainda pensa que tem uma boa desculpa para dar. Depois de enganar o próximo, ateando-lhe flechas inflamáveis e mortais, diz que tudo não passou de uma brincadeira. Esse indivíduo, além de irresponsável, é também perigoso. Ele engana o próximo, e não o desconhecido distante. Maquina o mal contra aquele que nele confia. Tira proveito da intimidade e da confiança das pessoas para prejudicá-las. Quando suas armas carnais são descobertas e sua traição vem à tona, ele desavergonhadamente tenta sair pela tangente, dizendo que tudo não passou de uma brincadeira inocente.

Não ponha lenha na fogueira – *Sem lenha, o fogo se apaga; e, não havendo maldizente, cessa a contenda* (Pv 26.20). Nos relacionamentos humanos, encontramos tanto incendiários como apagadores de fogo. Uns colocam lenha na fogueira; outros apagam os focos de incêndio. Uns atiçam os conflitos jogando mais gasolina no fogo; outros são apaziguadores. Há aqueles que geram conflitos; outros sanam contendas. Uns são cavadores de abismos; outros são construtores de pontes. Os que provocam intrigas entre os irmãos são o desgosto de Deus, uma vez que esse é o pecado que mais Deus abomina, porém os pacificadores são as pessoas em quem Deus tem prazer, e estes são chamados filhos de Deus. O maldizente é aquele que alimenta os conflitos, agrava as crises, distorce os fatos, cava mais abismos entre as pessoas. Seu prazer é jogar uma pessoa contra a outra. Seu trabalho é levar e trazer informações que abrem mais feridas e azedam mais as relações. O maldizente é aquele cuja língua está a serviço do mal. Sua boca está cheia de contendas. Seus lábios destilam veneno. Seu coração é um laboratório de intrigas. Sua vida é uma ameaça às pessoas ao redor. Quando ele se aproxima, a contenda se estabelece; quando ele vai embora, os relacionamentos se pacificam. O maldizente é o combustível das brigas, o causador de conflitos, o patrono das desavenças.

Não seja um criador de confusão – *Como o carvão é para a brasa, e a lenha, para o fogo, assim é o homem contencioso para acender rixas* (Pv 26.21). O homem contencioso é o combustível mais inflamável para acender rixas. Suas palavras são incendiárias. Suas atitudes são graveto seco a pegar fogo. Suas ações são matéria-prima para as brigas, e suas reações são como lenha para o fogo. O contencioso é inimigo da paz. Por onde anda, deixa atrás de si um incêndio. Aonde chega, a paz é destronada. Depois que sai, as rixas explodem. O contencioso é protagonista da desordem. Ele desestabiliza as relações mais íntimas, fragiliza as amizades mais fortes e fortalece a desconfiança entre as pessoas mais leais. O contencioso é um perigo potencial. Como o carvão é para a brasa e a lenha para o fogo, assim é o contencioso e briguento para acender rixas. Como o carvão precede a brasa e a lenha precede o fogo, assim o contencioso precede a rixa. Brigas e desavenças seguem seus passos. O contencioso é portador de contendas. É o progenitor das malquerenças. Do seu coração procedem faíscas incendiárias. De seus lábios saem labaredas devastadoras. Quem com ele se relaciona não escapa de conflitos. Sua herança maldita é transformar carvão em brasas e lenha em fogo!

Não deguste fofocas – *As palavras do maldizente são comida fina, que desce para o mais interior do ventre* (Pv 26.22). Há pessoas que têm um apetite voraz por ouvir as novidades maldosamente contadas pelo maldizente. Há aqueles que experimentam um prazer mórbido ao ouvir as coisas mais escabrosas acerca do próximo. Alguns se sentem doentiamente recompensados quando ouvem a respeito dos fracassos dos outros. Têm a impressão de serem promovidos com a desgraça alheia. Para esses indivíduos, as palavras do maldizente são como comida fina, que desce para o mais interior do ventre. Esses caçadores de fofocas comem gostosamente cada palavra maldosa e bebem a largos sorvos cada palavra carregada de veneno. Nutrem-se desse cardápio como se estivessem diante da mais fina iguaria. Oh, como o coração humano se sente atraído pelo mal! Oh, como a língua cheia de veneno lhe serve uma refeição tão farta! Oh, como essas palavras maldosas lhe caem bem no coração e descem para o mais interior do ventre! A fofoca pode parecer uma comida fina para os invejosos e os amantes das intrigas. Mas essa comida está contaminada e fará mal ao corpo e à alma. Essa comida fina intoxica o coração, atormenta a consciência e rouba as alegrias da alma. Essa comida não nutre; enfraquece. Não produz saúde; adoece. Não dá vida; mata!

Quando os lábios não seguem o coração – *Como vaso de barro coberto de escórias de prata, assim são os lábios* *amorosos e o coração maligno* (Pv 26.23). Não há escândalo maior do que existir uma esquizofrenia entre o coração e os lábios, um abismo entre o que se sente e o que se diz. Lábios que destilam amor são a expressão de um coração gentil, e não a manifestação de um coração maligno. Lábios amorosos e coração maligno mostram uma distorção gritante de caráter. Essa é a face mais repugnante da hipocrisia. Da mesma forma que o vaso de barro é liso, mas ao ser coberto de escórias de prata fica áspero, assim também os lábios bondosos que escondem um coração malicioso tornam-se rudes, pois, longe de edificarem o coração aflito, arrastam-no para um abismo de morte. Um indivíduo falso é um perigo. Suas palavras são verdadeiras armadilhas. Seus lábios são iscas de morte. As torrentes caudalosas de seu amor não passam de propaganda enganosa. O amor que flui de sua boca não emana do coração. É uma caricatura grotesca do amor verdadeiro. Porque o coração do indivíduo falso é maligno, seus lábios são os embaixadores da mentira. Sua boca não é fonte de vida, mas cova de morte. Seu coração não é laboratório do bem, mas fábrica de engano. Sua vida inteira é um grande embuste, suas palavras são uma farsa e seu coração é um arauto do maligno.

Quando os lábios escondem o coração – *Aquele que aborrece dissimula com os lábios, mas no íntimo encobre o engano; quando te falar suavemente, não te fies nele, porque sete abominações há no seu coração* (Pv 26.24,25). Não se pode confiar em pessoas hipócritas, que falam uma coisa e sentem outra, que destilam mel dos lábios e maquinam perversidades no coração, que falam mal de você pelas costas, mas na sua frente só proferem elogios. Como é lamentável ver alguém com sete abominações no coração contra você, destilando palavras cheias de ternura a seus ouvidos. Confiar em pessoas hipócritas é cair numa armadilha. É decepcionar-se na certa. É fazer um investimento malogrado. As palavras do hipócrita são suaves como azeite, mas seu coração é duro como pedra. Seus lábios destilam doces palavras de vida, mas seu coração produz amargo veneno de morte. É de bom alvitre não confiar em indivíduos inconsistentes. Não é seguro tomar as palavras do hipócrita como expressão da verdade. Eles dissimulam com os lábios para esconder o que maquinam no coração. Os lábios destilam doçura, mas o que sobe do coração é amargo. Os lábios falam em amor, mas no coração há ódio consumado. Os lábios revelam bondade, mas o coração deseja maldade. Os lábios parecem confiáveis, mas o coração esconde sete abominações. Aquele cujos lábios escondem o coração é uma ameaça real, um perigo constante. É agente de morte, e não embaixador da vida!

O que agora é oculto será revelado – *Ainda que o seu ódio se encobre com engano, a sua malícia se descobrirá publicamente* (Pv 26.26). Aquilo que é guardado no esconderijo mais abscôndito do coração se tornará público um dia. O que foi maquinado nos bastidores, com as luzes apagadas do anonimato, será revelado num palco iluminado, diante de um auditório perplexo. O segredo guardado a sete chaves hoje será um escândalo público amanhã. O ódio encoberto com engano hoje será uma malícia descoberta publicamente amanhã. A mentira não se sustenta por muito tempo. Tem pernas curtas. Não caminhará sobranceira e vitoriosa. Assim como as trevas não prevalecem sobre a luz, a mentira não fica de pé diante da verdade. O que foi ocultado jeitosamente, para livrar a pele de seus agentes, não ficará encoberto o tempo todo. O ódio secreto se tornará malícia pública. A máscara da mentira será arrancada. O ódio gestado no coração à noite escura do engano dará à luz a malícia, e esta nascerá publicamente trazendo em suas asas vergonha e opróbrio. Esta é uma realidade incontornável: o que é urdido em secreto vem à tona como a luz sobre o pico dos montes. O ódio guardado a sete chaves torna-se malícia notória a todos. O que foi arquitetado sob manto da noite se apressa para aparecer à luz do sol.

O que você semear, isso você colherá – *Quem abre uma cova nela cairá; e a pedra rolará sobre quem a revolve* (Pv 26.27). Esse provérbio diz que quem arma ciladas para o próximo cairá em sua própria armadilha. Quem arquiteta o mal contra o próximo verá esse mal, como flecha, atravessar o próprio coração. Quem abre uma cova de morte para o seu semelhante verá essa cova se transformar em sua própria sepultura. O mal lançado contra o próximo cairá sobre a sua própria cabeça. O veneno destilado para eliminar o próximo será sorvido gota a gota pela mesma pessoa que o fabricou. Qual é a garantia de que assim será? A certeza de que de Deus não se zomba. Tudo o que uma pessoa semear, isso ela ceifará. Sendo assim, podemos optar em semear o bem, pois quem planta amor colhe afeto. Quem semeia misericórdia colhe misericórdia. Quem fizer alguma coisa boa receberá isso outra vez do Senhor. Deus a ninguém fica devendo. Ele é o galardoador daqueles que praticam o bem. Se o mal tem seu retorno inglório, o bem tem seus frutos benditos!

Língua falsa e boca lisonjeira – *A língua falsa aborrece a quem feriu, e a boca lisonjeira é causa de ruína* (Pv 26.28).

O comentarista bíblico Derek Kidner tem razão ao dizer que o engano, tanto quando fere como quando consola, é ódio na prática, pois a verdade é vital, e o orgulho é fatal, para as decisões certas. Tanto a língua falsa como a língua lisonjeira empregam o instrumento da mentira, e a mentira é sempre nociva, sempre destruidora. A língua falsa fere, e a língua lisonjeira causa ruína. Uma e outra estão a serviço do mal. Ambas destilam veneno. Ambas são armas mortais. A língua é fogo e veneno. Fogo que arde, veneno que mata. A língua é uma víbora peçonhenta cujo bote é fatal. A língua pode provocar grandes desavenças, como uma fagulha pode colocar em chamas toda uma floresta. A língua é um mal incontido, uma fera incapaz de ser domada. A língua enganosa produz frutos venenosos. A língua lisonjeira é uma fonte poluída da qual fluem águas amargas.

Capítulo 27

A sabedoria ensina sobre os relacionamentos humanos
(Pv 27.1-27)

O FUTURO NÃO ESTÁ EM SUAS MÃOS – *Não te glories do dia de amanhã, porque não sabes o que trará à luz* (Pv 27.1). O futuro pertence a Deus. Não o dominamos nem temos capacidade de administrá-lo. Gloriar-nos do dia de amanhã é tola pretensão, arrogante previsão e falsa segurança. Tiago alertou-nos em sua epístola para isso (Tg 4.13-17). Não é sensato dizer: "Hoje e amanhã, iremos para a cidade tal, e lá passaremos um ano, e negociaremos, e teremos lucros". E por que não é sensato fazer esse tipo de planejamento? Porque não sabemos o que sucederá amanhã. Nossa vida é assaz vulnerável. É como uma neblina que aparece por um instante e logo se dissipa. Nós somos dependentes de Deus. Só faremos isso ou aquilo se Deus quiser. Só iremos a esse ou àquele lugar se Deus permitir. Pensar arrogantemente que o futuro está em nossas mãos é uma jactância irresponsável e maligna. Gloriar-nos do dia de amanhã pode ser fatal para nós, pois não sabemos o que ele trará em suas asas. Não podemos nem mesmo ter certeza de que estaremos vivos daqui a alguns minutos. Devemos viver cada momento da vida em profunda humildade e plena dependência de Deus, sabendo que nele vivemos, nos movemos e existimos. Ele é quem a todos dá vida, respiração e tudo mais. Longe de nos gloriarmos do dia de amanhã, devemos nos gloriar em Deus, em cuja mão está nosso futuro.

O autoelogio não cai bem – *Seja outro o que te louve, e não a tua boca; o estrangeiro, e não os teus lábios* (Pv 27.2). O autoelogio é um despropósito. É fruto da soberba e resultado da ignorância. Seus efeitos colaterais são danosos, pois quem se exalta será humilhado. Tocar trombeta para anunciar as próprias virtudes e fazer propaganda das próprias obras é farisaísmo. Louvar a si mesmo é um defeito de caráter, uma deformação moral, uma anomalia comportamental. Só uma pessoa que não se conhece exalta a si mesma, pois é impossível conhecer-se sem colocar a boca no pó. Só um indivíduo inseguro precisa se autopromover, pois nada possuímos ou somos que não tenhamos recebido e, se recebemos, não há de que nos gloriarmos. Só aqueles que dependem do reconhecimento dos outros cometem tal tolice, pois louvar a si mesmo é desgastar a própria imagem. Uma pessoa humilde não faz propaganda de suas obras. Um indivíduo humilde não estadeia suas virtudes. Seja, portanto, outro o que lhe dê honra; seja o estrangeiro, e não seus próprios lábios. Exaltar-se, tecer finos elogios a si mesmo e colocar-se no pedestal é gabolice. É arrogância infantil. É soberba condenável. É extrema insensatez. É farisaísmo tosco. É um comportamento execrável, uma atitude indigna de uma pessoa sábia, humilde e madura.

O peso da ira do insensato – *Pesada é a pedra, e a areia é uma carga; mas a ira do insensato é mais pesada do que uma e outra* (Pv 27.3). A ira é um sentimento legítimo. É necessária quando se trata de uma santa reação ao erro. As Escrituras dizem que *a ira de Deus se manifesta contra toda impiedade e perversão dos homens que detêm a verdade pela mentira* (Rm 1.18). As mesmas Escrituras nos ordenam: *Irai-vos e não pequeis* (Ef 4.26). Não podemos reagir positivamente ao mal nem nos deleitar com a injustiça. Não podemos aplaudir o perverso nem repudiar o justo. Não podemos dar nosso aval à impiedade nem abonar a perversidade. A ira nesses casos é imperativa. Porém, há uma ira pecaminosa. É a ira injusta! É a ira contra a prática do bem e contra a promoção da verdade. Há pessoas que promovem o pecado e escarnecem da virtude. Aplaudem o vício e zombam da sobriedade. Alegram-se com a injustiça e entristecem-se com o avanço do bem. Essa é a ira do insensato. Essa ira é mais pesada do que a pedra e uma carga mais pesada do que areia. A ira do insensato é difícil de suportar. É um peso esmagador. É um desconforto imenso. Essa ira é uma tempestade cujos trovões estremecem os relacionamentos. É um vendaval cujos efeitos provocam grandes devastações. A ira do insensato esmaga pessoas e deixa atrás de si um rastro de destruição. O insensato já é em si um perigo, mas sua ira produz tragédias inevitáveis.

A inveja é muito perigosa – *Cruel é o furor, e impetuosa, a ira, mas quem pode resistir à inveja?* (Pv 27.4). Furor, ira e inveja compõem uma tríade perigosa. O furor é uma ira descontrolada. A ira é pesada como a pedra. Mas à inveja ninguém pode resistir. O que é inveja? É um sentimento subterrâneo, muitas vezes não expresso em palavras, mas nutrido no coração. É a insatisfação crônica com o que se tem e a cobiça veemente do que se não tem. O invejoso não se alegra com o que possui, mas se entristece por não ter o que é do outro. O invejoso quer ser como o outro, ocupar o lugar do outro e possuir o que é do outro. O invejoso é um mal-agradecido. Não valoriza o que tem, porque cobiça sempre o que não tem. É um eterno insatisfeito com a vida, porque vive olhando por cima do muro, cobiçando o que pertence ao outro, e nunca se alegra com seus dotes nem com suas posses. Em vez de se sentir feliz pelo que tem, sente-se infeliz pelo que o outro tem. Em vez de agradecer pelo que recebeu, aborrece-se pelo que não recebeu. O invejoso é um indivíduo insatisfeito com a vida e rebelde com relação a Deus. É uma ameaça a si mesmo e um perigo às pessoas à sua volta. O furor é cruel, e a ira é impetuosa, mas a inveja é insuportável. O invejoso é uma pessoa intragável, e sua inveja é mais pesada do que a pedra, mais violenta do que a fúria e mais avassaladora do que a ira.

Quem ama confronta – *Melhor é a repreensão franca do que o amor encoberto* (Pv 27.5). O desconforto do confronto sincero é melhor do que o conforto do amor encoberto. Quem repreende seu amigo com sinceridade ganha dele o respeito; quem faz vistas grossas a seus erros esconde o amor que deveria resplandecer. A repreensão franca é símbolo de amor responsável; o amor encoberto é sinal de fraqueza covarde. A repreensão franca traz cura; o amor encoberto prolonga a enfermidade. A repreensão franca promove a santidade; o amor encoberto favorece o pecado. A repreensão franca abre a ferida para fazer nela uma assepsia; o amor encoberto deixa a ferida sem tratamento. A repreensão franca abre os olhos do faltoso para não cair no abismo; o amor encoberto, com medo de perder o amigo, deixa-o cair no buraco. A repreensão franca é amarga ao paladar, mas doce ao estômago; o amor encoberto é doce ao paladar, mas amargo ao estômago. A repreensão franca coloca placas de sinalização ao longo do caminho; o amor encoberto deixa de avisar sobre os perigos da jornada. A repreensão franca é alicerçada na verdade e adornada pela misericórdia; o amor encoberto tem como base a covardia e como adorno a hipocrisia. A repreensão franca desemboca na restauração do faltoso e promove a glória de Deus; o amor encoberto desampara o faltoso e entristece o Espírito de Deus.

As feridas do amor – *Leais são as feridas feitas pelo que ama, porém os beijos de quem odeia são enganosos* (Pv 27.6). As feridas do amor trazem cura; os beijos do ódio trazem engano. As feridas do amor são leais; os beijos do ódio são falsos. As feridas do amor são feitas com boas intenções; os beijos do ódio são dados com malignas motivações. As feridas do amor inicialmente parecem rudes, mas depois abençoam; os beijos do ódio no começo parecem doces, mas no fim picarão como o basilisco. O amor abre a ferida para curá-la; o ódio beija para encobrir a ferida e trair. O amor constrói; o ódio destrói. O amor dá vida; o ódio mata. O amor lida com a transparência; o ódio trabalha com o engano. O amor é sincero; o ódio é hipócrita. O amor usa o bisturi para salvar; o ódio usa o beijo para enganar. Aquele que ama pratica o bem; aquele que odeia só sabe fazer o mal. Aquele que ama não trapaceia com beijos falsos; prefere o confronto sincero que traz cura. As feridas do amor doem, mas restauram; os beijos do ódio são suaves como azeite, mas adoecem. O amigo que ama confronta com firmeza para restaurar; o hipócrita que beija engana para derrubar. A aspereza do amigo é melhor do que a maciez do hipócrita; a ferida do amigo é melhor do que o beijo do enganador; o confronto do amigo é melhor do que a bajulação do traidor.

A alma enfastiada – *A alma farta pisa o favo de mel, mas à alma faminta todo amargo é doce* (Pv 27.7). A abundância de provisão pode produzir um fastio na alma. Quem muito tem não valoriza o que tem. Quem muito recebe não dá valor ao que recebe. A alma farta pisa o favo de mel! Aqueles, porém, que estão famintos valorizam até as migalhas que caem da mesa. Os famintos não desprezam o pouco nem se afastam nauseados com o amargo. Para eles, até o amargo se torna doce. Esse princípio se aplica a diversas áreas da vida. Por exemplo, aqueles que, na igreja, estão acostumados a receber um rico cardápio da Palavra de Deus correm o risco de se acostumar com o sagrado. Nada mais lhes toca o coração. Estão saturados de verdades sublimes. Têm a alma farta. Na linguagem do profeta Miqueias, essas pessoas estão enfadadas de Deus (Mq 6.3). Nas palavras do profeta Malaquias, essas pessoas olham para o culto divino e dizem: *Que canseira!* (Ml 1.13). Uma alma enfastiada olha para o alimento mais excelente, o favo de mel, e o despreza. Em vez de valorizá-lo, pisa-o. Em vez de saboreá-lo gostosamente, calca-o sob os pés. Rejeita aquilo de que o faminto necessita. Despreza aquilo que seria o melhor alimento para o necessitado. Oh, que tragédia é rejeitar o melhor de Deus como se fosse algo sem valor!

Cuidado, pezinho, onde pisa – *Qual ave que vagueia longe do seu ninho, tal é o homem que anda vagueando longe do seu lar* (Pv 27.8). Um homem longe de casa é como um pássaro longe do ninho, está em perigo iminente. O ninho é o lugar de refúgio. É o reduto de proteção. É o território do aconchego. De igual forma, o lar deve ser para o homem o seu oásis no deserto, sua fonte reclusa e seu abrigo no temporal. O homem que vagueia longe do lar não é o sem-teto, que foi despejado de sua casa, nem aquele que vive perambulando pelas ruas porque nunca teve um lar, mas é o homem que caminha desatento pelas ruas da sedução, pelas esquinas da tentação, quando deveria estar em casa, junto de sua esposa e de seus filhos. É o homem que corre o risco de pisar em terreno minado e ser arrastado pelas torrentes das paixões carnais. Vaguear longe do lar é buscar fora de casa o prazer ilícito, é flertar com o perigo, é colocar os pés numa estrada escorregadia, é deixar um flanco perigosamente aberto. Assim como pode ser apanhada uma ave que vagueia longe do ninho, um homem que vagueia longe do lar pode cair na tentação, ser fisgado pelo pecado e tornar-se um prisioneiro. Valorize seu lar! Não corra dele; corra para ele. É no recesso do lar que você encontra afeto, comunhão e segurança. Aqui vale o alerta: Cuidado, pezinho, onde pisa!

As bênçãos da amizade – *Como o óleo e o perfume alegram o coração, assim, o amigo encontra doçura no conselho cordial* (Pv 27.9). A amizade verdadeira torna os dias mais agradáveis e nos dá ânimo para viver. Aqui o amigo é comparado ao óleo terapêutico e ao perfume embriagador. O óleo traz alívio; o perfume agrada e inebria. O óleo suaviza; o perfume atrai. A amizade é uma das maiores bênçãos da vida. Há amigos mais chegados que irmãos. O amigo é aquele que está a seu lado não para se aproveitar de você, mas para o servir. Seu propósito não é explorar, mas cooperar. Ele caminha com você não apenas nos dias áureos, mas sobretudo nos tempos de crise. O amigo chega à sua casa mesmo depois de todos já terem partido. O amigo não é conivente com seus erros, mas é solidário com suas fraquezas. Confronta você com amor e defende-o com vigor. Os conselhos do amigo são doces como o mel, porque são motivados pelo amor e procedem do coração. Suas palavras são medicina para o corpo e tônico para a alma. Suas orientações, fundamentadas na Palavra de Deus, são lâmpada para os pés e luz para o caminho. Seus conselhos são normativos e preventivos. Ouvi-los faz bem à alma e alegra o coração. Feliz é aquele que tem amigos, cujos conselhos cordiais geram cura como o óleo, deleite como o perfume e doçura como o mel.

Valorize seu vizinho – *Não abandones o teu amigo, nem o amigo de teu pai, nem entres na casa de teu irmão no dia da tua adversidade. Mais vale o vizinho perto do que o irmão longe* (Pv 27.10). Que verdade extraordinária: Mais vale um amigo perto do que um irmão longe! Precisamos cultivar bons relacionamentos com os vizinhos porque podemos servi-los em suas necessidades, e eles podem nos socorrer na hora da nossa aflição. Maltratar os vizinhos e não ter com eles uma boa relação é uma insensatez. Quebrar vínculos antigos ou novos é conspirar contra si mesmo. O dia da adversidade pode vir de súbito. Não é possível acionar um irmão distante. Nesse momento crítico, só um vizinho, que mora à nossa porta, pode nos valer. Sair à cata de um socorro distante pode ser fatal. A ajuda pode chegar tarde demais. Sábio, portanto, é aquele que investe em bons relacionamentos. Prudente é aquele que trata com respeito e dignidade seus vizinhos. Sensato é aquele que faz do vizinho um irmão e pode contar com ele no dia da calamidade. Um bom vizinho é um refrigério nos dias bons e um refúgio nos dias de angústia. Mantenha acesa a chama do amor aos irmãos que moram distante, mas invista ainda mais nos vizinhos que estão à sua porta. Eles poderão ser sua rota de escape no dia da calamidade, abrindo-lhe o coração, estendendo-lhe a mão e franqueando-lhe a casa.

A sabedoria é fonte de alegria – *Sê sábio, filho meu, e alegra o meu coração, para que eu saiba responder àqueles que me afrontam* (Pv 27.11). A paternidade é uma sublime missão do ser humano na terra e uma de suas maiores responsabilidades. Criar filhos não é brincadeira. Alguém já disse, com certa razão, que aqueles que se sentem como os melhores e mais seguros instrutores de filhos são os que nunca os tiveram. Não existe receita de bolo para ter sucesso nesse sagrado trabalho. Há pais que ensinam com fidelidade e exemplo, e, mesmo assim, os filhos rejeitam esse rico legado. Há outros, entretanto, cujos filhos são sua alegria, pois jamais se desviam do caminho da retidão aprendida no recesso do lar. Um filho sábio alegra o coração do pai e o livra de constrangimentos. É comum as pessoas quererem tirar uma casquinha dos pais, quando os filhos andam por veredas sinuosas. Os pais são afrontados quando os filhos são rebeldes. Os pais são envergonhados quando os filhos não seguem suas pegadas. Quando os pais são afrontados por pessoas movidas pela inveja, mas seus filhos são sábios, esses pais, em vez de passarem constrangimento, podem responder firmemente aos afrontadores. Um filho sábio é a melhor defesa dos pais. Um filho que afasta os pés dos lugares escorregadios dá descanso a seus pais. Um filho sábio que segue a verdade, pratica a justiça e ama a misericórdia é uma muralha de proteção para os pais contra toda sorte de afrontas.

A prudência pode salvar sua pele – *O prudente vê o mal e esconde-se; mas os simples passam adiante e sofrem a pena* (Pv 27.12). Ilustro esse provérbio com o exemplo da águia. A águia é a rainha do espaço. Voa soberana e sobranceira nas alturas excelsas. Com suas asas possantes, corta ventos procelosos e faz seu ninho no alto dos penhascos. Quando a águia percebe a chegada de uma tempestade, voa com mais vigor, atravessa o nevoeiro denso e aplaina suas asas lá em cima, onde reina a bonança. O inhambu, porém, é uma ave que voa rasteiro, debaixo da tempestade, e quase sempre sofre graves reveses. Essa é a diferença entre o prudente e o simples. As Escrituras dizem que o prudente vê o mal e se esconde. Discernimento e prudência são seus antídotos contra os perigos da vida. Precisamos viver antenados, de olhos abertos, com coração apercebido para não entrar em situações de perigo, para não colocar os pés numa armadilha. O prudente vê o mal e dele se desvia. O sábio vê o perigo e se esconde. O simples, porém, desprovido de discernimento, por não andar antenado, segue adiante, apesar do perigo iminente, e sofre fortes esbarros e graves consequências. Não seja ingênuo. Não caminhe na direção daquilo que será um laço para os seus pés. Abra bem os olhos e apresse seus passos. Fuja dos perigos. Livre sua alma!

Cuidado com os compromissos que você assume – *Tome-se a roupa àquele que fica fiador por outrem; e, por penhor, àquele que se obriga por mulher estranha* (Pv 27.13). Há duas situações muito perigosas que podem subtrair seus haveres e roubar sua paz. A primeira delas é ficar por fiador de alguém. Quando você assume o compromisso de pagar a dívida do seu próximo, caso ele tenha alguma dificuldade de saldar o compromisso no tempo azado, você será o responsável principal pela dívida e correrá o risco de perder tudo o que tem, inclusive a roupa do corpo. Ser avalista é uma atitude muito arriscada. Pode levar você à pobreza financeira e trazer-lhe grandes desgastes emocionais. É melhor ficar vermelho por um instante e negar ser avalista do que evitar um momento de constrangimento e depois passar a vida inteira amarelado de raiva. A segunda situação que pode roubar sua paz e esvaziar seu bolso é ter um relacionamento escondido e subterrâneo com uma mulher estranha. Essa mulher saberá explorar tal situação para chantageá-lo. Ela fará ameaças, dizendo que, se você não der o que ela quer, acabará com sua reputação e contará para o mundo inteiro o que vocês fizeram às escondidas. Seja prudente! Não ponha sua assinatura onde seu bolso possa ser golpeado nem coloque seus pés na casa da mulher estranha, onde sua honra pode ser destruída.

Há elogios e elogios – *O que bendiz ao seu vizinho em alta voz, logo de manhã, por maldição lhe atribuem o que faz* (Pv 27.14). Quando você vir alguém fazendo muita propaganda das próprias virtudes, contando com muito entusiasmo seus feitos gloriosos, proclamando com eloquência seu acendrado amor, pode ter certeza de que alguma coisa está errada. A nobreza de caráter leva qualquer pessoa a ser recatada e humilde. Só os hipócritas fazem estardalhaço de suas obras. Só os fanfarrões trovejam suas façanhas. Só aqueles que gostam de receber aplausos procuram ostentar suas virtudes. O texto em apreço destaca a atitude positiva de saudar o vizinho logo de manhã, mas que nesse caso descrito é exagerada. O cumprimento ao vizinho nas primeiras horas do dia é legítimo, mas não fica bem quando é desproporcionado. Bendizer o vizinho em alta voz logo de manhã soa pedante. Em vez de demonstrar a importância do vizinho, essa saudação altissonante visa mais o autoengrandecimento de quem a profere. Quem assim procede não granjeia simpatia, mas rejeição. As palavras exageradas são processadas no laboratório de um coração falso e proferidas por lábios fingidos. Essa bendição transforma-se em maldição. O vizinho bajulador, longe de construir pontes de contato nos seus relacionamentos, cava abismos. Longe de ser promovido por suas palavras, tem seu gesto hipócrita desmascarado por causa do exagero.

O desconforto de viver com uma mulher ranzinza – *O gotejar contínuo no dia de grande chuva e a mulher rixosa são semelhantes* (Pv 27.15). Uma das torturas mais cruéis nos presídios de segurança máxima nos tempos da ditadura era o gotejar contínuo sobre a cabeça do prisioneiro. O barulho monótono e constante perturba a alma. Assim é a mulher rixosa. Ela não cessa de falar. Seus lábios desassossegados gotejam sem parar o fluxo maldito de sua alma inquieta. Essa mulher transtorna o ambiente de sua casa. Inferniza a vida do marido. Ela lhe faz mal todos os dias de sua vida. É impossível viver em paz com essa mulher. Ela é fonte de conflitos e tensões. Aonde ela chega, o ambiente fica pesado. Onde ela põe os pés, ninguém mais tem sossego.

Os biógrafos de Abraham Lincoln afirmam que a maior tragédia em sua vida não foi seu assassinato, mas seu casamento com Mary Todd Lincoln. Ela era uma mulher ranzinza. Menosprezava o marido, endereçando-lhe os mais desdenhosos apelidos. Mesmo na presença de seus ministros de Estado, ela jogava café quente em seu rosto. Abraham Lincoln tinha o hábito de frequentar longas e intérminas reuniões até as madrugadas. Não porque gostasse de reuniões; o que ele não suportava era voltar para casa. A mulher rixosa é uma péssima companhia. É como goteira que nunca cessa. Ela incomoda, e muito!

A impossibilidade de controlar uma mulher ranzinza
– *Contê-la* [a mulher rixosa] *seria conter o vento, seria pegar o óleo na mão* (Pv 27.16). O vento não pode ser contido nem o óleo pode ser segurado na concha das mãos. Assim também, a mulher rixosa não pode ser contida. Ela não tem domínio próprio. Suas ações são destemperadas, e suas reações são tempestuosas. Suas palavras retinem como bronze, e sua língua fere mais do que espada. A mulher rixosa é indisciplinada. Não faz avaliação da vida. Não faz correção de rota. Jamais reconhece seus erros ou confessa seus pecados. A mulher rixosa é um vento impetuoso que, por onde passa, a todos atinge e a tudo devassa. A mulher rixosa, além de não se controlar, não pode ser controlada. Tentar fazer isso é o mesmo que tentar pegar o óleo na mão: ele vaza entre os dedos. Uma pessoa sem domínio próprio transtorna o ambiente onde está. É uma ameaça às pessoas ao redor. É inimiga da paz, agente da guerra, protagonista de conflitos. Conviver com essa mulher encurta os dias de vida. Conversar com essa mulher seca a alma e priva o coração de qualquer deleite. É melhor fugir para o deserto

do que estar em sua companhia. É melhor morar na solidão de um eirado do que dormir na mesma cama com ela. Porque ela não pode ser contida, o melhor é fugir dela!

O contato abençoador – *Como o ferro com o ferro se afia, assim, o homem, ao seu amigo* (Pv 27.17). O ferro afia o ferro, dando-lhe forma, beleza e utilidade. Assim também o relacionamento com um amigo fiel é um instrumento eficaz para moldar nosso caráter e nos tornar ferramentas úteis nas mãos de Deus. O amigo é aquele que fala não o que você quer ouvir, mas o que você precisa ouvir. Seu propósito não é agradar você com palavras bajuladoras, mas confrontá-lo com amor responsável. O verdadeiro amigo não é aquele que só despeja em cima de você torrentes de elogios, mas é sobretudo aquele que abre em seu coração feridas leais. As feridas feitas pelo amigo são melhores do que a bajulação do hipócrita. O amigo está a seu lado não para tirar algum proveito de você, mas para servi-lo em sua necessidade. Mesmo que todos abandonem você no tempo de sua calamidade, ele permanece a seu lado, apesar de sua desdita. Sua amizade não é utilitarista. Sua motivação não é egoísta. Sua ação é altruísta. Seu propósito é afiar e preparar você para ser um vaso de honra, um instrumento poderoso e eficaz nas mãos de Deus. Oh, como é precioso o amigo que nos confronta em nossos erros e nos defende em nossas fraquezas! Oh, como é bom ter um amigo que nunca desiste de nós!

A recompensa do trabalho – *O que trata da figueira comerá do seu fruto; e o que cuida do seu senhor será honrado* (Pv 27.18). Esse provérbio destaca uma verdade solene: a verdade de que o trabalho cuidadoso traz resultados garantidos. Ninguém colhe o que não planta. Ninguém usufrui benefícios sem ter feito antes investimento. Quem não cuida de sua lavoura não come de seus frutos. Quem se entrega à preguiça colherá penúria. Quem encolhe as mãos ao trabalho ceifará a pobreza. Qual é sua figueira? Qual é seu campo de semeadura? Onde está sua lavoura? Onde você faz seus investimentos? A figueira não produz abundantemente sem cuidado. É preciso plantar, regar e proteger. É preciso investir tempo e esforço para colher os frutos da figueira. Esse princípio vale para todas as áreas da vida. Quem não semeia nos estudos não colhe sucesso no aprendizado. Quem não semeia nos relacionamentos não colhe amizades duradouras. Quem não semeia no casamento não desfruta de venturas conjugais. Quem não semeia no trabalho não colhe prosperidade. Quem não semeia na vida espiritual não colhe bem-aventurança. Mais do que investir na sua lavoura, o prudente tem um profundo senso de mordomia e um forte espírito de serviço. Ele cuida do seu senhor. Por isso, é honrado. Por não buscar honra para si mesmo, e sim o bem-estar do seu senhor, ele, nessa mesma postura, é honrado.

O poder da autoanálise – *Como na água o rosto corresponde ao rosto, assim, o coração do homem, ao homem* (Pv 27.19). O nosso coração é ao mesmo tempo enganoso e nosso melhor analista. Ele revela quem somos. Diagnostica nossa identidade. Aponta nossos defeitos e revela nossas virtudes. Assim como uma pessoa se imagina no coração, assim ela é. Como na água o rosto corresponde ao rosto, assim o coração de uma pessoa corresponde a ela. Platão, o grande pensador grego, diz que a vida sem reflexão não é digna de ser vivida. Não podemos viver como irracionais, sem reflexão e sem autoanálise. Precisamos confrontar a nós mesmos e ao mesmo tempo encorajar-nos. Ser uma coisa e sentir outra é um claro sinal de doença. O coração é a cintilografia da alma. Quando estamos bem, o coração está em paz; porém, quando estamos em crise, o coração toca o alarme. O coração desassossegado enfraquece os ossos, mas o coração alegre aformoseia o rosto. O coração é o painel do corpo. É o *outdoor* da alma. É o mostruário do nosso interior. Nosso rosto traz à tona o que está armazenado em nosso coração. Nosso semblante revela o que sentimos no coração. A nossa boca fala daquilo que enche nosso coração. Assim como estamos, é isso que o nosso coração revela. Como na água o rosto corresponde ao rosto, assim o coração de uma pessoa a ela corresponde.

Insatisfação crônica – *O inferno e o abismo nunca se fartam, e os olhos do homem nunca se satisfazem* (Pv 27.20). O inferno e o abismo são uma espécie de buraco negro, um poço sem fundo. Jamais se fartam. Nunca deixam de avidamente quererem tragar mais e mais. São insaciáveis. Assim são os olhos humanos; nunca se satisfazem. Uma pessoa vê e cobiça, e nessa cobiça não há limites. Os olhos são sua maior armadilha, pois seus pés são atados pelas correntes da concupiscência dos olhos. Porque Eva viu o fruto proibido, desejou-o, tomou-o, comeu-o e o deu a seu marido. Porque Acã viu uma barra de ouro, escondeu-a, e esse objeto roubado foi a ruína de sua casa. Porque Davi viu Bate-Seba banhando-se, cobiçou-a, adulterou com ela e arruinou, por isso, sua própria família. A cobiça dos olhos é um desejo forte. E esse desejo forte torna-se uma paixão avassaladora. Foi a insatisfação que levou Eva a sentir-se infeliz num jardim cercado de delícias. Foi a insatisfação que levou o filho pródigo a pedir ao pai antecipadamente a herança e partir para um país distante. A insatisfação crônica com o que se tem e a cobiça ardente pelo que se não tem são as causas de muitos desastres. Cuidado com o que seus olhos veem e com o que seu coração deseja. Essa insatisfação crônica pode ser um poço sem fundo, um abismo tão profundo como o inferno.

Como você reage aos elogios? – *Como o crisol prova a prata, e o forno, o ouro, assim, o homem é provado pelos louvores que recebe* (Pv 27.21). Mais pessoas caem em desgraça por causa de elogios do que por causa de críticas. Mais pessoas tropeçam em seu sucesso do que em suas crises. Mais pessoas revelam suas mazelas quando estão no topo do que quando estão no vale. O coração humano é mais conhecido pelos elogios que recebe do que pelas censuras que enfrenta. Quer conhecer um indivíduo? Dê a ele poder e cubra-o de elogios. Como o crisol prova a prata, e o forno, o ouro, assim também o ser humano é provado pelos louvores que recebe. Quando um indivíduo é elogiado, as escórias que contaminam seu caráter aparecem, e as impurezas que desvalorizam sua honra se tornam evidentes. O ser humano é mais tentado pelos louvores que recebe do que pelas palavras duras que escuta. Os louvores que uma pessoa recebe despertam o que ela tem de pior: a soberba. Uma pessoa altiva e arrogante é uma tragédia para si mesma e para os que estão à sua volta. Deus resiste aos soberbos. Os soberbos tropeçam em suas próprias pernas. São a causa de sua própria queda, os protagonistas de sua própria ruína. Somente as pessoas humildes podem receber elogios sem capitularem à vaidade. Somente aqueles que reconhecem que tudo o que eles são e têm vem de Deus podem ser honrados sem perder a honra.

A estultícia inveterada – *Ainda que pises o insensato com mão de gral entre grãos pilados de cevada, não se vai dele a sua estultícia* (Pv 27.22). Estultícia é tolice não reconhecida. O estulto, apesar de ser desprovido de bom siso, julga-se extremamente esperto. Coloca-se no pedestal e acredita que sua fraqueza de caráter é virtude e que seus pontos fracos na verdade são fortes. O estulto, mesmo quando firmemente confrontado, não abandona sua estultícia. Mesmo quando o rolo compressor passa sobre sua vida, ele nada aprende. Sua cegueira é radical. Sua dureza de coração é crônica. Sua incapacidade de arrependimento é total. O tolo é incorrigível. Não aprende com a repreensão que recebe nem com os próprios erros. A chibata da disciplina estala em suas costas, e ele apanha até ficar caído; porém, ao colocar-se de pé, continua sua marcha inglória, repetindo os mesmos erros, falando os mesmos impropérios e cometendo os mesmos deslizes. O insensato é cabeça dura e tem coração insensível. Ele se acostumou a apanhar. Sua trajetória é marcada por graves acidentes provocados por usa própria insensatez. As circunstâncias se mostram carrancudas, mas ele se recusa a aprender com a vida. Ainda que seja esmagado por um descascador de cereais, não se vai dele a sua estultícia.

Você conhece o estado de suas ovelhas? – *Procura conhecer o estado das tuas ovelhas e cuida dos teus rebanhos* (Pv 27.23). O escritor sagrado usa a linguagem agropastoril para ensinar uma importante lição de vida. Um pastor de ovelhas precisa estar atento a seu rebanho. As ovelhas não cuidam de si mesmas; precisam ser cuidadas. Elas não se protegem; precisam ser protegidas. Elas não caminham em segurança sozinhas; precisam ser guiadas. As ovelhas necessitam de provisão, direção e proteção. O pastor não deixa suas ovelhas abandonadas à própria sorte nem as deixa vulneráveis diante dos ataques dos predadores. O pastor conhece cada ovelha do rebanho e as chama pelo nome. Um pastor que não cuida de seu rebanho lavra a própria sorte e cai em pobreza e desgraça. Ovelhas malcuidadas se desviam. Ovelhas malcuidadas são presas fáceis das feras do campo. Ovelhas malcuidadas adoecem e morrem. O pastor que não conhece o estado de suas ovelhas nem cuida do seu rebanho está laborando contra si mesmo. Está construindo o próprio fracasso. Esse princípio se aplica a qualquer área da vida. Sem investimento, não há retorno. Sem trabalho, não há progresso. Sem semeadura, não há colheita. Seja você um empresário, um funcionário público, seja agricultor, comerciante, professor, seja um ministro do evangelho, faça seu trabalho com excelência. Somente assim você colherá os benditos resultados de seu trabalho!

A riqueza é passageira – *Porque as riquezas não duram para sempre, nem a coroa, de geração em geração* (Pv 27.24). Muitas pessoas, por causa de seu trabalho primoroso e de seu excelente engenho administrativo, constroem verdadeiras fortunas. Quando morrem, porém, sua riqueza colossal emagrece e se desidrata. Isso porque, muitas vezes, os herdeiros, em vez de continuarem trabalhando e fazendo crescer o patrimônio, querem apenas usufruir do que foi acumulado ao longo dos anos. Entretanto, toda fonte da qual você só tira, e não repõe, um dia seca. As riquezas não duram para sempre. Aqueles que apostatam do trabalho e se matriculam na escola do consumismo contumaz descobrem, em pouco tempo, que o dinheiro é volátil. O dinheiro tem asas. Foge daqueles que não sabem lidar com ele. A riqueza é passageira. Ela muda de mãos. Aquele que foi rico ontem pode ser pobre hoje. Não brinque com as riquezas. Sem novos investimentos, ela acabará. Da mesma forma, acontece com os governantes. A coroa não dura de geração em geração. Um governante que sobe ao trono apenas para servir-se do povo, em vez de servir ao povo, perderá o prestígio, perderá o mandato, perderá o poder. É assim: sem investimento, não há retorno; sem sacrifício, não há glória; sem cruz, não há coroa; sem semeadura abundante hoje, não haverá colheita farta amanhã.

Um trabalho que vale a pena – *Quando, removido o feno, aparecerem os renovos e se recolherem as ervas dos montes, então, os cordeiros te darão as vestes, os bodes, o preço do campo, e as cabras, leite em abundância para teu alimento, para alimento da tua casa e para sustento das tuas servas* (Pv 27.25-27). O pastor que conhece o estado de suas ovelhas e cuida bem de seu rebanho é aquele que provê alimento tanto no calor do verão como no frio do inverno. Ele é o provedor de seu rebanho, o cuidador de suas ovelhas. Sabe que, se não houver investimento em seu trabalho, não haverá retorno em seu lucro. O dono das ovelhas ajunta o feno para o inverno, mas, depois que o inverno se vai, no mesmo local onde estava estocado o alimento das ovelhas, aparecem os renovos e se recolhem as ervas dos montes. Então, os cordeiros bem nutridos e saudáveis poderão ser comercializados a bom preço; os bodes robustos renderão excelente lucro; as cabras pejadas suprirão sua casa de leite; e haverá fartura em sua família. O contrário também é verdade. Quem não cuida de seu rebanho e não investe em seus negócios tem prejuízo na certa. O trabalho, mesmo que árduo, vale a pena. Seja na lavoura, seja criando gado. Seja na indústria, seja no comércio. Seja na educação, seja na saúde. Seja no parlamento, seja na igreja. Quem não semeia em seu trabalho não colherá frutos abundantes. Quem não investe em seus negócios não terá recompensa. Quem não trabalha árduo nos tempos de bonança não terá reservas para enfrentar os dias de crise.

Capítulo 28

A sabedoria ensina a enfrentar a vida de frente piedosamente em contraste com o perverso que a teme
(Pv 28.1-28)

O JUSTO NÃO TEM MEDO – *Fogem os perversos, sem que ninguém os persiga; mas o justo é intrépido como o leão* (Pv 28.1). Os transtornos emocionais crescem de forma explosiva em nossa sociedade marcada pela violência. A ansiedade é o cardápio do dia na mesa dos homens. Há muitas pessoas com síndrome de pânico, que vivem com medo do real e do irreal. Há aqueles que criam seus próprios fantasmas e tentam escapar deles cheios de assombro. Aqui, vemos outro tipo de medo. O medo infundado dos perversos. A consciência perturbada, a alma inquieta e a mente desassossegada geram nos perversos mania de perseguição. Eles imaginam que o mundo inteiro está contra eles. Para todo lado que olham, enxergam inimigos. Vivem atribulados de espírito. Estão sempre fugindo, acuados pelo medo. Esse medo nem sempre é resultado de um fato real. Muitas vezes, é produto de sua própria turbulência emocional. Não é assim com o justo. Por estar em paz com Deus, sente a paz de Deus. Por estar com a consciência tranquila, não se intimida diante da adversidade. Porque teme a Deus, não tem medo das pessoas. É manso como um cordeiro, mas intrépido como um leão. O justo olha para o passado e tem paz com Deus; olha para o presente e tem livre acesso à graça de Deus; olha para o futuro e se alegra na esperança da glória de Deus. O justo não tem medo do passado, nem do presente nem do futuro. Porque confia em Deus, é corajoso como um leão.

A corrida pelo poder – *Por causa da transgressão da terra, mudam-se frequentemente os príncipes, mas por um, sábio e prudente, se faz estável a sua ordem* (Pv 28.2). A corrida pelo poder é a dinâmica da democracia. Governantes constantemente sobem e descem do poder. Enquanto uns ascendem ao trono, outros estão apeando. Qual é a causa dessa constante transição? Por que eles não conseguem estabilidade? Por que se mudam frequentemente os príncipes? Por causa da transgressão da terra! A inquietação da base da pirâmide abala o topo da pirâmide. A agitação das ruas abala a cadeira dos poderosos. A insatisfação popular é o vendaval que varre dos tronos os príncipes. Sem apoio do povo, os governantes não se sustentam no poder. Mas o que produz a inquietação na terra? A insensatez dos governantes! Quando os governantes oprimem o povo, em vez de servirem ao povo, quando sobem ao poder para se locupletarem, em vez de atender às necessidades do povo, e quando roubam e deixam roubar no seu governo, então as ruas se agitam, e a desordem se estabelece. Porém, quando governa o justo, a ordem se faz estável. Quando um governante íntegro assume o poder, o povo se alegra. Quando um gestor prudente governa, o progresso chega, a paz reina e o trono se estabelece. Um governante insensato é um pesadelo para a nação, mas um governante prudente é uma bênção para o povo.

A opressão desnaturada – *O homem pobre que oprime os pobres é como chuva que a tudo arrasta e não deixa trigo* (Pv 28.3). É sabido que as pessoas menos aquinhoadas financeiramente são mais sensíveis e solidárias com aqueles que vivem dramas financeiros do que o são os mais ricos. Talvez porque sentem na pele a dor da escassez. Não é natural a um pobre oprimir outros pobres. Agir dessa forma é uma espécie de opressão desnaturada. É como chuva que a tudo arrasta e não deixa sequer um grão para mitigar a fome. A opressão é sempre uma atitude injusta, pois implica uma ação de violência contra quem não pode resistir. A opressão vem do forte sobre o fraco, do rico sobre o pobre, do grande sobre o pequeno. Mas, quando a opressão vem dos iguais, é porque a decadência chegou ao extremo. É um sinal de que a degradação dos valores chegou ao fundo do poço. Um pobre que oprime outros pobres não é como a chuva serôdia que rega a terra para que esta produza pão com fartura; é como uma enxurrada de lama que a tudo abala, a tudo arrasta, e deixa após si uma marca profunda de destruição e miséria. Oh, como é desumana essa opressão! Oh, como é desnaturada essa violência! Oh, como é injusta essa prática criminosa! A opressão aos pobres na terra suscita o juízo de Deus a partir do céu, pois Deus é o defensor daqueles que não têm vez nem voz.

Quando a lei afrouxa, os maus prevalecem – *Os que desamparam a lei louvam o perverso, mas os que guardam a lei se indignam contra ele* (Pv 28.4). É sabido de todos que a impunidade é o maior estímulo ao crime. Por que tanta gente entra açodadamente no crime? Por que a corrupção se torna tão endêmica? Por que a violência campeia de peito aberto? Porque os criminosos têm a convicção de que não serão punidos! Aqueles que afrouxam as leis premiam os perversos. Aqueles que criam mecanismos e esquemas para escapar do rigor da lei contribuem para o crescimento da iniquidade. Sempre que a lei é sonegada, torcida e desamparada, os perversos encontram mais espaço e se fortalecem. Por outro lado, aqueles que andam retamente, observando a lei, repudiam firmemente o relativismo moral dos perversos. É impossível ficar neutro nessa questão. Respeitar a lei significa indignar-se contra aqueles que a violam. Amar a lei significa repudiar aqueles que a torcem. Com a mesma força que praticamos a verdade, devemos rechaçar a mentira; com a mesma veemência que aprovamos o bem, devemos repudiar o mal. Quanto mais guardamos a lei, mais nos posicionamos contra aqueles que, afrontosamente, rejeitam os preceitos divinos. O que fere o coração de Deus também nos atinge. Não podemos nos alegrar com o que Deus proíbe nem nos entristecer com o que Deus aprova.

A lei de Deus ilumina todos – *Os homens maus não entendem o que é justo, mas os que buscam o Senhor entendem tudo* (Pv 28.5). Augusto Comte, o pai do positivismo, disse que o maior problema da humanidade é a ignorância. Esse grande pensador estava equivocado. A educação não resolve todos os problemas humanos. Não basta informação; o ser humano precisa de transformação. Mesmo aspergido pelo orvalho do conhecimento, alcançando as culminâncias do saber humano, o século 20 assistiu, horrorizado, a duas sangrentas guerras mundiais. Informação sem transformação pode levar o ser humano a loucuras ainda mais perigosas. Os maus, ainda que cultos, não entendem o que é justo. Não porque sejam obtusos de mente, mas porque são corruptos de coração. Os piedosos, porém, têm discernimento. Aqueles cujos olhos são iluminados pela lei de Deus e cujos passos são guiados pela verdade de Deus, esses compreendem mais a justiça do que os maiores sábios deste século. Deus é a fonte de todo o saber e a origem de todo o bem. Nele encontramos a verdade, a justiça e o entendimento. Fora dele, reinam as trevas, a injustiça e a opressão. Os maus não entendem o que é justo. Seus olhos são cegos, seu coração é endurecido e sua consciência é cauterizada. Mas os que buscam o Senhor entendem tudo e são mais sábios do que os grandes sábios deste mundo.

Pobre rico e rico pobre — *Melhor é o pobre que anda na sua integridade do que o perverso, nos seus caminhos, ainda que seja rico* (Pv 28.6). Não é pecado ser rico nem é virtude ser pobre. A riqueza granjeada com o trabalho honesto e com o favor de Deus é uma bênção. Um indivíduo rico que reconhece a instabilidade da riqueza e não coloca no dinheiro sua confiança é feliz. A pessoa que usa sua riqueza para atender à sua família, socorrer os necessitados e investir na expansão do reino de Deus é bem-aventurada. Porém, a riqueza amealhada com desonestidade é uma grande maldição. Muitas pessoas enriquecem porque burlam as leis, surrupiam o erário público e saqueiam os cofres da nação. Ajuntam fortunas e mais fortunas e engordam contas robustas em paraísos fiscais. Mas, apesar de ajuntar tesouros robustos, perdem a paz, conspurcam o próprio nome e enlameiam a honra. Essas pessoas não podem olhar nos olhos dos filhos com a consciência limpa nem andar de cabeça erguida nas ruas. É melhor ser pobre e andar com dignidade do que ser rico e viver na masmorra da culpa. É melhor ter uma vida modesta e ser um orgulho para a família e um exemplo de integridade para a sociedade do que nadar em ouro e ser taxado de ladrão. A riqueza adquirida com violência será o combustível para a própria destruição daquele que a acumulou. Nesse caso, é melhor ser um pobre íntegro do que um rico corrupto.

Que tipo de filho é você? – *O que guarda a lei é filho prudente, mas o companheiro de libertinos envergonha a seu pai* (Pv 28.7). As grandes alegrias e tristezas de uma pessoa são vividas dentro de sua casa, no recesso do seu lar. A maior fonte de prazeres ou de pesares são seus filhos. Os filhos que obedecem e honram aos pais são seu deleite; os filhos que desprezam os pais e viram as costas a seus ensinos são seu desgosto. O filho que guarda a lei de Deus é prudente, pois a lei de Deus nos livra de lugares, pessoas e circunstâncias perigosas. Porém, o filho imprudente, que não afasta os pés dos caminhos tortuosos e se associa com libertinos, torna-se a vergonha dos pais. Andar no conselho dos ímpios, deter-se no caminho dos pecadores e assentar-se na roda dos escarnecedores é matricular-se na escola do desastre. Os filhos que tapam os ouvidos aos conselhos dos pais, que desprezam a lei de Deus e correm atrás de más companhias para se tornarem companheiros dos libertinos não apenas destroem a si mesmos, mas provocam grandes transtornos a seus pais. Que tipo de filho é você? Você tem honrado seus pais? Tem sido a alegria deles? Tem dado descanso à alma deles? Tem andado segundo o conselho de Deus? Não seja a vergonha de seus pais! Seja seu deleite!

A ganância não compensa – *O que aumenta os seus bens com juros e ganância ajunta-os para o que se compadece do pobre* (Pv 28.8). A ganância é um buraco sem fundo, uma cova insaciável, um desejo que nunca pode ser satisfeito. O ganancioso nunca está contente com aquilo que tem. Ele não só quer mais, mas usa de meios nada ortodoxos para alcançar esse objetivo. Há muitos indivíduos que aumentam sua riqueza explorando a desventura do próximo. São os agiotas que emprestam dinheiro com usura para os que estão com a corda no pescoço, exigindo juros extorsivos. A ganância desses avarentos leva-os a explorarem ainda mais os aflitos. Dessa maneira, com essas ferramentas de opressão, eles tomam o último centavo de seus devedores. O problema desses gananciosos é que a opressão aos aflitos é uma coisa má aos olhos de Deus. Aquilo que esses indivíduos acumulam com injustiça vaza entre seus dedos e vai parar nas mãos dos misericordiosos que se compadecem do pobre. Deus não permite que o ganancioso usufrua plenamente o fruto de sua exploração. A avareza do agiota leva-o ao colapso. Ele ajunta para o bom. Ele acumula para o misericordioso. O avarento não usufrui o que tem nem conserva o que conquista. Apenas ajunta para o que estende a mão ao pobre e necessitado. A avareza não é uma esperteza; é uma estultícia. Não produz riqueza; desemboca na penúria.

A oração que Deus não escuta – *O que desvia os ouvidos de ouvir a lei, até a sua oração será abominável* (Pv 28.9). A oração não pode ser divorciada da pessoa que ora. A vida de quem ora é a vida da oração. Se a vida estiver errada, a oração não será atendida. A iniquidade no coração intercepta a oração. Quem nutre mágoa no coração não alcança o favor de Deus na oração. Quem não trata o cônjuge com amor tem suas orações interrompidas. Com relação ao que desvia os ouvidos de ouvir a lei, até a sua oração será abominável. Deus tem prazer em ouvir e atender aqueles que o buscam. Ele não rejeita o coração quebrantado. Ele tem pressa em atender aqueles que o invocam. Porém, aqueles que deliberadamente tapam os ouvidos à sua lei, desviam os pés de suas veredas e endurecem o coração à sua voz, em vez de serem o deleite de Deus, tornam-se um desgosto para ele, e até sua oração será abominável. Não apenas a oração será repugnante aos olhos de Deus, mas toda a sua vida e todas as suas obras. Obediência e oração caminham juntas. Transgressão e resposta à oração não harmonizam. Antes de Deus aceitar a oração, ele precisa aceitar a pessoa que ora. Antes de atender à súplica, ele precisa aceitar o suplicante. A oração que Deus não aceita é a que brota de lábios impuros, coração rebelde e ouvidos desatentos à sua Palavra.

O justo pagamento dos corruptores – *O que desvia os retos para o mau caminho, ele mesmo cairá na cova que fez, mas os íntegros herdarão o bem* (Pv 28.10). Andar no mau caminho é um grave erro, mas desviar os retos para esse mau caminho é ainda pior. Ir para o abismo com os próprios pés é uma consumada insensatez, mas arrastar consigo quem estava no caminho reto é extrema crueldade. Aquele que maquina o mal contra o reto para derrubá-lo verá esse mesmo mal caindo sobre a própria cabeça. Quem abre uma cova para nela sepultar o reto cairá nessa mesma cova e maquinará a própria destruição. O mal que uma pessoa semeia contra o próximo virá sobre ela mesma de forma avassaladora. O veneno que o mau destila para destruir os outros será sorvido por ele mesmo gota a gota. Não é assim, porém, a história dos íntegros. Eles semearam o bem e herdarão o bem. Plantaram bondade e colherão misericórdia. Deus é o galardoador daqueles que o buscam e o recompensador daqueles cujas mãos são céleres em praticar a justiça. Se os malfeitores provocam a ira de Deus, os benfeitores são seu prazer. Se Deus dá a justa retribuição aos que maquinam o mal contra o próximo, ele abençoa com toda sorte de bênçãos aqueles que são retos de coração. Os malfeitores cavam sua própria ruína, mas os íntegros recebem de Deus sua recompensa.

O pretensioso desmascarado – *O homem rico é sábio aos seus próprios olhos; mas o pobre que é sábio sabe sondá-lo* (Pv 28.11). O rico tem mania de pensar que é mais sábio do que os pobres. Julga-se superior à plebe e mais sábio que os desprovidos de riquezas materiais. Imagina em seu coração que os bens que acumula resultam apenas de sua sabedoria e de seu engenho administrativo. Mas essa sabedoria pretensiosa não passa de consumada tolice. Essa mania de grandeza não vai além de arrogância vazia. Altivez e sabedoria não habitam no mesmo coração. Riqueza e sabedoria nem sempre ocupam a mesma casa. Nem sempre a riqueza vem acompanhada de sabedoria, e nem sempre a pobreza é companheira da estultícia. Há ricos tolos e pobres sábios. O rico tolo pensa que é sábio, mas o pobre sábio sabe sondar o rico. O rico soberbo não se conhece; contudo, o pobre sábio conhece não apenas a si mesmo, mas também o rico. O rico arrogante não sabe sondar o próprio coração, mas o pobre sábio sonda até o coração do rico. A riqueza do pretensioso não o matriculou na escola da sabedoria, enquanto a pobreza do sábio não o privou do discernimento. O pretensioso é desmascarado e humilhado, mas o humilde é reconhecido e exaltado. Quem estava no topo da pirâmide escorrega para a base, mas quem estava no chão faz uma escalada para o topo. Deus resiste aos soberbos, mas dá graça aos humildes.

A alegria de um povo – *Quando triunfam os justos, há grande festividade; quando, porém, sobem os perversos, os homens se escondem* (Pv 28.12). É consumada loucura apoiar aqueles que são perversos, com o propósito de colocá-los em postos de comando da nação. Políticos corruptos e maus são um pesadelo para o povo. A perversidade associada ao poder produz tirania. Um governo truculento oprime o povo, esmaga a esperança do povo e ainda se serve dele para viver no fausto e no luxo. Quando os perversos ascendem ao poder, o povo teme e foge. Quando os tiranos governam, o povo se desespera e se esconde. Porém, quando os justos triunfam, há alegria, paz e progresso no meio do povo. Os governantes não deveriam subir ao trono para manter um projeto de poder. Os governantes são diáconos de Deus para servir ao povo. Eles não são autoimpostos, mas constituídos por Deus para promover o bem e coibir o mal. Não deveriam explorar o povo, mas servi-lo. Não deveriam ser motivo de espanto e medo, mas de profunda alegria. Não deveriam promover medo e fuga, mas grande festividade. Um governante íntegro alegra o povo, mas um governante tirano é o seu tormento. Um governante justo é fonte de bênção, mas um governante perverso é uma tempestade de maldição. Quando os maus governam, a terra geme; mas, quando os justos ascendem ao poder, o povo celebra!

Não encubra seus pecados; confesse-os e deixe-os – *O que encobre as suas transgressões jamais prosperará; mas o que as confessa e deixa alcançará misericórdia* (Pv 28.13). O pecado é malianíssimo. Seus efeitos são desastrosos, e seu salário é a morte. Só os loucos zombam do pecado. Só aqueles que amam a destruição se rendem a seus caprichos e enganos. O pecado é um embuste. Faz propaganda enganosa. Vende uma coisa e entrega outra. Promete prazeres e deleites e paga com culpa e pesar. O pecado escondido é pior do que o pecado revelado. O pecado escondido adoece a alma, trava a jornada da vida e entristece o Espírito Santo. O pecado escondido impede a pessoa de prosperar. Seu vigor se torna em sequidão de estio, e sua paz evapora-se nas brumas de um mar revolto de uma consciência atribulada. A única saída para o pecado escondido é confessá-lo e abandoná-lo. Não basta confessar. É preciso também abandonar o pecado. Não é arrependimento atrás de arrependimento, mas arrependimento seguido de frutos de arrependimento. Quem confessa e deixa o pecado tira um fardo das costas e encontra não apenas misericórdia, mas também restauração. Confissão é concordar com Deus que pecamos. Confissão implica rompimento com a prática de pecado. Confissão desemboca em perdão. Confissão abre uma fonte de cura para a alma e de renovo para o coração.

O temor que produz alegria – *Feliz o homem constante no temor de Deus; mas o que endurece o coração cairá no mal* (Pv 28.14). O temor ao Senhor é o princípio da sabedoria. Aqueles que temem a Deus fogem do mal e se deleitam na justiça. Aqueles que temem a Deus não têm medo dos homens; receiam apenas entristecer o Espírito Santo. Quem teme a Deus prefere morrer a pecar, prefere a perseguição à apostasia. Quem teme a Deus deve ser constante nesse temor. Não é temer a Deus hoje e zombar de sua santidade amanhã. Não é temer a Deus em uma circunstância e relaxar a vigilância em outro momento. Feliz é aquele que permanece em resoluta constância no temor ao Senhor, pois esse temor o livrará de quedas desastrosas. O temor ao Senhor nos mantém perto de Deus e na dependência do Altíssimo. É na presença de Deus que reinam plenitude de alegria e felicidade. Por outro lado, o endurecimento do coração é a sala de espera da queda. Quem tapa seus ouvidos à voz de Deus e fecha o coração à graça de Deus caminha celeremente para o desastre. Se o temor ao Senhor nos livra do mal, o endurecimento do coração nos empurra para ele. Se o temor ao Senhor nos leva à sua presença, o endurecimento do coração nos afasta de Deus. Na presença de Deus há alegria, mas longe de Deus prevalece o choro!

Quando um tirano assume o poder – *Como leão que ruge e urso que ataca, assim é o perverso que domina sobre um povo pobre* (Pv 28.15). A história está manchada com o sangue daqueles que foram vítimas indefesas de governantes tiranos. É só recordar as atrocidades de Adolf Hitler, Lênin, Mao Tse-tung e de tantos outros déspotas que espalharam terror em seus dias. As Escrituras comparam o perverso que governa com truculência sobre o pobre a um leão que ruge e um urso que ataca. O rugido do leão é temido em toda a floresta. Quando ele ruge, ninguém se arvora a enfrentá-lo. Quando o urso ataca, sua investida é fatal. Assim é o perverso que domina sobre um povo pobre. Este é atacado, ferido e espoliado. O povo não consegue resistir à força dos tiranos.

Estes aparelham o Estado para atender a seu nefasto projeto de poder. Esses governantes truculentos não protegem o povo; atacam-no. Não servem ao povo; exploram-no. Não trabalham para o povo; apenas buscam seu próprio conforto. Há no mundo, ainda hoje, muitos povos que sofrem nas mãos de ditadores. Regimes totalitários ainda estão vivos e fazendo grandes estragos. Há ainda muitos povos oprimidos, sem vez e sem voz. Há muitos facínoras que ainda sobem ao poder para esmagar com mão de ferro o povo. Estes não são governantes que trabalham para o bem, mas leões que rugem e ursos que atacam.

A tirania estúpida – *O príncipe falto de inteligência multiplica as opressões, mas o que aborrece a avareza viverá muitos anos* (Pv 28.16). Quando a sabedoria se assenta no trono, o povo se alegra; mas, quando um príncipe falto de inteligência assume o governo, multiplicam-se as opressões. Que tipo de opressão um governante insensato promove? Não necessariamente a perseguição direta e afrontosa. A opressão pode ser o resultado de uma administração perdulária, na qual os recursos públicos são usados para favorecer compadrios políticos e subtrair do povo os haveres que deveriam ser usados na construção de uma sociedade mais justa. Os governantes oprimem o povo quando cobram tributos abusivos, mas gastam esses recursos de forma irresponsável. Os governantes oprimem o povo quando desviam os recursos que deveriam ser empregados na saúde, na educação e na segurança para alimentar esquemas de corrupção. Quando uma criança morre na fila de um hospital sem atendimento médico, quando um cidadão morre por ter de aguardar um longo tempo para fazer uma cirurgia que era de emergência, isso é uma clamorosa opressão da parte daquele que deveria proteger o povo e dele cuidar. Aqueles que aborrecem a avareza e vivem para servir, e não para ser servidos, esses têm vida longa e são amados pelo povo. A tirania estúpida produz opressão e penúria, mas a solidariedade amorosa desemboca em vida e felicidade.

Os dramas do assassino – *O homem carregado de sangue de outrem fugirá até à cova; ninguém o detenha* (Pv 28.17). Um assassino é um indivíduo perturbado na rota da fuga. Ele tirou não apenas a vida do seu semelhante, mas também sua própria paz. Ele fugirá até a cova sem jamais se sentir tranquilo. A perturbação da mente, o medo da vingança, a culpa avassaladora e os terrores do juízo divino o consumirão ao longo de sua vida. Mesmo aqueles que já cauterizaram a consciência e vivem no anonimato, escondendo-se por trás das máscaras de um silêncio gelado, continuam perturbados. O assassinato é a quebra do sexto mandamento da lei de Deus. É, também, a usurpação de um direito inalienável de Deus. Só Deus pode dar a vida e tirá-la. O assassinato é a maldade extrema que sobe dos porões infectos do coração maligno e desemboca em atos de violência contra o próximo. Os assassinos não herdam o reino de Deus, a menos que se arrependam. Um assassino, a menos que seja transformado pelo poder do evangelho, continuará sua fuga inglória, rumo à sepultura. Essa caminhada infeliz será marcada por terríveis pesadelos, e a chegada à cova será a paga de sua crueldade sanguinária. O braço humano não pode deter o assassino. Só Deus pode tirá-lo desse buraco do crime, dessa cova de morte, dessa masmorra da culpa. A não ser que o Filho de Deus o encontre e o liberte, ele caminhará celeremente para a própria destruição.

Um contraste profundo – *O que anda em integridade será salvo, mas o perverso em seus caminhos cairá logo* (Pv 28.18). A integridade é o nosso melhor salvo-conduto. A verdade não precisa se esconder. Os que andam na verdade podem viver de cabeça erguida e, mesmo quando acusados injustamente, podem dormir tranquilos, pois a consciência limpa é seu travesseiro mais macio. As obras do íntegro são o avalista de suas palavras irrepreensíveis. O que anda na integridade será salvo, ainda que passe por sérios percalços. Foi assim com José do Egito. Ele foi odiado pelos irmãos, traído pela patroa e jogado numa prisão por vários anos. Porque andou em integridade, sua honra foi restabelecida: ele foi salvo e guindado à honrosa posição de governador do Egito. Realidade diametralmente oposta ocorre com o perverso. Em seus caminhos maus, este logo cairá. Sua queda é certa e repentina. Ele é apanhado pelas próprias cordas de seus pecados. Seu caminho é sinuoso e escorregadio, cheio de armadilhas e desvios. Andar por esse caminho é tropeçar na certa. A vida do perverso é seu maior embaraço. Ele semeia ventos e colhe tempestades. Semeia na carne e da carne colhe corrupção. Ele abriu covas para derrubar os justos e nelas cairá. O íntegro, mesmo passando por perigos, é salvo; mas o perverso, mesmo em aparente segurança, caminha célere para o desastre.

O trabalhador e o vadio – *O que lavra a sua terra, virá a fartar-se de pão, mas o que se ajunta a vadios se fartará de pobreza* (Pv 28.19). O trabalho produz prosperidade, mas a vadiagem é a mãe da pobreza. Aqueles que diligentemente fazem seu trabalho com excelência colherão abundantes frutos desse investimento, porém aqueles que, além de nada produzirem, ainda se associam aos vadios, se fartarão não de frutos, mas de penúria. O texto apresenta um profundo contraste: o contraste entre o trabalhador e o ocioso, entre o que lavra a terra e o que se junta a vadios, entre o próspero que tem pão em abundância e o necessitado que se farta de pobreza. Quem investe em sua terra e cultiva sua lavoura se fartará de pão. Esse princípio se aplica a todas as áreas da vida, seja nos estudos ou na profissão, seja nos relacionamentos ou nos empreendimentos. Só colhe quem semeia. Só usufrui dos frutos aquele que lavra sua terra. A prosperidade é resultado do trabalho, enquanto a pobreza é consequência da vadiagem. Aqueles que se rendem à preguiça e se associam a vadios esquivam-se do trabalho, mas nunca escaparão da calamidade. A pobreza os apanhará repentinamente, e a penúria os envolverá como um manto. O trabalho produz fartura e honra, mas a ociosidade vadia desemboca na miséria e no opróbrio.

A verdadeira riqueza – *O homem fiel será cumulado de bênçãos, mas o que se apressa a enriquecer não passará sem castigo* (Pv 28.20). A honestidade abre caminho para a felicidade, mas quem tem pressa para enriquecer e negocia princípios morais para atingir essa meta não ficará sem castigo. As bênçãos que a pessoa fiel recebe são muito mais amplas do que os bens materiais. Há coisas que valem mais do que dinheiro, como, por exemplo, o bom nome, a paz de espírito, a harmonia familiar e a salvação eterna. Ter pressa para ficar rico é colocar o dinheiro acima das demais coisas. Aqueles que querem ficar ricos caem em tentação e cilada e atormentam a si mesmos com muitos flagelos. Não trouxemos nada para este mundo e dele nada levaremos. O que granjeamos, portanto, entre o berço e a sepultura não deve constituir a razão da nossa vida. O contentamento com a piedade é melhor do que a riqueza. O problema, é claro, não é termos dinheiro, mas o dinheiro nos possuir. Não é carregarmos dinheiro no bolso, mas o entronizarmos no coração. O problema não é o dinheiro, mas o amor ao dinheiro. O problema não é a riqueza, mas a riqueza sem integridade. O fiel é cumulado de bênçãos, não importa a quantidade de bens que acumule, mas o que se apressa para ficar rico terá como quinhão a perturbação e o desgosto, e jamais alcançará a plena satisfação de seu desejo.

Corrupção, quando a pessoa prevarica – *Parcialidade não é bom, porque até por um bocado de pão o homem prevaricará* (Pv 28.21). É absolutamente errado favorecer alguém no tribunal, sobretudo quando a motivação do juiz é auferir alguma vantagem pessoal. É um atentado contra a justiça e um clamoroso ataque contra a verdade vender sentenças para inocentar o culpado e culpar os inocentes. Alguns juízes fazem isso até por pouco dinheiro, ou seja, por um bocado de pão. Torcer o direito contra os justos para beneficiar os perversos é coisa horrenda. Assentar-se na cadeira de juiz e usar esse honrado posto para amordaçar a justiça e pisar os inocentes é uma afronta a Deus e uma violência ao próximo. Essa parcialidade criminosa é uma coisa má aos olhos de Deus, um escárnio aos ditames da lei e uma conspiração contra a sociedade. A corrupção procede do tendencioso coração humano. As pessoas, mesmo aquelas que ocupam as posições de maior honra, são inclinadas a prevaricar. É por isso que a corrupção se torna endêmica e tão nefasta. Precisamos, com todas as forças da nossa alma, repudiar a prática da corrupção nos tribunais, nos governos, nas empresas, nas escolas, nas famílias, nas igrejas e também no sacrário do nosso coração. A corrupção afronta Deus no céu e as pessoas na terra!

O engano fatal da ganância – *Aquele que tem olhos invejosos corre atrás das riquezas, mas não sabe que há de vir sobre ele a penúria* (Pv 28.22). A ganância é uma compulsão avassaladora. O ganancioso tem tanta pressa de ficar rico que nem percebe que a pobreza está chegando. Ele busca uma coisa, e outra bem diferente vem ao seu encontro. Ele quer a riqueza, e recebe a pobreza. Anseia por muito, mas recebe pouco. Quer abundância, mas colhe escassez. A riqueza deve ser fruto do trabalho honrado e da bênção de Deus. É Deus quem fortalece nossas mãos para adquirirmos riquezas. A bênção de Deus enriquece e com ela não traz desgosto. Riquezas e glórias vêm das mãos de Deus. Portanto, a riqueza vem do céu. Devemos recebê-la com gratidão, e não buscá-la com avareza. Devemos administrá-la como bons mordomos, e não transigir com os valores morais absolutos para atingi-la. Devemos distribuí-la com amor, e não retê-la com usura. O invejoso tem olhos insaciáveis. Ele cobiça tudo o que vê. Nunca se contenta com o que tem, pois está sempre desejando o que não tem. Em vez de alegrar-se com o que tem, busca avidamente o que os outros têm. O invejoso anda tão ocupado cobiçando o que é dos outros que se esquece de trabalhar para construir a própria fortuna. A inveja é a mãe da pobreza. A cobiça sem o trabalho produz a penúria, e não a riqueza.

A franqueza é melhor do que a lisonja – *O que repreende ao homem achará depois mais favor do que aquele que lisonjeia com a língua* (Pv 28.23). A repreensão feita com amor é melhor do que o elogio feito com hipocrisia. A repreensão do amigo é melhor do que a lisonja do hipócrita. A repreensão pode, no momento, ser motivo de tristeza, mas depois terá um efeito benéfico, pois ajudará a pessoa repreendida a colocar os pés na estrada da bem-aventurança; no entanto, a lisonja da língua falsa pode até ser agradável no momento, mas, no fim, será mais um laço para o transgressor. A franqueza é saudável, sobretudo quando vem adornada pelo amor. As feridas feitas pelo amigo são feridas que curam, enquanto as palavras macias como azeite do bajulador são lisonjas que adoecem. O amigo prefere o desconforto do confronto ao conforto da omissão. O hipócrita bajulador prefere a conforto da lisonja ao desconforto do confronto. O confronto do amigo encontrará no futuro o favor do repreendido, mas a lisonja do hipócrita encontrará no futuro o descontentamento do elogiado. A sinceridade, ainda que usando palavras duras e firmes, sempre é melhor do que a hipocrisia que se disfarça com lisonjas. A repreensão sincera ajuda na caminhada; a lisonja hipócrita é armadilha perigosa ao longo do caminho. A longo prazo, a repreensão honesta é melhor do que a bajulação enganosa.

Filhos desnaturados – *O que rouba a seu pai ou a sua mãe e diz: Não é pecado, companheiro é do destruidor* (Pv 28.24). Quem acha que não é pecado roubar de pai e mãe é pior do que um ladrão comum. O filho que tenta conseguir o controle da propriedade dos pais ou que esbanja seus recursos é colocado na mesma classe dos animais predadores. Os filhos que usufruíram todas as benesses no lar e depois desamparam os pais na velhice roubam deles a dignidade. O princípio da integridade deve começar dentro de casa. A família é o laboratório no qual nosso caráter é forjado. Se não respeitamos pai e mãe, todas as nossas relações estarão adoecidas. Se não agimos honestamente com o dinheiro de pai e mãe, não seremos confiáveis com os haveres dos outros. A apropriação indevida daquilo que não é nosso é pecado, seja esse valor subtraído de estranhos, seja roubado dentro de casa. Roubar pai e mãe é uma quebra do oitavo mandamento. Os filhos não podem pegar dinheiro, bens ou outros valores à revelia dos pais, como se essa prática fosse natural. Isso é roubo! No que tange à integridade, o lar deve ser nossa escola mais rigorosa. Se formos reprovados nessa escola, estaremos desqualificados para viver de forma digna na sociedade. Filhos desnaturados jamais serão cidadãos honrados!

Não cobice; confie no Senhor – *O cobiçoso levanta contendas, mas o que confia no SENHOR prosperará* (Pv 28.25). O cobiçoso é um encrenqueiro inveterado. Ele não apenas deseja o que é do outro, mas está disposto a criar as maiores contendas para justificar sua cobiça. Quer construir seu patrimônio não com trabalho, mas com demandas. Prefere brigar para ter o que não lhe pertence a pôr a mão na massa e trabalhar com dignidade. O cobiçoso passa a vida levantando contendas, ferindo pessoas com palavras e atitudes, mas o fim dessa linha é amargura e pobreza. Aquele, porém, que confia no Senhor trabalha com esmero, empreende com inteligência e prospera em tudo quanto faz. Quem confia no Senhor não lança mão de meios escusos para aumentar suas riquezas. Quem confia no Senhor não vende sua consciência nem afrouxa sua ética para alcançar favores. Quem confia no Senhor não capitula às pressões nem às seduções do lucro fácil. Quem confia no Senhor trabalha e confia; do alto vêm seu socorro, sua direção e sua prosperidade. Aquele que busca em primeiro lugar o reino de Deus tem suas necessidades supridas e sua alma satisfeita. O cobiçoso avarento se alimenta de amargura e cai na penúria; o que confia no Senhor, porém, se alegra e prospera na terra.

Seu coração não é confiável – *O que confia no seu próprio coração é insensato, mas o que anda em sabedoria será salvo* (Pv 28.26). O coração não é um bom mestre. Ele é enganoso e desesperadamente corrupto. É do coração que procedem os maus desígnios. Confiar no próprio coração, portanto, é consumada tolice. John Locke diz que o ser humano é produto do meio. Mas a verdade dos fatos é que o meio é produto do ser humano. A corrupção da sociedade não vem de fora; vem de dentro do coração humano. Não é o poder que corrompe; o poder revela os corrompidos. O coração humano é o laboratório no qual todas as maldades são processadas. É o útero no qual é gestado todo engano e insensatez. Confiar em si mesmo, consequentemente, é caminhar por uma estrada escorregadia cujo destino é a perdição. Por outro lado, aquele que anda em sabedoria será salvo. Sabedoria é olhar para vida com os olhos de Deus. É ver a vida como Deus a vê. É sentir as coisas com o coração de Deus. É tomar as decisões que Jesus, a nossa Sabedoria, tomaria. Aqueles que seguem as pegadas da Sabedoria andam em segurança, são poupados de acidentes de percurso e chegam salvos e seguros a seu bem-aventurado destino. A autoconfiança é insensatez; ela pavimenta o caminho da queda. Mas a sabedoria é livramento; ela nos conduz com passos resolutos rumo à glória.

A bênção da generosidade – *O que dá ao pobre não terá falta, mas o que dele esconde os olhos será cumulado de* *maldições* (Pv 28.27). A Palavra de Deus ensina que Deus faz o rico e o pobre. A pobreza é um mistério; a riqueza, um ministério. Quando o rico socorre o pobre, este dá graças a Deus pelo rico, e ambos são bem-aventurados: o rico por repartir com generosidade, e o pobre por ser suprido em suas necessidades. A generosidade é o caminho mais seguro para a prosperidade. A alma generosa prosperará. Quem dá ao pobre empresta a Deus, e este não fica em dívida com ninguém. Quem dá ao pobre não passará necessidades. Entrementes, quem faz de conta que os pobres não existem será amaldiçoado. A usura é uma maldição em si e ainda atrai mais maldições, enquanto a generosidade é uma bênção e abre o caminho para maiores bênçãos. Dar ao pobre não é financiar a indolência, mas socorrer o aflito em sua necessidade. Dar ao pobre é entender que os bens que Deus nos dá não devem ser retidos com usura, mas distribuídos com generosidade. Dar ao pobre é compreender que Deus é glorificado quando seus filhos demonstram misericórdia. Dar ao pobre é entender que a bem-aventurança de dar é maior do que a felicidade de receber. Quem dá deve fazê-lo com alegria; quem recebe deve fazê-lo com gratidão.

O temor de um povo – *Quando sobem os perversos, os homens se escondem, mas, quando eles perecem, os justos se multiplicam* (Pv 28.28). A história está tingida de sangue pela ascensão dos perversos. Quando governantes truculentos assumem o poder e oprimem o povo com mão de ferro, as pessoas se escondem de medo, mas quando eles caem do poder o número de pessoas honestas aumenta. Os governantes são uma dádiva de Deus. Toda autoridade é constituída por Deus e está a serviço de Deus, como um diácono para servir ao povo, promovendo o bem e coibindo o mal. Quando, porém, essa autoridade exorbita em sua função e oprime o povo, em de vez servi-lo, torna-se uma ameaça ao povo. Um governante se torna opressor quando passa a ser dono, e não servo, do povo. Um governante faz o povo se esconder de medo quando aparelha o Estado, manipula as leis, controla os tribunais e amordaça a imprensa para domesticar até mesmo a consciência dos governados. Um governante se torna um carrasco quando esmaga o povo com tributos abusivos, seja para viver no fausto, seja para gastar perdulariamente o que deveria administrar com responsabilidade. Governantes opressores só trazem alívio ao povo quando apeiam do poder ou descem à cova. Nesse momento, então, os justos se multiplicam, e a paz se estabelece na terra.

Capítulo 29

A sabedoria instrui contra a rebeldia e a insubordinação
(Pv 29.1-27)

TARDE DEMAIS PARA SE ARREPENDER — *O homem que muitas vezes repreendido endurece a cerviz será quebrantado de repente sem que haja cura* (Pv 29.1). A pessoa que teima em não se corrigir cairá de repente na desgraça. Quem não escuta conselhos, escuta: "Coitado!" Quem não ouve a voz da repreensão receberá inevitavelmente o chicote do juízo. A repreensão é um remédio amargo, mas eficaz. É amargo ao paladar, mas doce ao estômago. Tapar os ouvidos à repreensão, fechar o coração à correção e endurecer a cerviz é caminhar célere para a destruição irremediável. A cerviz é o pescoço. Pescoço duro é sinônimo de altivez. A quem não se humilha, não reconhece o erro e não muda sua conduta mesmo depois de ser repreendido várias vezes, só resta cair na desgraça irreversível. Não há cura para quem não se arrepende. Não há esperança de salvamento para aqueles que teimam em permanecer em seus pecados. Não há perdão para aqueles que não se quebrantam. Só os que choram por seus pecados serão consolados. Só os que confessam seus pecados e os deixam alcançarão misericórdia. Só os que se dobram humildemente perante o Senhor e reconhecem a carência de sua graça serão restaurados. Recusar-se a ouvir a voz daquele que nos exorta com amor é entrar por um caminho sem volta, é cair num buraco sem fundo, é mergulhar num abismo de trevas eternas.

O perigo de um mau governante – *Quando se multiplicam os justos, o povo se alegra, quando, porém, domina o perverso, o povo suspira* (Pv 29.2). O justo e o perverso estão em lados opostos. São antagônicos e irreconciliáveis. A ascensão de um é a derrocada do outro. A justiça promove a paz, enquanto a perversidade espalha o terror. A justiça anda de cabeça erguida, e, por onde ela anda, a alegria se estampa no rosto das pessoas; mas, quando a perversidade sobe ao trono e põe a cara na rua, as pessoas suspiram de medo. A justiça promove a santidade, mas a perversidade incentiva a degradação. A justiça não negocia princípios e valores absolutos; a perversidade, porém, promove a inversão de valores. A justiça valoriza a família e fortalece as instituições; a perversidade, por sua vez, transtorna a família e manipula as instituições. A justiça defende o direito do fraco e do oprimido; a perversidade, de seu lado, esmaga cruelmente os desassistidos de esperança. A justiça governa para o bem de todos; a perversidade, contudo, governa apenas para satisfazer seus interesses ocultos. A justiça promove a liberdade; enquanto isso, a perversidade tenta domesticar até mesmo a consciência humana. Quando os honestos governam, o povo se alegra; mas, quando os maus dominam, o povo reclama. Um governante mau é um flagelo para o povo, mas um governante justo é uma bênção para a nação.

Sabedoria e devassidão – *O homem que ama a sabedoria alegra a seu pai, mas o companheiro de prostitutas desperdiça os bens* (Pv 29.3). Sabedoria e devassidão não andam de mãos dadas. Amar a sabedoria significa apartar-se do caminho da prostituição. Ser companheiro de prostitutas significa render-se à loucura e caminhar para a destruição. O filho que ama a sabedoria alegra a seu pai. A grande alegria do pai é saber que seu filho anda na verdade. Filhos obedientes são refrigério para o coração dos pais. Nenhum troféu pode ser mais cobiçado; nenhuma coroa pode ser mais reluzente; nenhuma recompensa pode ser mais excelente. Os pais se realizam e se alegram nos filhos que se conduzem pela verdade, que trilham as veredas da justiça, que praticam a misericórdia e que amam a sabedoria. Esses filhos dão descanso aos pais e são seu maior galardão. Por outro lado, os filhos que desprezam os pais, que escarnecem de seus ensinos e que se apartam da sabedoria são seu pesadelo. Esses filhos flertam com o pecado, tornam-se companheiros de prostitutas e arruínam sua reputação. A sabedoria é a progenitora da felicidade e a anfitriã da prosperidade. No entanto, a promiscuidade entorpece a alma, cega os olhos do espírito, cauteriza a consciência e promove a penúria. Sabedoria e prostituição não são antagônicas apenas em essência, mas também nos resultados. A sabedoria traz alegria à família, mas a prostituição é a causa de sua miséria financeira.

O governante justo – *O rei justo sustém a terra, mas o amigo de impostos a transtorna* (Pv 29.4). Cabe aos governantes cobrar impostos e aos governados pagar tributos. É legítimo aos governantes exigir tributos, e é obrigatório aos governados pagar impostos. Tanto os governantes que pesam a mão sobre os governados, cobrando-lhes extorsivos e pesados tributos, quanto os governados impróprios, que sonegam impostos, estão na contramão da justiça e do direito. O governante justo promove a ordem e o progresso, fazendo uma gestão honesta e usando com sabedoria os recursos que arrecada. Porém, o governante amigo de impostos transtorna a vida das pessoas, tirando delas, muitas vezes, aquilo que seria o sustento digno de sua família. Não raro, governantes inescrupulosos cobram mais e mais impostos, para gastarem de forma perdulária e manterem esquemas subterrâneos de corrupção, a fim de se perpetuarem no poder. O povo, além de ser explorado com pesados tributos, não vê o retorno de seus impostos. Paga a conta e não usufrui dos benefícios. Essa triste realidade pode ser vista hoje em muitas nações. No Brasil, não é diferente. Pagamos uma das mais pesadas cargas tributárias do mundo, e mais da metade da população ainda vive à margem dos benefícios mais elementares. Valores colossais são desviados criminosamente pelos governantes para abastecer a corrupção, enquanto o povo geme transtornado pela opressão.

Lisonja, a armadilha perigosa – *O homem que lisonjeia a seu próximo arma-lhe uma rede aos passos* (Pv 29.5). O elogio hipócrita é uma armadilha. Há um abismo entre o que o hipócrita diz e o que ele pensa, entre o que ele fala e o que ele sente, entre o que ele proclama com os lábios e o que o que ele trama no coração. A lisonja dos lábios esconde a falsidade do seu coração. Quem lisonjeia o próximo exalta-o com seus lábios, mas nos bastidores do coração arma-lhe uma rede aos passos. A língua do bajulador é uma arapuca. A boca do hipócrita é uma armadilha. A linguagem daquele que lisonjeia é doce como o mel, mas suas intenções são amargas como o fel. Suas palavras são macias como o azeite, mas suas intenções são duras como pedra. Sua voz é amena como bálsamo, mas fere como espada. Nossas palavras devem ser "sim, sim" e "não, não". O que passar disso procede do maligno. Devemos falar a verdade em amor. Nossas palavras devem revelar o que está em nosso coração, em vez de esconder o que nele está. Nossas palavras devem ser boas, oportunas e abençoadoras. Transformar a língua em uma armadilha para o próximo é usar um dom de Deus para destruir, e não para edificar. Enaltecer uma pessoa com os lábios à sua frente, para depois puxar seu tapete pelas costas, é uma tragédia. Portanto, acautele-se daqueles que o cobrem de elogios e, ao mesmo tempo, armam uma rede para seus pés.

O laço do pecado – *Na transgressão do homem mau, há laço, mas o justo canta e se regozija* (Pv 29.6). O mau transforma seu coração num laboratório de iniquidade. Ele maquina em seu leito toda sorte de violência contra o próximo. Emprega sua energia para arquitetar formas e meios de explorar o próximo e atentar contra sua vida. O mau não se contenta em viver na impiedade e devassidão; anseia também promover o mal contra o próximo, destruindo sua reputação, saqueando seus bens e atentando contra sua vida. Em sua transgressão, há sempre um componente de traição contra o próximo. Suas palavras são laço, suas ações são armadilhas, sua vida é uma ameaça. Tudo o que ele pensa, diz e faz é com a intenção de transformar o próximo em uma vítima de seus intentos malignos. O mau vê o próximo como um campo a ser explorado, e não como alguém a ser socorrido. O justo, porém, tem outro coração e outra postura. Em vez de destilar veneno do coração, entoa louvores a Deus. Em vez de ser vencido pela tristeza da transgressão, o justo se regozija. O pecado produz abatimento de alma, mas a justiça abre o caminho da verdadeira felicidade. Aqueles que maquinam o mal contra o próximo vivem na masmorra da culpa; entretanto, aqueles que caminham pelas veredas da justiça e praticam o bem firmam seus pés sobre uma rocha e marcham resolutos com um novo cântico nos lábios.

O cuidado com os pobres – *Informa-se o justo da causa dos pobres, mas o perverso de nada disso quer saber* (Pv 29.7). Mais uma vez, o justo e o perverso são contrastados. Dessa feita, o quesito é a solidariedade com os pobres. O justo não é indiferente à causa do pobre; ele investiga e busca informação sobre os dramas dos pobres, a fim de socorrê-los. Enquanto isso, o perverso tem olhos cegos e ouvidos moucos para a causa dos pobres. O justo tem coração misericordioso; o perverso jamais se inclina para ajudar o necessitado. O justo usa seu tempo e seus recursos para repartir com quem nada ou pouco tem; o perverso só estende a mão para tomar o que é do outro, jamais abrindo o coração e o bolso para suprir a necessidade dos aflitos. O justo sai do seu conforto para investir na vida dos pobres; o perverso jamais desabala de seu comodismo, pois nada vê diante dos olhos, a não ser seus interesses egoístas. O justo tem o coração, o bolso, a casa e as mãos abertas para socorrer os necessitados; o perverso de nada disso quer saber. O justo transforma-se em olhos para o cego, perna para os aleijados e provedor para os desamparados; o perverso é o pesadelo do seu próximo, o explorador dos pobres, o causador de seu maior sofrimento. O justo entende que tudo o que ele recebeu veio de Deus e deve ser repartido com bondade; o perverso acumula até o que não é seu, apenas para esbanjar em seus próprios deleites.

O escarnecedor e o sábio – *Os homens escarnecedores alvoroçam a cidade, mas os sábios desviam a ira* (Pv 29.8). O escarnecedor é um indivíduo espiritualmente arrogante que alimenta desavenças. Está no último grau da depravação moral. Ele não leva a sério os princípios da sabedoria, além de deliberadamente viver para contrariá-los. O escarnecedor é aquele que perdeu o pudor e vive para afrontar tudo aquilo que é pio e santo. O escarnecedor não apenas transgride a lei de Deus de forma acintosa, mas vê nisso seu maior orgulho. Os escarnecedores são um desastre para a sociedade. São maus exemplos para o povo. Tudo o que falam e fazem tem como propósito conspurcar os valores morais, destruir os fundamentos da família e zombar do nome de Deus. Quanto mais os escarnecedores se multiplicam, mais a cidade é alvoroçada. Por outro lado, a presença dos sábios é saneadora. O sábio é sal que coíbe a decomposição moral e dá sabor à vida. O sábio é luz que aponta o perigo e mostra a direção. O sábio é exemplo digno de ser seguido, pela nobreza de seu caráter, pela irrepreensibilidade de sua conduta e pela grandeza de suas obras. A influência dos sábios na cidade livra-a de grandes tragédias, afasta a ira do juízo e estabelece um ambiente de ordem, progresso e paz. O escarnecedor é uma maldição para a cidade, enquanto o sábio é uma bênção!

Discussão sem proveito – *Se o homem sábio discute com o insensato, quer este se encolerize, quer se ria, não haverá fim* (Pv 29.9). Sabedoria e insensatez estão sempre em lados opostos. Não há diálogo entre elas. Pensam diferente, falam diferente, agem diferente. Sua cosmovisão é diametralmente oposta. Seus valores são como luz e trevas, irreconciliáveis. Seus alvos são totalmente dissemelhantes. Um sábio jamais deve discutir, portanto, com um insensato, pois quer este se encolerize, quer se ria, o fim dessa discussão será sempre sem proveito. Discutir com o insensato é jogar conversa fora. É desperdiçar nesciamente o tempo. É plantar em solo estéril. É edificar para o nada. É lançar pérola aos porcos. O insensato ouve, mas não entende; escuta, mas não obedece; encoleriza-se com a verdade, mas não se arrepende de suas transgressões; dá gargalhadas ruidosas ufanando-se de suas loucuras, mas não emenda seus caminhos. A discussão com o insensato é como um plantio frustrado. É como um investimento sem retorno. O insensato é como um trovão sem chuva: ele se encoleriza, mas nunca aprende a sabedoria; ele se ri, mas nunca é feliz. Só faz barulho, mas seu fim é prosseguir na marcha inglória da insensatez. Não perca seu tempo em discussões intérminas e sem proveito. Não perca sua paz com a cólera do insensato nem com seu riso zombeteiro.

Perseguição sem causa – *Os sanguinários aborrecem o íntegro, ao passo que, quanto aos retos, procuram tirar-lhes a vida* (Pv 29.10). Um indivíduo íntegro é uma pedra no sapato dos maus. Uma pessoa honesta atrapalha os planos dos corruptos. Os sanguinários, os sanguessugas que se alimentam da tragédia do próximo, aborrecem o íntegro, porque este não favorece seus intentos malignos.

Foi assim com Daniel no Império Medo-Persa. O rei Dario constituiu Daniel como um líder fiscalizador entre os demais. A máquina governamental estava permeada por malandros e perversos. Todo o sistema estava levedado pela corrupção. Daniel, porém, precisava ser afastado para que eles pudessem consumar seus esquemas iníquos. Então buscaram uma forma de incriminar Daniel. Tramaram contra ele para lhe tirar a vida. Não fosse a intervenção sobrenatural de Deus livrando-o da cova dos leões, aqueles homens sanguinários teriam logrado êxito em seu intento corrupto e assassino. Os sanguinários procuram tirar a vida dos retos. Eles não respeitam os bens, o nome, a honra ou a vida dos retos. Passam por cima de tudo e de todos como um rolo compressor, quando seus interesses subalternos são contrariados. Agem com violência. Subornam testemunhas. Compram sentenças. Subtraem os cofres públicos. Corrompem e são corrompidos. Matam o reto, torcem as leis e, muitas vezes, escapam da lei. Oh, quão trágica é a trajetória dos homens sanguinários!

A importância do domínio próprio – *O insensato expande toda a sua ira, mas o sábio afinal lha reprime* (Pv 29.11). A ira em si mesma não é pecaminosa. É impossível ser ético e não ter ira. Deus é santo e constantemente se ira contra o mal. Não podemos reagir com beneplácito diante da maldade. Porém, a ira santa não equivale a destempero emocional nem vem envelopada com os sentimentos subterrâneos da maldade. A ira do insensato não é motivada pela resistência ao mal. A ira do insensato tem que ver com sua falta de domínio próprio. O insensato é explosivo e temperamental. Ele tem pavio curto e sempre extravasa sua ira, lançando estilhaços às pessoas à sua volta.

O indivíduo descontrolado, rixoso, briguento, explosivo é uma ameaça à sua família e à sociedade. Suas palavras são incendiárias. Suas ações são intempestivas. Sua vida é uma tragédia. O sábio, porém, sabe lidar com seus sentimentos. Ele é senhor de suas emoções, e não escravo delas. Por dominar a si mesmo, é mais forte do que aquele que conquista uma cidade. Ao reprimir sua ira, torna-se uma ponte de contato, em vez de ser um abismo de separação. Em vez de jogar uma pessoa contra a outra, torna-se um pacificador. O domínio próprio não é apenas uma virtude natural; é, sobretudo, fruto do Espírito. Quando o Espírito de Deus assume o controle de nossos sentimentos, palavras, ações e reações, então temos domínio próprio!

Assessores perigosos — *Se o governador dá atenção a palavras mentirosas, virão a ser perversos todos os seus servos* (Pv 29.12). Um governante prudente se acerca de pessoas capacitadas, íntegras e verdadeiras. Não basta ao governante ser honesto; toda a sua equipe de governo também precisa sê-lo. É muito comum que aqueles que vivem grudados nas tetas do governo cubram o governante com bajulações mentirosas para auferirem as benesses do poder. O governante que dá atenção a esses assessores mentirosos, hipócritas e falsos e que conduz sua administração balizada por esses maus conselheiros abre uma verdadeira escola de crime. O exemplo precisa vir de cima. Quanto mais alto é o posto de honra, maior deve ser a exigência de transparência e integridade. Um governante que se assessora de gente da pior estirpe, e que dá atenção a todos os esquemas sujos trazidos a seus ouvidos por esses agentes do mal, transtorna a nação e incentiva todos os cidadãos de seu país a se corromperem também. Um governante nunca é uma pessoa neutra. É bênção ou maldição. Inspira para o bem ou incentiva toda sorte de males. Se o comando do país for uma banda podre, toda a nação será contaminada. Se aqueles que estão empoleirados no poder fazem falcatruas para se locupletarem, na base da pirâmide também haverá uma corrida desenfreada para o mal.

Deus está de olho em você – *O pobre e o seu opressor se encontram, mas é o* SENHOR *quem dá luz aos olhos de ambos* (Pv 29.13). O mesmo céu está acima de todos. Das alturas excelsas, Deus vê e sonda todos. É Deus quem dá vida aos bons e aos maus. Ele envia o sol e a chuva sobre justos e injustos. A graça comum de Deus favorece até aqueles que escarnecem de sua santidade e zombam de sua Palavra. Ricos e pobres, doutos e indoutos, grandes e pequenos, opressores e oprimidos, pios e perversos, todos vivem e convivem debaixo do mesmo sol. Aos olhos desatentos, esses limites podem até ficar confusos. Quem é quem? Há opressores que posam de beneméritos. Há exploradores que vendem uma imagem de benfeitores. Há ditadores que se empoleiram no poder com o discurso de que são os protetores do povo. Não obstante a sociedade possuir esses diversos matizes, com diferentes estratos sociais, variados credos religiosos e diversos estofos ideológicos, Deus é quem mantém todos com vida. Isso não significa que Deus aprova, de igual forma, a conduta de todos. Apesar de Deus dar saúde, inteligência e sustento até mesmo àqueles que negam sua existência, ele não tem prazer nesse tipo de comportamento. Aqueles que tapam os ouvidos à voz de Deus, que fecham os olhos à sua luz e que endurecem o coração à sua graça colherão o que plantaram e passarão toda a eternidade em trevas eternas, banidos de sua presença.

O governante que cuida dos pobres – *O rei que julga os pobres com equidade firmará o seu trono para sempre* (Pv 29.14). As autoridades são constituídas por Deus para serem servidoras, e não flageladoras, do povo. O governante absolutista, que detém todo o poder e com truculência esmaga o povo a quem governa, usando todo o rigor da lei para encabrestar-lhe a consciência, saquear-lhe os bens e roubar-lhe a esperança, na mesma medida que imagina que está consolidando seu trono, está destruindo suas bases. É Deus quem levanta e depõe reis. É pelas mãos onipotentes de Deus que reinos se erguem e são abatidos. Os ditadores truculentos não permanecerão no poder para sempre. Deus mesmo os arranca de seu trono e lhes cobre de opróbrio. Porém, o rei que julga os pobres com equidade, que faz cumprir a lei, que trata todos com justiça, esse firmará seu trono para sempre. Aqueles que governam devem governar para o bem do povo, e não contra ele. Aqueles que ascendem ao poder devem servir ao povo, e não se servir dele. São ministros de Deus para promover o bem e coibir o mal, e não carrascos desumanos para espalhar o terror e amordaçar a justiça. Nenhum trono se estabelece sem justiça. Nenhum governante é aprovado por Deus e amado pelo povo sem a prática da justiça e sem o exercício da misericórdia.

A vara e a disciplina – *A vara e a disciplina dão sabedoria, mas a criança entregue a si mesma vem a envergonhar a sua mãe* (Pv 29.15). A disciplina é um ato responsável de amor. Seu objetivo é tirar a estultícia do coração da criança e matriculá-la na escola da sabedoria. A vara, no contexto de livro de Provérbios, não é apenas um instrumento de castigo dosado, mas também um símbolo de limites. A vara não representa a agressão nem é um instrumento de violência. O ensino geral das Escrituras é firmemente contrário à violência contra os filhos. Não se educa com espancamento. Não se forja o caráter de um filho com desrespeito à sua personalidade. A vara não é uma ferramenta para ferir a honra dos filhos, mas um instrumento para lhes mostrar que toda transgressão tem uma consequência. Deve ser administrada com profundo respeito aos filhos e com acendrado amor por parte dos pais. A vara é o símbolo da disciplina, e a disciplina é o estabelecimento de limites. Os filhos que crescem sem conhecer o limite entre o certo e o errado serão adultos irresponsáveis. Os filhos que não respeitam nem obedecem aos pais cavarão sua própria ruína. Os filhos que não aprendem dentro de casa a respeitar as leis terão de aprender com muito sofrimento na rua. A vara administrada pelos pais é cheia de bondade e amor, mas a chibata aplicada pelo mundo é violenta e cheia de ódio. A vara e a disciplina dão sabedoria, mas os filhos que vivem sem limites, andando pelo caminho em que querem andar, e não no caminho em que devem andar, serão motivo de vergonha para seus pais.

A multiplicação e a ruína dos perversos – *Quando os perversos se multiplicam, multiplicam-se as transgressões, mas os justos verão a ruína deles* (Pv 29.16). O mundo caminha célere rumo à degradação. Os valores morais são pisados com escárnio. O respeito, a castidade e a pureza tornaram-se motivos de chacota. A família tem sido atacada com armas de grosso calibre. O divórcio é incentivado. O adultério é aplaudido. As relações contrárias à natureza são vistas como conquista. A desonestidade é praticada por aqueles que ascendem ao poder, e a corrupção se instala em todos os setores da sociedade. Os homens, rendidos às suas paixões, fazem a marcha *gay*, a marcha da maconha, a marcha do aborto, mas se esquecem de que estão engrossando as fileiras da marcha do juízo. Quanto mais os perversos proliferam, mais as transgressões se multiplicam. Quanto mais os perversos impõem sua agenda ímpia à sociedade, mais decadente a sociedade se torna. Quanto mais se decretam leis contrárias aos sadios valores morais, mais as famílias se desintegram. Os perversos, porém, não prevalecerão na congregação dos justos. Eles são como a palha que o vento dispersa. Não prevalecerão no juízo. Os justos verão a ruína deles. A justiça triunfará sobre a injustiça, a verdade vencerá a mentira, o bem vencerá o mal, e os justos entrarão na recompensa eterna.

Disciplina, o amor responsável – *Corrige o teu filho, e te dará descanso, dará delícias à tua alma* (Pv 29.17). O livro *Eu, Cristiane F., treze anos, drogada, prostituída* retrata, de forma contundente, esse princípio. A mãe de Cristiane teve uma criação muito rigorosa. Então, decidiu que, se tivesse uma filha, jamais lhe imporia limites. Sua filha nasceu, e a mãe jamais a corrigiu. Resultado? A filha envolveu-se com más companhias, frequentou lugares perigosos e, aos 13 anos de idade, já se prostituía para comprar drogas. Aquela mãe pensou que estava fazendo o bem para a filha, mas arruinou o seu futuro. A estultícia está ligada ao coração da criança. A disciplina tem o propósito de reprimir essa tendência e inclinar o coração da criança para o bem. Os pais que corrigem os filhos promovem um duplo bem: dão descanso à sua alma e guiam os passos dos filhos pelas veredas da justiça. A disciplina é um ato de amor, e não um gesto de violência. Visa o bem, e não o mal. Traz paz, e não conflito. A falta de disciplina e de limites não ajuda os filhos; ela os destrói. Jamais dizer não aos filhos não é um gesto de amor, mas um sinal de fraqueza. Jamais contrariar os filhos não é uma evidência de afeto, mas uma omissão criminosa. Corrigir os filhos é tirar seus pés do abismo, salvar sua alma e dar descanso para toda a família.

Não despreze a Palavra de Deus – *Não havendo profecia, o povo se corrompe; mas o que guarda a lei, esse é feliz* (Pv 29.18). A Palavra de Deus precisa ser tida em alta conta. Sem ela, a nação se corrompe. Ela é como o mapa para o viajante, o pão para o faminto e a água para o sedento. A Palavra de Deus é mais preciosa do que o ouro e mais doce do que o mel. É inspirada por Deus, escrita por pessoas santas e dada a nós como um tesouro que precisa ser preservado e ao mesmo tempo repartido com todos os povos. Ela é inerrante, infalível e suficiente. É útil para o ensino, para a correção e para a educação na justiça. A Palavra de Deus é viva e eficaz. É arma de defesa e também de combate. Nascemos, somos alimentados, santificados e aperfeiçoados por intermédio da Palavra. Ela é perfeita e restaura a alma. Ao mesmo tempo que é fogo que consome o mal, é também martelo que esmiúça os corações duros. Sem a Palavra de Deus, ficamos sem rumo na caminhada, sem força na jornada e sem arma para vencer a batalha. Quando a Palavra de Deus é sonegada ou torcida, o povo se corrompe. Quando seus ensinos são substituídos pela palha das filosofias humanas, a vida do povo entra em colapso. A felicidade não está em sacudir o jugo de Deus para se render ao relativismo moral; a felicidade está em guardar a profecia e viver em santidade.

O empregado teimoso – *O servo não se emendará com palavras, porque, ainda que entenda, não obedecerá* (Pv 29.19). Há pessoas que têm cabeça dura. Você pode aconselhá-las até cansar, mas elas continuarão de forma contumaz no seu erro. Esse é o empregado teimoso. Ele não se corrige ao ser exortado. Não muda de postura ao ser confrontado. Não se emenda nem muda de caminho ao ser alertado com palavras. Mesmo que você eleve o nível do confronto, mesmo que você aumente o volume da voz e dê um significado mais profundo à sua palavra, esse indivíduo continua rebelde. O problema desse servo não é a falta de entendimento, mas a dureza de coração. Ainda que ele entenda tudo o que lhe foi dito, ainda que reconheça seus erros, ainda que não tenha nenhuma desculpa para continuar transgredindo, ele não obedecerá. Prefere manter-se na rota de colisão da rebeldia a andar pelo caminho suave da obediência. Prefere seguir sua vontade errática a curvar-se humildemente diante da exortação. Esse servo não consegue entender a linguagem verbal. Palavras não são suficientes para levá-lo à mudança de conduta. Aqueles que são recalcitrantes à voz da exortação, porém, serão golpeados duramente pelo chicote da disciplina. Aqueles que não escutam a doce voz do ensino sentirão nas costas o estalido da chibata. Quem não aprende em casa com o tempero do amor terá de suportar na rua os açoites da dor.

Os perigos da língua solta – *Tens visto um homem precipitado nas suas palavras? Maior esperança há para o insensato do que para ele* (Pv 29.20). A língua solta é um laço para os pés e uma armadilha para a alma. Muitas pessoas tropeçam na própria língua, porque multiplicam palavras tolas e subtraem a sabedoria. No muito falar não falta transgressão, mas até o tolo quando se cala é tido por sábio. O silêncio é um mestre mais douto do que o palavrório irrefletido. Uma pessoa irrefletida no falar cria encrenca para si mesma e constrangimento para os que estão à sua volta. Ela fala o que não sabe e machuca pessoas que não conhece. Espalha estultícia e recolhe vexame. Separa amigos e envergonha a família. O indivíduo de língua solta é pior do que o insensato, pois para ele não há esperança. É incorrigível e mesmo assim não baixa a crista. Imagina que a torrente de estultícia que brota de sua boca são fontes de vida. A pessoa precipitada no falar intromete-se onde não foi chamada. Dá seus ensandecidos palpites onde não é bem-vinda. Cava abismos onde deveria ter construído pontes. Quantas contendas ela cria! Quantas desavenças deixa depois que parte! Quantos relacionamentos quebrados por sua infeliz interferência! A pessoa precipitada no falar carrega veneno debaixo da língua. Suas palavras são como fogo que produz morte, e não como fonte que produz vida.

O servo mimado – *Se alguém amimar o escravo desde a infância, por fim ele quererá ser filho* (Pv 29.21). O servo mimado desde a infância sempre desejará ter mais do que recebe. Por fim, não lhe bastará ser mimado; desejará ser filho. Não se contentará em apenas trabalhar para o patrão generoso, mas desejará ser o herdeiro. O que esse provérbio ensina? Duas coisas. Primeiro, o perigo de criar expectativas no coração das pessoas com mimos excessivos. O excesso de mimo pode ser nocivo para o coração, assim como o excesso de chuva é nocivo para o solo. Um indivíduo que é tratado com dose excessiva de afeto torna-se uma pessoa dengosa e despreparada para enfrentar os grandes embates da vida. Na hora em que for confrontado, derreterá. Na hora em que precisar cair "na real" em relação à sua verdadeira posição, desejará ocupar uma posição que jamais lhe foi conferida. Segundo, o perigo de alimentar uma insatisfação crônica. O servo mimado desde a infância nutre uma insatisfação com sua posição de servo. Para ele, não basta mais o afeto do senhor; ele quer mais, sempre mais: quer ser filho. Para ele, não basta mais ter os elogios do seu patrão; ele quer ter o nome, a casa e os bens do seu patrão. Sua insatisfação o tornará uma pessoa infeliz com o que tem, por cobiçar sempre o que não tem.

Um provocador de tempestades – *O iracundo levanta contendas, e o furioso multiplica as transgressões* (Pv 29.22). O que é um indivíduo iracundo? Não é aquele que se ira na hora certa e pelo motivo certo. Essa ira é necessária. Não podemos reagir favoravelmente diante da injustiça ou da iniquidade. O iracundo é aquele indivíduo temperamental, cujo coração é sempre inflamado pelo ódio e cujas palavras sempre suscitam contendas. O iracundo vive fervendo por dentro. Sua alma é uma tempestade sem pausa. Seu coração é um arsenal de guerra. Suas palavras são flechas incendiárias e dardos inflamados. Esse indivíduo separa os melhores amigos. Cava abismos nos relacionamentos. Levanta muros de separação. Sempre joga uma pessoa contra a outra. Tem prazer em semear conflitos. Alimenta-se de brigas. Gosta de confusão. Aonde chega, transtorna o ambiente e machuca as pessoas. Suas palavras não são medicina que cura, mas veneno que intoxica e mata. Sua presença não é um bálsamo, mas uma tragédia. De igual forma, o furioso, o explosivo que não tem domínio próprio e não sabe conter sua ira, multiplica transgressões, pois suas palavras e suas ações são atentatórias à honra e sempre induzem as pessoas ao erro. O furioso nunca está em paz; não é um mensageiro da paz; ao contrário, está a serviço do mal, pois de sua vida só exala uma fúria que não cessa de arder.

A soberba e a humildade – *A soberba do homem o abaterá, mas o humilde de espírito obterá honra* (Pv 29.23). A soberba é a antessala da queda. Onde o orgulho se instala, aí começa a marcha inglória do fracasso. Aquele que se exalta será humilhado, porque Deus resiste aos soberbos, ou seja, Deus declara guerra contra os altivos de coração. O anjo de luz tornou-se Satanás porque exaltou a si mesmo e, não estando contente em ser criatura e a mais bela delas, quis ser igual ao Criador. A soberba levou nossos primeiros pais a caírem no Éden e a precipitar toda a raça a humana em um estado de pecado e miséria. A soberba derrubou reis dos seus tronos e arrancou do pico da pirâmide aqueles que se gloriavam de sua força, sabedoria e riqueza. A soberba de uma pessoa a abaterá. Sua soberba, o falso sentimento de sua grandeza, é a sua própria derrota. O soberbo será vencido por si mesmo. O altivo de coração é abatido por sua própria sensação de bem-estar. Quando pensa que está no auge de sua força, é nocauteado por seu orgulho. Enquanto o soberbo cai vertiginosamente do pico para a base da pirâmide, o humilde de espírito faz uma viagem da base para o pico, porque Deus dá graça aos humildes e os exalta. A humildade é o portal da honra, a antessala da vitória, o caminho da bem-aventurança.

A cumplicidade criminosa – *O que tem parte com o ladrão aborrece a própria alma; ouve as maldições e nada denuncia* (Pv 29.24). Quem faz aliança com gente desonesta e criminosa acaba envolvido em escândalos quando a verdade vem à tona. Quem tem parte com o ladrão cria encrenca para sua vida e tormento para sua própria alma, pois, mesmo ouvindo as maldições, nada denuncia. Seu silêncio é criminoso. Sua culpa cala sua voz e amordaça sua consciência. Sua conivência com o erro, sua parceria com o furto e sua cumplicidade com o ladrão amarram seus pés, emudecem sua voz, cegam seus olhos, colocam um tampão em seus ouvidos e calcificam seu coração. Ter parte com o ladrão significa vender a consciência para auferir alguma vantagem material. É render-se à corrupção e prevaricar por um punhado de dinheiro. É sepultar na cova da conveniência seus valores morais e sua fé. É entrar em um esquema do qual não se pode mais sair sem conspurcar o nome e ferretear a alma com a culpa. Tristemente, a cumplicidade criminosa está presente nos palácios, nos congressos, nas cortes, nas igrejas e nas famílias. Governantes inescrupulosos pagam a preço de ouro seus aliados, com dinheiro roubado do erário, para se manterem no poder. Aqueles que recebem favores ficam prisioneiros de suas fraquezas e reféns de sua desditosa parceria. Aqueles que são parceiros de ladrões rifam sua consciência e são reduzidos a um silêncio criminoso.

Quem confia em Deus não teme aos homens – *Quem teme ao homem arma ciladas, mas o que confia no* SENHOR *está seguro* (Pv 29.25). O medo é um péssimo conselheiro, uma péssima companhia e um péssimo refúgio. Quem é governado pelo medo vive sobressaltado, enxergando em toda esquina e em cada pessoa à sua volta uma ameaça real. Quem teme ao ser humano arma ciladas para seu próximo, pois vê nele um perigo para sua integridade física e uma armadilha para seus pés. Quem tem medo dos seres humanos vive inseguro, pois suspeita de tudo e de todos. Tem mania de perseguição. Vive desassossegado, enxergando conspiração por todo lado e a todo momento. Para se proteger de problemas fictícios, o temeroso cria problemas reais. Para espantar os fantasmas do medo, o temeroso arma ciladas contra seus possíveis inimigos. Quem teme ao ser humano desconhece o amor, pois este lança fora o medo. Quem teme ao ser humano não teme a Deus, pois o que confia no Senhor está seguro. Quem confia em Deus não tem medo do ser humano, pois se sente amparado nos braços do Pai. Quem teme a Deus não se apavora com os fantasmas criados no laboratório da suspeita temerosa. Quem teme a Deus aquieta-se em seus braços, anda firmado na rocha e caminha sobranceiro, guiado por sua mão onipotente. O medo dos seres humanos produz inquietação na alma e orquestração contra o próximo, mas a confiança em Deus desemboca em paz interior e segurança nos relacionamentos.

Não dependa de políticos – *Muitos buscam o favor daquele que governa, mas para o homem a justiça vem do* Senhor (Pv 29.26). Há alguns políticos que fazem do seu mandato uma plataforma para enriquecerem. A maioria dos políticos vive cercada de bajuladores que buscam auferir algum benefício dessa proximidade. Aqueles que andam com o pires na mão, cobrindo os governantes de lisonjas e tecendo-lhes desabridos e rasgados elogios, visando receber deles algum favor, esquecem-se de que a justiça vem do Senhor. Aproximar-se das autoridades constituídas, em qualquer instância, para com isso conseguir algum favorecimento em uma demanda ou alguma vantagem em uma concorrência, não leva em conta o fato de que Deus a tudo vê, a todos sonda e não faz vistas grossas aos arranjos subterrâneos para torcer a lei e negar a justiça. A parcialidade no julgamento é uma ofensa a Deus e uma injustiça ao próximo. Favorecer alguém em uma demanda em virtude de sua amizade com aquele que governa é uma parcialidade criminosa. O governante precisa ser imparcial em seu julgamento, verdadeiro em suas palavras e íntegro em suas obras. Ele é ministro de Deus para promover o bem e reprimir o mal. A justiça que ele exerce emana do próprio Deus, que o constituiu. Portanto, não busque o favor dos governantes; confie na justiça divina!

Chumbo trocado – *Para o justo, o iníquo é abominação, e o reto no seu caminho é abominação ao perverso* (Pv 29.27). O iníquo é aquele que tem seu caráter corrompido, suas palavras poluídas e suas ações perversas. O justo não aprova sua conduta, não enaltece suas palavras nem referenda suas obras. Para o justo, o iníquo é abominação. O justo não aprova o que Deus rejeita nem aplaude o que Deus abomina. Aprovar a vida do iníquo e exaltá-lo é uma distorção teológica, uma cegueira moral e uma inversão de valores. Não podemos chamar treva de luz nem amargo de doce. Não podemos promover o que Deus condena nem incentivar o que Deus proíbe. Mas, se para o justo o iníquo é abominação, o contrário também é verdadeiro. O reto em seu caminho é, outrossim, abominação ao perverso. O perverso não tem prazer naquele que é reto em seu caminho. O perverso vê o reto de coração como um estorvo a seus interesses escusos. O perverso sabe que o reto contraria seus valores morais e denuncia suas escolhas erradas. O perverso range os dentes de raiva porque o reto não é conivente com seus erros nem aprova sua conduta abominável. O justo e o reto não podem andar de mãos dadas com o iníquo e o perverso. Eles pensam diferente, falam diferente, têm valores diferentes, caminham por estradas diferentes e terão destinos diferentes.

Capítulo 30

A sabedoria instrui na Palavra de Deus e em outros assuntos
(Pv 30.1-33)

A GRANDEZA DE DEUS E A INSIGNIFICÂNCIA HUMANA – *Disse o homem: Fatiguei-me, ó Deus; fatiguei-me, ó Deus, e estou exausto; porque sou demasiadamente estúpido para ser homem [...]. Quem subiu ao céu e desceu? Quem encerrou os ventos nos seus punhos? Quem amarrou as águas na sua roupa? Quem estabeleceu todas as extremidades da terra? Qual é o seu nome, e qual é o nome de seu filho, se é que o sabes?* (Pv 30.1-4). Esse provérbio foi escrito por Agur, de Massá. O autor demonstra desde o início humildade, pois rejeita toda forma de arrogância ao fazer uma observação fascinada e cândida do mundo. Começa confessando sua exaustão e fadiga em virtude de sua estupidez e pequena compreensão da vida e da majestade do Criador. Agur dá um soco na arrogante autossuficiência humana e diz que a reverência extasiada é o começo de todo o conhecimento. Com eloquência singular, abre seu texto com perguntas retóricas, para exaltar a grandeza de Deus e as excelências de sua criação. Nenhum ser humano, por mais sábio e poderoso, poderia ser o agente e o protagonista desses feitos extraordinários. Nenhuma inteligência humana poderia conceber coisas tão estupendas. É impossível olhar o universo com sua beleza multifária e sua complexidade inescrutável sem se curvar diante do Criador. Só aqueles cujos olhos foram cegados pelo preconceito e embrutecidos pela perversão moral deixam de ver Deus por trás dos bilhões de galáxias do universo, dos oceanos e mares prenhes de peixes e monstros marinhos, do vento que sai de seus reservatórios e da brisa que sopra em nosso rosto. Ao mesmo tempo que nos sentimos esmagados pela fragilidade humana, ficamos também extasiados com a grandeza insondável de Deus!

A Palavra de Deus é perfeita – *Toda Palavra de Deus é pura; ela é escudo para os que nele confiam. Nada acrescentes às suas palavras, para que não te repreenda, e sejas achado mentiroso* (Pv 30.5,6). Três verdades acerca da Palavra de Deus são aqui destacadas. A primeira fala a respeito da natureza da Palavra de Deus. Ela é pura. Não há nela nenhuma contaminação ou impureza. Seu conteúdo é inspirado por Deus. Sua mensagem é inerrante, infalível e suficiente. Ela é pura e purifica. Ela é luz e ilumina. Ela é saudável e cura. Ela é viva e eficaz. Por meio dela, cremos, vivemos e vencemos. A segunda verdade trata do efeito da Palavra em nossa vida. A Palavra é escudo para aqueles que confiam em Deus. É arma de combate e escudo de proteção. Por meio dela, somos guardados do mal. Através dela, vencemos a tentação. Quem maneja bem a palavra da verdade triunfa sobre o erro, vence as perniciosas heresias e é guardado das investidas do diabo. O alvo da revelação é promover a confiança, e não o mero conhecimento. A terceira verdade destacada pelo texto é a completude da Palavra. Ela é não apenas pura, mas também completa. A Bíblia tem uma capa ulterior. Nada pode ser tirado dela nem acrescentado a ela. Ela é a nossa única e suficiente regra de fé e prática. É a Palavra de Deus, que revela a nós toda a sua vontade. Ter a pretensão de acrescentar novas doutrinas ou experiências à Palavra de Deus é incorrer em erro grave e ser passível de severa repreensão.

A tentação é perigosa – *Duas coisas te peço; não mas negues, antes que eu morra: afasta de mim a falsidade e a mentira; não me dês nem a pobreza nem a riqueza; dá-me o pão que me for necessário; para não suceder que, estando eu farto, te negue e diga: Quem é o* SENHOR? *Ou que, empobrecido, venha a furtar e profane o nome de Deus* (Pv 30.7-9). O texto em tela expressa dois desejos do escritor antes de morrer: o primeiro é ser livre da falsidade e da mentira, e o segundo é não profanar o nome de Deus, seja pela riqueza, seja pela pobreza. Os dois pedidos, que convergem num só alvo, dizem respeito ao caráter e às circunstâncias que são um perigo para nossa vida. O autor demonstra humildade ao pedir livramento da tentação. Sabe que não consegue lidar com essas ameaças com as próprias forças. A falsidade e a mentira minam o caráter, destroem a honra e enfraquecem o testemunho. O escritor pede, outrossim, o pão de cada dia, ou seja, o pão necessário, para que não se esqueça de Deus na riqueza nem profane o nome de Deus na pobreza. Os extremos são perigosos. A riqueza pode produzir soberba, e a pobreza extrema pode induzir ao roubo, o qual, quando concretizado, desemboca em profanação ao nome de Deus. Tanto a riqueza exorbitante como a pobreza profunda são armadilhas para a alma. Tanto esquecer-se de Deus como profanar o nome de Deus é cair em tentação. Toda tentação é assaz perigosa. Por isso, precisamos de ajuda. A oração é uma ferramenta poderosa para nos livrar dessas insidiosas armadilhas. Em Deus está o nosso refúgio e na confiança nele está o nosso escape.

Não exponha os humildes ao vexame – *Não calunies o servo diante de seu senhor, para que aquele te não amaldiçoe e fiques culpado* (Pv 30.10). Não há crueldade maior do que expor um empregado a uma situação de vexame e constrangimento diante de seu patrão. A calúnia arrogante cria opressão. A calúnia é sempre maldosa e devastadora, mas caluniar um subalterno diante de seu chefe é ainda mais desumano. É ferir não apenas sua honra, mas ameaçar seu próprio emprego e comprometer a sustentabilidade de sua família. Quando um indivíduo, no exercício do seu trabalho, é atacado de forma humilhante e injusta, sente-se tão ultrajado que sua reação é amaldiçoar aquele que o denegriu e caluniou. O resultado dessa sanha perversa de difamação é que o caluniador se torna culpado diante de Deus e das pessoas. A calúnia é um pecado horrendo aos olhos de Deus. É um pecado que Deus abomina. Jogar uma pessoa contra a outra, portanto, é uma ação maligna e perversa. Provoca desgosto entre as pessoas na terra e juízo de Deus desde o céu. Caluniar é transformar a língua, instrumento do bem, em ferramenta do mal. É usar a palavra para matar, e não para dar vida. É semear discórdia, em vez de estreitar os relacionamentos. O caluniador humilha as pessoas com suas palavras mentirosas e recebe em si mesmo a justa punição do seu erro. Semeia contendas e colhe maldição.

Facetas da arrogância – *Há daqueles que amaldiçoam a seu pai e que não bendizem a sua mãe. Há daqueles que são puros aos próprios olhos e que jamais foram lavados da sua imundícia. Há daqueles – quão altivos são os seus olhos e levantadas as suas pálpebras! Há daqueles cujos dentes são espadas, e cujos queixais são facas, para consumirem na terra os aflitos e os necessitados entre os homens* (Pv 30.11-14). O texto em apreço destaca quatro facetas da arrogância. A primeira delas tem origem em uma infância ímpia. Aqui o orgulho é visto como algo que corrompe a atitude da pessoa para com seus pais, ou seja, seus superiores (Pv 30.11). Amaldiçoar, e não bendizer, pai e mãe é o máximo da arrogância e da ingratidão. É virar as costas para quem o gerou. É ferir a quem lhe deu vida. A segunda faceta da arrogância leva o orgulhoso a ter uma atitude desfocada e desproporcionada a seus próprios olhos (Pv 30.12). Não há engano pior do que o autoengano. É trágica a presunção de querer ser quem não se é. A falsa propaganda de si mesmo não é apenas arrogância, mas também consumada hipocrisia. A terceira faceta da arrogância leva o altivo a corromper sua relação com o mundo ao redor (Pv 30.13). Trata-se da pessoa que vive de salto alto, querendo ser maior e melhor do que os outros. A quarta faceta da arrogância leva o altivo a corromper sua relação com aqueles que ele supõe serem seus inferiores (Pv 30.14). Aquele que oprime o fraco, que tripudia sobre o necessitado e que esmaga os aflitos é arrogante e insolente. Seu coração é perverso, suas mãos são sanguinárias e sua vida é um pesadelo para o próximo.

A ganância insaciável – *A sanguessuga tem duas filhas, a saber: Dá, Dá. Há três coisas que nunca se fartam, sim, quatro que não dizem: Basta! Elas são a sepultura, a madre estéril, a terra, que se não farta de água, e o fogo, que nunca diz: Basta!* (Pv 30.15,16). A ganância insaciável pode ser ilustrada pela sanguessuga, cujas filhas gêmeas são feitas da mesma matéria que compõe a mãe – o sangue de outras pessoas. Ela chupa seu sangue e nunca se farta. Com outras figuras tão vívidas e chocantes, o sábio descreve a pessoa de ambições irrefreáveis. Inicialmente cômica, a comparação avança para um aspecto trágico, pois a concupiscência é ameaçadora como a sepultura e o fogo e é patética como os estéreis e os ressequidos. Há aqui uma mistura de repulsa, medo e dó da cupidez humana. Há pessoas que nunca estão satisfeitas com o que têm. Querem sempre mais. Não se alegram com o que já possuem; entristecem-se pelo que não têm. Não ficam contentes apenas com o que já granjearam; querem também tomar, de forma vil, o que é do outro. O ganancioso mente, corrompe, rouba e mata para alcançar o fruto de sua cobiça. Sempre ávido por ter mais e sempre sôfrego na busca de acumular para si, está disposto a passar por cima de tudo e de todos para amamentar as filhas insaciáveis da sanguessuga: Dá, Dá. O ganancioso, mesmo amealhando muitos tesouros, não é feliz, pois nunca se alegra com o que tem e sempre está correndo loucamente atrás do que não tem.

O castigo do filho arrogante – *Os olhos de quem zomba do pai ou de quem despreza a obediência à sua mãe, corvos* *do ribeiro os arrancarão e pelos pintos da águia serão comidos* (Pv 30.17). A arrogância atinge seu nível mais repugnante quando usa a arma mortal da zombaria e do desprezo, e isso dentro da própria família. A relação entre pais e filhos deve ser marcada por amor e respeito, afeto e gratidão, e não por zombaria e desprezo. A arrogância chega, portanto, ao clímax quando os filhos perdem o amor natural e desonram seus pais, zombando deles, insultando-os, abandonando-os e fechando o coração a seus conselhos. Não é natural um filho zombar de seu pai nem desprezar a obediência à sua mãe. A zombaria é mais do que fazer pouco caso. É escarnecer, humilhar e expor ao ridículo, e isso de forma acintosa. Desprezar é mais do que tapar os ouvidos aos conselhos de alguém. É rejeitar com repulsa. Os filhos que zombam do pai e desprezam os conselhos da mãe cavam uma cova para seus próprios pés. Armam um laço para sua própria alma. Lavram sua própria sentença de morte. Avançam celeremente para a ruína irremediável. Se a obediência aos pais pavimenta o caminho da longevidade e da prosperidade, a rebeldia contra os pais encurta a vida e traz sobre os filhos rebeldes o estigma da tragédia. A família precisa ser um lugar de vida, e não o corredor da morte.

Quatro mistérios da vida – *Há três coisas que são maravilhosas demais para mim, sim, há quatro que não entendo: o caminho da águia no céu, o caminho da cobra na penha, o caminho do navio no meio do mar e o caminho do homem com uma donzela. Tal é o caminho da mulher adúltera: come, e limpa a boca, e diz: Não cometi maldade* (Pv 30.18-20). O sábio pôs-se a meditar e descobriu três coisas que encantaram seus olhos, agitaram sua mente e desafiaram sua inteligência. Porém, a quarta transcendeu sua capacidade de compreensão. Ele achou magnífico como a águia voa nas alturas excelsas com suas asas imensas, como a cobra rasteja sobre a pedra sem deixar marcas e como o navio singra as águas profundas do mar rumando para horizontes tão longínquos. O que ele não conseguia definitivamente entender era o caminho do homem com uma donzela. O casamento é, de fato, um grande mistério, pois não é a relação de dois iguais, mas de dois diferentes. Como dois universos tão distintos podem se unir e formar uma só carne? Como pessoas com visões tão distintas da vida, com gostos e preferências tão dissemelhantes podem se unir em casamento, jungir seus sonhos e caminhar harmoniosamente na vida? As quatro primeiras figuras usadas trazem a ideia de movimento que não deixa sinal para trás. A quinta figura, porém, descreve a adúltera, uma mulher desnaturada que se sente totalmente à vontade para cometer pecado. Para ela, um ato de adultério não é mais especial do que suas refeições regulares. Seus múltiplos relacionamentos são tão descartáveis quanto os guardanapos que ela usa para limpar a boca depois de cada refeição.

Quatro coisas intoleráveis – *Sob três coisas estremece a terra, sim, sob quatro não pode subsistir: sob o servo quando se torna rei; sob o insensato quando anda farto de pão; sob a mulher desdenhada quando se casa; sob a serva quando se torna herdeira da sua senhora* (Pv 30.21-23). A Bíblia registra com entusiasmo a virada de mesa daqueles que estavam no monturo e foram levantados para se assentarem no meio de príncipes. A Palavra de Deus se deleita em reviravoltas frutíferas do destino. É Deus quem exalta os humildes. É Deus quem levanta os abatidos. É Deus quem tira o pobre e o necessitado dos vales mais escuros da existência e os promove e enaltece. Porém, Deus está contra aqueles que, presunçosamente, abrem o caminho de seu sucesso usando expedientes heterodoxos. A soberba sempre desemboca em tragédia. A altivez de espírito sempre transtorna a terra. Aqueles que se exaltam sempre serão humilhados. Os exemplos citados no texto em apreço não representam essa reviravolta saudável das circunstâncias da vida, mas uma tomada de posição na qual o agente deixou o orgulho subir à cabeça e foi transtornado pela soberba. Um servo que se torna rei pode se transformar em um tirano se não for regido pela humildade. Um insensato e blasfemador arrogante pode transformar-se em um esnobe avarento se não reconhecer a bondade de Deus em sua fartura. Uma mulher desdenhada pode se transformar em um poço de vaidade se não compreender que o casamento feliz é um presente de Deus. Uma serva que herda os bens de sua patroa pode transformar-se em uma mulher inchada de orgulho se não receber esse presente como um beneplácito de Deus.

Quatro coisas pequenas – *Há quatro coisas mui pequenas na terra que, porém, são mais sábias que os sábios; as formigas, povo sem força; todavia, no verão preparam a sua comida; os arganazes, povo não poderoso; contudo, fazem a sua casa nas rochas; os gafanhotos não têm rei; contudo, marcham todos em bandos; o geco, que se apanha com as mãos; contudo, está nos palácios dos reis* (Pv 30.24-28). Derek Kidner, em seu comentário sobre o texto em tela, diz que vemos aqui os quatro contrapesos para a fraqueza: provisionamento, habitação, ordem e audácia. Todas essas pequenas criaturas agem com diligência para promover seu próprio bem. Mesmo sendo seres irracionais, trabalham com inteligência e harmonia para se protegerem dos iminentes perigos. A natureza é um reservatório inesgotável de lições para a vida. As formigas são um povo sem força, mas elas trabalham incansavelmente no verão para estocar alimento suficiente para o inverno. Com seu labor preventivo, reprovam nossa preguiça e nossa falta de planejamento. Os arganazes são mamíferos pequenos, do tamanho de um coelho, que se apressam para a fuga nas fendas das rochas onde se escondem, quando a sentinela lhes dá o sinal de alarme. Os gafanhotos, embora não tenham um líder, marcham todos em bando e agem com rigorosa harmonia. O geco é um tipo de lagartixa tão pequeno que se apanha com as mãos, mas que audaciosamente frequenta os palácios dos reis. O sábio é aquele que tem os olhos abertos para ver, os ouvidos aguçados para ouvir e o coração entendido para perceber as grandes lições ensinadas pelas pequenas criaturas.

Quatro coisas nobres – *Há três que têm passo elegante, sim, quatro que andam airosamente: O leão, o mais forte entre os animais, que por ninguém torna atrás; o galo, que anda ereto, o bode e o rei, a quem não se pode resistir* (Pv 30.29-31). O sábio lança mão de quatro figuras sem atribuir a elas nenhum valor filosófico ou moral. Ele apenas constata e observa. Tudo fica no ambiente da percepção. Derek Kidner diz, com acerto, que o poder e a sabedoria do Criador ficam implícitos nessas quatro criaturas, enriquecendo o deleite do observador, caso ele tenha olhos para ver. O leão é o rei da selva, o mais forte entre os animais. É temido por todos e a ninguém teme. Seu rugido é estremecedor. O galo é proverbialmente conhecido por seu porte elegante, seu andar ereto e sua postura altiva. Anda sempre de cabeça erguida e peito estufado. O bode, embora não seja um prodígio em termos de robustez, não recua diante das ameaças. É valente, determinado e irresistível em suas investidas. O rei, revestido de força e poder, riqueza e autoridade, é irresistível quando toma suas decisões. Sob seu comando, os soldados se preparam para a peleja. Sob suas ordens, as armas são levantadas para a guerra. Sob sua autoridade, os súditos obedecem. O leão é forte. O galo é altivo. O bode é marrento. O rei é poderoso. Todos são obras das mãos do Criador!

A humildade evita tragédias – *Se procedeste insensatamente em te exaltares ou se maquinaste o mal, põe a mão na boca. Porque o bater do leite produz manteiga, e o torcer do nariz produz sangue, e o açular a ira produz contendas* (Pv 30.32,33). O texto em tela tem um só propósito: alertar-nos para o fato de que a humildade pacificadora evita tragédias, mas a altivez provocadora gera contendas. O insensato arrogante se exalta acima dos demais e lá do alto de sua soberba maquina o mal contra o próximo; sua autoexaltação, porém, o derruba dos píncaros e o joga ao chão de forma humilhante, e o mal que ele planeja astuciosamente contra o próximo cai sobre sua própria cabeça. Os três exemplos citados pelo sábio – bater o leite, torcer o nariz e açular a ira – devem ser entendidos da seguinte forma: os dois primeiros ilustram o terceiro. Assim como bater o leite produz manteiga, assim como torcer o nariz produz sangue, açular a ira também produz contenda. É uma questão de causa e efeito, semeadura e colheita. Ninguém colhe harmonia incitando a ira. Ninguém colhe paz nos relacionamentos acicatando as pessoas com provocações maldosas. A sabedoria se veste de humildade e desfruta de paz, mas a insensatez traja-se com a arrogância e colhe contendas. Cutucar as brasas da ira é provocar um incêndio contencioso, mas apagar as contendas com brandura é pavimentar o caminho da paz. O insensato labora contra si mesmo quando se exalta e arquiteta o mal contra o próximo; mas o humilde, em vez de jogar mais combustível no fogo, apaga os incêndios da ira e desfruta de paz perene.

Capítulo 31

A sabedoria instrui reis e louva a mulher virtuosa, sábia e produtiva
(Pv 31.1-31)

UM REI INFLUENCIADO POR SUA MÃE – *Palavras do rei Lemuel, de Massá, as quais lhe ensinou sua mãe* (Pv 31.1). O rei Lemuel não era rei de Israel, a menos que seu nome, que significa "aquele que pertence a Deus", fosse um pseudônimo. Também é incerta a localização geográfica de Massá. O que nos importa, entretanto, é saber que esse rei, que escreveu essas palavras, foi inspirado por Deus para registrar os ensinamentos que recebeu de sua mãe. As mães são mestras do bem. São pedagogas e educadoras. As palavras da sabedoria e a instrução da bondade estão em seus lábios. Em sintonia com o que diz Abraham Lincoln, o estadista americano, "as mãos que embalam o berço governam o mundo". As mães, muitas vezes no anonimato, forjam o caráter daqueles que vão ascender ao poder e governar o povo. Nas palavras de Peter Marshall, capelão do Senado norte-americano, "as mães são as guardas das fontes". Elas trabalham nos bastidores, longe dos holofotes, mas o resultado de seu trabalho se reflete publicamente na sociedade. O rei Lemuel não apenas recebe a instrução de sua mãe, mas também dá publicidade e celeridade a esse ensino. Do topo do mundo, alça sua voz e anuncia a todos que a instrução recebida pela mãe, dentro do lar, é agora proclamada nos ouvidos da história.

Conselhos de uma mãe – *Que te direi, filho meu? Ó filho do meu ventre? Que te direi, ó filho dos meus votos? Não dês às mulheres a tua força, nem os teus caminhos, às que destroem os reis* (Pv 31.2,3). A mãe do rei Lemuel é uma educadora primorosa. Ela investe na vida do filho, cujas vitórias refletem esse investimento. Aqui, ela faz duas declarações eloquentes ao filho e depois lhe dá um conselho firme. A primeira declaração é: "Filho, você é muito importante para mim. Você é o filho do meu ventre. Eu o gerei. Acompanhei com vívido interesse sua gestação, seu desenvolvimento. Sua vida é preciosa para mim. Eu amo você". A segunda declaração é: "Filho, você foi consagrado a Deus. Você é filho dos meus votos. Tenho grandes sonhos para sua vida. Eu o dediquei a Deus para que seja um instrumento poderoso nas mãos do Altíssimo". Depois dessas declarações, então, a mãe dá um conselho solene ao filho: *Não dês às mulheres a tua força, nem os teus caminhos, às que destroem os reis*. O poder, a riqueza, o prestígio e a fama de um rei atraem muitos relacionamentos ambiciosos, e muitos reis perdem sua honra e abalam seu reino por se entregarem a essas aventuras. Exemplo clássico disso foi o rei Salomão. Ele se envolveu com muitas mulheres. Corrompeu seu coração. Levantou altares pagãos para agradar essas mulheres e afastou-se do caminho da sabedoria. Uma mãe sábia tempera afeto com disciplina, carinho com exortação, doçura com firmeza.

Um rei bêbado é uma tragédia – *Não é próprio dos reis, ó Lemuel, não é próprio dos reis beber vinho, nem dos príncipes desejar bebida forte. Para que não bebam, e se esqueçam da lei, e pervertam o direito de todos os aflitos* (Pv 31.4,5). A mãe do rei Lemuel continua dando conselhos ao filho. Depois de alertá-lo sobre o perigo das relações sexuais fora do casamento, agora o avisa sobre o perigo da embriaguez. Os reis precisam estar sóbrios todo o tempo. Estão constantemente tomando decisões que envolvem outras pessoas, e a falta de lucidez e a ausência de sobriedade provocadas pela bebida alcoólica podem tirar desse governante o discernimento necessário para agir com sabedoria e misericórdia. Quando um rei se esquece da lei, acaba se tornando um grande mal para a nação. Isso porque o governante precisa ser um exemplo para o povo. Um governante que se esquece da lei que torce a lei e afronta os preceitos da lei transforma-se num mestre de transgressões, num laço para o seu povo. Mais do que isso, um governante alcoolizado, ao esquecer-se da lei, perverte o direito de todos os aflitos. Torna-se um tirano e, com mão de ferro, esmaga os fracos, seja saqueando os recursos que deveriam assistir os pobres, seja negando aos aflitos o que a lei lhes dá por direito. Governança e embriaguez não andam de mãos dadas. O trono regado de vinho torna-se uma ameaça para o povo, e não uma fonte de esperança para a nação.

Alivie a dor do aflito – *Dai bebida forte aos que perecem e vinho, aos amargurados de espírito; para que bebam, e se esqueçam da sua pobreza, e de suas fadigas não se lembrem mais* (Pv 31.6,7). Esse é um dos textos mais controversos da Bíblia. Alguns o utilizam para justificar o consumo de bebida alcoólica. Outros o empregam para atacar a coerência das Escrituras, dizendo que esse texto está em franca oposição ao que o apóstolo Paulo ensinou: *E não vos embriagueis com vinho, no qual há dissolução, mas enchei-vos do Espírito* (Ef 5.18). É fora de qualquer dúvida que a Bíblia condena o excesso de bebida alcoólica. Sempre reprova a embriaguez, embora não defenda a abstinência total. O texto em apreço, é claro, não tem como objetivo incentivar a distribuição de bebida forte aos que perecem ou aos amargurados de espírito. O contexto é que a bebida forte e o vinho eram usados também, naquela época, como anestésicos aos infelizes condenados ou aos pacientes com dores atrozes. Nesse caso, o vinho e a bebida forte eram usados como remédio para aplacar a dor e atenuar o sofrimento dos amargurados. Não há, portanto, aqui, nenhuma contradição com os versículos precedentes, em que o vinho é impróprio para os reis, que devem ter a memória lúcida para governar. Os amargurados de espírito devem ter alívio de seu sofrimento e poder esquecer seus dramas pessoais. Longe de esse texto incentivar a embriaguez, ele encoraja a prática da misericórdia aos que estão padecendo sofrimento atroz.

Seja a voz do mudo – *Abre a boca a favor do mudo, pelo direito de todos os que se acham desemparados* (Pv 31.8). Lemuel tem uma mãe conselheira. Do seu lar, vêm as orientações mais seguras para o exercício de um governo humano e solidário. O governante precisa ser ativo na defesa dos direitos dos desamparados. Precisa ser a boca do mudo, os olhos do cego e as pernas do aleijado. Deve ser o advogado do pobre, o defensor dos órfãos e das viúvas, o protetor dos desamparados. Aqueles que não têm vez nem voz diante dos poderosos deste mundo precisam encontrar no governante um porto seguro, um lugar de abrigo e refúgio. Aqueles que governam devem fazer isso não de forma populista para dar esmolas ao povo e se perpetuar no poder a fim de se locupletarem, mas por dever de consciência. O rei não pode aparelhar o Estado para se manter no poder e ter em suas mãos o controle de todos os setores da sociedade, visando exclusivamente dar pleno curso a seu iníquo projeto de poder. O rei não governa para si mesmo, mas para o povo. Não é dono do povo, mas seu servidor. O rei é ministro de Deus para servir ao povo, em vez de servir-se do povo. O rei não governa com parcialidade, pois a justiça é seu manto, e a defesa de todos os necessitados é seu bordão. Em seu reino, não há opressão aos pobres e necessitados, mas defesa de todos os seus direitos!

Defenda a causa do pobre – *Abre a boca, julga retamente e faze justiça aos pobres e aos necessitados* (Pv 31.9). Os reis não podem ser covardes na hora de tomar grandes decisões. Cabe-lhes a defesa da verdade e a prática da justiça. A omissão é um crime covarde quando os pobres e os necessitados estão sendo oprimidos nos tribunais. O silêncio dos governantes pode custar a vida de inocentes e lhes estrangular a esperança. O rei precisa abrir a boca e não se calar nessas horas. Precisa julgar retamente, sem favorecer apaniguados, sem torcer a lei em benefício dos poderosos.

O trono do rei precisa ser um reduto de justiça, e não de conchavos; precisa seguir rigorosamente os ditames da lei, e não favorecer os aliados em detrimento dos servos. O rei que rouba ou deixar roubar em seu reinado, enchendo ainda mais o bolso dos endinheirados, fortalecendo ainda mais as mãos dos poderosos e edificando fortunas com o sangue dos pobres e necessitados, cava uma sepultura para seu governo. Sem justiça, os tronos não se firmam. Sem misericórdia, os reis não se sustentam no poder. Sem cuidar dos pobres, os reis se tornam carrascos; e, sem auxiliar os necessitados, eles se tornam tiranos. Os reis não podem se envolver com promiscuidade, com embriaguez ou com corrupção. Precisam ser puros, sóbrios e íntegros!

O valor da mulher virtuosa – *Mulher virtuosa, quem a achará? O seu valor muito excede o de finas joias* (Pv 31.10). A mulher virtuosa, descrita nessa passagem, tem a doçura de um anjo e a força de um gigante. Tem a sabedoria de um erudito e a destreza de um guerreiro. Tem a desenvoltura de um perito governante e a candura de uma mãe cheia de afeto. Tem o tirocínio de uma empresária bem-sucedida e a meiguice de uma esposa afetuosa. Sua relação exemplar como esposa é enaltecida em grau superlativo. Seu investimento na vida dos filhos é recompensado regiamente. Suas obras endereçadas à família dentro do lar e ao próximo fora dele tornam-se trombetas altissonantes a proclamar seus feitos publicamente. Sua vida conjugal e espiritual esparge luz como um farol potentíssimo pelas gerações pósteras. Seu exemplo moral transpõe os séculos e serve de luzeiro para futuras gerações. Essa mulher é uma joia rara de grande valor. Encontramos com frequência mulheres belas, inteligentes, cultas, ricas e sofisticadas.

Mas encontrar uma mulher que reúne em si mesma virtudes físicas e espirituais, intelectuais e emocionais, conhecimento e sabedoria, formosura e temor a Deus não é tão comum. Por isso, o texto abre suas cortinas com uma pergunta: *Mulher virtuosa, quem a achará?* (Pv 31.10). Quem a encontra achou o bem e a benevolência do Senhor!

A integridade da mulher virtuosa – *O coração do seu marido confia nela, e não haverá falta de ganho* (Pv 31.11). A integridade da mulher virtuosa é o alicerce de sua vida conjugal. Ela é uma mulher confiável. Sua conduta é ilibada. Sua devoção ao casamento é integral. Ela não dispõe seus olhos para outros homens. Todos os seus afetos são endereçados a seu marido. Não há relacionamento saudável sem confiança, nem existe casamento feliz sem fidelidade conjugal. A infidelidade conjugal é um atentado contra o casamento e uma conspiração contra a família. É uma avalancha que soterra as esperanças de um casamento feliz. Infelizmente, existe um esforço concentrado de forças ocultas e até mesmo explícitas que se orquestram contra a pureza do casamento em nossos dias. A mídia promove o adultério. As telenovelas estimulam a prática sexual antes e fora do casamento. Os índices de infidelidade conjugal crescem espantosamente. A mulher virtuosa, na contramão dessa perigosa tendência, age diferente. Dela se pode dizer: *O coração do seu marido confia nela*. Ela pode dizer: *Eu sou do meu amado, e o meu amado é meu* (Ct 6.3). O cônjuge precisa ser um *jardim fechado,* um *manancial recluso,* uma *fonte selada* (Ct 4.12).

A estabilidade emocional da mulher virtuosa – *Ela lhe faz bem e não mal todos os dias da sua vida* (Pv 31.12).

A mulher virtuosa é amável no trato, doce nas palavras, firme nas atitudes e nobre no caráter. Ela abençoa o marido todos os dias. Há mulheres que são românticas um dia e ranzinzas o resto da semana. Mordem de dia e assopram de noite. Dão carinho em um momento, mas atormentam o resto do tempo. Há muitos casamentos que acabam porque a esposa ou o marido são instáveis emocionalmente. Vivem em uma gangorra emocional. Um dia estão entusiasmados com o casamento; em outro, estão encharcados de desânimo. Oscilam entre afeto e desamor. A relação vai de um extremo ao outro como um pêndulo. Distribuem afeto em um dia; em outro, esbanjam agressividade. A Bíblia fala sobre Dalila. Ela acariciava Sansão em seu colo, talvez segredando aos seus ouvidos as palavras mais amáveis; algum tempo depois, contudo, passou a chantageá-lo. No começo, a relação era untada com mel; depois, passou a ter sabor de fel. O mesmo Sansão, que já tivera vitórias esplêndidas, sofreu sua mais amarga derrota no colo de Dalila. Suas palavras eram doces, mas seu coração era cruel. Sansão perdeu os olhos e também a vida porque se entregou a um relacionamento doentio.

A disposição da mulher virtuosa – *Busca lã e linho e de bom grado trabalha com as mãos* (Pv 31.13). A mulher virtuosa é proativa, dinâmica e alegre. Ela não é uma dondoca que vive desfilando na passarela da vaidade, tomando banho de loja, embalada apenas pelo *glamour* das coisas fúteis. Não obstante ter refinado bom gosto, é aplicada ao trabalho. Como comerciante, busca lã e linho, matérias-primas para a confecção das roupas na estação do inverno e do verão. E não apenas corre atrás dos produtos essenciais, mas alegremente trabalha com as mãos, fabricando toda a indumentária de sua casa, além de alargar as fronteiras do seu trabalho para além do lar. Essa mulher não trabalha murmurando, reclamando da vida, como se as lides domésticas fossem um peso insuportável. Ela trabalha de bom grado. Sua motivação é sempre alimentada pelo valor do trabalho e pela alegria de servir bem à sua família. Há mulheres que não buscam o que é necessário para sua casa nem investem tempo para ampliar seus rendimentos. Há mulheres que jamais produzem; apenas consomem. Jamais contribuem para o orçamento familiar; apenas subtraem. Jamais valorizam o trabalho das mãos; querem sempre tudo de mão beijada. A mulher virtuosa está sempre disposta, sempre feliz, sempre em atividade, sempre contribuindo para o bem-estar de sua família.

As viagens da mulher virtuosa – É como o navio mercante: de longe traz o seu pão (Pv 31.14). O escritor bíblico compara a mulher virtuosa a um navio mercante que transportava as mercadorias de uma região para outra, aquecendo o comércio, gerando rendas e divisas para os produtores e satisfação para os consumidores. No mundo antigo, havia portos estratégicos. Nesses portos, os navios mercantes chegavam trazendo produtos de outras regiões e zarpavam levando produtos da terra para outros destinos. Sem esses navios mercantes, a economia entraria em colapso, e o suprimento dos grandes centros urbanos seria impossível. Essa mulher virtuosa buscava solução não apenas fora do lar, mas também além-fronteiras. Ela não apenas investigava campos para comprar nas proximidades da sua casa, mas também fazia viagens além-mares para atender à demanda de sua casa e de sua empresa. Essa mulher tinha uma cosmovisão alargada da vida. Possuía experiência internacional. Buscava fora dos portões e dos limites da sua terra recursos para alavancar a economia da sua família. Hoje vivemos o século da mobilidade célere. As mulheres participam efetivamente da vida moderna como empreendedoras. Viajam, compram, vendem, investem e contribuem com o crescimento financeiro da família e da nação. São industriosas, ágeis, ousadas e eficientes. São como navios mercantes!

A gestão doméstica da mulher virtuosa – *É ainda noite, e já se levanta, e dá mantimento à sua casa e a tarefa às suas servas* (Pv 31.15). A mulher virtuosa nos ensina que o sucesso não é um acidente; é fruto de planejamento e laborioso esforço. Servas atendiam às suas ordens. Se quisesse, ela poderia dormir até tarde e viver de forma regalada. Porém, o sol não a surpreendia na cama. Ela não se levantava porque tinha insônia. Não se levantava porque havia dormido durante todo o dia e por isso não tinha sono à noite. Não se levantava porque estava sendo consumida pela angústia de uma vida sem propósito. Ela se levantava para dar andamento à sua casa. Tinha controle do cardápio da família. Sabia o que havia na dispensa e o que ia para a mesa todos os dias. Fazia um planejamento de cada refeição da família. A mulher virtuosa sabe fazer e também mandar. Levanta cedo porque é ela quem dá o norte em sua casa. É ela quem orienta o que fazer e como fazer. Ela não é controladora; é gerente. Não é comandada; está no controle. Ela administra sua empresa e também sua casa. Ela não terceiriza a administração. As servas cumprem a agenda estabelecida por ela. Em sua casa, ela é a gestora. A casa dessa mulher reflete sua personalidade. A ordem com que tudo acontece dentro de seu lar resplandece suas virtudes. Das roupas às refeições, tudo passa por suas mãos habilidosas e por sua administração exemplar.

O empreendedorismo da mulher virtuosa – *Examina uma propriedade e adquire-a; planta uma vinha com as rendas do seu trabalho* (Pv 31.16). A mulher virtuosa sabe tomar suas próprias decisões. Tem independência para pensar e liberdade para agir. Seu marido não é um machista preconceituoso, nem ela é uma feminista rebelde. Seu marido não tem complexo de superioridade, nem ela é achatada pelo complexo de inferioridade. Essa mulher não descuida do marido nem dos filhos, mas não limita sua ação apenas ao âmbito familiar. Ela sabe avaliar se o campo é bom e rentável. Sabe avaliar se o preço para adquiri-lo é justo e lucrativo. Sabe investir bem os recursos da família. Ela não compra passivo; compra ativo. Não desperdiça dinheiro; investe. Ela compra um campo não para entregá-lo às urtigas, mas para plantar uma vinha. Faz novos investimentos para ter novos rendimentos. Essa mulher é uma doutora em economia. Ela é atualizada. Conhece as leis do mercado. Tem noção dos melhores investimentos. O autor do livro *Pai rico, pai pobre* diz que a gestão sábia dos recursos é uma das principais diferenças entre uma pessoa rica e uma pessoa pobre. Os ricos investem em ativos; os pobres, em passivos. Os ricos compram aquilo que produz lucro; os pobres, aquilo que gera despesa. A mulher virtuosa não é um peso no orçamento familiar, mas uma geradora de recursos para a família. Em vez de ter uma mente criativa para gastar, dedica sua criatividade para gerar divisas e recursos.

O cuidado físico da mulher virtuosa – *Cinge os lombos de força e fortalece os braços* (Pv 31.17). Há muitas mulheres que se lançam com tanto entusiasmo nos projetos da vida que se esquecem de si mesmas. São heroínas para cuidar dos outros, mas falham em cuidar de si mesmas. Pensam muito nos outros, mas descuidam de si próprias. Edificam a casa, mas perecem dentro dessa casa. Estão atentas às necessidades dos outros, mas deixam de perceber suas próprias necessidades. A mulher virtuosa cuida de sua saúde. Tem força e energia para dar continuidade a seu trabalho dentro do lar e fora dele. O trabalho para ela é uma agenda diária e um deleite constante. Ao mesmo tempo que alavanca seus negócios dentro e fora do lar, mantém seu corpo em forma. Há mulheres que se descuidam de sua forma física. Acomodam-se e não se esforçam para melhorar a aparência. Imaginam que o marido nunca se sentirá atraído por outra mulher. Descuidar do corpo é descuidar da sexualidade, e descuidar da atividade sexual é assinar o atestado do óbito do casamento. A ideia de que o cônjuge sempre sentirá interesse sexual, mesmo que seu consorte seja relaxado com o cuidado do corpo, é um mito. O cuidado com o corpo é vital para um casamento saudável e uma vida sexual ativa.

O árduo trabalho da mulher virtuosa – *Ela percebe que o seu ganho é bom; a sua lâmpada não se apaga de noite. Estende as mãos ao fuso, mãos que pegam na roca* (Pv 31.18,19). Há uma declaração ousada acerca da capacidade gerencial dessa mulher: *Administra bem o seu comércio lucrativo, e a sua lâmpada fica acesa durante a noite* (Pv 31.18, NVI). Quem não tem tino administrativo, ainda que possua um comércio lucrativo, não consegue fazê-lo crescer. A mulher virtuosa tem capacidade de avaliação para fazer a melhor compra. Exibe destreza para fazer os melhores investimentos. Demonstra habilidade para manter os negócios da família em constante crescimento. Administra bem o negócio lucrativo. Mais do que isso, é uma mulher antenada. Ela não desliga. Sua lâmpada fica acesa durante a noite. Ela não baixa a guarda. Não se desatualiza. Mantém-se informada e atenta ao mercado. A mulher virtuosa tem não apenas a mente aguçada para pensar, mas também as mãos ocupadas para trabalhar. Ela põe a mão na massa e moureja com entusiasmo e esmero. Ao mesmo tempo que sabe se vestir com elegância e beleza, sabe também dar duro no trabalho e ser exemplo para os empregados. A mulher virtuosa não é uma porcelana superdelicada. Ao mesmo tempo que tem a leveza de uma pluma, mostra a robustez de um carvalho. Ao mesmo tempo que é delicadamente feminina em sua expressão, é granítica em sua devoção ao trabalho.

A generosidade da mulher virtuosa – *Abre a mão ao aflito; e ainda a estende ao necessitado* (Pv 31.20). A mulher virtuosa tinha olhos não apenas para si, para o marido e para os filhos, mas também para os aflitos e necessitados. Sua ajuda era dupla. Primeiro, ela oferecia ajuda emocional. Em sua concorrida agenda, havia espaço para observar as pessoas ao redor. Ela era uma mulher sensível e compassiva, pois abria o coração ao aflito. A aflição não decorre apenas de problemas materiais. Muitas pessoas aflitas hoje são abastadas financeiramente. Vivem em confortáveis apartamentos e casas de luxo em ricos condomínios fechados. Pisam tapetes aveludados e dormem em camas macias com travesseiros de pena de ganso. Andam em carros importados e ostentam roupas de grife. Frequentam os melhores restaurantes e saem nas colunas das revistas sociais. Essas pessoas precisam de compaixão. Segundo, ela oferecia ajuda financeira. A mulher tinha não apenas palavras e gestos de bondade, mas também atos concretos de misericórdia. Não apenas falava, mas fazia. Cuidava de sua família, de sua casa e de seus negócios, mas cuidava também dos pobres. Dedicava parte de seu orçamento para socorrer quem precisasse. Não guardava tudo para si de forma avarenta, mas estendia a mão com generosidade ao necessitado.

As iniciativas da mulher virtuosa – *No tocante à sua casa, não teme a neve, pois todos andam vestidos de lã escarlate. Faz para si cobertas, veste-se de linho fino e púrpura* (Pv 31.21,22). A mulher virtuosa é proativa. Precavida nas ações, também antecipa soluções. Não é preocupada; é previdente. Cultivar a preocupação é sofrer antecipadamente; ser previdente é encontrar soluções antecipadamente. Naquela época, a indústria têxtil não era desenvolvida. As roupas eram caras e feitas artesanalmente. O inverno rigoroso exigia roupas quentes e adequadas. Sabendo que o frio chegaria, a mulher virtuosa se antecipava na confecção de roupas confortáveis e quentes para toda a família. Precisamos ser agentes de solução, e não apenas construtores de meras esperanças. Precisamos antecipar soluções, e não viver estressados porque deixamos tudo para a última hora. Muitas pessoas perdem a paz, o sono, a saúde e o foco porque não organizam uma agenda de atividades. Quantos empresários perdem dinheiro porque não fazem o planejamento estratégico da empresa! Quantas donas de casa ficam ansiosas porque não planejam suas ações no tempo certo, da forma certa, para buscar os melhores resultados dentro do lar! A mulher virtuosa não apenas provê para sua família roupas adequadas ao inverno, mas providencia o melhor. Assim diz o autor sagrado: ... *pois todos andam vestidos de lã escarlate. Faz para si cobertas, veste-se de linho fino e de púrpura* (Pv 31.21b,22). Ela veste sua família com o que há de mais moderno e bonito. Combina conforto com requinte.

O marido da mulher virtuosa – *Seu marido é estimado entre os juízes, quando se assenta com os anciãos da terra* (Pv 31.23). A mulher virtuosa é uma alavanca na vida do marido. Ao lado de um grande homem, quase sempre há uma grande mulher. O sucesso profissional desse marido tem muito que ver com o suporte que ele recebe em casa. Um homem que sai para o trabalho sabendo que sua casa está em ordem, que seu lar está bem estruturado, que os sentimentos estão serenados, tem maior chance de ser mais bem-sucedido em suas lides. Por outro lado, um homem que sai para o trabalho depois de uma discussão ruidosa com a esposa, deixando para trás relacionamentos feridos e um lar transtornado, não tem paz para trabalhar nem cabeça para avançar em sua profissão. A esposa coloca o marido para frente ou o arrasta para trás. Disraeli foi uma figura proeminente na política francesa, um homem culto e muito respeitado em sua nação. Certa feita, uma viúva muito rica enviou-lhe uma carta propondo casamento. O intelectual respondeu dizendo que aceitaria o casamento pelo conforto que isso lhe proporcionaria, mas que não nutria nenhum amor por ela. Mesmo sob tais condições, a viúva aceitou a proposta e se casou com Disraeli. Dez anos depois, Disraeli afirmou que, se possível fosse, casaria novamente com a mesma mulher, agora sob nova condição: casaria por amor. E justificou: "Ela transformou minha vida num cenário de doçura e nosso lar no melhor lugar do mundo onde viver".

A visão de comércio da mulher virtuosa – *Ela faz roupas de linho fino, e vende-as, e dá cintas aos mercadores* (Pv 31.24). Desde a Revolução Industrial, as mulheres entraram de forma decisiva no mercado de trabalho. Elas se destacam por sua capacidade intelectual e também por sua habilidade relacional. Galgam grandes postos tanto no campo da política como no cenário econômico. Ocupam chefias de grandes empresas multinacionais. A mulher virtuosa, já no seu tempo e à frente do seu tempo, era uma exímia comerciante, sem deixar de ser uma espetacular dona de casa. Exibia desenvoltura nos negócios e destreza nas lides domésticas. Era empreendedora fora dos portões e ao mesmo tempo buscava alternativas para alavancar seus investimentos dentro do lar. Pesquisava o mercado e descobria um filão para incrementar sua receita. O linho fino era uma linha de mercadoria destinada a um público específico. A mulher virtuosa se especializou nessa área e começou a atender a essa demanda do mercado. Ela transformou a sua casa numa empresa lucrativa. Sua empresa familiar era uma fonte de riqueza. Ela não era apenas perita na produção, mas também tinha larga experiência em escoar seus produtos. Sabia produzir e sabia vender. Trabalhava nas duas pontas. Era especialista nas duas frentes. A mulher virtuosa sabia onde investir e como transformar seu investimento em uma fonte de lucro. Ela pesquisava o mercado e trabalhava com inteligência para atendê-lo.

Os valores da mulher virtuosa – *A força e a dignidade são os seus vestidos, e, quanto ao dia de amanhã, não tem preocupações* (Pv 31.25). A mulher virtuosa cultivava a beleza física, mas valorizava mais a beleza interior. Cuidava mais de sua alma do que do seu corpo. Investia mais na beleza do seu caráter do que na sua aparência. Esse fato é digno de nota, especialmente porque vivemos no reino das vaidades. Nossa geração cultua o corpo. Clínicas de tratamento de beleza proliferam em todas as cidades. Somos o país campeão mundial em cirurgias plásticas. Exaltamos a aparência. Supervalorizamos a beleza física. Gastamos rios de dinheiro em cosméticos. Queremos nos manter em forma. Nada de errado com isso. Aliás, o cuidado com o corpo é ordenança divina. O problema acontece quando há um desequilíbrio entre o exterior e o interior, quando cultivamos a beleza do corpo, mas não tratamos da beleza da alma. Não adianta tirar as rugas da face se não esticamos os músculos da alma. Não adianta entrar num *spa* se não temos uma dieta perfeita para nosso espírito. Não adianta fazer cirurgias plásticas para remover os excessos do corpo se não lancetamos os abcessos da alma. Há muitas mulheres belas, mas vazias. Há muitas mulheres cultas, mas sem dignidade. Há muitas mulheres bem vestidas, mas fúteis. Há muitas mulheres famosas, mas rendidas à vaidade. A mulher virtuosa conjuga beleza com caráter, boa apresentação com simplicidade, beleza exterior com beleza interior.

A pedagogia da mulher virtuosa – *Fala com sabedoria, e a instrução da bondade está na sua língua* (Pv 31.26). A mulher virtuosa tinha sucesso no trabalho e também na criação dos filhos. Ela era esposa e empresária, mas também e, sobretudo, mãe. São as mães que mais tempo ficam com os filhos no período da infância, tempo decisivo em que se forja o caráter. São as mães que compartilham seu corpo, seu leite e sua vida na formação dos filhos. A mulher virtuosa é educadora. Fala com sabedoria, e sabedoria é o uso correto do conhecimento. Sabedoria é olhar para a vida com os olhos de Deus. Os filhos precisam não apenas de casa, roupa, comida e educação. Precisam também e, sobretudo, de palavras de sabedoria. Precisam da instrução que vem do alto, do ensino que emana das Escrituras. Precisam conhecer Deus. A instrução da bondade está na língua da mulher virtuosa, e bondade é investir na vida dos outros. Ela não apenas instrui, mas também se interessa de forma prática pelos filhos. Não basta amar o ensino; precisamos amar as pessoas que ensinamos. Não basta ter apego aos valores que transmitimos para os filhos; precisamos transmitir esses valores demonstrando profundo amor por eles. Como ensinamos é tão importante como o que ensinamos para os nossos filhos.

A casa da mulher virtuosa — *Atende ao bom andamento da sua casa e não come o pão da preguiça* (Pv 31.27). A mulher virtuosa era uma trabalhadora incansável e uma gestora habilidosa. Não considerava o trabalho uma maldição nem a atividade doméstica incompatível com sua alta posição social. Ela atendia ao bom andamento da sua casa. Duas coisas nos chamam atenção no texto em apreço. A primeira é que a casa dessa mulher não era uma bagunça. Ela não ficaria envergonhada de receber uma visita de surpresa. Sua casa estava sempre em ordem. As roupas estavam bem lavadas e passadas; as camas, limpas e cheirosas; os lençóis, macios; e as roupas, engomadas. O chão brilhava, e as paredes estavam bem pintadas. Há casas que ostentam riqueza, mas são uma marafunda. É possível ter uma casa modesta, mas limpa, organizada e cheirosa. Uma mulher virtuosa sabe que seu lar deve ser um oásis no deserto, uma fonte no ermo, um ninho de aconchego nas doloridas jornadas da vida. A segunda coisa em destaque é que a mulher virtuosa não comia o pão da preguiça. Ela tinha servas para servi-la e recursos suficientes para receber tudo de mão beijada. Mas suas mãos não eram remissas para o trabalho. Ela sabia que, para governar sua casa, precisava estar com as rédeas nas mãos, dando direção e exemplo às suas servas.

Os elogios à mulher virtuosa – *Levantam-se seus filhos e lhe chamam ditosa; seu marido a louva, dizendo: Muitas mulheres procedem virtuosamente, mas tu a todas sobrepujas. Enganosa é a graça, e vã, a formosura, mas a mulher que teme ao Senhor, essa será louvada. Dai-lhe do fruto das suas mãos, e de público a louvarão as suas obras* (Pv 31.28-31). A mulher virtuosa investiu no marido, nos filhos e no próximo e, agora, estava recebendo efusivos elogios. Quatro elogios são destacados. Primeiro, o elogio do marido. Ele olha nos olhos da esposa e diz: *Muitas mulheres procedem virtuosamente, mas tu a todas sobrepujas*. O amor deleita-se em promover a pessoa amada. Essa mulher semeou amor e agora está colhendo os frutos de sua semeadura. O bem que ela fez ao marido está retornando sobre sua própria cabeça. Segundo, o elogio dos filhos. Estes a chamam *ditosa*. Porque ela ensinou os filhos com sabedoria e bondade, agora recebe o retorno de seu investimento. Porque não amou mais um filho do que outro, todos estão unidos para enaltecer a mãe como uma mulher feliz! Terceiro, o elogio de Deus. A mulher virtuosa é conhecida na terra e no céu. Sua vida é aprovada pelas pessoas e também por Deus. Apesar de seus refinados dotes administrativos, ela é enaltecida por Deus por causa de seu coração humilde. Quarto, o elogio das suas obras. A mulher virtuosa fazia muitas obras de bondade sem nenhum alarde, mas o reconhecimento de suas obras foi público. O que ela fazia em secreto era agora proclamado dos eirados. Porque ela abençoava com generosidade os necessitados, agora suas obras resplandeciam como luz no topo de uma montanha, por todas as gerações!

ANOTAÇÕES

ANOTAÇÕES

ANOTAÇÕES

ANOTAÇÕES

ANOTAÇÕES

ANOTAÇÕES

ANOTAÇÕES

ANOTAÇÕES

ANOTAÇÕES

ANOTAÇÕES

Sua opinião é importante para nós.
Por gentileza, envie-nos seus comentários pelo e-mail:

editorial@hagnos.com.br

Visite nosso site:

www.hagnos.com.br